NEGENTIEN MINUTEN

Jodi Picoult

NEGENTIEN MINUTEN

the house of books

Oorspronkelijke titel
Nineteen Minutes
Uitgave
Atria Books, New York
Copyright © 2007 by Jodi Picoult
Copyright voor het Nederlandse taalgebied © 2008 by The House of Books,
Vianen/Antwerpen

Vertaling
Joke Meijer
Omslagontwerp
marliesvisser.nl
Omslagfoto
Getty Images/Steve Wisbauer
Foto auteur
Gasper Tringale
Opmaak binnenwerk
ZetSpiegel, Best

ISBN 978 90 443 2073 2
D/2008/8899/81
NUR 302

Dankwoord

Allereerst wil ik de man bedanken die naar mijn huis kwam om me in mijn eigen achtertuin met een handvuurwapen op een houtstapel te leren schieten: hoofdinspecteur Frank Moran. Dank ook aan zijn collega, inspecteur Michael Evans, voor gedetailleerde informatie over vuurwapens, en aan politiechef Nick Giaccone voor het beantwoorden van mijn talloze e-mails over alles wat met de politie te maken heeft. Rechercheur Claire Demarais, koningin van de forensische techniek, verdient lof omdat ze Patrick door een plaats delict van enorme omvang heeft geleid. Ik prijs me gelukkig met vele vrienden en familieleden die toevallig ook expert zijn op hun gebied: Jane Picoult, dr. David Toub, Wyatt Fox, Chris Keating, Suzanne Serat, Conrad Farnham, Chris en Karen van Leer. Dank aan Guenther Frankenstein voor de genereuze bijdrage van zijn familie aan de uitbreiding van de Howe Library in Hanover, en voor het gebruik van zijn prachtige naam. Glen Libby heeft geduldig mijn vragen beantwoord over het leven in de Grafton County Jail, en Ray Fleer, de ondersheriff van het Jefferson County Sheriff's Office, heeft me voorzien van materiaal en informatie over de schietpartij op de school in Columbine. Dank aan David Plant en Jake van Leer voor de écht slechte wiskundegrap; aan Dough Irwin, die me heeft lesgegeven in de economie van het geluk; aan Kyle van Leer en Axel Hansen voor de premisse achter *Verschrikkertje*; aan Luke Hansen voor het C++-programma, en aan Ellen Irwin voor de grafiek over populariteit. Dankbaarheid ben ik zoals altijd verschuldigd aan het team van Atria Books: Carolyn Reidy, David Brown, Alyson Mazzarelli, Christine DuPlessis, Gary Urda, Jeanne Lee, Lisa Keim, Sarah

Branham, en de onvermoeibare Jodi Lipper. Judith Curr zeg ik dank voor haar niet aflatende aanmoedigingen en loftuitingen. Camille McDuffie dank ik omdat ze zoveel aan mijn naamsbekendheid heeft bijgedragen. Op Laura Gross hef ik een glas Highland-whisky omdat ik me deze business zonder haar niet kan voorstellen. Speciale dank ook aan rechter Jennifer Sargent, zonder wie het personage Alex nooit had kunnen bestaan. En tegen Jennifer Sternick, mijn eigen persoonlijke openbare aanklager, wil ik zeggen: je bent een van de intelligentste vrouwen die ik ken, en het is zo plezierig om met je te werken (lange leve King Wah), dat het je eigen schuld is dat ik steeds weer een beroep op je doe. Zoals altijd wil ik ook mijn gezin bedanken – Kyle, Jake en Sammy – door wie ik altijd weer besef wat werkelijk belangrijk is in het leven; en Tim, mijn echtgenoot, door wie ik de gelukkigste vrouw ter wereld ben. Ten slotte wil ik diegenen bedanken die het hart en de ziel van dit boek hebben gevormd: de overlevenden van werkelijk plaatsgevonden schietpartijen op Amerikaanse scholen, en degenen die me hebben geholpen bij de emotionele nasleep: Betsy Bicknase, Denna O'Connell, Linda Liebl, en de heel bijzondere Kevin Braun. Dank voor jullie moed om herinneringen op te halen en de mij verleende gunst om die te gebruiken.

En tegen al die kinderen die een beetje anders zijn, een beetje bang, een beetje buitengesloten, wil ik zeggen: dit boek is voor jullie.

Opgedragen aan Emily Bestler,
de beste en energiekste redacteur die
een vrouw zich wensen kan.
Zij zorgt er altijd weer voor dat ik
mijn beste beentje voorzet.
Dank voor je scherpe blik, voor je aanmoediging,
en vooral voor je vriendschap.

DEEL EEN

*Als we niet afwijken van de weg die voor ons ligt,
komen we uit bij onze bestemming.*

– Chinees spreekwoord

Tegen de tijd dat je dit leest, hoop ik dood te zijn.

Je kunt iets wat gebeurd is niet ongedaan maken; je kunt eenmaal uitgesproken woorden niet terugnemen. Je zult aan me denken en wensen dat je me had kunnen ompraten. Je zult proberen te bedenken wat je het beste had kunnen zeggen of doen. Ik kan zeggen: <u>trek het je niet aan, je kunt er niets aan doen</u>, maar dat zou een leugen zijn. We weten allebei dat ik hier niet in mijn eentje toe ben gekomen.

Je zult huilen op mijn begrafenis. Je zult zeggen dat het zo niet had hoeven gaan. Je zult doen wat iedereen van je verwacht. Maar zul je me missen?

Belangrijker is: zal ik jou missen?

Wil een van ons beiden werkelijk het antwoord op die vraag weten?

6 maart 2007

In negentien minuten kun je de voortuin maaien, je haar verven, of een derde deel van een ijshockeywedstrijd bekijken. In negentien minuten kun je scones bakken, bij de tandarts een kies laten vullen, of de was opvouwen voor een familie van vijf.

De Tennessee Titans waren binnen negentien minuten door hun toegangskaarten voor de play-offs heen. Negentien minuten is de duur van een tv-comedy zonder reclame. Het is de rijafstand van de grens van Vermont naar het stadje Sterling in New Hampshire.

In negentien minuten kun je een pizza bestellen en bezorgd krijgen. Je kunt een kind een verhaal vertellen of je auto laten doorsmeren. Je kunt een wandeling van anderhalve kilometer maken. Je kunt een zoom in een kledingstuk naaien.

In negentien minuten kun je de wereld tot stilstand brengen en ervan af springen.

In negentien minuten kun je vergelding krijgen.

Zoals gewoonlijk dreigde Alex Cormier te laat te komen. Het duurde tweeëndertig minuten om van haar huis in Sterling naar het gerechtshof in Grafton County te rijden, en dan alleen als ze het tempo erin kon houden. Ze haastte zich op kousenvoeten naar beneden, met in haar handen haar hoge hakken en de dossiers die ze voor het weekend mee naar huis had genomen. Ze draaide haar dikke koperkleurige haar in een knot en zette hem met haarspelden vast, waardoor ze veranderde in de vrouw die ze zijn moest voordat ze haar huis verliet.

Alex was nu vierendertig dagen rechter bij een gerechtshof.

Nadat ze zich de afgelopen vijf jaar als rechter van een districtsrechtbank had bewezen, dacht ze dat deze benoeming weinig
problemen zou geven. Maar op haar veertigste was ze nog altijd
de jongste rechter van de staat en moest ze nog steeds vechten om
haar naam als rechtvaardig magistraat bevestigd te krijgen. Het
feit dat ze strafpleiter was geweest, achtervolgde haar tot in de
rechtszaal, want openbare aanklagers gingen ervan uit dat ze aan
de kant van de verdediging stond. Toen Alex jaren geleden naar
het rechtersambt solliciteerde, werd dat ingegeven door haar oprechte wens dat iedereen in dit rechtssysteem onschuldig was
totdat het tegendeel was bewezen. Ze had alleen niet kunnen vermoeden dat haar, als rechter, niet hetzelfde voordeel van de twijfel werd gegund.

De geur van vers gezette koffie lokte Alex naar de keuken.
Haar dochter zat met een dampende beker boven een leerboek
gebogen. Josie zag er moe uit. Haar blauwe ogen waren roodomrand en haar kastanjebruine haar was in een klitterige paardenstaart gebonden. 'Zeg dat je niet de hele nacht bent opgebleven,' zei Alex.

Josie keek niet eens op. 'Ik ben niet de hele nacht opgebleven.'

Alex schonk een kop koffie voor zichzelf in en ging in de stoel
tegenover haar dochter zitten. 'Echt niet?'

'Je vroeg me iets te zeggen,' zei Josie. 'Je hebt me niet naar de
waarheid gevraagd.'

Alex fronste. 'Je moet geen koffie drinken.'

'En jij moet geen sigaretten roken.'

Alex voelde het bloed naar haar wangen stijgen. 'Dat doe ik
niet...'

'Mam,' zuchtte Josie, 'ook als je het badkamerraam openzet,
ruik ik het aan de handdoeken.' Ze keek op alsof ze Alex uitdaagde over haar andere slechte gewoontes te beginnen.

Alex zelf had verder geen slechte gewoontes. Daar had ze eenvoudig de tijd niet voor. Ze had graag uit volle overtuiging be-
weerd dat Josie die evenmin bezat, een conclusie die ieder ander
trok die met Josie kennismaakte: een aantrekkelijke, populaire,

slimme leerling die beter dan haar meeste leeftijdgenoten wist wat de consequenties waren als je van het rechte pad afweek. Een meisje voor wie een grote toekomst was weggelegd. Een jonge vrouw die precies was geworden wat Alex van haar dochter had gehoopt.

Ooit was Josie er trots op geweest dat ze een rechter als moeder had. Alex kon zich herinneren dat Josie over haar opschepte tegen loketbedienden bij de bank, tegen vakkenvullers in de supermarkt en tegen stewardessen in het vliegtuig. Ze wilde alles weten over Alex' rechtszaken en beslissingen. Dat was allemaal anders geworden toen Josie drie jaar geleden naar de middelbare school ging en de communicatiesluis tussen hen langzaam dichtslibde, al had Alex niet het idee dat Josie meer verborg dan andere tieners.

'Wat staat er vandaag op de agenda?' vroeg Alex.

'Proefwerk. En bij jou?'

'Tenlasteleggingen.' Alex wierp over tafel een blik op Josies schoolboek. 'Scheikunde?'

'Katalysators.' Josie wreef over haar slapen. 'Stoffen die een reactie versnellen zonder dat ze er zelf door veranderen. Als je bijvoorbeeld koolmonoxidegas en waterstofgas mengt met zink- en chroomoxide, dan... Wat is er?'

'Ik moet er ineens aan denken hoe slecht ik daar op school in was. Heb je ontbeten?'

'Met koffie.'

'Koffie telt niet.'

'Wel als jíj haast hebt,' merkte Josie op.

Alex overwoog haar opties. Of ze kwam vijf minuten te laat, of ze kreeg opnieuw een strafpunt op het scorebord van goed ouderschap. *Moest een meisje van zeventien 's ochtends niet voor zichzelf kunnen zorgen?* Ze deed de koelkast open en haalde er eieren, melk en bacon uit. 'Ik heb ooit een vrouw gedwongen laten opnemen omdat ze dacht dat ze chef-kok was. Haar man had haar aangegeven toen ze een pond spek in de blender deed en hem met een keukenmes achterna joeg.'

Josie keek op. 'Echt waar?'

'Geloof me, dit soort dingen verzin je niet.' Alex brak een ei boven de koekenpan. 'Toen ik haar vroeg waarom ze een pond spek in de blender deed, keek ze me aan en zei dat zij en ik er kennelijk verschillende kookmethodes op nahielden.'

Josie stond op om leunend tegen het aanrecht naar naar moeders bezigheden te kijken. Huishoudelijke zaken waren niet Alex' sterke kant – ze kon geen vlees braden, maar ze had het telefoonnummer van elke pizzatent of afhaalchinees in Sterling die gratis kwam bezorgen. 'Relax,' zei Alex droogjes. 'Ik kan dit heus wel af zonder de boel in de fik te steken.'

Maar Josie nam de pan van haar over en legde er de plakjes bacon naast elkaar in als soldaatjes in het gelid. 'Waarom draag je dit soort kleren eigenlijk?' vroeg ze.

Alex keek fronsend omlaag naar haar bloes, rok en hoge hakken. 'Hoezo? Is het te Margaret Thatcher-achtig?'

'Nee, ik bedoel... Vanwaar al die moeite? Niemand weet wat je onder je toga aanhebt. Het had net zo goed een pyjama kunnen zijn. Of die oude trui met gaten in de ellebogen uit je studententijd.'

'Of mensen het nu zien of niet, er wordt van me verwacht dat ik verzorgd gekleed ga... Conservatief, zo je wilt.'

Josies gezicht betrok en ze concentreerde zich op het fornuis alsof haar moeder het verkeerde antwoord had gegeven. Alex keek naar haar dochter, naar de afgebeten vingernagels, de sproet achter haar oor, de slordige scheiding in haar haar. Maar wat ze zag, was de peuter die tegen zonsondergang bij de oppas uit het raam keek omdat ze wist dat Alex haar dan kwam halen. 'Ik heb nooit een pyjama naar mijn werk aangehad,' gaf Alex toe, 'maar soms sluit ik de deur van mijn kantoor af en doe dan een dutje op de vloer.'

Langzaam verscheen er een verbaasde glimlach op Josies gezicht. Voor haar was haar moeders bekentenis alsof er ineens een vlinder op haar hand was neergestreken. Een zeldzaam moment waar je niet de aandacht op moest vestigen als je het wilde behouden. Maar er lagen nog heel wat kilometers, tenlasteleggingen en rapporten voor de boeg, en tegen de tijd dat Josie de bacon op keukenpapier had gelegd om uit te lekken, was het ogenblik vervlogen.

'Toch snap ik niet waarom ik wél moet ontbijten en jij niet,' mopperde Josie.

'Omdat je een bepaalde leeftijd moet hebben bereikt voordat je het recht krijgt je gezondheid te verpesten.' Alex wees naar de roereieren in de pan. 'Beloof je me dat je dat zult opeten?'

Josie keek haar even aan. 'Beloofd.'

'Dan ben ik nu weg.'

Alex pakte haar thermosbeker koffie op. Tegen de tijd dat ze haar auto uit de garage reed, was ze in gedachten al bij de beschikking die ze die middag moest schrijven; bij het aantal tenlasteleggingen die de griffier op haar rol had gezet; bij de verzoekschriften die tussen vrijdagmiddag en vanochtend op haar bureau waren beland. Ze verkeerde in een wereld die ver verwijderd was van thuis, waar op datzelfde moment haar dochter de roereieren vanuit de koekenpan in de afvalbak gooide zonder er er ook maar van te hebben geproefd.

Soms zag Josie haar leven als een ruimte zonder deuren en ramen. Een luxueuze ruimte, dat wel – veel leerlingen van Sterling High zouden er heel wat voor overhebben om er binnen te komen – maar het was ook een ruimte waaruit je eigenlijk niet kon ontsnappen. Of Josie was iemand die ze niet wilde zijn, of ze was iemand die niemand wilde.

Ze hief haar gezicht naar de douchestralen. Ze had het water zo heet laten worden dat het rode striemen achterliet, haar de adem benam en de ramen erdoor besloegen. Ze telde tot tien en dook toen onder de stroom vandaan, waarna ze naakt en druipend voor de spiegel ging staan. Haar gezicht was rood en gezwollen, en haar haar plakte in dikke slierten aan haar schouders. Ze draaide zich opzij, inspecteerde haar platte buik en hield die een beetje in. Ze wist wat Matt zag als hij naar haar keek, wat ook Courtney en Maddie en Brady en Haley en Drew zagen

17

– ze wenste alleen dat zij het ook kon zien. Maar wanneer Josie in de spiegel keek, zag ze wat er onder de huid lag in plaats van wat erop was aangebracht.

Ze zag eruit en gedroeg zich zoals van haar werd verwacht. Ze droeg haar donkere lange haar los en sluik; ze kleedde zich in Abercrombie & Fitch; ze luisterde naar Dashboard Confessional en Death Cab for Cutie. Ze vond het heerlijk dat de andere meisjes op school naar haar keken wanneer ze in de kantine Courtneys make-up leende. Ze vond het prettig dat de docenten al vanaf de eerste schooldag haar naam kenden. Ze genoot ervan als jongens haar aanstaarden wanneer ze door de hal liep met Matts arm om haar heen geslagen.

Maar ergens vroeg ze zich af wat er zou gebeuren als ze haar geheim bekendmaakte: dat het haar moeite kostte om 's ochtends op te staan en de glimlach van een ander op te zetten; dat ze nep was, een vervalsing die lachte om de juiste grappen, die de juiste roddels fluisterde en de juiste man had aangetrokken; een imitatie die bijna was vergeten hoe het voelde om echt te zijn... en die, als je diep in haar hart keek, er niet aan herinnerd wilde worden, omdat dat nog meer pijn deed.

Er was niemand om mee te praten. Zodra je twijfelde aan je recht om tot de eliteliek te behoren, dan hoorde je er niet thuis. En Matt... Tja, hij was gevallen voor de oppervlakkige Josie, net als de anderen. Als in sprookjes het masker afviel, hield de knappe prins hoe dan ook nog steeds van het meisje, en alleen daardoor zou ze in een prinses veranderen. Maar op school werkte dat niet. Zij was een prinses omdat ze met Matt ging. En volgens een vreemd soort logica ging Matt met haar omdat ze een prinses van Sterling High was.

Haar moeder kon ze evenmin in vertrouwen nemen. *Ik ben nu eenmaal rechter, ook buiten het gerechtsgebouw*, zei ze altijd. Daarom dronk Alex Cormier in het openbaar nooit meer dan één glas wijn. Daarom schreeuwde of huilde ze nooit. Een probleem was altijd op te lossen, zolang je je er maar volledig voor inzette. Je moest het uiterste van jezelf vergen. Punt. Veel prestaties waar haar moeder trots op was – Josies cijfers, haar uiterlijk, haar acceptatie in de 'juiste' kringen – waren niet bereikt omdat Josie het zelf wilde, maar omdat ze bang was niet perfect te zijn.

Ze wikkelde een handdoek om zich heen en liep naar haar slaapkamer. Ze trok een spijkerbroek en een laag uitgesneden T-shirt uit haar kast. Ze keek naar de wekker. Ze moest opschieten als ze niet te laat wilde komen.

Toch aarzelde ze even voordat ze haar kamer verliet. Ze ging op bed zitten en tastte onder het nachtkastje naar het plastic zakje dat ze aan het houtwerk had bevestigd. Er zaten Ambien-pillen in. Die had ze een voor een van haar moeders voorraad tegen slapeloosheid gepikt en het had haar bijna zes maanden gekost om er vijftien te bemachtigen zonder dat haar moeder er iets van merkte. Ze veronderstelde dat het beoogde effect bereikt kon worden door ze weg te spoelen met een groot glas wodka. Niet dat ze van tevoren een tijdstip had bepaald waarop ze zich van het leven zou beroven, zoals volgende week dinsdag bijvoorbeeld, of wanneer het begon te dooien. Het was meer een noodplan voor wanneer de waarheid aan het licht kwam en niemand haar meer wilde. Dan wilde Josie zichzelf ook niet meer.

Ze bevestigde het zakje weer onder het nachtkastje en ging naar beneden. Toen ze de keuken inliep om haar rugtas te pakken, lag haar scheikundeboek nog steeds op tafel, maar nu met een langstelige roos tussen de opengeslagen bladzijden.

Matt stond in de hoek tegen de koelkast geleund. Hij moest via de open garagedeur zijn binnengekomen. Zoals altijd riep zijn aanblik de seizoenen in haar op. Zijn haar had alle kleuren van de herfst, zijn ogen waren even helderblauw als een zonnige hemel in de winter, en zijn glimlach was zo stralend als de zon in de zomer. Hij had een honkbalpet achterstevoren op zijn hoofd en droeg een Sterling-ijshockeyshirt over een sweatshirt dat Josie eens had gepikt en een hele maand in haar ondergoedla had verstopt zodat ze zijn geur kon inademen wanneer ze er behoefte aan had.

'Ben je nog boos?' vroeg hij.

Josie aarzelde. 'Jij was boos, niet ik.'

19

Matt liep op haar toe en sloeg zijn armen om haar middel. 'Je weet best dat ik er niets aan kan doen.'

Josie smolt toen het kuiltje in zijn rechterwang verscheen. 'Het is niet zo dat ik je niet wilde zien. Ik moest écht huiswerk maken.'

Matt streek het haar uit haar gezicht en kuste haar. Juist daarom had ze gisteren gezegd dat hij die avond niet langs moest komen. Wanneer ze bij hem was, had ze het gevoel dat ze in lucht opging, dat ze verdampte wanneer hij haar aanraakte.

Hij smaakte naar ahornstroop, naar verontschuldigingen. 'Het is allemaal jouw schuld,' zei hij. 'Ik zou me nooit zo idioot hebben gedragen als ik niet zo veel van je hield.'

Op dat moment dacht Josie niet meer aan de pillen die ze in haar kamer had verstopt. Ze wist niet meer dat ze onder de douche had gehuild. Ze herinnerde zich niets meer, behalve hoe het voelde om bemind te worden. *Ik ben gelukkig,* zei ze bij zichzelf, en het woord ontrolde zich als een zilveren lint in haar geest. *Gelukkig, gelukkig, gelukkig.*

Patrick Ducharme, de enige rechercheur van het politiekorps in Sterling, zat op een bank achter in de kleedkamer te luisteren naar het patrouilleteam van die ochtend dat een nieuweling met het begin van een buikje stond te pesten. 'Hé, Fisher,' zei Eddie Odenkirk, 'wie is er nu eigenlijk zwanger, jij of je vrouw?'

Toen de anderen begonnen te lachen, kreeg Patrick met de jongen te doen. 'Het is nog vroeg, Eddie,' zei hij. 'Kun je op z'n minst even wachten tot we allemaal koffie hebben gehad?'

'Tuurlijk, inspecteur,' zei Eddie lachend, 'als Fisher niet alle donuts al naar binnen had gewerkt en... Krijg nou wat!'

Patrick volgde Eddies blik naar zijn eigen voeten. Hij had zich niet zoals gewoonlijk tegelijk met de anderen verkleed, maar in plaats van naar het bureau te rijden, was hij er die ochtend naartoe gejogd om het teveel aan lekker eten in het weekend er weer af te trainen. Hij had de zaterdag en de zondag in Maine doorgebracht met het meisje dat zijn hart had veroverd – zijn vijfeneenhalfjarige peetdochter Tara Frost. Haar moeder, Nina, was van oudsher Patricks beste vriendin, en ook zijn enige grote liefde waar hij wel nooit overheen zou komen, al scheen ze heel goed zonder hem te kunnen. Dat hele weekend had Patrick opzettelijk honderden spelletjes Candy Land verloren, had hij Tara talloze keren laten paardjerijden op zijn rug, had hij haar zijn haar laten knippen, en – kardinale fout – hij had Tara toegestaan zijn teennagels roze te lakken en was vergeten de lak weer weg te halen.

Hij keek even naar zijn voeten en kromde zijn tenen. 'De meiden vinden het prachtig,' mompelde hij, terwijl de zeven mannen in de kleedkamer hun gegrinnik maar net wisten te bedwingen tegenover de man die in feite hun meerdere was. Patrick trok snel zijn uniformsokken en loafers aan en liep haastig naar buiten met zijn das nog in de hand. Hij telde de seconden af. *Een, twee, drie.* Direct daarna hoorde hij het gelach in de kleedkamer losbarsten dat hem door de gang achtervolgde.

In zijn kantoor deed Patrick de deur dicht en keek in het spiegeltje aan de achtermuur. Zijn zwarte haar was nog nat van de douche en zijn gezicht nog rood van het joggen. Hij strikte zijn das, trok de knoop recht en ging aan zijn bureau zitten.

Er waren tweeënzeventig e-mails binnengekomen tijdens het weekend, en zodra het er meer dan vijftig waren, betekende het meestal dat hij de hele week niet voor acht uur 's avonds thuis zou zijn. Hij begon erdoorheen te wieden en voegde notities toe aan zijn takenlijst die nooit korter scheen te worden, hoe hard hij ook werkte.

Vandaag moest Patrick drugs naar het staatslab brengen. Op zich niets bijzonders, zij het dat het hem vier uur van zijn dag kostte. Hij had een verkrachtingszaak waarvan het eind in zicht kwam nu de dader via jaarboekfoto's was geïdentificeerd en zijn verklaringen aan justitie konden worden overgedragen. Hij had een zaak over een mobieltje dat door een zwerver uit een auto was gejat. Hij verwachtte de uitslag van een bloedtest in verband met de inbraak in een juwelierszaak. Hij had een hoorzitting in het gerechtsgebouw. En ook lag de eerste nieuwe aangifte van die dag al op zijn bureau: diefstal van een portefeuille waaruit de creditcard was gebruikt, en Patrick mocht de sporen natrekken.

Als rechercheur in een klein stadje moest Patrick permanent alle registers opentrekken. In tegenstelling tot rechercheteams in grote steden, waar ze vierentwintig uur hadden om een zaak op te lossen voordat het dossier werd opgeborgen, moest Patrick alles aanpakken dat op zijn bureau terechtkwam en kon hij niet alleen de interessante dingen eruit pikken. Een ongedekte cheque was niet echt spannend te noemen, of een diefstal waarbij de dader werd bestraft met een boete van tweehonderd dollar, terwijl het de belastingbetaler het vijfvoudige kostte om Patrick er een week mee bezig te laten zijn. Maar steeds als hij bedacht dat zijn zaken eigenlijk niet belangrijk waren, kwam hij tegenover een slachtoffer te staan: de wanhopige moeder van wie de portemonnee was gestolen; het bejaarde echtpaar dat van hun pensioengeld was beroofd; de verwarde professor die zijn paspoort was kwijtgeraakt.

Hoop, wist Patrick, was de enige band tussen hemzelf en degene die hulp zocht. Als hij zich niet voor de volle honderd procent inzette, dan zou het slachtoffer altijd een slachtoffer blijven. En daarom had Patrick elke zaak weten op te lossen sinds hij bij de politie in Sterling was komen werken.

Maar toch.

Wanneer hij alleen in bed over zijn leven lag na te denken, dacht hij nooit aan zijn successen en altijd aan zijn mislukkingen. Wanneer hij een afgebrande schuur zag, of een gestolen wagen had gevonden die afgetakeld in het bos was achtergelaten, of wanneer hij een tissue overhandigde aan het snikkende meisje dat bij een afspraakje was verkracht, had hij altijd het gevoel dat hij had gefaald. Hij mocht dan speurder zijn, hij bespeurde pas iets als het te laat was. Alles wat hij in zijn schoot kreeg geworpen, was al kapot. Altijd weer.

Het was de eerste warme dag in maart, zo'n dag dat je denkt dat het nu wel gauw zal dooien en dat het voorjaar om de hoek ligt. Josie zat op de motorkap van Matts Saab die op het leerlingenterrein geparkeerd stond, en bedacht dat de zomer dichterbij was dan het begin van het nieuwe schooljaar. Over nog geen drie maanden zou ze in de hoogste klas zitten.

Matt leunde naast haar tegen de voorruit met zijn gezicht naar de zon gericht. 'Laten we de school vergeten,' zei hij. 'Het is veel te mooi weer om de hele dag binnen te zitten.'

'Als je spijbelt, kom je op de reservebank terecht.'

Die middag ging het staatskampioenschap ijshockey van start, en Matt was rechtsbuitenspeler. Sterling had vorig jaar gewonnen, en ze verwachtten dit jaar opnieuw kampioen te worden. 'Je komt naar de wedstrijd,' zei Matt. Het was geen vraag maar een vaststelling.

'Ga je scoren?'

Matt trok haar grijnzend tegen zich aan. 'Dat doe ik toch altijd?' Maar hij had het nu niet over ijshockey, en ze wist dat ze rood werd onder de sjaal rond haar nek.

Ineens voelde ze hagelstenen op haar rug. Ze kwamen allebei overeind en zagen Brady Pryce, een footballspeler, hand in hand lopen met Haley Weaver, de koningin van de school. Haley gooide opnieuw een regen van pennies op hen af. Dat was Sterling High's manier om een sportman succes te wensen. 'Geef ze ervan langs vandaag, Royston,' riep Brady.

Ook hun wiskundeleraar stak het parkeerterrein over met zijn thermosfles en versleten leren aktetas. 'Hé, meneer McCabe,' riep Matt. 'Hoe is het met mijn proefwerk van vrijdag afgelopen?'

'Gelukkig heb je nog andere talenten waarop je kunt terugvallen, Royston,' zei de docent, terwijl hij in zijn zak tastte. Hij knipoogde naar Josie toen hij de munten opgooide, die als sterren uit de hemel op haar schouders neerdaalden.

Dat zal het zijn, dacht Alex, toen ze de inhoud van haar tas weer terugstopte. Ze had een andere handtas meegenomen, dus moest de sleutel die toegang gaf tot de dienstingang van de rechtbank nog thuis liggen. Ze had al talloze keren op de bel gedrukt, maar kennelijk was er niemand in de buurt om haar binnen te laten.

'Verdomme,' mompelde ze, terwijl ze om de plassen gesmolten sneeuw heen liep om haar krokodillenleren hakken niet te ruïneren. Het voordeel van achter het gebouw parkeren was dat dit dan niet hoefde. Ze kon de korte weg via het griffierkantoor naar haar eigen kantoor nemen, en met een beetje geluk was ze dan nog op tijd.

Er stond een lange rij mensen voor de publieksingang, maar de bewakers pikten Alex er meteen uit. Anders dan in het circuit van districtsgerechtshoven, waar je van de ene rechtbank naar de andere ging, zou ze hier acht maanden aan verbonden blijven. De bewakers wenkten haar naar voren, maar omdat ze sleutels bij zich had, een roestvrijstalen thermosfles, en god weet wat er nog meer in haar tas zat, besloot ze de metaaldetectiepoortjes te vermijden.

Het alarm was als een spotlight. Alle ogen in de lobby richtten zich op degene die was betrapt. Met gebogen hoofd haastte Alex zich over de glanzende tegelvloer en gleed bijna uit. Terwijl ze naar voren struikelde, stak een gedrongen man zijn hand uit om haar in evenwicht te houden. 'Hé, schat,' zei hij verlekkerd, 'mooie schoenen heb je aan.'

Zonder te antwoorden rukte Alex zich los en liep naar het kantoor van de griffier. Hopelijk waren er vandaag geen andere rechters aanwezig. Rechter Wagner was een aardige vent, maar hij had een gezicht als een rotte pompoen. Rechter Gerhardt, een vrouwelijke collega, droeg kleren die ouder waren dan zijzelf. Toen Alex voor het eerst aantrad, leek het haar juist goed dat een betrekkelijk jonge, niet onknappe vrouw als zij het het stereotype kwam doorbreken, maar vanochtend was ze er niet meer zo zeker van.

In haar kantoor hees ze zich in haar toga en gunde zich vijf minuten om een kop koffie te drinken en de rol door te nemen. Elke zaak had zijn eigen dossier, maar zaken van recidivisten werden met elastiek bij elkaar gehouden. Soms lieten rechters er memootjes voor elkaar in achter. Ze sloeg een dossier open en zag een foto van een broodmagere man met tralies voor zijn gezicht – een signaal van rechter Gerhardt dat dit de laatste kans voor de dader was, en dat hij de volgende keer naar de gevangenis ging.

Ze drukte op de zoemer om de gerechtsbode te waarschuwen dat ze klaar was om te beginnen, en wachtte op het sein: *Allen opstaan. De edelachtbare Alexandra Cormier presideert.* Wanneer Alex een rechtszaal binnenkwam, had ze altijd het gevoel dat ze voor het eerst het podium op moest bij een Broadway-première. Je wist dat er publiek was, je wist dat iedereen naar je keek, en toch was er even het moment dat je geen adem kreeg, dat je niet kon geloven dat ze hier waren om jou te zien.

Alex liep energiek naar binnen en ging achter de rechterstafel zitten. Er waren zeventien tenlasteleggingen voor de ochtend gepland, en de zaal was stampvol. De eerste beklaagde werd opgeroepen. Hij schuifelde met afgewende blik naar voren.

'Meneer O'Reilly,' zei Alex, en toen hij haar aankeek, herkende ze hem als de man in de lobby. Hij voelde zich duidelijk onbehaaglijk nu hij besefte met wie hij had geflirt. 'U bent de heer die me net heeft geholpen, is het niet?'

Hij slikte. 'Jawel, edelachtbare.'

'Als u niet had geweten dat ik de rechter was, meneer O'Reilly, zou u dan ook hebben gezegd: "Hé, schat, wat een mooie schoenen heb je aan"?'

De beklaagde sloeg zijn ogen neer en woog ongepastheid af tegen eerlijkheid. 'Waarschijnlijk wel, edelachtbare,' zei hij ten slotte. 'Het zijn écht heel mooie schoenen.'

In afwachting van haar reactie werd het stil in de rechtszaal. Alex glimlachte breed. 'Meneer O'Reilly,' zei ze, 'ik ben het helemaal met u eens.'

Lacy Houghton boog zich over het bed en bracht haar gezicht vlak bij dat van haar snikkende patiënt. 'Je kunt het,' zei ze streng. 'Je kunt het, en het gaat je ook lukken.'

Na zestien uur barensnood waren ze allemaal uitgeput – Lacy, de aanstaande moeder, en de aanstaande vader die op het kritieke moment tot het besef kwam dat hij overbodig was en dat zijn vrouw haar verloskundige veel harder nodig had dan hem. 'Ik wil dat je achter Janine gaat staan,' zei Lacy tegen hem, 'en haar rug ondersteunt. Janine, ik wil dat je me aankijkt en nog een keer goed perst...'

De vrouw zette haar tanden op elkaar en zette alles op alles in haar poging nieuw leven te scheppen. Lacy leidde het hoofdje van de baby naar buiten en trok de navelstreng er snel overheen zonder het oogcontact met haar patiënt te verliezen. 'De komende twintig seconden is jouw baby de nieuwste mens op deze planeet,' zei Lacy. 'Wil je kennis met haar maken?'

Het antwoord was het gebrul van de laatste, allesomvattende krachtsinspanning, en het resultaat een glibberig, paarsachtig lijfje dat Lacy snel in de armen van de moeder legde, zodat de baby meteen getroost kon worden toen ze voor het eerst in dit leven huilde.

Haar patiënt begon opnieuw te snikken. Maar lieten tranen niet een heel andere melodie horen wanneer de pijn was verdwenen? De kersverse ouders bogen zich over hun kindje. Een gesloten cirkel. Lacy deed een paar stappen terug en keek toe. Ook na een geboorte bleef er genoeg voor een vroedvrouw te doen, maar eerst wilde ze oogcontact met dit wezentje maken. Waar ouders doorgaans opmerkten dat de kleine de kin had van tante Marge of de neus van opa, zag Lacy een wijze, vredige blik in de ogen – acht pond aan louter kansen voor de toekomst. Pasgeborenen deden haar denken aan Boeddha. Hun gezicht straalde goddelijkheid uit. Niet dat het lang zou duren. Wanneer Lacy dezelfde zuigelingen een week later bij hun periodieke controle zag, waren ze veranderd in gewone mensen, hoe klein ook. De goddelijkheid was op de een of andere manier verdwenen, en Lacy vroeg zich dan altijd af wat ermee gebeurd kon zijn.

Terwijl zijn moeder de nieuwste inwoner van Sterling ter wereld bracht, werd Peter Houghton wakker. Zijn vader klopte op de deur van zijn slaapkamer voordat hij naar zijn werk ging. Beneden stonden een bord en een doos cornflakes voor hem klaar – zijn moeder vergat het nooit, zelfs niet als ze om twee uur in de ochtend werd opgepiept. Er lag ook altijd een briefje bij waarin ze hem een fijne dag op school toewenste. Alsof dat zo eenvoudig was.

Peter sloeg de dekens terug. In pyjama liep hij naar zijn bureau, ging achter zijn computer zitten en logde in op internet.

De woorden op het scherm waren wazig. Hij tastte naar zijn brillenkoker die hij altijd naast de monitor legde. Nadat hij zijn bril had opgezet, liet hij de koker op het toetsenbord vallen. Ineens zag hij iets dat hij nooit meer hoopte te zien.

Hij drukte meteen op CONTROL ALT DELETE, maar zag nog steeds het beeld voor zich, ook toen het scherm zwart was geworden, en zelfs toen hij zijn ogen sloot en begon te huilen.

In een stadje als Sterling kende iedereen elkaar, en zo was het altijd geweest. In bepaalde opzichten gaf het een veilig gevoel – een grote, wijdvertakte familie die van je hield, ook al viel je weleens uit de gratie. Maar soms ook vond Josie het beangstigend, zoals nu, terwijl ze in de kantine in de rij stond achter Natalie Zlenko, een pot van de eerste orde. Lang geleden, toen ze allebei in groep twee zaten, had ze Josie uitgenodigd bij haar thuis te komen spelen en haar overgehaald in de voortuin te plassen. *Ben je helemaal gek geworden*, had haar moeder gezegd toen ze haar kwam ophalen en hen met blote billen boven de narcissen gehurkt zag. Zelfs nu, vele jaren later, kon Josie niet naar Natalie Zlenko met haar stekeltjeshaar en eeuwige fotocamera kijken zonder zich af te vragen of Natalie er ook nog steeds aan dacht.

Achter Josie stond Courtney Ignatio, het mooiste meisje van Sterling High. Met haar honingblonde haar dat als een zijden sjaal over haar schouders hing en haar heupjeans van Fred Segal had ze een stoet van klonen om zich heen verzameld. Courtney had een fles water en een banaan op haar dienblad. Josie een bord frietjes. Het was de tweede pauze en ze was uitgehongerd, zoals haar moeder al had voorspeld.

'Hé,' zei Courtney, zo luid dat Natalie het kon horen. 'Kun je tegen die *vagitariër* zeggen dat ze ons voor moet laten gaan?'

Natalie werd vuurrood en drukte zich tegen de saladebar aan zodat Courtney en Josie langs haar heen konden.

Elke keer dat ze de kantine binnenkwam, had Josie het gevoel dat ze verschillende species in hun natuurlijke habitat observeerde. Je had de uitslovers die over hun leerboeken gebogen zaten en lachten om wiskundegrappen die je niet eens *wilde* begrijpen. Daarachter zaten de artistieke types die gekruide sigaretten rookten en strips tekenden in de marge van hun collegeblocs. Achterin zaten de buitenstaanders die zwarte koffie dronken terwijl ze op de bus wachtten die hen voor de middaglessen naar de technische school drie stadjes verderop zou brengen. Dan waren er nog de druggies die om negen uur 's ochtends al onaanspreekbaar waren. En muurbloempjes als Natalie en Angela, die noodgedwongen vriendinnen waren geworden omdat niemand ze zag staan.

De kliek waar Josie bij hoorde, nam twee tafels in beslag, niet omdat ze met zovelen waren, maar omdat ze zoveel ruimte opeisten. Emma, Maddie, Haley, John, Brady, Trey, Drew. Josie wist nog dat ze al die namen door elkaar haalde toen ze aansluiting bij de groep zocht. Zo inwisselbaar waren ze allemaal.

Ze leken ook op elkaar. De jongens droegen kastanjebruine ijshockeyshirts, en hadden hun pet achterstevoren op, waarbij een pluk haar over hun voorhoofd viel. De meisjes waren getrouwe kopieën van Courtney. Josie had zich onopvallend tussen hen kunnen voegen omdat ze ook op Courtney leek. Haar krullende haar was sluik geföhnd en ze droeg hakken van zes centimeter hoog, ook als er nog sneeuw lag. Als ze vanbuiten dezelfde leek, was het makkelijker te negeren dat ze niet wist hoe ze zich vanbinnen voelde.

'Hoi,' zei Maddie, toen Courtney naast haar ging zitten.

'Hoi.'

'Heb je het gehoord van Fiona Kierland?'

Courtneys ogen lichtten op. 'Die waarvan de ene tiet groter is dan de andere?'

28

'Nee, dat is Fiona de tweedejaars. Ik heb het over Fiona de eerstejaars.'

'Die altijd een doos tissues bij zich heeft vanwege haar allergietjes?' zei Josie, terwijl ze bij hen ging zitten.

'Of niet,' zei Haley. 'Mogen jullie raden wie is weggestuurd wegens cokesnuiven om te gaan afkicken.'

'O *my God*,' zei Courtney.

'Ik bedoel maar.'

'Hoi.' Matt ging in de stoel naast Josie zitten. 'Waar bleef je nou?'

Ze draaide zich naar hem om. Aan deze kant van de tafel zaten de jongens propjes te vouwen en over het eind van het skiseizoen te praten. 'Hoe lang denk je dat de piste in Sunapee nog open blijft?' vroeg John, en hij schoot een prop naar een joch dat aan een tafel verderop in slaap was gevallen.

De jongen had vorig jaar facultatieve lessen in gebarentaal gevolgd, net als Josie. Zijn mond stond wijd open terwijl hij sliep, en met zijn magere gespreide ledematen had hij iets van een langpootmug.

'Mis, loser,' zei Drew. 'Als Sunapee dichtgaat, kunnen we nog altijd naar Killington. Daar hebben ze sneeuw tot zeg maar augustus.' Zijn prop belandde in het haar van de jongen.

Derek. Hij heette Derek.

Matt keek naar Josies frietjes. 'Die ga je toch zeker niet opeten?'

'Ik sterf van de honger.'

Hij kneep in haar middel. Het was een kritisch gebaar. Josie keek naar haar bord. Tien seconden geleden was het water haar in de mond gekomen bij de goudbruine, heerlijk ruikende frietjes. Nu zag ze alleen de vetvlekken op het kartonnen bord.

Matt pakte een handje frieten en schoof het bord door naar John, die een propje naar de slapende jongen schoot dat recht in zijn open mond terechtkwam. Met een benauwd gesputter werd Derek wakker.

'Raak!' John sloeg een high-five met Drew.

29

Derek spuugde in zijn servet en wreef over zijn mond. Hij keek om zich heen om te zien of iemand naar hem keek. Ineens herinnerde Josie zich een teken van haar gebarentaallessen, waarvan ze bijna alles weer vergeten was. Een vuist die in een cirkel over het hart werd bewogen, betekende *Het spijt me.*

Matt boog zich naar haar toe en kuste haar hals. 'We gaan ervandoor.' Hij trok haar overeind en draaide zich om naar zijn vrienden. 'Tot straks,' zei hij.

De gymzaal van Sterling High bevond zich op de eerste verdieping, boven wat het zwembad zou zijn geweest als de vergunning was rondgekomen toen de school nog in het ontwerpstadium was. Daarvoor in de plaats kwamen drie klaslokalen waar voortdurend het gebonk van rennende voeten en het gestuiter van ballen te horen waren. Michael Beach en zijn beste vriend Justin Friedman, beiden eersteklassers, zaten aan de zijlijn in de zaal, terwijl hun sportleraar voor de honderdste keer de techniek van het dribbelen uitlegde. Het was verspilde moeite. Kinderen in deze groep waren óf zo bedreven als een Noah James, óf ze waren als Michael en Justin, die alles van Elvis wisten en *home run* definieerden als iets wat je na school deed om te voorkomen dat je in je ondergoed aan een kleerhaak werd opgehangen. Met gekruiste benen luisterden ze naar het gepiep van coach Spears' witte gympen terwijl hij van de ene kant van de zaal naar de andere rende.

'Wedden dat ik als laatste in een team word gekozen?' mompelde Justin.

'Konden we hier maar weg,' zei Michael. 'Misschien krijgen we een brandoefening.'

Justin lachte. 'Of een aardbeving.'

'Een moesson.'

'Een sprinkhanenplaag!'

'Een terroristische aanslag!'

Ze zagen twee sneakers voor zich tot stilstand komen. Coach Spears keek met over elkaar geslagen armen op hen neer. 'Kunnen jullie me vertellen wat er zo leuk is aan basketbal?'

Michael keek even naar Justin, en toen naar de coach. 'Ik zou het niet weten,' mompelde hij.

Na haar douche maakte Lacy Houghton een beker groene thee voor zichzelf en slenterde op haar gemak door het huis. Toen de kinderen klein waren en zij overstelpt was met werk, vroeg Lewis weleens wat hij kon doen om haar taak te verlichten. Gezien Lewis' baan was het haar ironisch voorgekomen. Hij was docent aan Sterling College en gespecialiseerd in de economie van het geluk. Ja, dat was inderdaad een studierichting, en ja, hij was expert op dat gebied. Hij had seminars gegeven en artikelen geschreven, en hij was geïnterviewd door CNN over de effecten van geluk en succes volgens de financiële meetlat. En toch kon hij niet bedenken wat Lacy gelukkig zou maken. Wilde ze eens lekker uit eten? Naar de pedicure? Een dutje doen? Maar toen ze hem vertelde waar ze werkelijk naar verlangde, begreep hij er niets van. Ze wilde helemaal alleen zijn in haar eigen huis zonder dat ze iets dringends te doen had.

Ze deed de deur van Peters slaapkamer open en zette haar beker op de ladekast zodat ze zijn bed kon opmaken. *Wat heeft het voor zin*, zei Peter altijd wanneer ze hem opdroeg het zelf te doen. *Over een paar uur maak ik er toch weer een zooitje van.*

Ze kwam zelden in Peters kamer wanneer hij er niet was. Misschien had ze daarom het gevoel dat er iets niet klopte, dat er iets essentieels ontbrak. Eerst dacht ze dat de kamer zo leeg leek door Peters afwezigheid, toen besefte ze dat de computer – met z'n gestage gezoem en altijd parate scherm – was uitgezet.

Ze trok de lakens recht, legde de sprei eroverheen en schudde de kussens op. Op de drempel bleef ze even voldaan staan. Peters kamer zag er weer keurig uit.

Zoe Patterson vroeg zich af hoe het was om een jongen met een beugel te kussen. Niet dat ze het in de nabije toekomst zag gebeuren, maar ze vond dat ze er rekening mee moest houden voor het geval dat het moment zich onverwacht aandiende. Eigenlijk vroeg ze zich af hoe het zou zijn om welke jongen dan ook te kussen, ook als hij geen hulpmiddelen voor zijn gebit nodig had, zoals zij. En was er een beter moment om je gedachten af te laten dwalen dan tijdens die stomme wiskundeles?

Meneer McCabe, die zichzelf de leukste leraar ter wereld vond, stond zijn nummer weer op te voeren. 'Dus, twee jongens staan in de rij voor de lunch. Zegt de ene tegen de andere: "Ik heb geen geld! Wat moet ik doen?" Zegt zijn vriend: "$2x + 5$!"'

Zoe keek naar de klok. Ze telde mee met de secondewijzer tot het exact 9:50 was en liep toen naar voren om meneer McCabe een briefje te overhandigen. 'Orthodontie,' las hij hardop. 'Ja, ja. Kijk maar uit dat je mond niet wordt dichtgenaaid, meisje Patterson. De vriend zegt dus: "$2x + 5$." Een binomium, ja? Bie van bietjes, no van nootjes...'

Zoe trok haar rugzak over haar schouders en liep het klaslokaal uit. Haar moeder zou om tien uur met de auto voor de school staan, en omdat er nergens parkeerruimte was, zou ze geen seconde willen wachten. Zoe's voetstappen weerkaatsten in de verlaten gangen. Het was alsof ze zich in de buik van een walvis voortbewoog. Ze ging het kantoor van de secretaresse binnen om zich af te melden en rende naar buiten.

Het was warm genoeg om haar jack los te ritsen en aan de zomer te denken, aan vakantie, aan de tijd dat haar beugel voorgoed zou worden weggehaald. Stel dat ze een jongen kuste die geen beugel had, zou ze dan in zijn tandvlees snijden? Iets zei haar dat als je een jongen liet bloeden hij je niet nog eens wilde ontmoeten. Maar als hij ook een beugel had, zoals die blonde jongen uit Chicago die net op school was gekomen en voor haar zat bij Engels? (Niet dat ze hem leuk vond of zo, maar toen hij zich omdraaide om haar proefwerk terug te geven, had hij het net iets te lang vastgehouden...) Zouden ze aan elkaar vast komen te zitten en naar Eerste Hulp moeten worden gebracht? Was dat niet verschrikkelijk vernederend?

Zoe gleed met haar tong over de metalen afrasteringen in haar mond. Misschien kon ze een tijdje naar een klooster.

Ze zuchtte en probeerde tussen de stroom passerende auto's haar moeders groene Explorer te ontdekken.

Op dat moment hoorde ze een explosie.

Patrick wachtte in zijn ongemarkeerde politieauto voor een rood stoplicht voordat hij de snelweg kon oprijden. Op de passagiersstoel naast hem lag een papieren zak met een buisje cocaïne. De dealer die bij de school was gearresteerd, had toegegeven dat het cocaïne was, en toch moest Patrick zijn halve dag verspillen door het naar het staatslab te brengen, zodat iemand in een witte jas hem kon vertellen wat hij al wist. Hij draaide aan de volumeknop van de politieradio en hoorde dat de brandweer naar de school was gestuurd vanwege een explosie. Het zou de boiler wel zijn. Die school was zo oud dat de ingewanden het vroeg of laat moesten begeven. Hij probeerde zich te herinneren waar de boiler in Sterling High zich bevond en hoopte dat er niemand gewond was geraakt.

Schoten gelost...

Het licht sprong op groen, maar Patrick verroerde zich niet. Het kwam zo zelden voor dat in Sterling vuurwapens werden gebruikt dat hij zich op de berichtgeving concentreerde voor nadere informatie.

... op Sterling High...

De stem op de radio werd gehaaster, intenser. Patrick manoeuvreerde de wagen rechtsomkeert en reed met zwaailichten terug in de richting van de school. Andere stemmen klonken door, van agenten die hun positie meldden. De dienstdoende chef die mankracht probeerde te coördineren, riep de hulp in van de bureaus Hanover en Lebanon. Een wirwar van stemmen in krakende, afgekapte mededelingen waar hij niets wijzer van werd.

Signaal 1000, zei de stem op de politiezender. *Signaal 1000.*

Patrick had in zijn carrière als rechercheur die oproep maar twee keer eerder gehoord. De eerste keer was in Maine, toen een wanhopige huisvader een politieman had gegijzeld. De tweede keer was in Sterling bij een bankoverval die vals alarm bleek te zijn. *Signaal 1000* betekende dat iedereen onmiddellijk van de zender af moest om die vrij te houden voor nooduitzendingen. Dat betekende dat het nu niet om routinezaken ging.

Dit was een kwestie van leven en dood.

Het was chaos. Leerlingen die de school uit renden en gewonden vertrapten; een jongen die een bord tegen een bovenraam drukte waarop HELP ONS! was geschreven; meisjes die snikkend in elkaars armen stonden. Chaos was bloed dat roze kleurde in de smeltende sneeuw. Chaos was binnendruppelende ouders die tot een lange stroom aangroeiden en vervolgens tot een kolkende rivier die de namen van hun vermiste kinderen schreeuwden. Chaos was een tv-camera in je gezicht, te weinig ambulances, te weinig agenten, geen plan hebben wanneer de wereld die je kende was ingestort.

Patrick parkeerde half op de stoeprand en griste zijn kogelvrije vest van de achterbank. Hij voelde de adrenaline door zijn aderen pompen en zijn zintuigen scherper worden. Midden in het gewoel stond O'Rourke met een megafoon. 'We weten nog niet waar we mee te maken hebben,' zei O'Rourke. 'De SOU is onderweg.'

De Special Operations Unit kon Patrick gestolen worden. Tegen de tijd dat het SWAT-team was gearriveerd, konden er nieuwe schoten en slachtoffers zijn gevallen. Hij trok zijn pistool. 'Ik ga naar binnen.'

'Dat doe je verdomme niet. Dat is tegen het protocol.'

'Voor deze situatie bestaat geen protocol,' snauwde Patrick. 'Later kun je me de zak geven.'

Terwijl hij de trap naar de school op rende, was hij er zich vaag van bewust dat twee andere agenten de bevelen van hun superieur eveneens negeerden en Patrick volgden. Hij stuurde ze elk een andere gang in, en zelf perste hij zich door de dubbele deuren naar voren tussen leerlingen die elkaar verdrongen om buiten te komen. De alarminstallaties loeiden zo oorverdovend dat Patrick de schoten er nauwelijks bovenuit hoorde. Hij greep een langs rennende jongen bij de kraag. 'Wie is het?' schreeuwde hij. 'Wie is er aan het schieten?'

De jongen schudde sprakeloos zijn hoofd en rukte zich los. Patrick zag hem als een bezetene de gang uit rennen en naar buiten vluchten.

Leerlingen stroomden aan beide kanten langs hem heen alsof hij een steen in een rivier was. Rook brandde in zijn ogen. Patrick hoorde opnieuw staccato schoten en moest zich inhouden er niet blindelings op af te rennen. 'Met hoeveel zijn ze?' riep hij tegen een wegvluchtend meisje.

'Weet ik niet...'

De jongen naast haar draaide zich even om en keek Patrick angstig aan. 'Het is een leerling... Hij schiet iedereen overhoop.'

Patrick wist genoeg. Als een stroomopwaarts zwemmende zalm wurmde hij zich door de vloedgolf heen. De vloer was bezaaid met patroonhulzen. Plafondtegels waren weggeschoten, en een dunne, grijze stoflaag bedekte de lichamen die op de grond lagen. Patrick negeerde dit alles, zoals hij alles negeerde wat jarenlange ervaring hem had geleerd: nooit langs deuren rennen waarachter zich een dader kan schuilhouden, maar altijd elke ruimte verkennen. In plaats daarvan werd hij voortgedreven met zijn wapen in de aanslag, en hij voelde zijn hart bonken in elke vezel van zijn lichaam. Later zou hij zich dingen herinneren die hij op dat moment niet direct in zich opnam omdat hij er geen tijd voor had: de dekplanken van de verwarmingsbuizen die waren losgetrokken zodat leerlingen zich in de kruipruimte konden verbergen; de schoenen die ze bij het vluchten hadden verloren; de morbide plaats-delictschetsen op de vloer bij de biologielokalen waar leerlingen bij wijze van opdracht de omtrek van hun eigen lichaam hadden moeten tekenen.

Hij rende de gangen door die steeds op elkaar uit leken te komen. '*Waar?*' snauwde hij elke keer dat hij een vluchtende leerling passeerde – zijn enige kompas. Hij zag bloedsporen en gekromde lichamen liggen, maar bleef er niet bij stilstaan. Hij stormde de hoofdtrap weer op, en op het moment dat hij boven was, hoorde hij het gekraak van een deur. Met een ruk draaide hij zich om en richtte zijn pistool, toen een jonge lerares met haar handen omhoog op haar knieën viel. Achter haar zag hij nog twaalf witte, angstige gezichten. Hij rook de stank van urine.

Hij liet zijn wapen zakken en wenkte haar naar de trap. 'Weg,' beval hij, maar hij wachtte niet om te kijken of ze ook gingen.

Om de volgende hoek gleed hij uit over een bloedplas, en hoorde opnieuw een schot, nu van dichtbij. Hij zwaaide de deuren naar de gymzaal open en zag het vijftal lichamen op de vloer, de omgevallen baskets, de ballen tegen de overliggende muur – maar geen schutter. Hij wist dat hij de verste uithoek van Sterling High had bereikt. Dat betekende dat de schutter zich hier ergens verborgen hield, of dat hij ongemerkt langs hem heen was gekomen... en hem nu in deze zaal misschien in een hoek had gedreven.

Patrick draaide zich om naar de ingang, en hoorde opnieuw een schot. Hij rende naar een deur die de zaal uit leidde en die hem niet eerder was opgevallen. Hij kwam in een kleedkamer met witte tegels tegen de muren en op de vloer. Hij keek omlaag, zag de waaier van bloed, en hield zijn pistool in de aanslag tegen de muur bij de hoek.

Achter in de ruimte lagen twee roerloze lichamen. Dichter bij Patrick was een jongen naast de rij garderobekastjes weggekropen. Hij droeg een bril met een dun metalen montuur dat scheef op zijn neus stond, en zat hevig te trillen.

'Alles oké met je?' fluisterde Patrick, die zijn positie niet aan de schutter prijs wilde geven.

De jongen knipperde met zijn ogen.

'Waar is hij?' vroeg Patrick geluidloos.

De jongen trok een pistool onder zijn dij vandaan en zette de loop tegen zijn hoofd.

Even was Patrick als verlamd. 'Geen beweging!' schreeuwde hij, zijn eigen pistool op de jongen richtend. 'Laat dat wapen vallen of ik schiet!' Het zweet droop over zijn rug en zijn voorhoofd. Hij kromde zijn handen om de kolf, vastbesloten om de jongen met kogels te doorzeven als het moest.

Patrick liet zijn wijsvinger al over de trekker glijden toen de jongen zijn vingers spreidde. Het wapen viel kletterend op de tegelvoer.

Patrick sloeg onmiddellijk toe. Een van de twee andere agenten – die Patrick niet eens achter zich aan had zien komen – pakte het vuurwapen op. Patrick smeet de jongen op zijn buik, en met zijn knie in zijn rug gedrukt sloeg hij hem in de boeien. 'Ben je alleen? Wie is er bij je?'

'Alleen ik,' kreunde de jongen.

Het duizelde Patrick en zijn hart ging razend tekeer, maar toch hoorde hij vaag een agent in zijn zender zeggen: *'Sterling hier. We hebben iemand gearresteerd. We weten niet of er meer schutters zijn.'*

Even onverwacht als het was begonnen, was het weer voorbij – voor zover iets als dit ooit voorbij kon zijn. Patrick wist niet of er boobytraps of bommen in de school waren verborgen. Hij wist niet hoeveel slachtoffers er waren. Hij wist niet hoeveel gewonden Dartmouth-Hitchcock Medical Center en Alice Peck Day Hospital konden herbergen. Hij wist niet wat hij aan moest met zo'n gigantische plaats delict. De lont was uit het kruitvat, maar tegen welke prijs? Patrick begon over zijn hele lijf te trillen. Voor al die leerlingen, ouders en burgers was hij vandaag opnieuw te laat gekomen.

Hij liep een paar passen naar voren en zonk toen op zijn knieen, voornamelijk omdat zijn benen het begaven, maar hij deed alsof hij de twee lichamen achter in de ruimte wilde inspecteren. Vaag was hij zich ervan bewust dat de schutter de kleedkamer werd uitgesleurd naar een wachtende patrouillewagen beneden. Hij keek niet naar hem om, maar concentreerde zich op het lichaam dat voor hem lag.

De jongen droeg een ijshockeytenue. Er lag een bloedplas bij zijn middel en hij had een schotwond in zijn voorhoofd. Patrick pakte de honkbalpet die een paar centimeter verder lag en waarop de woorden STERLING IJSHOCKEY waren geborduurd. Hij draaide hem rond in zijn handen. Een onvolmaakte cirkel.

Het meisje lag met haar gezicht naar beneden. Er kwam bloed van onder haar slaap. Ze had niets aan haar voeten en haar teennagels waren felroze gelakt, net als Tara bij Patrick had gedaan. Het trof hem diep. Dit meisje, net als zijn peetdochter en miljoenen andere kinderen in dit land, was vandaag opgestaan en naar school gegaan. Ze had nooit kunnen vermoeden dat ze in gevaar zou komen. Ze vertrouwde erop dat volwassenen, leraren en schoolhoofden voor haar veiligheid zouden zorgen. Daarom droegen alle docenten sinds 11 september een naamplaatje en waren de schooldeuren overdag afgesloten. Er werd altijd verondersteld dat de vijand een buitenstaander was, niet iemand die naast je in de klas zat.

Ineens bewoog het meisje zich. 'Help... me...'

Patrick knielde naast haar neer. 'Ik ben bij je,' zei hij, en hij raakte haar heel voorzichtig aan. 'Het komt allemaal goed.' Hij draaide haar iets om en zag dat het bloed uit een snee in haar hoofd kwam, en niet van een schotwond zoals hij aanvankelijk dacht. Hij liet zijn handen over haar ledematen glijden. Hij bleef tegen haar mompelen, woorden die er weinig toe deden, maar die haar lieten weten dat ze niet meer alleen was. 'Hoe heet je, lieverd?'

'Josie...' Ze probeerde rechtop te gaan zitten. Patrick manoeuvreerde zijn lichaam strategisch tussen haar en de jongen in. Ze was waarschijnlijk al in shock, en hij wilde het niet erger maken. Ze raakte haar voorhoofd aan. Toen ze haar hand terugtrok en het bloed aan haar vingers zag, vroeg ze angstig: 'Wat... is er gebeurd?'

Hij had moeten wachten tot de ambulance haar kwam halen. Hij had via de radio om hulp moeten vragen. Maar in plaats daarvan tilde hij Josie in zijn armen. Hij droeg haar de kleedkamer uit en haastte zich naar beneden en naar buiten, alsof hij niet alleen haar maar ook zichzelf zou kunnen redden.

Zeventien jaar eerder

Er zaten veertien mensen tegenover Lacy, als je meerekende dat de zeven vrouwen die de zwangerschapscursus bijwoonden allemaal in verwachting waren. De meesten hadden pen en papier meegenomen om de aanbevolen vitamines en diëten voor aanstaande moeders te noteren. Twee vrouwen trokken wit weg tijdens een discussie over een natuurlijke bevalling en waren naar de wc gerend vanwege ochtendziekte – die hen natuurlijk niet alleen 's ochtends overviel.

Lacy was moe. Ze was nog maar een week aan het werk na haar eigen zwangerschapsverlof. Of ze was de hele nacht op met haar eigen baby, of ze moest wakker blijven om een andere te verlossen. Het was oneerlijk verdeeld in de wereld. Haar borsten deden zeer, een pijnlijke herinnering dat ze weer moest kolven, zodat ze morgen melk voor de oppas kon achterlaten om Peter te voeden.

Toch hield ze te veel van haar werk om het helemaal op te geven. Ze was medicijnen gaan studeren met het doel obstetrisch gynaecoloog te worden, totdat ze besefte dat ze nooit aan het bed van een patiënt kon zitten als ze haar pijn niet kon invoelen. Artsen trokken een muur op tussen zichzelf en hun patiënten, en verpleegkundigen braken die af. Ze switchte van studierichting om gediplomeerd verpleegkundige en vroedvrouw te worden, waardoor ze zich ook in de emotionele gezondheid van de aanstaande moeder kon verdiepen in plaats van uitsluitend haar medische conditie. Sommige artsen in het ziekenhuis zouden haar wel geschift vinden, maar Lacy geloofde oprecht dat als je *Hoe voel je je?* aan een patiënt vroeg, het positieve altijd belangrijker was dan het negatieve.

Ze hield een boek over zwangerschap omhoog dat op alle bestsellerslijsten stond. 'Wie van jullie kent dit?'

Zeven handen gingen de lucht in.

'Oké. Koop dit boek niet. Lees dit boek niet. Gooi het weg als jullie het al hebben. Dit boek wil jullie wijsmaken dat jullie kunnen doodbloeden, een hartaanval krijgen en nog meer enge dingen die bij een normale zwangerschap niet voorkomen. Heus, een normaal verloop komt oneindig veel vaker voor dan deze auteurs jullie willen laten geloven.'

Ze keek naar de achterste rij waar een vrouw naar haar zij greep. *Kramp?* dacht Lacy. *Buitenbaarmoederlijke zwangerschap?*

De vrouw was gekleed in een zwart mantelpak en haar haar was achter in de nek tot een staart gebonden. Lacy zag dat ze opnieuw in haar zij drukte, en vervolgens een pieper losmaakte die aan haar rok was geklemd. Ze stond op. 'Ik... eh... Het spijt me, ik moet weg.'

'Kan het nog een paar minuten wachten?' vroeg Lacy. 'Ik wilde jullie net de kraamkliniek laten zien.'

De vrouw overhandigde de formulieren die ze bij aankomst had moeten invullen. 'Ik heb nu iets dringenders te doen,' zei ze, waarna ze haastig wegliep.

'Nou ja,' zei Lacy, 'misschien is dit een goed moment voor een plaspauze.' Terwijl de zes overgebleven vrouwen het vertrek verlieten, keek Lacy naar de formulieren in haar hand. *Alexandra Cormier*, las ze. En ze dacht: *Die zal ik in de gaten moeten houden.*

De laatste keer dat Alex hem had verdedigd, had Loomis Bronchetti in drie huizen ingebroken en elektronische apparatuur gestolen die hij in Enfield probeerde te slijten. Hoewel Loomis creatief genoeg was om zo'n plan te bedenken, drong het niet tot hem door dat in een klein stadje als Enfield te koop aangeboden stereoapparatuur argwaan kon wekken.

Kennelijk had Loomis zijn criminele curriculum vitae gisteravond uitgebreid toen hij samen met twee vrienden besloot achter een dealer aan te gaan die hun niet genoeg pot had gegeven. Ze waren stoned toen ze de man aan handen en voeten bonden en hem in de kofferbak smeten. Loomis sloeg de dealer met een honkbalknuppel een schedelfractuur. Toen de man begon te stuiptrekken en in zijn eigen bloed dreigde te stikken, draaide Loomis hem om zodat hij kon ademhalen.

'Ik kan niet geloven dat ze me van poging tot doodslag beschuldigen,' zei Loomis door de tralies van de beklaagdencel tegen Alex. 'Ik heb die man z'n leven gered.'

'Tja,' zei Alex. 'Dat hadden we kunnen gebruiken... als jij niet degene was geweest die hem bijna had doodgeknuppeld.'

'U moet zorgen dat ik minder dan een jaar krijg. Ik wil niet naar de gevangenis in Concord...'

'Je had van moord beschuldigd kunnen worden.'

Loomis keek haar verontwaardigd aan. 'Ik heb de politie een gunst bewezen door dat stuk tuig van de straat te halen.'

Hetzelfde, dacht Alex, kon van Loomis Bronchetti worden gezegd als hij werd veroordeeld en naar de staatsgevangenis werd gestuurd. Maar haar taak was niet om over Loomis te oordelen, hoe ze ook over hem dacht. Haar taak was Loomis de ene kant van haarzelf te laten zien en de andere verborgen te houden. Haar taak was haar gevoelens niet in het gedrang te laten komen met haar vermogen om Loomis Bronchetti vrij te pleiten.

'Ik zal zien wat ik kan doen,' zei ze.

Lacy wist dat elke zuigeling anders was – een wezentje met zijn eigen grillen, gewoontes, luimen en verlangens. Toch had ze gehoopt dat haar tweede zwangerschap net zo'n kind als haar eersteling zou voortbrengen. Joey was een wolk van een baby naar wie voorbijgangers omkeken, of ze hielden haar staande om in de wandelwagen te kijken en zeiden dan wat een prachtig kindje ze had. Peter was net zo prachtig, maar beslist een veel lastiger baby. Hij huilde veel, was vatbaar voor koliek, en kon soms alleen gesust worden door hem in zijn kinderzitje op de vibrerende wasdroger te zetten. En tijdens het voeden boog hij vaak ineens van haar weg.

41

Het was twee uur in de ochtend, en Lacy probeerde Peter weer in slaap te krijgen. In tegenstelling tot Joey, die altijd meteen insluimerde, verzette Peter zich er heftig tegen. Ze klopte op zijn rug en wreef over zijn schoudertjes terwijl hij bleef hikken en huilen. Eerlijk gezegd was ze zelf ook een huilbui nabij. De afgelopen twee uur had ze naar steeds dezelfde informercial over een messenset zitten kijken. Ze had de strepen op de brede armleuning van de bank geteld tot ze wazig werden. Ze was zo moe dat alles zeer deed. 'Wat is er dan, manneke,' zuchtte ze. 'Waar kan ik je gelukkig mee maken?'

Geluk was relatief, volgens haar man. Veel mensen moesten lachen als ze vertelde dat het werk van haar echtgenoot inhield dat hij geluk van een prijskaartje voorzag. Maar dat deden economen nu eenmaal – een waardenorm toekennen aan het ondefinieerbare in het leven. Lewis' collega's op Sterling College waren gepromoveerd op het belang van een goede opleiding, of goede gezondheidszorg, of voldoening in het werk. Lewis' vakgebied was niet minder belangrijk, maar wel onconventioneler. Daarom was hij een graag geziene gast bij Larry King en andere talkshows, of bij bedrijfsseminars. Op een of andere manier werd zijn vak sexy als je het over de dollarwaarde van een buiklach had of van een grap over een dom blondje. Regelmatige seks bijvoorbeeld stond 'geluksmatig' gelijk aan een opslag van vijftigduizend dollar. Maar een opslag van vijftigduizend dollar was lang niet zo opwindend als iedereen vijftigduizend dollar opslag kreeg. En iets wat je vroeger gelukkig had gemaakt, betekende nu misschien helemaal niets meer voor je. Vijf jaar geleden zou Lacy er alles voor hebben gegeven als haar man een boeket rode rozen voor haar mee naar huis had gebracht. Nu zou ze hem op haar knieën danken als hij haar de kans gaf een dutje van tien minuten te doen.

Lewis zou de geschiedenis ingaan als de econoom die een rekenformule voor geluk had bedacht: R/V, ofwel Realiteit gedeeld door Verwachting. Er waren twee manieren om gelukkig te worden: zorg voor een beter leven, of stel je verwachtingen naar beneden bij. Tijdens een buurtfeestje had Lacy hem eens gevraagd wat er gebeurde als je helemaal geen verwachtingen koesterde. Je kon niet door nul delen. Betekende dit dat je het leven maar moest nemen zoals het kwam en dat je nooit gelukkig kon worden? Toen ze later die avond in de auto zaten, zei Lewis beschuldigend dat ze hem voor gek had willen zetten.

Lacy stond er liever niet bij stil of zij, Lewis en hun gezin werkelijk gelukkig waren. Je zou denken dat de man die de formule had ontworpen dat wel had gedaan, maar op een of andere manier werkte dat anders. Ze dacht weleens aan het oude adagium dat schoenmakerskinderen barrevoets gaan, en vroeg zich dan af: *Hoe zit het met de kinderen van de man die de waarde van geluk kent?* De laatste tijd, wanneer Lewis tot laat op kantoor bleef om aan een artikel te werken waarvan de deadline naderde, en zijzelf zo uitgeput was dat ze in de ziekenhuislift staande in slaap kon vallen, probeerde ze zichzelf te overtuigen dat het gewoon een fase was waar ze doorheen moesten. Dit opleidingskamp voor baby's zou op een dag plaatsmaken voor ontspanning, tevredenheid, saamhorigheid, en al die andere factoren die Lewis in zijn computerprogramma's stopte. Uiteindelijk had ze een man die van haar hield, twee gezonde jongens, en een voldoening schenkende carrière. Was alles hebben wat je altijd had gewild tenslotte niet de ultieme definitie van geluk?

Ze besefte dat Peter – wonder boven wonder – tegen haar schouder in slaap was gevallen, met zijn perzikachtige wangetje tegen haar naakte huid gedrukt. Op haar tenen liep ze de trap op en legde hem voorzichtig in zijn ledikant. Daarna keek ze even naar Joey die in het bed aan de andere kant van de kamer lag en door maanlicht werd beschenen. Ze vroeg zich af hoe Peter zou zijn als hij zo oud was als Joey nu. En of je twee keer zo veel geluk kon hebben.

Alex Cormier was jonger dan Lacy had gedacht. Ze was vierentwintig, maar had zoiets zelfverzekerds dat je haar makkelijk tien jaar ouder schatte. 'En,' zei Lacy, 'is het goedgekomen met die dringende kwestie?'

Alex keek haar even vragend aan, en herinnerde zich toen dat ze een week geleden voortijdig was weggegaan. 'Ik moest een juridische schikking treffen.'

'Dus je bent advocaat?' Lacy keek op van haar aantekeningen.

'Strafpleiter.' Alex hief haar hoofd alsof ze verwachtte dat Lacy iets afkeurends zou zeggen over haar betrokkenheid bij criminelen.

'Dat moet een veeleisende baan zijn,' zei Lacy. 'Weten ze op je werk dat je zwanger bent?'

Alex schudde haar hoofd. 'Dat hoeft niet, want ik neem geen zwangerschapsverlof.'

'Daar zul je misschien anders over denken wanneer...'

'Ik ben niet van plan de baby te houden.'

Lacy leunde achterover in haar stoel. 'Oké.' Het was niet aan haar om over die beslissing te oordelen. 'Dan kunnen we diverse opties bespreken.' Bij elf weken kon Alex nog steeds de zwangerschap beëindigen als ze wilde.

'Ik had me willen laten aborteren,' zei Alex, alsof ze Lacy's gedachten had geraden, 'maar ik heb mijn afspraak gemist.' Ze keek op. 'Twee keer.'

Lacy wist dat je overtuigd voor abortus kon hebben gekozen, maar dat je die beslissing niet in je eentje kon of wilde nemen, en dit was het moment om de keuzes voor te leggen. 'Goed,' zei ze. 'Ik kan je informatie over adoptie geven, als je zelf nog geen contact met bemiddelingsbureaus hebt opgenomen.' Ze trok een la open en haalde er brochures uit met informatie over adoptiebureaus en in adoptie gespecialiseerde advocaten. 'Maar laten we ons vooralsnog op jou en je gezondheid concentreren.'

'Ik voel me prima,' antwoordde Alex. 'Ik ben niet misselijk en ook niet moe.' Ze keek op haar horloge. 'Maar ik ben wel laat voor mijn afspraak.'

Lacy begreep dat Alex gewend was alle facetten van haar leven onder controle te hebben. 'Als je zwanger bent, mag je het best wat kalmer aan doen. Dat heeft je lichaam nodig.'

'Ik kan heel goed voor mezelf zorgen.'

'Kan iemand anders niet een tijdje meehelpen?'

Er kwam een geïrriteerde blik in Alex' ogen. 'Hoor eens, ik heb geen behoefte aan zielzorg. Ik waardeer je bezorgdheid, maar...'

'Steunt je partner je in je beslissing de baby op te geven?' vroeg Lacy.

Alex wendde haar blik af. 'Er is geen partner,' zei ze koel.

De laatste keer dat Alex' lichaam de leiding over haar geest had genomen en niet deed wat ze wilde, was deze baby verwekt. Het was onschuldig begonnen. Logan Rourke, haar docent rechtbankadvocatuur, riep haar bij zich op zijn kantoor om haar te complimenteren met haar optreden in de rechtszaal. Logan zei dat de juryleden hun ogen niet van haar konden afhouden, en hij evenmin. Voor Alex was Logan een godheid. Zijn prestige en macht maakten hem zó aantrekkelijk dat ze meende de man van haar leven te hebben gevonden.

Ze geloofde hem toen hij zei dat hij in de tien jaar dat hij lesgaf nog nooit een student had ontmoet die zo intelligent was als zij. Ze geloofde hem toen hij zei dat zijn huwelijk voorbij was. En ze geloofde hem die avond toen hij haar van de campus naar huis bracht, haar gezicht tussen zijn handen nam, en zei dat zij het belangrijkste in zijn leven was.

Rechtswetenschap was het bestuderen van feiten en details, niet van emoties. Dat Alex dit vergat toen ze zich met Logan inliet, was een kardinale fout geweest. Ze begon plannen uit te stellen omdat ze op zijn telefoontje wachtte, dat soms kwam, maar vaak ook niet. Ze probeerde het te negeren als ze hem zag flirten met eerstejaarsstudentes die net zo naar hem opkeken als zij ooit had gedaan. En toen ze zwanger raakte, maakte ze zichzelf wijs dat ze waren voorbestemd de rest van hun leven samen door te brengen.

Logan had gezegd dat ze van het kind af moest. Ze had een afspraak gemaakt, maar vergat de datum en het tijdstip in haar agenda te noteren. Ze maakte een nieuwe afspraak, maar besefte te laat dat die samenviel met een tentamen. Toen was ze naar Logan gegaan. *Het is een teken*, had ze gezegd.

Mogelijk, had hij geantwoord, *maar het betekent niet wat jij denkt. Wees redelijk*, had Logan gezegd. *Een alleenstaande moeder kan nooit rechtbankadvocaat worden. Je moet kiezen tussen je carrière en je baby.*

Wat hij werkelijk bedoelde, was dat ze moest kiezen tussen hém en haar baby.

De vrouw kwam haar van achteren bekend voor, zoals wel vaker gebeurt als je iemand buiten zijn vertrouwde omgeving ziet: de groenteman die in de rij voor het bankloket staat, of de postbode die aan de andere kant van het gangpad in de bioscoop zit. Alex keek nog eens en besefte toen dat ze haar niet meteen had herkend door het kindje in haar armen. Ze liep met grote passen door de gang van het gerechtsgebouw naar het gemeenteloket waar Lacy Houghton een parkeerboete stond te betalen.

'Advocaat nodig?' vroeg Alex.

Lacy keek op. De baby rustte in de kromming van haar arm. Het duurde even voordat ze Alex kon plaatsen. Ze had haar niet meer gezien sinds haar bezoek van bijna een maand geleden. 'Hé, hallo!' zei ze glimlachend.

'Wat brengt jou hier, als ik vragen mag?'

'O, ik geef een cheque af om mijn ex op borgtocht vrij te krijgen...' Ze begon te lachen toen Alex haar met grote ogen aankeek. 'Geintje. Ik heb een bon wegens fout parkeren.'

Alex keek naar Lacy's zoon. Hij droeg een blauw mutsje dat onder zijn kin was vastgeknoopt, en hij had een snotneus. Toen hij Alex zag, opende hij zijn mond in een brede, tandeloze grijns.

'Zullen we een kop koffie gaan drinken?' stelde Lacy voor.

Ze smeet tien dollar op haar parkeerbon en schoof die in de la van het betaalloket. Vervolgens tilde ze de baby iets hoger op haar arm en liep het gebouw uit. Voordat ze overstak naar een Dunkin' Donuts aan de overkant, bleef ze even staan om een zwerver een briefje van tien te geven. Alex rolde met haar ogen. Toen ze gisteren van haar werk kwam, had ze dezelfde man de dichtstbijzijnde kroeg zien binnenstappen.

In de koffieshop ontdeed Lacy de baby van een paar kleding-lagen en zette hem op haar schoot. Onder het praten sloeg ze het dekentje om haar schouders en begon Peter te voeden.

'Is het moeilijk?' vroeg Alex.

'Voeden?'

'Dat niet alleen, alles.'

'Je leert het met vallen en opstaan.' Lacy tilde de baby op haar schouder. Zijn voetjes schopten tegen haar borst alsof hij niets meer met haar te maken wilde hebben. 'Maar vergeleken met jouw werk zal het moederschap wel een fluitje van een cent zijn.'

Alex moest direct aan Logan Rourke denken, die haar had uit-gelachen toen ze hem vertelde dat ze in de sociale advocatuur ging werken. *Dat hou je geen week vol*, had hij haar voorgehou-den. *Daar ben je veel te weekhartig voor.*

Ze vroeg zich weleens af of ze een goede pro-Deoadvocaat was vanwege haar bekwaamheid, of omdat ze Logan wilde bewijzen dat hij zich had vergist. Hoe dan ook, Alex had beroepsmatig een rol gecultiveerd. Ze gaf wetsovertreders een gelijke stem binnen het rechtssysteem, maar ze zouden nooit vat op haar persoonlijk krijgen. Die fout had ze ooit eerder met Logan gemaakt.

'Heb je nog kans gezien met een adoptiebureau in contact te komen?' vroeg Lacy.

Alex had niet eens de brochures ingekeken die ze mee had ge-kregen. 'Ik heb er een paar gebeld,' loog ze. Ze was het van plan geweest, maar het was er nog steeds niet van gekomen.

'Mag ik je iets persoonlijks vragen?' vroeg Lacy, en Alex knik-te behoedzaam. Ze hield niet van persoonlijke vragen. 'Waarom heb je besloten de baby op te geven?'

Had ze dat ooit werkelijk besloten? Of was de beslissing voor haar genomen?

'Dit is niet het goede moment,' zei Alex.

Lacy glimlachte. 'Misschien is het nooit het goede moment om een baby te krijgen. Jouw leven zou in elk geval op z'n kop ko-men te staan.'

Alex keek haar aan. 'Ik hou mijn leven liever rechtovereind.'

Lacy schikte iets aan het truitje van haar zoon. 'Eigenlijk is er niet zoveel verschil tussen jouw werk en het mijne.'

'Het recidivepercentage zal wel ongeveer hetzelfde zijn,' zei Alex.

'Ik bedoel dat we allebei met mensen te maken hebben in hun meest elementaire fase. Dat vind ik zo mooi aan verloskunde. Dan zie je hoe sterk iemand is die pijn onder ogen moet zien.' Ze keek Alex aan. 'Het is toch wonderbaarlijk hoe mensen op elkaar lijken wanneer ze tot hun kern worden teruggebracht?'

Alex zag de stoet beklaagden uit haar carrière voor haar geestesoog passeren. Voor haar waren ze allemaal even wazig. Maar kwam dat, zoals Lacy zei, doordat ze allemaal op elkaar leken? Of kwam het doordat Alex zich had aangeleerd ze niet van dichtbij te bekijken?

Ze zag hoe Lacy de baby op schoot nam. Hij sloeg met zijn handjes op tafel en maakte gorgelende geluiden. Ineens stond Lacy op en gaf hem aan Alex, die het kind wel moest overnemen om het niet op de vloer te laten vallen. 'Hou jij Peter even vast? Ik moet naar de wc.'

Alex raakte in paniek. *Ik weet niet wat ik moet doen*, dacht ze. De baby trappelde met zijn voetjes als een tekenfilmfiguur die over de rots het ravijn in rent.

Onhandig zette Alex hem op haar schoot. Hij was zwaarder dan ze had gedacht, en zijn huid voelde aan als vochtig fluweel. 'Peter,' zei ze plechtig, 'ik ben Alex.'

Het kind wilde haar koffiekopje pakken, maar ze schoof het snel buiten zijn bereik. Peters gezicht verkrampte en hij begon te huilen.

Het gekrijs was oorverdovend en hemeltergend. 'Hou op,' smeekte Alex, toen andere bezoekers zich naar haar omdraaiden. Ze stond op, klopte op Peters rug zoals ze Lacy had zien doen, en wenste dat hij buiten adem raakte, iets aan zijn stembanden kreeg, of gewoon begreep hoe onervaren ze was. Alex, die altijd een geestig weerwoord had, die zich altijd uit de moeilijkste juridische kwesties wist te redden, had geen idee wat ze aan moest met een huilende baby.

Ze ging zitten en hield Peter – inmiddels donkerrood van woede – vast onder zijn oksels. 'Luister,' zei ze. 'Ik mag dan niet zijn wat je wilt, je zult het er toch even mee moeten doen.'

Na een laatste hik kalmeerde de baby. Hij staarde in Alex' ogen alsof hij haar probeerde te doorgronden.

Opgelucht nam Alex hem weer op de arm en ging iets meer rechtop zitten. Ze keek naar de kruin van het kind, naar de kloppende ader onder zijn doorzichtige fontanel.

Toen haar greep op de baby verslapte, ontspande hij ook. *Was het echt zo gemakkelijk?*

Ze liet haar vinger over het zachte plekje op Peters hoofd glijden. Ze wist dat de fontanellen verschoven om de geboorte te vergemakkelijken; ze sloten zich pas aaneen tegen de tijd dat de baby een peuter was. Een kwetsbaarheid waarmee iedereen werd geboren en die letterlijk uitgroeide tot de hardhoofdigheid van elke volwassene.

'Sorry,' zei Lacy, toen ze weer aan hun tafeltje kwam zitten. 'En bedankt.'

Alex reikte haar met een bruusk gebaar de baby aan alsof ze zich eraan had gebrand.

Na dertig uur barensweeën thuis was de patiënt uiteindelijk naar het ziekenhuis gebracht. Omdat ze heilig in een natuurlijke geboorte geloofde, had ze weinig aan prenatale zorg gedaan. Geen vruchtwaterpunctie, geen sonogrammen. Toch scheen een ongeboren kind te weten wat het wilde en nodig had als het zijn tijd was om ter wereld te worden gebracht. Als een gebedsgenezeres legde Lacy haar handen op de buik van de vrouw. *Zes pond*, dacht ze, *stuit boven, hoofd beneden.* Een arts stak zijn hoofd om de deur. 'Hoe gaat het hier?'

'Ze is vijfendertig weken,' zei Lacy, 'maar alles lijkt me in orde.' Toen de dokter zich terugtrok, plaatste ze zich tussen de benen van de vrouw. 'Ik weet dat dit voor jou al een eeuwigheid duurt,' zei ze, 'maar als je nog een uurtje met me kunt meewerken, dan heb je je kindje.'

Toen ze de echtgenoot vroeg achter zijn vrouw te gaan staan om haar rechtop te houden terwijl ze perste, voelde Lacy het vibreren van de pieper die aan de broekband van haar grijsblauwe werkkleding was geklemd. Wie kon dat zijn? Haar secretaresse wist dat ze met een bevalling bezig was.

'Willen jullie me even excuseren?' zei ze, en ze liet de kraamverpleegster haar taak overnemen terwijl zij naar de verpleegkundigenpost liep om te bellen. 'Wat is er aan de hand?' vroeg Lacy, toen haar secretaresse opnam.

'Een van je patiënten moet je dringend spreken.'

'Ik ben nu even bezig,' zei Lacy afgemeten.

'Ze zei dat ze zou wachten, hoe lang het ook ging duren.'

'Wie is het?'

'Alex Cormier,' antwoordde de secretaresse.

In een ander geval zou Lacy hebben gezegd dat de patiënt maar een van de andere verloskundigen moest raadplegen, maar er was iets bijzonders aan Alex Cormier, iets waar ze niet de vinger op kon leggen, iets wat niet klopte.

'Goed,' zei Lacy, 'maar zeg dat het nog wel even kan duren.'

Ze hing op en haastte zich terug naar de kraamkamer, waar ze de ontsluiting van de vrouw controleerde. 'Kennelijk heb je van mijn afwezigheid gebruikgemaakt,' zei ze lachend. 'Je bent al op tien centimeter. Ik denk dat ik maar even de stad inga.'

Tien minuten later werd een meisje van drie pond geboren. Terwijl de ouders in alle staten van verrukking waren, draaide Lacy zich om naar de kraamverpleegster en probeerde haar met haar blik duidelijk te maken dat er iets mis was.

'Ze is zo klein,' zei de vader. 'Is er iets niet... Is ze gezond?'

Lacy aarzelde omdat ze het antwoord niet wist. *Een bindweefselgezwel?* vroeg ze zich af. Het enige wat ze zeker wist, was dat er veel meer in die vrouw zat dan een baby van drie pond, en dat haar patiënt nu elk moment kon gaan bloeden.

Lacy boog zich opnieuw over de vrouw en drukte op de uterus. Ze liet haar hand op de buik rusten en keek op. 'Heeft iemand al gezegd dat jullie een tweeling krijgen?'

De vader verbleekte. 'Zitten er nog twee in?'

Lacy grijnsde. Een tweeling kon ze aan. Een tweeling was een extraatje, en geen medische ramp. 'Nee, nu nog maar een.'

De man knielde dolgelukkig naast zijn vrouw neer en kuste haar voorhoofd. 'Hoor je dat, Terri? *Een tweeling!*'

Zijn vrouw kon haar ogen niet van haar pasgeboren dochter afhouden. 'Leuk,' zei ze rustig, 'maar ik ga er niet nog een naar buiten persen.'

Lacy schoot in de lach. 'Wedden dat ik je op andere gedachten kan brengen?'

Veertig minuten later liet Lacy het gelukkige gezin achter – met hun tweelingdochters – en liep naar het personeelsverblijf om zich op te frissen en een schoon werktenue aan te trekken. Ze nam de trap naar de verloskundigenpraktijk en keek naar de vrouwen in de wachtkamer die hun armen over hun gezwollen buik hielden. Een van hen stond wankelend op toen Lacy binnenkwam.

'Alex,' zei Lacy. 'Loop je even mee?'

Ze leidde Alex een spreekkamer binnen en ging tegenover haar in een stoel zitten. Op dat moment viel het haar op dat Alex' ogen roodomrand waren en dat ze haar trui achterstevoren aanhad. Het was een lichtblauwe trui met een ronde hals, en het zou haar nooit zijn opgevallen als het labeltje niet zichtbaar was geweest. Het had iedereen kunnen gebeuren die haast had of in de war was... maar bij Alex Cormier leek het onwaarschijnlijk.

'Ik heb gebloed,' zei Alex toonloos. 'Niet veel, maar toch...'

'Zullen we maar even kijken?' antwoordde Lacy, en ze liep met Alex de gang door naar Echoscopie. Zodra Alex zich op de onderzoekstafel had uitgestrekt, zette Lacy het apparaat in werking. Ze bewoog de transductor over Alex' buik. Bij de zestiende week zag de foetus eruit als een baby – heel klein en skeletachtig, maar wel volmaakt. 'Zie je dat?' zei Lacy, en ze wees naar de ritmisch knipperende cursor. 'Dat is de hartslag van de baby.'

Alex wendde haar gezicht af, maar niet voordat Lacy een traan over haar wang zag glijden. 'Met je kindje is alles in orde,' zei ze. 'En een beetje bloedverlies is niet abnormaal.'

'Ik dacht dat ik een miskraam had.'

'Zodra je een normale baby ziet, zoals nu, is de kans op een miskraam minder dan één procent. Laat ik het anders zeggen. De kans dat je een normale baby ter wereld brengt, is negenennegentig procent.'

Alex knikte en veegde haar ogen af aan haar mouw. 'Gelukkig.'

Lacy aarzelde. 'Misschien is het niet aan mij om dit te zeggen, Alex, maar voor iemand die deze baby niet wil, lijk je me heel opgelucht dat alles in orde is.'

'Ik... kan niet...'

Lacy keek naar het bevroren beeld van Alex' baby op de monitor. 'Denk er nog eens over na,' zei ze.

Ik heb al een gezin, had Logan Rourke later die dag gezegd toen Alex hem vertelde dat ze de baby wilde houden. *Ik wil er niet nog een.*

Die avond voerde Alex een soort bezweringsformule uit. Ze verbrandde alle papieren die met Logan Rourke te maken hadden. Ze had geen foto's van hen beiden, geen liefdesbrief van hem. Achteraf besefte ze hoe voorzichtig hij was geweest, hoe gemakkelijk hij uit haar leven kon worden gewist.

Dit kind, besloot ze, zou alleen van haar zijn. Ze keek naar de vlammen en dacht aan de ruimte die het in haar lichaam innam, aan de organen die er plaats voor maakten, aan haar huid die erdoor werd opgerekt. Ze vroeg zich niet af of ze met deze baby wilde bewijzen dat haar relatie met Logan Rourke werkelijk had bestaan, of dat ze hem net zo wilde kwetsen als hij haar had gekwetst. Elke ervaren rechtbankadvocaat weet dat je de getuige nooit een vraag stelt waarop je het antwoord niet weet.

Vijf weken later was Lacy niet meer alleen Alex' verloskundige, maar ook haar vertrouweling, haar beste vriendin, haar klank-

52

bord. Hoewel Lacy nooit persoonlijke banden met een cliënt aanknoopte, had ze voor Alex een uitzondering gemaakt. Ze hield zichzelf voor dat Alex – die nu had besloten de baby te houden – steun nodig had, en er was niemand op wie Alex meer vertrouwde dan op haar.

Dat was de enige reden, dacht Lacy, dat ze had toegezegd vanavond met Alex en haar collega's te gaan stappen. Zelfs het vooruitzicht van een avondje zonder baby's verloor zijn glans in dit gezelschap. Lacy had kunnen weten dat een wortelkanaalbehandeling aangenamer was dan een etentje met een stel advocaten dat zichzelf maar al te graag hoorde praten. Ze liet de gesprekken langs zich heen glijden en bleef haar wijnglas vullen met cola uit een karaf.

Het restaurant was een Italiaanse tent met afschuwelijke tomatensaus en een kok die te veel knoflook gebruikte. Ze vroeg zich af of er ook Amerikaanse restaurants in Italië waren.

Alex was in een verhitte discussie gewikkeld over een bepaalde juryrechtszaak, en het jargon waar Lacy niets van begreep vloog haar om de oren. Een vrouw met blozende wangen die rechts van Lacy zat, schudde haar hoofd. 'Je geeft een signaal af,' zei ze. 'Als je schadevergoedingen toekent voor illegaal werk, geef je een bedrijf toestemming zich boven de wet te plaatsen.'

Alex begon te lachen. 'Sita, mag ik je er even aan herinneren dat jij de enige aanklager aan deze tafel bent en dat je deze discussie dus nooit kunt winnen?'

'We zijn allemaal bevooroordeeld. Wat wij nodig hebben is een objectieve mening. Voor niet-ingewijden moeten we wel een soort buitenaardse wezens lijken.' Sita keek Lacy glimlachend aan. 'Wat vind jij ervan?'

Misschien had ze beter moeten luisteren – kennelijk had het gesprek een interessante wending genomen terwijl ze zat te dagdromen. Het enige wat ze had opgevangen was *buitenaardse wezens*.

'Tja, ik ben natuurlijk geen expert, maar ik heb onlangs een boek gelezen over Area 51, en hoe die door de regering in de doofpot is gestopt. Het gaf specifieke details over verminking bij runderen. Ik vind het verdacht wanneer een koe in Nevada zijn nieren kwijtraakt zonder dat er sprake is van weefselaantasting of bloedverlies. Ik heb ooit eens een kat gehad die dacht dat ze door buitenaardse wezens was ontvoerd. Ze is op de minuut af vier weken weggebleven, en toen ze terugkwam, had ze vreemde brandvlekken op haar vacht, zeg maar een soort graancirkels.'

Iedereen aan tafel staarde haar sprakeloos aan. Een vrouw met dunne lippen en kortgeknipt haar zei ten slotte: 'We hadden het over illegale werknemers.'

Lacy voelde het bloed naar haar hals kruipen. 'O,' zei ze. 'Ja, ja.'

'Als je het mij vraagt,' zei Alex, 'is Lacy de aangewezen figuur om het landbouwbeleid eens flink op de schop te nemen.'

Ze schoten allemaal in de lach. Lacy bedacht dat Alex zich overal kon aanpassen. In welk restaurant dan ook, in een rechtszaal, en waarschijnlijk ook op de thee bij de koningin. Ze was een kameleon.

Ineens kwam het bij haar op dat ze niet eens wist wat voor kleur een kameleon had voordat hij begon te veranderen.

Bij elk prenataal onderzoek was er het moment dat Lacy een beroep deed op haar intuïtie. Dan legde ze haar handen op de buik van de patiënt en voelde ze gewoon in welke richting de baby lag. Niet dat het met exacte wetenschap te maken had. Er waren twee harde delen aan een foetus: het hoofd en de stuit. Als je het hoofd van de baby bewoog, draaide het op het uiteinde van de ruggengraat. Als je de stuit van de baby bewoog, bewoog je de hele baby.

Ze liet haar handen over Alex' buik glijden en hielp haar overeind. 'Het goede nieuws is dat het prima gaat met de baby. Het slechte nieuws is dat ze op dit moment ondersteboven ligt. Stuitligging.'

Alex verstijfde. 'Betekent dat een keizersnede?'

'We hebben nog acht weken voordat we moeten beslissen. In die tijd kunnen we van alles proberen om de baby te draaien.'

'Hoe dan?'

Ze ging tegenover Alex zitten. 'Ik zal je de naam van een acupuncturist geven. Zij zal bijvoetnaaldjes in je pink en je kleine teen steken. Eerst van voren en dan van achteren. Het doet geen pijn, maar je krijgt wel een onaangenaam warm gevoel. Zij zal je leren hoe je het zelf moet doen. Als je er direct mee begint, is er grote kans dat de baby zich binnen twee weken zal omdraaien.'

'Dus als ik mezelf met naaldjes doorboor, maakt mijn kind een salto?'

'Nou ja, misschien ook niet. Daarom wil ik dat je ook een strijkplank schuin tegen de bank zet. Daar moet je drie keer per dag met je hoofd naar beneden een kwartier tegenaan blijven liggen.'

'Jezus, Lacy. En dan moet ik zeker ook nog een of ander kristal om mijn hals dragen?'

'Ik verzeker je dat dit een stuk prettiger is dan de manier waarop een arts het zou aanpakken... Of de gevolgen van een keizersnede.'

Alex vouwde haar handen over haar buik. 'Ik geloof niet zo in bakerpraatjes.'

Lacy haalde haar schouders op. 'Jij hebt de keuze. Je baby niet.'

Het was niet gebruikelijk dat je cliënten een lift gaf naar de rechtbank, maar voor Nadya Saranoff had Alex een uitzondering gemaakt. Nadya's echtgenoot had haar mishandeld en in de steek gelaten voor een andere vrouw. Hij wilde geen alimentatie voor hun twee kinderen betalen, hoewel hij een behoorlijk inkomen had, en Nadya bij Subway slechts $5,25 per uur verdiende. Ze had een aanklacht ingediend, maar omdat de justitiële raderen te langzaam draaiden, had ze bij Wal-Mart een broek en een wit overhemd gestolen voor haar vijfjarige zoon die uit zijn kleren was gegroeid en die de week daarop voor het eerst naar school zou gaan.

Nadya had schuld bekend. Omdat ze geen boete kon betalen, werd ze met opschorting veroordeeld tot dertig dagen celstraf – wat inhield, zoals Alex haar nu uitlegde, dat ze een jaar uitstel had. 'Als je naar de gevangenis gaat,' zei ze, toen ze bij het damestoilet in het gerechtsgebouw stonden, 'zullen je kinderen het heel zwaar krijgen. Ik weet dat je wanhopig was, maar er is altijd een andere optie. De kerk, bijvoorbeeld. Of het Leger des Heils.'

Nadya veegde haar ogen af. 'Ik kan niet eens naar de kerk of het Leger des Heils. Ik heb geen auto.'

Daarom ook had Alex haar naar de rechtbank gereden.

Alex probeerde haar medelijden te onderdrukken toen Nadya het toilet in vluchtte. Het was haar taak geweest er een goeie deal voor Nadya uit te slepen, en dat was ook gelukt, als je naging dat dit haar tweede winkeldiefstal was. De eerste keer had ze een doosje kinderaspirine uit een drogisterij gejat.

Ze dacht aan haar eigen baby, waarvoor ze elke avond ondersteboven tegen een strijkplank lag met pijnlijke dolkjes in haar kleine teen in de hoop dat het kind van positie veranderde. Hoe nadelig kon het zijn om achterstevoren op deze wereld te verschijnen?

Toen Nadya na tien minuten nog niet uit het toilet was gekomen, klopte Alex op de deur. 'Nadya?' Ze ging naar binnen en trof haar cliënt snikkend voor de wastafel aan. 'Nadya, wat is er?'

Nadya boog haar hoofd. 'Ik ben net ongesteld geworden en ik heb geen geld voor een tampon.'

Alex zocht in haar portemonnee een muntstuk voor de automaat aan de muur. Maar op het moment dat het kartonnen kokertje eruit rolde, knapte er iets in haar. Deze zaak mocht dan geregeld zijn, hij was nog niet voorbij. 'Blijf buiten op me wachten,' gebood ze. 'Ik ga de auto halen.'

Ze reed met Nadya naar Wal-Mart – de plaats van het misdrijf – en smeet drie megaverpakkingen Tampax in het winkelwagentje. 'Wat heb je nog meer nodig?'

'Onderbroeken,' fluisterde Nadya. 'Dit was mijn laatste.'

Alex duwde het karretje door het ene gangpad na het andere. Ze kocht T-shirts, sokken, ondergoed en pyjama's voor Nadya;

broeken, jassen, mutsen en handschoenen voor haar jongens. Ze kocht grote dozen crackers en koekjes, blikken soep, pasta en Devil Dogs. Wanhopig deed ze wat ze op dat moment móést doen, al wist ze dat het pro-Deoadvocaten juist werd afgeraden. Toch handelde ze weldoordacht en in het besef dat ze dit nog nooit voor een cliënt had gedaan en ook nooit meer zou doen. Ze gaf achthonderd dollar uit in dezelfde zaak die een klacht tegen Nadya had ingediend. Het was gemakkelijker om een fout goed te maken dan te accepteren dat je kind werd geboren in een wereld die Alex onaanvaardbaar vond.

De catharsis eindigde op het moment dat Alex bij de kassa haar creditcard overhandigde en ze de stem van Logan Rourke in haar hoofd hoorde. *Je bent veel te weekhartig.*

En hij kon het weten.

Hij was de eerste die haar hart had gebroken.

Nu weet ik hoe het is om dood te gaan, dacht Alex. Een nieuwe kramp trok door haar heen met een martelende, allesoverheersende pijn.

Veertien dagen geleden, in haar zevenendertigste week, had Lacy gevraagd hoe ze over pijnbestrijding dacht. Alex had geantwoord dat ze niet van plan was medicijnen te gebruiken en dat ze een natuurlijke geboorte wilde. Zo pijnlijk kon dat toch niet zijn?

Dat was het dus wel.

Ze dacht terug aan de zwangerschapslessen die Lacy haar had laten nemen, en waarbij ze Lacy als partner kreeg, omdat alle andere aanstaande moeders hun man of vriend hadden meegenomen om hen bij te staan. Er werden filmpjes vertoond van vrouwen in barensnood, tandenknarsende vrouwen met vertrokken gezichten die oerkreten slaakten. Alex had er sceptisch naar gekeken. *Ze laten alleen zien wat er in het ergste geval kan gebeuren,* hield ze zichzelf voor. *De een heeft een hogere pijndrempel dan de ander.*

De volgende kramp was als een cobra die zich langs haar ruggengraat kronkelde, zich om haar buik wikkelde en er zijn gif-tanden in zette. Alex viel op haar knieën op de keukenvloer.

Van de zwangerschapslessen had ze geleerd dat voorweeën twaalf uur of langer konden aanhouden.

Als ze tegen die tijd al niet dood was, zou ze een kogel door haar hoofd jagen.

Toen Lacy nog in opleiding was, had ze maandenlang met een meetlint rondgelopen. Nu, na jarenlange ervaring, kon ze moeite-loos de doorsnede van een koffiekopje of een sinaasappel inschat-ten. Ze nam haar hand tussen Alex' benen vandaan en trok haar latex handschoenen uit. 'Twee centimeter,' zei ze, en Alex barstte in tranen uit.

'Twee maar? Ik hou dit niet vol,' steunde Alex, op haar rug kronkelend om de pijn te verlichten. Ze had geprobeerd haar on-gemak te verbergen achter een masker van onaantastbaarheid, maar had het niet lang volgehouden.

'Ik weet dat het tegenvalt,' zei Lacy, 'maar alles gaat goed. En als het goed gaat met twee centimeter, dan gaat het ook goed met acht.'

Bevallen was zwaar voor iedereen, wist Lacy, maar nog zwaar-der voor vrouwen die het zich anders hadden voorgesteld en lijst-jes en schema's hadden gemaakt. Het ging nooit zoals je ver-wachtte. Bij een bevalling moest je het overlaten aan je lichaam in plaats van je verstand. Je gaf je volledig bloot, ook delen van je-zelf die je had verdrongen. Voor iemand als Alex, die gewend was alles onder controle te hebben, kon het rampzalig zijn. Het kwam alleen goed als ze haar koelbloedigheid op het spel wilde zetten, met het risico dat ze iemand werd die ze niet wilde zijn.

Lacy hielp Alex van het bed af en bracht haar naar de badruim-te. Ze dimde het licht, zette de instrumentale muziek aan, en maakte Alex' badjas los. Op dat moment had Alex alle schaamte al laten varen. Lacy bedacht dat ze zich voor een stel bajesklan-ten zou hebben uitgekleed als ze daarmee de weeën kon stoppen.

'Stap er maar in,' zei ze, Alex ondersteunend toen ze zich in het massagebad liet zakken. Soms was in het bad stappen al voldoende om de hartslag te kalmeren.

'Lacy,' zei Alex, snakkend naar adem, 'je moet me iets beloven...'

'Wat moet ik beloven?'

'Dat je het niet zegt. Tegen de baby.'

Lacy pakte Alex' hand vast. 'Wat mag ik niet zeggen?'

Alex sloot haar ogen en drukte haar wang tegen de rand van het bad. 'Dat ik haar in het begin niet wilde.'

Voordat Lacy kon reageren, zag ze Alex opnieuw vertrekken van pijn. 'Adem je hier doorheen,' zei ze. *Adem de pijn van je weg, adem de pijn naar je handen, zie de pijn voor je als de kleur rood. Kom op handen en voeten overeind. Laat je vanbinnen leegstromen als zand in een zandloper. Ga naar het strand, Alex. Ga op het zand liggen en voel de warmte van de zon.*

Lieg tegen jezelf totdat het waar wordt.

Wanneer je veel pijn hebt, keer je je naar binnen. Lacy had het al zo vaak gezien. Dan komen er endorfine stoffen vrij – de natuurlijke morfine van het lichaam – die je ergens brengen waar de pijn je niet kan vinden. Ooit had ze een verkrachte cliënt die zo ver weg was dat Lacy vreesde haar niet meer terug te kunnen halen om te persen. Uiteindelijk had ze met een Spaans wiegeliedje de vrouw teruggekregen.

Alex was een paar uur rustig dankzij de ruggenprik die de anesthesist haar had gegeven. Ze had even geslapen en daarna hartenjagen met Lacy gespeeld. Maar nu de baby verder begon in te dalen, werd ze onrustig. 'Waarom heb ik weer zo'n pijn?' vroeg ze schril.

'We mogen je niet te veel verdoven, anders kun je niet meer persen.'

'Ik kan deze baby niet krijgen,' zei Alex ineens. 'Ik ben er niet klaar voor.'

'Tja,' zei Lacy, 'daar zullen we dan over moeten praten.'

'Wat heeft me bezield? Logan had gelijk. Ik weet bij god niet waar ik mee bezig ben. Ik ben geen moeder. Ik ben advocaat. Ik heb geen vriend, ik heb geen hond... Ik heb niet eens een plant in huis die het heeft overleefd. Ik weet niet eens hoe ik een luier moet verschonen.'

'De stripfiguurtjes moeten aan de voorkant,' zei Lacy. Ze pakte Alex' hand en bracht die tussen haar benen waar de kruin van de baby voelbaar was.

Alex rukte haar hand weg. 'Is dat...'

'Ja.'

'Dus het komt eraan?'

'Of je er klaar voor bent of niet.'

Er kwam een volgende wee. 'O, Alex, ik kan het voorhoofdje zien...' Lacy leidde de baby verder het geboortekanaal uit terwijl ze het hoofdje ondersteunde. 'Ik weet hoeveel pijn dit doet... daar komt ze... wat is ze mooi...' Ze veegde het gezichtje af, sloeg de navelstreng eroverheen en keek haar vriendin aan. 'Alex,' zei ze, 'laten we dit samen doen.'

Lacy bracht Alex' trillende handen naar het hoofdje. 'Blijf zo liggen terwijl ik de schouders naar buiten duw...'

Toen de baby in Alex' handen gleed, liet Lacy los. Snikkend en opgelucht hield Alex het wriemelende lichaampje tegen haar borst. Zoals altijd trof het Lacy hoe een pasgeborene haar aanwezigheid liet gelden. Ze wreef het kind over de rug en zag dat het de blauwe ogen allereerst op haar moeder richtte.

'Alex,' zei Lacy, 'ze is helemaal de jouwe.'

Niemand wil het toegeven, maar het kwaad zal doorgaan. Misschien omdat het deel uitmaakt van een keten, en iemand lang geleden voor het eerst iets slechts deed, waardoor een ander ook iets slechts ging doen, en zo verder. Je weet wel, zoals dat spelletje waarbij je een zinnetje in iemands oor fluistert, en die fluistert het dan tegen een ander, en uiteindelijk komt het er helemaal verkeerd uit.

Maar misschien moet het kwaad wel bestaan omdat het de enige manier is om ons eraan te herinneren wat het goede eigenlijk betekent.

Uren later

Nina, Patricks beste vriendin, had hem eens in een bar gevraagd wat het ergste was dat hij ooit had meegemaakt. Hij had naar waarheid geantwoord. In Maine had een man zelfmoord gepleegd door zich aan een treinrail vast te ketenen. De trein had hem letterlijk doorkliefd. Zijn bloederige lichaamsresten lagen overal verspreid. Zelfs de meest geharde politieman had in de struiken staan braken. Patrick was weggelopen om tot zichzelf te komen en zag toen het afgehakte hoofd van de man, wiens mond nog in een verstilde kreet geopend was.

Maar die herinnering verbleekte bij wat Patrick nu onder ogen moest zien.

Er kwamen nog steeds leerlingen uit Sterling High toen eerstehulpteams door het gebouw trokken om de gewonden te verzorgen. Tientallen kinderen hadden bij de massale uitstroom verwondingen opgelopen, anderen hyperventileerden of waren hysterisch, en nog meer hadden een shock. Maar Patricks eerste prioriteit betrof de slachtoffers van de schietpartij die overal op de vloer lagen, vanaf de kantine tot aan de sportschool; een bloedig spoor dat de gangen van de schutter in kaart bracht.

Het brandalarm loeide nog steeds, en door de sprinklerinstallatie was de hal in een vijver veranderd. Twee eerstehulpmedewerkers bogen zich over een meisje dat in de rechterschouder was getroffen. 'Laten we haar maar op een brancard leggen,' zei een van hen.

Er ging een rilling door Patrick heen toen hij het meisje van de videoshop herkende. Toen hij afgelopen weekend *Dirty Harry* bij haar had gehuurd, had ze gezegd dat hij nog een boete van drie dollar veertig moest betalen. Hij zag haar elke vrijdagavond wanneer hij een dvd ging halen, maar had nooit gevraagd hoe ze heette. Waarom niet, verdomme?

Toen het meisje kreunde, schreef de hulpverlener met een markeerstift het cijfer 9 op haar voorhoofd. 'We kunnen niet alle gewonden identificeren,' zei hij tegen Patrick. 'Daarom geven we ze een nummer.' Terwijl ze op een brancard werd gelegd, pakte Patrick een geel papieren shocklaken van de vloer dat elke politieman achter in zijn patrouillewagen had liggen. Hij scheurde het in vierkante stukken en schreef '9' op een ervan. 'Ik laat het op deze plek achter, zodat we later weten waar ze gevonden is als we haar identiteit proberen te achterhalen.'

Een andere hulpverlener stak zijn hoofd om de deur. 'Hitchcock Medical Center zegt dat alle bedden bezet zijn. Er staan nog rijen kinderen te wachten, maar de ambulances kunnen nergens terecht.'

'En het Alice Peck Day?'

'Ook vol.'

'Dan bel je Concord en zegt dat ze een konvooi ambulances kunnen verwachten,' instrueerde Patrick. Vanuit een ooghoek zag hij iemand van het medische rechercheteam die hij kende – een oude rot in het vak die over drie maanden met pensioen zou gaan. De man liep bij een lichaam vandaan en liet zich snikkend op een bank zakken. Patrick greep een langslopende politieman bij de mouw. 'Jarvis, ik heb je hulp nodig...'

'U zei dat ik naar de gymzaal moest, inspecteur.'

Patrick had zijn eigen mensen en die van de staatspolitie zo ingedeeld dat elk deel van de school zijn eigen onderzoeksteam had. Nu gaf hij Jarvis de resterende delen van het laken en een zwarte markeerstift. 'Laat dat maar zitten. Ik wil dat je een ronde door de school maakt en je meldt bij alle medische teams. Iedereen die ze een nummer hebben gegeven, krijgt een genummerd stuk papier op de plek waar ze zijn weggehaald.'

'Er ligt iemand zwaar te bloeden in de meisjeskleedkamer,' riep een stem.

'Ik kom eraan,' zei een hulpverlener, en hij haastte zich weg met zijn EHBO-kit.

Je mag niets over het hoofd zien, zei Patrick bij zichzelf. *Je krijgt maar één kans om dit goed af te handelen.* Hij had het gevoel dat zijn hoofd uit glas bestond en dat het de last van alle informatie niet kon bevatten. Hij kon niet overal tegelijk zijn. Hij kon niet snel genoeg denken om te weten waar zijn mensen het hardst nodig waren. Hij had geen idee wat hij met deze verschrikkelijke nachtmerrie aan moest, en toch deed hij alsof hij alles onder controle had, want voor de anderen was hij degene die de leiding had.

De dubbele deuren van de kantine zwaaiden achter hem dicht. De gewonden hier zouden inmiddels wel zijn weggehaald en alleen de doden zouden zijn achtergebleven. De muren van gasbetonblokken vertoonden inslagen van kogelgaten. Uit een automaat waarvan het glas en de flesjes waren verbrijzeld, druppelde frisdrank op de linoleum vloer. Een politiefotograaf nam opnames van achterlaten schooltassen, handtasjes en leerboeken. Hij fotografeerde elk object van dichtbij en daarna van een afstand om de ligging ten opzichte van het geheel vast te leggen. Een technisch rechercheur inspecteerde het patroon van bloedspatten. Zijn collega wees naar de rechterbovenhoek van het plafond. 'Inspecteur,' zei hij, 'kennelijk hebben we een video.'

'Waar is de recorder?'

De man haalde zijn schouders op. 'In het kantoor van de rector?'

'Zoek het uit,' zei Patrick.

Hij liep door het middenpad van de kantine en moest denken aan een scène uit een sciencefictionfilm. Terwijl iedereen gezellig met elkaar zat te eten en te kletsen, waren ze allemaal in een oogwenk door buitenaardse wezens ontvoerd, met achterlating van hun spullen. Wat zou een antropoloog zeggen over de gemiddelde leerling van Sterling High op basis van een half opgegeten broodje? Van Cherry Bomb-lipgloss met een zichtbare vingerafdruk op de huls? Van collegeblocs met aantekeningen over de Azteekse beschaving, en in de marge die van nu: *Ik* ❤ *Zach S!!! Meneer Keifer is een nazi!!!*

Patrick stootte zijn knie tegen een tafel waarbij een handvol druiven op stuiterde. Een kwam tegen de schouder van een jongen terecht die boven zijn ringband in elkaar was gezakt. Het gelinieerde papier was met bloed doordrenkt. De hand van de jongen hield nog steeds zijn bril vast. Was hij net de glazen aan het schoonmaken toen Peter Houghton arriveerde om dood en vernietiging te zaaien? Of had hij zijn bril afgezet omdat hij het niet wilde zien?

Patrick stapte over de lichamen van twee meisjes heen die naast elkaar op de vloer lagen. Hun minirok was ver over hun dijen opgetrokken en hun ogen waren nog geopend. Hij liep de keuken in en keek naar de bakken met doperwten en wortelen, naar de ingezakte kippenpastei, naar de peper-en-zoutzakjes waarmee de vloer was bezaaid. Hij keek naar de zilverkleurige helmpjes van de yoghurtbekertjes – aardbeien, bessen met citroen, perziken – die nog steeds in vier keurige rijen als een onversaagbaar legertje naast de kassa stonden. Op een gedeukt plastic dienblad stond een schaal Jell-O met een servet eroverheen.

Ineens hoorde Patrick iets. Kon hij het bij het verkeerde eind hebben gehad? Konden ze *allemaal* een tweede schutter over het hoofd hebben gezien? Konden zijn mensen hier naar overlevenden zoeken... en nog steeds zelf in gevaar zijn?

Hij trok zijn pistool en sloop naar de achterkant van de keuken. Langs rekken met gigantische blikken tomatensaus en erwten, langs enorme rollen plastic- en aluminiumfolie liep hij behoedzaam naar de koelruimte. Hij trapte de deur open en voelde de kou langs zijn benen strijken. 'Geen beweging!' schreeuwde hij.

Een Latino kantinemedewerkster van middelbare leeftijd met een haarnet dat als een spinnenweb over haar voorhoofd kroop, kwam achter een rek met balen voorverpakte salademix tevoorschijn. Trillend hield ze haar handen omhoog. '*No me tire*,' snikte ze.

Patrick liet zijn wapen zakken, deed zijn jack uit en legde het om haar schouders. 'Het is voorbij,' zei hij kalmerend, al wist hij dat het niet waar was. Voor hem, voor Peter Houghton, voor heel Sterling... was dit nog maar het begin.

'Even voor alle duidelijkheid, mevrouw Calloway,' zei Alex. 'U wordt beschuldigd van roekeloos rijden met lichamelijk letsel tot gevolg, omdat u een vis wilde redden?'

De beklaagde was een vrouw van vierenvijftig met een uitgezakte permanent en een nog uitgezakter broekpak. 'Zo is het, edelachtbare.'

Alex leunde met haar ellebogen op tafel. 'Dit verhaal moet ik horen.'

De vrouw keek naar haar advocaat. 'Mevrouw Calloway had in de dierenwinkel een zilverarowana gekocht en was op weg naar huis,' zei de advocaat.

'Dat is een tropische vis van vijfenvijftig dollar, moet u weten,' voegde mevrouw Calloway eraantoe.

'De plastic zak rolde van de passagiersstoel en knapte. Mevrouw Calloway bukte zich opzij om de vis te pakken, en op dat moment... vond het betreurenswaardige incident plaats.'

Alex keek even in het dossier. 'Met betreurenswaardig incident bedoelt u dat er een voetganger werd aangereden?'

'Jawel, edelachtbare.'

Alex richtte zich tot de beklaagde. 'Hoe is het met de vis?'

'Prima,' zei mevrouw Calloway glimlachend. 'Ik heb hem Crash genoemd.'

Vanuit haar ooghoek zag Alex een gerechtsbode binnenkomen die iets tegen de griffier fluisterde. Deze keek naar Alex, knikte, en schreef iets op een papiertje. De gerechtsbode liep naar haar toe en reikte het haar aan.

Schoten afgevuurd op Sterling High, las ze.

Even was ze als verlamd. *Josie*. 'Zitting geschorst,' fluisterde ze, en ze haastte zich weg.

John Eberhard klemde zijn tanden op elkaar en probeerde nog een centimeter vooruit te komen. Hij kon niets zien door het bloed dat over zijn gezicht stroomde, en de linkerkant van zijn lichaam leek wel verdoofd. Hij kon ook niets horen, want in zijn oren klonk nog steeds het spervuur van kogels. Toch had hij van de gang op de bovenste verdieping waar Peter Houghton hem had neergeschoten naar de voorraadruimte van handenarbeid weten te kruipen.

Hij dacht aan de trainingen waarbij de coach hen steeds sneller van de ene doellijn naar de andere liet schaatsen, totdat de spelers naar adem snakkend op het ijs spuwden. En dat je, wanneer je het gevoel had dat je totaal was uitgeput, toch altijd weer een streepje verder bleek te kunnen. Op zijn ellebogen steunend sleepte hij zich nog een paar centimeter vooruit.

Toen hij bij het stalen rek kwam met klei, verf, kralen en draad, probeerde hij zich overeind te trekken, totdat een verblindende pijn door zijn hoofd schoot. Minuten later – of waren het uren? – kwam hij weer bij bewustzijn. Hij wist niet of het al veilig was om buiten de voorraadruimte te kijken. Hij lag plat op zijn rug en voelde een vlaag kou over zijn gezicht gaan. Tocht die door een kier van het raam kwam.

Een raam.

John dacht aan Courtney Ignatio. Ze had tegenover hem in de kantine gezeten toen de glazen wand achter haar explodeerde. Ineens was er een bloem zo rood als een papaver midden in haar borst verschenen. Hij dacht aan het gegil en geschreeuw dat was losgebarsten, aan het gezicht van de docenten die hun hoofd om de deur van hun klaslokaal staken toen ze de schoten hoorden.

Hij trok zich met één hand overeind aan de planken en vocht tegen de zwarte vlekken voor zijn ogen die hem zeiden dat hij weer het bewustzijn zou verliezen. Toen hij eindelijk rechtop tegen het metalen frame leunde, schokte hij over zijn hele lichaam. Hij pakte een blik verf van de plank, maar het was zo wazig voor zijn ogen dat hij niet wist naar welk van de twee ramen hij het gooide.

Het glas verbrijzelde. Dubbelgeklapt over het venster zag hij brandweerwagens en ambulances. Verslaggevers en ouders die zich achter het politielint verdrongen. Groepjes snikkende scholieren. Geknakte lichamen die in de sneeuw waren gelegd. Ziekenbroeders die er nog meer naar buiten brachten.

Help, probeerde John Eberhard te schreeuwen, maar hij kon het woord niet vormen. Hij kon helemaal *niets* uitbrengen.

'Hé,' riep iemand. 'Daarboven zit nog een jongen!'

Huilend probeerde John naar hem te zwaaien, maar zijn arm wilde niet.

Mensen begonnen te wijzen. 'Blijf waar je bent,' riep een brandweerman, en John probeerde te knikken. Maar zijn lichaam behoorde niet meer aan hemzelf toe, en voor hij besefte wat er gebeurde, viel hij door die kleine beweging uit het raam en belandde op het beton twee verdiepingen lager.

Diana Leven, die twee jaar geleden haar baan als adjunct-procureur-generaal in Boston had verruild voor een kleiner en gemoedelijker departement, liep de sportschool van Sterling High in en bleef staan naast het lichaam van een jongen die in de nek was geschoten. De schoenen van de technisch rechercheurs piepten op de met schellak geverniste vloer terwijl ze foto's maakten en patroonhulzen opraapten die ze in plastic bewijszakjes stopten. Ze stonden onder leiding van Patrick Ducharme.

Diana keek naar alle bewijslast om zich heen – kleren, bloedspatten, schooltassen, gympen – en besefte dat zij niet de enige was met een gigantisch karwei voor de boeg. 'Wat ben je tot dusver te weten gekomen?'

'We denken dat hij de enige schutter is. Hij is opgepakt,' zei Patrick. 'We weten niet zeker of er nog iemand bij betrokken was. In het gebouw is het nu veilig.'

'Hoeveel doden?'

'Tien, tot nu toe.'

Diana knikte. 'En hoeveel gewonden?'

'Weten we nog niet. Alle ambulances in noordelijk New Hampshire zijn ingeschakeld.'

'Wat kan ik doen?'

Patrick keek haar aan. 'Probeer de verslaggevers weg te krijgen.'

Ze wilde weglopen, maar Patrick pakte haar arm vast. 'Wil je dat ik met hem praat?'

'Met de schutter?'

Patrick knikte.

'Het is misschien onze enige kans om met hem te praten voordat er een advocaat naast hem zit. Doen, zou ik zeggen, als je denkt dat je hier weg kunt.' Haastig liep Diana de gymzaal uit en naar beneden, behoedzaam het werk van politiemannen en medische teams omzeilend. Zodra ze buiten kwam, klampten de media zich aan haar vast met vragen. *Hoeveel slachtoffers? Zijn hun namen bekend? Wie is de dader?*

Waarom?

Diana haalde diep adem en streek het donkere haar uit haar gezicht. Dit was het deel van haar werk waar ze het minst van hield – als woordvoerder voor de camera optreden. Hoewel er later op de dag meer nieuwswagens zouden arriveren, waren nu alleen de lokale zenders van New Hampshire aanwezig – filialen van CBS, ABC en FOX. Ze zou proberen er haar voordeel mee te doen. 'Mijn naam is Diana Leven en ik ben van Justitie. We kunnen weinig zeggen omdat het onderzoek nog gaande is, maar ik beloof u met nadere informatie te komen zodra het enigszins mogelijk is. Wat ik u wel kan vertellen is dat er vanochtend op Sterling High een schietpartij heeft plaatsgevonden. De identiteit van de dader of de daders is nog niet duidelijk. Er is een verdachte in hechtenis genomen, maar hij is nog niet in staat van beschuldiging gesteld.'

Een verslaggeefster drong zich door de meute naar voren. 'Hoeveel kinderen zijn er gedood?'

'Die informatie is nog niet bekend.'

'En hoeveel zijn er gewond?'

'Die informatie is nog niet bekend,' herhaalde Diana. 'We houden u op de hoogte.'

'Wanneer wordt hij wel aangeklaagd?' riep een andere verslaggever.

'Wat gaat u tegen ouders zeggen die willen weten of hun kind nog leeft?'

Diana trok haar mond tot een vastberaden streep en bereidde zich voor op een snelle aftocht. 'Dank voor uw aandacht,' zei ze.

Het was zo druk in de buurt van de school dat Lacy pas zes straten verderop een parkeerplaatsje vond. Ze pakte de dekens van de achterbank – lokale radiozenders hadden er dringend om gevraagd voor slachtoffers die in shock waren – en begon te rennen alsof haar leven ervan afhing.

Haar laatste gesprek met Peter was op ruzie uitgelopen. Dat was voordat hij gisteravond naar bed ging en ze naar een bevalling werd geroepen. *Ik heb je gisteren gevraagd de vuilnisbak buiten te zetten*, had ze gesnauwd. *Luister je wel als ik iets tegen je zeg?*

Peter had zijn ogen even van het computerscherm losgemaakt en zich naar haar omgedraaid. *Wat?*

Stel dat dit de allerlaatste woorden waren die ze met elkaar hadden gewisseld?

Wat Lacy in het ziekenhuis ook had meegemaakt, niets kon haar voorbereiden op wat ze zag toen ze de hoek om kwam. Het drong in gedeeltes tot haar door: verbrijzeld glas, brandweerauto's, rook, bloed, gehuil, sirenes. Ze liet de dekens bij een ambulance vallen en begaf zich in een zee van verwarring onder de andere ouders in de hoop haar vermiste zoon te ontdekken.

Er renden kinderen over het modderige schoolplein. Ze hadden geen van allen een jas aan. Lacy zag hoe een gelukkige moeder haar dochter had gevonden, en wanhopig speurde ze in het gedrang naar Peter. Ze wist niet eens welke kleren hij vandaag had aangetrokken.

Er dreven fragmenten van zinnen op haar af:

... hebben hem niet gezien ...

... meneer McCabe is neergeschoten ...

... heb haar nog niet gevonden ...

... dacht dat ik nooit meer ...

... kon mijn mobieltje niet vinden toen ...

... Peter Houghton was ...

Lacy draaide zich met een ruk om en keek naar het meisje dat Peters naam had genoemd, het meisje dat net met haar moeder was herenigd. 'Sorry,' zei Lacy, 'maar ik probeer mijn zoon te vinden. Ik hoorde je zijn naam noemen... Peter Houghton?'

Het meisje zette grote, angstige ogen op en kroop dichter tegen haar moeder aan. 'Hij is de jongen die heeft geschoten.'

Alles om Lacy heen vertraagde – de af en aan rijdende ambulances, de wegvluchtende leerlingen, de woorden die over de lippen van het meisje waren gekomen. Misschien had ze het niet goed gehoord.

Ze keek weer op naar het meisje, en wenste meteen dat ze het niet had gedaan. Ze stond snikkend in de armen van haar moeder, die Lacy met afgrijzen aankeek en zich toen omdraaide alsof ze haar dochter tegen haar aanblik wilde beschermen, alsof Lacy een heks was die je met haar blik in steen kon veranderen.

Het moet een vergissing zijn, laat het alsjeblieft een vergissing zijn, dacht ze, terwijl ze naar het slagveld om zich heen keek en Peters naam als een snik in haar keel opwelde.

Half verstijfd liep ze op de dichtstbijzijnde politieman af. 'Ik zoek mijn zoon,' zei Lacy.

'U bent niet de enige, mevrouw. We doen ons best om...'

Lacy haalde diep adem en besefte dat vanaf nu alles anders zou worden. 'Zijn naam,' zei ze, 'is Peter Houghton.'

Alex' hoge hak bleef haken aan een gebroken trottoirtegel en ze kwam hard op haar knie terecht. Terwijl ze overeind krabbelde, greep ze de arm van een langs haar heen rennende vrouw vast. 'De namen van de gewonden... Waar kan ik die vinden?'

'Op de toegangsdeuren van de ijshockeybaan.'

Alex rende de straat door, die inmiddels voor personenauto's was afgesloten om ruimte te maken voor ambulances. Omdat haar hoge hakken haar in de weg zaten, schopte ze haar schoenen uit en rende op kousenvoeten verder over het natte plaveisel.

De ijshockeybaan lag op vijf minuten lopen van de school.

Alex was er binnen twee minuten en werd direct meegestuwd in het gedrang van ouders die de handgeschreven lijsten wilden zien die met plakband aan de toegangsdeuren waren bevestigd. Lijsten van de kinderen die in een ziekenhuis waren opgenomen. Ze gaven geen enkele indicatie over de ernst van de verwondingen... of over het allerergste. Alex las de eerste drie namen: Whitaker Obermeyer. Kaitlyn Harvey. Matthew Royston.

Matt?

'Nee,' zei een vrouw naast haar. Ze was klein en tenger, had een dikke bos rode krullen en levendige, diepbruine ogen. 'Nee,' zei ze opnieuw, maar nu liepen er tranen over haar wangen.

Alex keek naar haar, maar ze kon haar niet troosten omdat ze bang was dat verdriet misschien besmettelijk was. Ineens werd ze naar links geduwd en stond ze tegenover de lijst met gewonden die naar Dartmouth-Hitchcock Medical Center waren overgebracht.

Alexis, Emma.

Horuka, Min.

Pryce, Brady.

Cormier, Josephine.

Alex zou zijn gevallen als ze niet van weerskanten door angstige ouders werd ingeklemd. 'Sorry,' mompelde ze, toen ze haar plaats afstond aan een andere wanhopige moeder. Ze drong zich tussen de toenemende mensenmassa heen. 'Sorry,' zei Alex opnieuw, een woord dat niet langer een beleefdheidsfrase was, maar een smeekbede om vergiffenis.

'Inspecteur,' zei een brigadier toen Patrick het politiebureau binnenkwam, en hij knikte naar de vrouw die op een bank zat te wachten, 'dat is zijn moeder.'

Patrick draaide zich om. De moeder van Peter Houghton was klein en leek in geen enkel opzicht op haar zoon. Ze had haar donkere krullen opgestoken en vastgezet met een haarklem. Ze droeg een grijsblauw ziekenhuisuniform en Zweedse muilen. Hij vroeg zich af of ze arts was en bedacht hoe ironisch dat zou zijn. *Allereerst, doe geen kwaad.*

Ze zag er niet uit als iemand die een monster had voortgebracht, al besefte Patrick dat de daden van haar zoon voor haar misschien net zo onverwacht waren als voor ieder ander. 'Mevrouw Houghton?'

'Ik wil mijn zoon zien.'

'Dat gaat helaas niet,' antwoordde Patrick. 'Hij wordt in voorarrest gehouden.'

'Hij heeft recht op een advocaat.'

'Uw zoon is zeventien, dus volgens de wet een volwassene. Dat betekent dat Peter zelf een beroep moet doen op zijn recht op juridische bijstand.'

'Maar misschien weet hij dat niet...' zei ze met brekende stem. 'Misschien weet hij niet wat hij moet doen.'

Patrick wist dat deze vrouw in zekere zin ook het slachtoffer was van de daden van haar zoon. Hij had genoeg ouders ondervraagd om te weten dat je nooit de brug tussen hen en hun kind weg moest slaan. 'Mevrouw, we proberen te begrijpen wat er vandaag is gebeurd. En ik hoop oprecht dat u later bereid bent met me te praten om me helpen te begrijpen wat Peter heeft bezield.' Hij aarzelde even en voegde eraantoe: 'Het spijt me heel erg.'

Met zijn sleutels verschafte hij zich toegang tot het innerlijk heiligdom van het politiebureau en liep naar het cellenblok. Peter Houghton zat op de vloer met zijn rug naar de tralies en wiegde langzaam heen en weer.

'Peter?' zei Patrick.

Langzaam draaide de jongen zijn hoofd om en keek Patrick aan.

'Weet je nog wie ik ben?'

Peter knikte.

'Wil je een kop koffie?'

Na enige aarzeling knikte Peter opnieuw.

Patrick vroeg de brigadier de cel open te doen en bracht Peter naar de keuken. Hij had al geregeld dat er een camcorder liep, zodat hij Peters mondelinge aanvaarding van zijn rechten al op tape zou hebben en hij met hem kon praten. Hij vroeg Peter aan de gebutste tafel te gaan zitten, schonk een kop koffie voor hem in en voegde ongevraagd melk en suiker toe.

Patrick nam tegenover hem plaats. Hij had hem nog niet eerder goed kunnen bekijken. Nu bestudeerde hij hem aandachtig. Peter Houghton was tenger en bleek, had sproeten, en droeg een bril met een dun metalen montuur. Een van zijn voortanden stond scheef en zijn adamsappel leek zo groot als een vuist. Zijn knokkels waren knoestig en gekloofd. Hij zat zachtjes te huilen, en hij zou medelijden hebben gewekt als zijn T-shirt niet onder de spetters had gezeten met het bloed van zijn medeleerlingen.

'Hoe voel je je, Peter?' vroeg Patrick. 'Heb je honger?'

De jongen schudde zijn hoofd.

'Kan ik iets anders voor je halen?'

Peter legde zijn hoofd op tafel. 'Ik wil mijn moeder,' fluisterde hij.

Patrick keek naar de scheiding in zijn haar. Had hij het vanochtend gekamd terwijl hij dacht: *Vandaag ga ik tien leerlingen vermoorden?* 'Ik wil met je praten over wat er vandaag is gebeurd, oké?'

Peter gaf geen antwoord.

'Als jij het me uitlegt,' drong Patrick aan, 'kan ik het misschien aan anderen uitleggen.'

Peter hief zijn gezicht op en begon harder te snikken. Patrick wist dat dit geen zin had. Hij zuchtte en stond op. 'Goed,' zei hij, 'laten we maar gaan.'

Hij bracht Peter terug naar de cel en zag dat hij zich zijdelings opkrulde tegen de betonnen muur. Hij knielde achter de jongen neer en deed nog een laatste poging. 'Ik wil je helpen,' zei hij, maar Peter schudde alleen huilend zijn hoofd.

Pas toen Patrick de cel uit was en hij de sleutel in het slot omdraaide, hoorde hij Peter fluisteren: 'Zíj zijn begonnen.'

Dr. Guenther Frankenstein was nu zes jaar forensisch patholoog, exact het aantal jaren dat hij titelhouder Mr. Universe in de jaren zeventig was geweest, voordat hij zijn halters voor een scalpel had verwisseld, of, zoals hij weleens zei, van lichaamsopbouw was overgaan op lichaamsafbraak. Hij had nog steeds formidabele spieren, die onder zijn jasje voldoende zichtbaar waren om grappen over zijn achternaam de kop in te drukken. Patrick was op Guenther gesteld. Je moest wel bewondering hebben voor een man die drie keer zijn lichaamsgewicht kon heffen en ook in één oogopslag het aantal grammen van een lever kon inschatten.

Af en toe gingen Patrick en Guenther samen een biertje pakken, en als hij er een paar achter zijn kiezen had, vertelde de voormalige bodybuilder altijd verhalen over vrouwen die aanboden zijn lichaam te masseren voor een wedstrijd, of anekdotes over Arnold Schwarzenegger voordat hij politicus werd. Maar vandaag maakten Patrick en Guenther geen grappen en kwam het verleden niet ter sprake. Ze werden overweldigd door het heden terwijl ze zwijgend door de gangen liepen en de dodenlijst opmaakten.

Patrick trof Guenther bij de school na zijn vruchteloze gesprek met Peter Houghton. De openbaar aanklager had haar schouders opgehaald toen Patrick zei dat Peter niet kon of wilde praten. 'Honderden getuigen hebben gezien dat hij al die leerlingen heeft neergeschoten,' had Diana gezegd. 'Hou hem maar in hechtenis.'

Guenther knielde naast een meisje dat op het damestoilet was neergeschoten en met haar gezicht naar de vloer voor de wastafels lag. Patrick draaide zich om naar Arthur McAllister, de rector, die met hen meeliep om de lichamen te identificeren. 'Kaitlyn Harvey,' zei McAllister aangedaan. 'Lieve meid... Had wat extra aandacht nodig.'

Guenther en Patrick keken elkaar aan. Het schoolhoofd noemde niet alleen de naam van de slachtoffers, maar gaf elk ook een korte nagedachtenis mee.

Patrick had geprobeerd Peters voetstappen na te gaan vanaf de toegangshal naar de kantine (slachtoffers 1 en 2: Courtney Ignatio en Maddie Shaw), van het trappenhuis (slachtoffer 3: Whit Obermeyer) naar het herentoilet (slachtoffer 4: Topher McPhee), door een andere gang (slachtoffer 5: Grace Murtaugh) naar het damestoilet (slachtoffer 6: Kaitlyn Harvey). Nu, terwijl hij voor de anderen uit de trap op liep, volgde hij een bloedspoor dat naar het eerste klaslokaal in de gang leidde, en zag bij het schoolbord het lichaam van een volwassene liggen. Naast hem zat een jongen die zijn hand op de kogelwond in de buik van de man gedrukt hield. 'Ben? Wat doe je hier nog?' vroeg de rector.

'Dus je hoort *niet* bij het medische team?' zei Patrick.

'Ik... Nee...'

'Tegen mij zei je dat het wel zo was.'

'Ik zei dat ik eerstehulp kon verlenen.'

'Als verkenner heeft Ben een EHBO-cursus gevolgd,' zei het schoolhoofd.

'Ik kon meneer McCabe niet zomaar achterlaten. Ik heb geprobeerd de wond dicht te drukken, en het is gelukt, ziet u wel? Het bloeden is gestopt.'

Zachtjes trok Guenther zijn bebloede handen weg van de buik van de leraar. 'Omdat hij dood is, jongen.'

Bens gezicht vertrok. 'Maar ik... ik...'

'Je hebt gedaan wat je kon,' verzekerde Guenther hem.

Patrick draaide zich naar het schoolhoofd om. 'Misschien is het beter dat u met Ben naar buiten gaat om hem door een arts te laten onderzoeken...' *Shock*, zei hij geluidloos over het hoofd van de jongen heen.

Terwijl ze het lokaal verlieten, greep Ben de mouw van de rector vast en liet er een donkerrode afdruk op achter. 'Jezus,' mompelde Patrick, en hij wreef over zijn gezicht.

Guenther stond op. 'Vooruit, hoe eerder we dit achter de rug hebben, hoe beter.'

Ze liepen naar de gymzaal, waar Guenther de dood van nog twee leerlingen vaststelde, en vervolgens naar de kleedkamer waar Patrick uiteindelijk Peter Houghton in een hoek had gedreven. Terwijl Guenther het lichaam van de jongen in het ijshockeyshirt inspecteerde dat Patrick er eerder had aangetroffen, liep Patrick naar de aangrenzende doucheruimte en keek uit het raam. De verslaggevers waren er nog steeds, maar de meeste gewonden waren weggebracht. Van de zeven ambulances was er één overgebleven.

Het was gaan regenen. Morgenochtend zouden de bloedvlekken buiten de school zijn weggevaagd alsof er vandaag niets was gebeurd.

'Dit is interessant,' zei Guenther.

Patrick deed het raam dicht vanwege de regen. 'Hoezo?'

'Hij is de enige op wie twee keer is geschoten. Een keer in de buik, en de tweede keer in het hoofd.' Guenther keek hem aan. 'Hoeveel vuurwapens zijn er op de schutter gevonden?'

'Een in zijn hand, een hier op de vloer, en twee in zijn rugzak.'

'Goed voorbereid dus.'

'Kennelijk,' zei Patrick. 'Kun je zeggen welke kogel het eerst werd afgevuurd?'

'Niet met zekerheid, al vermoed ik dat de eerste in de buik terechtkwam... want het schot in zijn hoofd heeft hem gedood.' Guenther knielde naast het lichaam neer. 'Misschien haatte hij deze jongen meer dan alle anderen.'

De deur van de kleedkamer ging open en er verscheen een agent die doorweekt was door de plotselinge plensbui. 'Inspecteur,' zei hij, 'we hebben in Peter Houghtons auto explosieven aangetroffen.'

Toen Josie jonger was, droomde Alex regelmatig dat ze in een vliegtuig zat dat een duikvlucht maakte. Ze voelde de draaiing van de zwaartekracht, de druk die haar tegen de rugleuning geperst hield; ze zag tasjes, jassen en handbagage uit de vakken boven haar op het middenpad vallen. *Ik moet mijn mobieltje te pakken zien te krijgen,* had Alex gedacht. Ze wilde op het antwoordapparaat een boodschap voor Josie achterlaten die ze voor altijd kon bewaren, het digitale bewijs dat Alex van haar hield en dat ze in haar laatste ogenblikken aan haar dacht. Maar toen Alex uiteindelijk haar gsm had gevonden en hem aanzette, kreeg ze geen verbinding. Het vliegtuig was al geland terwijl haar mobieltje nog steeds een signaal zocht.

Ze werd altijd trillend en bezweet wakker, al wist ze dat het maar een droom was. Ze ging nooit zonder Josie op reis, en voor haar werk hoefde ze nooit het vliegtuig te nemen. Dan stapte ze uit bed en liep naar de badkamer om haar gezicht onder de koudwaterkraan te houden, maar desondanks bleef ze denken: *ik was te laat.*

Nu, terwijl ze in de stille donkere ziekenhuiskamer zat waar haar dochter de roes uitsliep van het kalmeringsmiddel dat haar was toegediend, dacht ze hetzelfde.

Er was haar verteld dat Josie tijdens de schietpartij in zwijm was gevallen. Ze had een snee in haar voorhoofd dat nu in het verband zat, en een lichte hersenschudding. Voor alle zekerheid wilde de arts haar een nacht ter observatie in het ziekenhuis houden.

Het woord zekerheid had nu een heel andere definitie gekregen.

Door de onafgebroken berichtgeving wist Alex ook wie er gedood waren. Een van hen was Matthew Royston.

Matt.

Stel dat Josie bij haar vriend was geweest toen hij werd neergeschoten?

Al die tijd dat Alex hier zat, was Josie buiten bewustzijn geweest. Ze zag er klein en verloren uit onder de witte ziekenhuislakens. Af en toe maakte haar hand een krampachtige beweging. Nu pakte Alex hem vast. *Word wakker*, dacht ze. *Bewijs me dat het weer goed met je komt.*

Stel dat ze die ochtend niet zo gehaast was om op tijd op haar werk te zijn? Zou ze dan met Josie aan de keukentafel zijn blijven zitten om te praten over dingen die moeders en dochters nu eenmaal bespraken, maar waar ze nooit tijd voor scheen te hebben? Stel dat ze Josie eens wat aandachtiger had bekeken en gezegd had dat ze beter weer naar bed kon gaan om eens goed uit te rusten?

Stel dat ze in een opwelling een vakantie had geboekt en samen met Josie naar Punta Cana, San Diego, of Fiji was vertrokken, al die plekken die Alex ooit nog eens hoopte te bezoeken, maar waar ze nooit tijd voor scheen te hebben?

Stel dat ze een moeder met een vooruitziende blik was geweest die haar dochter vandaag thuis had gehouden?

Natuurlijk waren er honderden andere ouders die in alle oprechtheid dezelfde fout hadden gemaakt, maar dat was een schrale troost. Hun kinderen waren Josie niet. En geen van hen had zo veel te verliezen als zij.

Als dit voorbij is, nam Alex zich voor, *gaan we naar het regenwoud, of de piramiden, of een heel wit strand. Dan eten we druiven van de wijngaard, zwemmen we met zeeschildpadden, en maken we lange wandelingen door schilderachtige straatjes. We zullen lachen, praten en elkaar onze hartsgeheimen vertellen.*

Tegelijkertijd werd dit paradijs door een stemmetje in haar hoofd tot nader order uitgesteld. *Want eerst zal het proces naar jouw rechtszaal komen.*

Een zaak als deze zou met voorrang worden behandeld. Alex was rechter van het gerechtshof in Grafton County, en zou dat de komende acht maanden blijven. Hoewel Josie op de plaats delict was aangetroffen, was ze in juridische zin geen slachtoffer van de schutter. Anders zou Alex van de zaak zijn afgehaald. Maar nu waren er geen conflicterende omstandigheden die Alex' positie in de weg stonden, zolang ze haar persoonlijke overwegingen als moeder kon scheiden van haar professionele overwegingen als rechter. Dit zou haar eerste grote rechtszaak worden, een zaak die bepalend kon zijn voor haar verdere carrière.

Niet dat ze zich daar op dit moment mee bezighield.

Ineens verroerde Josie zich. Alex zag hoe ze langzaam weer bij bewustzijn kwam. 'Waar ben ik?'

Alex streek door het haar van haar dochter. 'In het ziekenhuis.' 'Waarom?'

Haar hand bleef liggen. 'Kun je je iets van vandaag herinneren?'

'Matt kwam langs voordat ik naar school ging,' zei Josie, en ze ging rechtop zitten. 'Hebben we een auto-ongeluk gehad of zo?'

Alex aarzelde. Was het voor Josie niet beter als ze de waarheid verzweeg? Misschien wilde haar geest haar beschermen tegen wat ze had meegemaakt.

'Er is niets met je aan de hand,' zei Alex behoedzaam. 'Je bent niet gewond geraakt.'

Opgelucht keek Josie haar aan. 'En Matt?'

Lewis zou voor een advocaat zorgen. Lacy klampte zich vast aan die gedachte terwijl ze heen en weer wiegde op haar bed en wachtte op Lewis' terugkomst. *Het komt allemaal goed*, had hij haar verzekerd, al begreep ze niet hoe hij zoiets kon beweren. *Het gaat hier duidelijk om een vergissing*, had Lewis gezegd, maar hij was niet bij de school geweest. Hij had de gezichten van de leerlingen niet gezien, kinderen die nooit meer echt jong zouden zijn.

Lacy wilde niets liever dan hem geloven, dat het op de een of andere manier inderdaad goed zou komen. Maar ze herinnerde zich ook dat hij Peter om vier uur 's ochtends wakker maakte om samen met hem op jacht te gaan. Lewis had zijn zoon leren jagen, maar had nooit kunnen vermoeden dat Peter een ander soort prooi zou zoeken. Lacy wist dat de jacht niet alleen als sport, maar ook als evolutionaire verworvenheid werd beschouwd. Zelf kon ze een uitstekend wildbraad op tafel zetten van alles wat Lewis' hobby haar verschafte. Maar nu dacht ze: *het is zíjn schuld*, zodat het niet die van haar kon zijn.

Hoe kon je elke week het beddengoed van je zoon verschonen, hem elke ochtend ontbijt voorzetten, hem naar de tandarts brengen, zonder hem eigenlijk te kennen? Ze had verondersteld dat Peters eenlettergrepige antwoorden met zijn leeftijd te maken hadden, dat elke moeder tot die conclusie zou zijn gekomen. Lacy groef in haar geheugen naar een of ander signaal, een gesprek waaruit ze misschien iets had kunnen opmaken, maar ze kon zich alleen volstrekt normale momenten herinneren.

Normale momenten die sommige moeders nooit meer met hun kind zouden beleven.

Er sprongen tranen in haar ogen en ze veegde ze weg met de rug van haar hand. *Daar moet je nu niet bij stilstaan*, hield ze zichzelf voor. *Nu moet je aan jezelf denken.*

81

Had Peter dat ook gedacht?

Ze slikte haar tranen weg en liep de kamer van haar zoon in. Het was er donker, het bed netjes opgemaakt zoals ze het die ochtend had achtergelaten, maar nu zag ze de poster van een band met de naam Death Wish aan de muur, en ze vroeg zich af waarom hij die had opgehangen. Ze deed de kastdeur open en zag de lege flessen, de isolatietape en de lappen, en nog veel meer dat ze die ochtend niet had opgemerkt.

Ineens bleef ze stokstijf staan. Ze kon dit zelf oplossen. Ze kon dit oplossen voor hen allebei. Ze rende de trap af naar de keuken en rukte drie zwarte vuilniszakken van de rol voordat ze weer terugrende naar Peters kamer om al die spullen in de kast – veters, suiker, kaliumnitraat, mijn god, waren dit *buizen*? – in een zak te proppen. Ze had geen idee wat ze ermee moest doen, zolang ze maar haar huis uit waren.

Toen er aan de voordeur werd gebeld, zuchtte Lacy van opluchting. Lewis, eindelijk. Hij zou zijn sleutels wel zijn vergeten. Ze liep naar beneden en trof een politieman op de stoep met een blauwe map in zijn hand. 'Mevrouw Houghton?'

Wat wilden ze nog van haar? Ze hadden haar zoon toch al?

'We hebben een huiszoekingsbevel.' Hij overhandigde haar de papieren en drong zich langs haar heen, gevolgd door vijf andere agenten.

'Jackson en Walhorne, de kamer van de jongen. Rodriguez, de kelder. Tewes en Gilchrist beginnen op de benedenverdieping. Laat niemand de antwoordapparaten en computers vergeten...' Toen keek hij naar Lacy, die hem verbijsterd stond aan te staren. 'Mevrouw Houghton, u zult dit pand moeten verlaten.'

De politieman begeleidde haar naar haar eigen voordeur. Als verdoofd liep Lacy achter hem aan. Wat zouden ze denken als ze in Peters kamer die vuilniszak vonden? Dat Peter schuldig was? En zijzelf zijn medeplichtige?

Of dachten ze dat al?

Lacy voelde een vlaag koude lucht in haar gezicht toen de voordeur openging. 'Hoe lang gaat het duren?'

De politieman haalde zijn schouders op. 'Totdat we klaar zijn.' En hij liet haar buiten achter in de kou.

Jordan McAfee was bijna twintig jaar advocaat en dacht dat hij alles al had meegemaakt, totdat hij en zijn vrouw Selena naar de tv-uitzending van CNN over de schietpartij op Sterlingh High zaten te kijken. 'Net als Columbine,' zei Selena. 'In onze achtertuin.'

'Maar in dit geval is de dader nog in leven,' mompelde Jordan. Hij keek naar de baby in de armen van zijn vrouw, een blauwogige, koffiekleurige mengeling van zijn eigen WASP-genen en Selena's lange ledematen en donkere huid. Met de afstandsbediening zette hij het geluid zachter om te voorkomen dat iets van dit drama tot het onderbewustzijn van zijn zoon kon doordringen.

Jordan kende Sterling High. De school was vlak bij de kantoorruimte die hij had gehuurd. Hij had weleens minderjarige leerlingen verdedigd die gearresteerd waren wegens drugsbezit of alcoholgebruik. Selena, die behalve zijn vrouw ook zijn privé-detective was, ging van tijd tot tijd de school in om met kinderen over een zaak te praten.

Ze woonden hier nog niet lang. Zijn zoon Thomas – het enige goede dat uit zijn miserabele eerste huwelijk was voortgekomen – had zijn einddiploma in Salem Falls behaald en was nu tweedejaars op Yale. Jordan had veertigduizend dollar per jaar betaald om te horen dat Thomas zijn carrièreplannen had gewijzigd om respectievelijk performance-artiest, kunsthistoricus en clown te worden. Uiteindelijk had Jordan Selena ten huwelijk gevraagd, en toen ze zwanger was, waren ze naar Sterling verhuisd omdat de scholen daar zo'n goede reputatie hadden.

Toen de telefoon ging en Jordan – die de beelden eigenlijk niet wilde zien maar zich er evenmin van kon losmaken – geen aanstalten maakte om op te nemen, drukte Selena de baby in zijn armen en nam de hoorn van de haak. 'Hé,' zei ze. 'Hoe gaat het?'

Jordan keek haar met opgetrokken wenkbrauwen aan.

Thomas, zei Selena geluidloos. 'Ja, wacht even, hij komt eraan.'

Hij nam de telefoon van haar over. 'Wat is er in vredesnaam aan de hand?' vroeg Thomas. 'Sterling High is overal op het nieuws.'

'Ik weet niet meer dan jij,' zei Jordan. 'Het is hier een gekkenhuis.'

'Ik ken een paar leerlingen daar tegen wie we gespeeld hebben. Het is zo... Het kan gewoon niet waar zijn.'

Jordan hoorde nog steeds de sirenes in de verte. 'Dat is het helaas wel,' zei hij. Er was een klik op de lijn – een ander telefoontje. 'Ogenblik...'

'Spreek ik met meneer McAfee?'

'Ja...'

'Ik begrijp dat u advocaat bent. Ik heb uw naam doorgekregen van Stuart McBride van Sterling College...'

Op het tv-scherm verschenen nu de namen van de slachtoffers met jaarboekfoto's. 'Ik ben in gesprek op een andere lijn,' zei Jordan. 'Mag ik uw naam en telefoonnummer noteren zodat ik u kan terugbellen?'

'Ik wilde vragen of u mijn zoon wilt vertegenwoordigen. Hij is de jongen van Sterling High die...' De stem haperde en brak. 'Ze denken dat hij het heeft gedaan.'

Jordan dacht aan de laatste keer dat hij een tiener had verdedigd. Ook Chris Harte werd met een wapen aangetroffen waarvan de kruitdamp nog bijna tastbaar was.

'Wilt u... wilt u deze zaak aannemen?'

Jordan dacht niet meer aan de wachtende Thomas. Hij dacht er niet meer aan dat de zaak Chris Harte zijn wereld op zijn kop had gezet. In plaats daarvan keek hij naar Selena met Sam in haar armen die haar oorbel probeerde te pakken. De jongen die in Sterling High een bloedbad had aangericht, was iemands zoon. Het stadje zou jaren nodig hebben om eroverheen te komen en de media zouden er nooit genoeg van krijgen. Toch verdiende deze jongen een eerlijk proces.

'Ja,' zei Jordan. 'Ik neem de zaak aan.'

Nadat een zelfgemaakte bom in Peter Hougthons auto was ontmanteld, nadat er honderdzestien patroonhulzen in de school waren gevonden, nadat de locatie van de slachtoffers in kaart was gebracht zodat er een schaaldiagram van de plaats delict kon worden gemaakt, nadat het technische team de eerste honderd foto's in geïndexeerde albums had opgeslagen, riep Patrick iedereen bijeen in de aula van de school en ging in het schemerdonker op het toneel staan.

'We hebben een gigantische hoeveelheid informatie,' zei hij tegen de verzamelde menigte voor hem. 'Er zal enorme druk op ons worden uitgeoefend om dit snel en doeltreffend af te handelen. Over vierentwintig uur wil ik iedereen hier terugzien voor de eerste evaluatie.'

Zijn toehoorders verspreidden zich. Bij de volgende bijeenkomst zou Patrick de complete fotoalbums krijgen, al het bewijsmateriaal dat niet naar het lab was gestuurd, en alle resultaten van wat wel naar het lab was gestuurd. Binnen vierentwintig uur zou hij onder een lawine van informatie worden bedolven.

Terwijl de anderen teruggingen naar hun deel van het gebouw om het werk af te maken dat hen die nacht en de volgende dag zou kosten, liep Patrick naar zijn auto. Het was opgehouden met regenen. Patrick was van plan terug te gaan naar het bureau om het bewijsmateriaal te bekijken dat bij Peter Hougthon thuis was gevonden, en hij wilde met zijn ouders praten. Maar in plaats daarvan reed hij het parkeerterrein op van het Dartmouth-Hitchcock Medical Centre. Hij liep naar de ingang en liet zijn politiepenning zien. 'Ik weet dat er vandaag veel kinderen zijn binnengekomen, maar een van de eersten was een meisje dat Josie heet en ik ben naar haar op zoek.'

De receptioniste toetste iets in op haar keyboard. 'Josie wie?'

'Dat weet ik juist niet,' antwoordde Patrick.

Op het scherm verscheen een lijst met namen. 'Cormier,' zei de receptioniste. 'Vierde verdieping, kamer 422.'

Patrick bedankte haar en nam de lift naar boven. Cormier. De naam kwam hem bekend voor, maar hij wist niet waarvan. Misschien was hij hem in de krant of op tv tegengekomen. Hij glipte langs de verpleegkundigenpost en liep de gang door. De deur van Josies kamer stond halfopen. Het meisje zat rechtop in bed te praten met iemand die naast haar stond.

Patrick klopte zachtjes aan en liep de kamer in. Josie keek hem uitdrukkingsloos aan. De vrouw naast haar draaide zich om.

Cormier, dacht Patrick. *Als in rechter Cormier.* Hij was in haar rechtszaal een paar keer als getuige opgeroepen toen ze nog bij de districtsrechtbank werkte. Als laatste redmiddel was hij voor huiszoekingsbevelen altijd naar haar toegegaan. Ze was tenslotte strafpleiter geweest, wat inhield dat ze ooit aan de kant van de tegenpartij had gestaan, hoe angstvallig rechtvaardig ze nu ook mocht zijn.

'Edelachtbare,' zei hij, 'ik heb me niet gerealiseerd dat Josie uw dochter was.' Hij liep naar het bed toe. 'Hoe gaat het met je?'

Josie staarde hem aan. 'Ken ik u?'

'Ik ben degene die je naar buiten heeft gedragen...' Hij zweeg toen de rechter haar hand op zijn arm legde en hem buiten Josies gehoorsafstand bracht.

'Ze herinnert zich niets van wat er is gebeurd,' fluisterde ze. 'Ze denkt dat ze bij een auto-ongeluk was betrokken... En ik... ik kon haar gewoon de waarheid niet zeggen.'

Patrick begreep het. Je wilde niet de boodschapper zijn die de wereld van een dierbare in elkaar liet storten. 'Wilt u dat ik het haar vertel?'

De rechter aarzelde en knikte hem toen dankbaar toe. Patrick keek weer naar Josie. 'Gaat het een beetje?'

'Ik heb hoofdpijn. De artsen zeggen dat ik een hersenschudding heb en dat ik hier een nacht moet blijven.' Ze keek naar hem op. 'Ik moet u bedanken omdat u me gered hebt.' Ineens kneep ze haar ogen samen. 'Misschien weet u wat er met Matt is gebeurd? De jongen bij wie ik in de auto zat?'

Patrick ging op de rand van het ziekenhuisbed zitten. 'Josie,' zei hij zacht, 'het was geen auto-ongeluk. Er is vandaag iets op school gebeurd. Een leerling heeft mensen neergeschoten.'

Josie schudde haar hoofd alsof ze weigerde het te geloven.
'Matt was een van de slachtoffers.'

Haar ogen vulden zich met tranen. 'Is alles goed met hem?'

Patrick sloeg zijn ogen neer. 'Het spijt me.'

'Nee,' zei Josie. '*Nee*. U liegt!' Ze haalde naar hem uit en sloeg hem in het gezicht en op zijn borst. De rechter probeerde haar dochter in bedwang te houden, maar gillend en krijsend klauwde Josie wild om zich heen. Er renden twee verpleegsters naar binnen die Patrick en rechter Cormier naar buiten geboden terwijl ze Josie een sedatief toedienden.

Op de gang leunde Patrick met gesloten ogen tegen de muur. Godallemachtig. Zouden al zijn getuigen zo reageren? Hij wilde net de rechter zijn excuses aanbieden omdat hij Josie overstuur had gemaakt, toen ze hem woedend aankeek. 'Bent u helemaal gek geworden?'

'U hebt het me zelf gevraagd!'

'Ja, om te vertellen wat er op school is gebeurd. Niet dat haar vriend is gedood!'

'U weet verdomd goed dat ze er vandaag of morgen toch wel...'

'Morgen,' onderbrak de rechter hem. 'Overmorgen, of nog veel later.'

De verpleegsters kwamen de gang weer op. 'Ze slaapt nu,' fluisterde een van hen. 'We komen straks nog even kijken.'

Ze wachtten allebei tot de verpleegsters uit de buurt waren. 'Luister,' zei Patrick gespannen. 'Vandaag heb ik kinderen gezien die in het hoofd zijn geschoten, kinderen die nooit meer zullen lopen, kinderen die zijn gestorven omdat ze op de verkeerde tijd op de verkeerde plaats waren. Uw dochter... is in shock... en daarmee mag ze zich gelukkig prijzen.'

Zijn woorden kwamen hard aan. Toen Patrick de rechter aankeek, leek haar woede verdwenen. Achter haar grijze ogen speelden zich de scenario's af waaraan haar dochter was ontsnapt. Haar vertrokken mond kreeg ineens een zachtere trek. En even plotseling veranderde haar gezicht in een glad, onbewogen masker. 'Het spijt me dat ik me zo heb laten gaan. Het komt alleen... omdat het zo'n afschuwelijke dag is geweest.'

Patrick zag geen spoor meer van de emotie die haar heel even had meegesleept. Ze had zichzelf weer volledig in de hand.

'Ik weet dat u gewoon uw werk probeert te doen,' zei de rechter.

'Ik zou graag met Josie praten, maar daarom ben ik niet gekomen. Ik ben hier omdat ze als eerste werd weggebracht... en ik wilde gewoon weten hoe het met haar was.'

Hij bood rechter Cormier een flauwe glimlach van het soort dat een hart kan doen smelten. 'Zorg goed voor haar.' Patrick draaide zich om en liep de gang uit. Hij wist dat ze hem nakeek, en hij voelde haar blik als een aanraking.

Twaalf jaar eerder

Op de eerste dag dat Peter Houghton naar de kleuterschool zou gaan, werd hij wakker om half vijf in de ochtend. Hij dribbelde de slaapkamer van zijn ouders in en vroeg of het al tijd was voor de schoolbus. Zolang als hij zich kon herinneren had hij zijn broertje Joey op de bus zien stappen, en voor hem was die bus een groot, dynamisch mysterie: de stompe gele neus, de deur die openging als de kaak van een draak, de diepe zucht waarmee hij tot stilstand kwam. Peter had een Matchbox-autootje dat er net zo uitzag als de bus waar Joey twee keer per dag in reed – dezelfde bus waar hij vandaag ook zou instappen.

Zijn moeder zei dat hij weer moest gaan slapen, maar dat kon hij niet. Hij trok de kleren aan die zijn moeder speciaal voor zijn eerste schooldag had gekocht en ging op bed liggen wachten. Hij was het eerst beneden voor het ontbijt. Zijn moeder maakte zijn lievelingskostje, pannenkoeken met chocoladevlokken. Ze kuste hem op zijn wang en nam een foto van hem aan de ontbijttafel, en nog een toen hij zijn jas aanhad en zijn lege rugzak om. 'Ik kan niet geloven dat mijn kleintje al naar school gaat,' zei zijn moeder.

Joey, die al in de tweede klas zat, zei dat hij niet zo stom moest doen. 'Het is maar school, hoor. Niks bijzonders.'

Peters moeder knoopte zijn jas dicht. 'Jij hebt die eerste dag anders ook heel spannend gevonden,' zei ze tegen Joey. Tegen Peter zei ze dat ze een verrassing voor hem had. Ze liep de keuken in en kwam terug met een Superman-lunchtrommeltje. Superman strekte zich op het deksel uit alsof hij uit het metaal wilde vliegen. Zijn hele lichaam stak uit boven de achtergrond, net als letters in boeken voor blinde mensen. Peter vond het een prettige gedachte dat hij zijn lunchtrommeltje altijd kon herkennen, ook als hij niet kon zien. Hij nam het van zijn moeder aan en omhelsde haar. Hij hoorde het geluid van een rollende appel en het geknisper van vetvrij papier.

Ze wachtten aan het eind van de oprit, en net zoals Peter zich keer op keer had voorgesteld, kwam de gele bus over de heuveltop aanrijden.

'Nog eentje!' riep zijn moeder, en ze nam een foto van Peter toen de bus kreunend naast hem tot stilstand kwam. 'Joey, pas goed op je broertje.' Toen kuste ze Peter op zijn voorhoofd. 'Grote knul van me,' zei ze, en ze kneep haar lippen samen, zoals altijd wanneer ze probeerde niet te huilen.

Ineens voelde Peter zich onzeker worden. Stel dat de kleuterschool niet zo leuk was als hij zich had voorgesteld? Dat zijn juf eruitzag als de heks in dat tv-programma waar hij weleens naar van droomde? Dat hij niet meer wist hoe je de E moest schrijven en iedereen hem uitlachte?

Aarzelend stapte hij de bus in. De chauffeur droeg een legerjack en miste twee voortanden. 'Er is nog plaats achterin,' zei hij, en Peter liep door het gangpad, op zoek naar Joey.

Zijn broer was naast een jongen gaan zitten die Peter niet kende. Joey keek hem vluchtig aan toen hij voorbijkwam, maar zei niets.

'Peter!'

Hij draaide zich om en zag Josie op de lege plaats naast haar kloppen. Haar donkere haar was in vlechten gebonden en ze droeg een rok, hoewel ze rokken haatte. 'Ik heb hem voor je vrijgehouden,' zei Josie.

Hij ging naast haar zitten en begon zich al beter te voelen. Hij zat in een *bus*. En hij zat naast zijn allerbeste vriendin. 'Mooi lunchtrommeltje,' zei Josie.

Hij hield het op om te laten zien hoe je Superman kon laten bewegen, en op dat moment strekte een lange arm zich over het middenpad uit en trok een jongen met een honkbalpet achterstevoren op zijn hoofd het trommeltje uit Peters handen. 'Hé, kleuter, wil je Superman zien vliegen?'

Voor Peter begreep wat de oudere jongen van plan was, opende deze een raam en smeet het trommeltje naar buiten. Peter stond op en strekte zijn hals om uit het achterraam te kunnen kijken. Zijn lunchtrommeltje brak open op het asfalt. De appel rolde over de weg en verdween onder een aanrijdende auto.

'Zitten!' schreeuwde de buschauffeur.

Peter liet zich weer op zijn stoel zakken. De tranen brandden achter zijn ogen. Hij hoorde de jongen en zijn vrienden lachen. Toen voelde hij Josies hand in de zijne glijden. 'Ik heb boterhammen met pindakaas bij me,' fluisterde ze. 'We kunnen ze samen opeten.'

Alex zat in de spreekkamer van de gevangenis tegenover Linus Froom, haar nieuwste cliënt. Vanochtend om vier uur, in het zwart gekleed en met een bivakmuts over zijn hoofd getrokken, had hij onder bedreiging van een vuurwapen een benzinestation overvallen. Toen de politie arriveerde nadat Linus was gevlucht, vonden ze een gsm op de grond. Er werd naar gebeld toen de rechercheur achter zijn bureau zat. 'Hé, makker,' zei de beller, 'dit is mijn mobieltje. Dus jij hebt het?' De rechercheur antwoordde bevestigend en vroeg waar hij het was kwijtgeraakt. 'Bij het pompstation van Irving, een halfuurtje geleden.' De rechercheur stelde voor dat ze elkaar zouden treffen op de hoek van Route 10 en Route 25A. Hij zou het mobieltje meenemen.

Toen Linus Froom kwam opdagen, werd hij gearresteerd wegens gewapende roofoverval.

Alex keek naar haar cliënt die tegenover haar aan de gebutste tafel zat. Op dit moment kreeg haar dochter sap en koekjes, of het was tijd voor verhaaltjes of wat ze op zo'n eerste schooldag ook deden, en zat zij in een gevangenisspreekkamer met een crimineel die nog te stom was om zijn vak naar behoren uit te oefenen. 'Hier staat,' zei Alex, naar het politieverslag kijkend, 'dat er verschil van mening ontstond toen rechercheur Chisholm je je rechten voorlas.'

Linus keek op. Hij was nog een jongen – negentien, met jeugd-puistjes en doorlopende wenkbrauwen. 'Hij dacht dat ik achter-lijk was.'

'Heeft hij dat tegen je *gezegd*?'

'Hij vroeg of ik kon lezen.'

Dat vroeg elke politieman om zeker te weten dat de dader wist wat hij ondertekende. 'En je antwoord was: "Hé, eikel, zie ik er-uit als een debiel"?'

Linus haalde zijn schouders op. 'Wat had ik anders moeten zeggen?'

Alex kneep in de brug van haar neus. Als pro-Deoadvocaat had ze vaak het gevoel dat ze veel tijd en energie spendeerde aan iemand die over een week, een maand, of een jaar opnieuw tegenover haar zou zitten. Maar wat moest ze anders? Ze had hier nu eenmaal voor gekozen.

Haar pieper ging. Ze keek even naar het nummer en schakelde het toestel uit. 'Linus, ik denk dat je gewoon schuld moet bekennen.'

Ze liet hem achter bij een bewaker en vluchtte een kantoor in om te bellen. 'Goddank,' zei Alex, toen er werd opgenomen. 'Ik was bijna uit een gevangenisraam gesprongen.'

'Je vergeet de tralies,' zei Whit Hobard lachend. 'Ik heb vaak ge-dacht dat die er niet alleen zijn om gevangenen binnen te houden, maar ook de wanhopige advocaten die hen moeten verdedigen.'

Whit Hobard was Alex' baas geweest toen ze voor justitie in New Hampshire ging werken, maar hij was negen maanden ge-leden met pensioen gegaan. Whit – in vakkringen een legendari-sche figuur – was als een vader voor haar geworden, iemand die, in tegenstelling tot haar echte vader, haar had geprezen in plaats van bekritiseerd. Ze wenste dat Whit nu hier was in plaats van in een of andere golfgemeenschap aan de kust. Dan zou hij haar mee uit lunchen nemen en verhalen vertellen, waardoor ze inzag dat elke pro-Deoadvocaat cliënten had als Linus. Dan zou hij haar achterlaten met de rekening en nieuwe energie om het ge-vecht weer aan te gaan.

'Waarom ben je zo vroeg op?' zei Alex. 'Is het al tee-tijd?'

'Nee, de tuinman heeft me wakker gemaakt met die verdomde bladzuiger van hem. Heb ik veel gemist?'

'Helemaal niets. Behalve dat alles hier anders is zonder jou. Er ontbreekt een bepaalde... energie.'

'Energie? Je wordt toch niet zo'n newagemalloot, hè?'

Alex grinnikte. 'Nee...'

'Gelukkig. Want ik bel je omdat ik een baan voor je heb.'

'Ik heb al een baan. Eigenlijk heb ik genoeg werk voor twee banen.'

'Drie districtsrechtbanken in dit gebied hebben een vacature in *Bar News* geplaatst. Je moet erop ingaan, Alex.'

'En rechter worden?' Ze schoot in de lach. 'Wat voor spul rook je tegenwoordig, Whit?'

'Je zou er geknipt voor zijn, Alex. Je bent besluitvaardig. Je hebt een gelijkmatig temperament. Je laat je emoties niet de overhand in je werk krijgen. Je kijkt ook vanuit het perspectief van de verdediging, dus je begrijpt het hele proces. En je bent altijd een uitstekende rechtbankadvocaat geweest.' Hij aarzelde. 'Bovendien komt het niet vaak voor dat in New Hampshire een democratische vrouwelijke gouverneur een rechter kiest.'

'Bedankt voor het vertrouwen,' zei Alex, 'maar ik ben niet geschikt voor die baan.'

Ze wist het ook omdat haar vader rechter bij een gerechtshof was geweest. Alex herinnerde zich dat ze in zijn draaistoel had rondgezwaaid terwijl ze paperclips zat te tellen en met haar duimnagel een spoor in het groene vilt van zijn vlekkeloze vloeiblad trok. Ze had de telefoonhoorn opgepakt en tegen de kiestoon gepraat. En als haar vader dan binnenkwam, kreeg ze een standje omdat ze een potlood of een dossier had verschoven.

De pieper begon opnieuw te vibreren. 'Luister, ik moet naar de rechtbank. Misschien kunnen we volgende week samen lunchen.'

'Een rechter heeft regelmatige werktijden,' zei Whit. 'Hoe laat komt Josie thuis van school?'

'Whit...'

'Denk erover na,' zei hij, en hij verbrak de verbinding.

'Peter,' verzuchtte zijn moeder, 'ben je het nu alweer kwijt?' Ze liep langs zijn vader heen die een kop koffie voor zichzelf stond in te schenken en zocht in de donkere provisiekast een bruinpapieren zak.

Peter haatte die zakken. De banaan paste er nooit helemaal in en de boterham werd altijd verfrommeld.

'Wat is hij kwijt?' vroeg zijn vader.

'Zijn lunchtrommel. Dat is al de derde deze maand.' Zijn moeder begon de zak te vullen – fruit en pakje sap onderin, boterham erbovenop. Ze keek even naar Peter. In plaats van te ontbijten zat hij zijn papieren servet met een mes te bewerken. 'Je mist de bus nog als je zo blijft treuzelen.'

'Je moet eens wat meer verantwoordelijkheidsgevoel krijgen,' zei zijn vader.

Als zijn vader iets zei, zag Peter zijn woorden als rookpluimen die heel even voor bewolking zorgden en weer verdwenen waren voor je het wist.

'Schei toch uit, Lewis, hij is vijf.'

'Ik kan me niet herinneren dat Joey in zijn eerste schoolmaand drie keer zijn lunchtrommel is kwijtgeraakt.'

Soms keek Peter toe wanneer zijn vader in de achtertuin met Joey aan het voetballen was. Hun benen schoten als dolgedraaide zuigers naar voren, naar achteren en weer naar voren, alsof ze samen een dans uitvoerden met de bal tussen hen in. Als Peter probeerde mee te doen, raakte hij verstrikt in zijn eigen frustraties. De laatste keer had hij per ongeluk in eigen doel gescoord.

Over zijn schouder keek hij zijn ouders aan. 'Ik ben Joey niet,' zei hij, en hoewel niemand reageerde, hoorde hij het antwoord: *Helaas niet.*

'Mevrouw Cormier?' Alex keek op en zag een voormalige cliënt voor haar bureau staan die grijnsde van oor tot oor.

Het duurde even voordat ze hem kon plaatsen. Teddy Mac-Dougal of MacDonald of zoiets. Ze herinnerde zich dat hij wegens huiselijk geweld was aangeklaagd. Hij en zijn vrouw waren elkaar te lijf gegaan toen ze allebei dronken waren. Alex had vrij-spraak voor hem gekregen.

'Ik heb iets voor je,' zei Teddy.

'Hopelijk heb je niets voor me gekocht,' antwoordde ze, en ze meende het oprecht. Deze man uit de North Country was zo arm dat zijn huisvloer letterlijk uit vuil bestond, en hij vulde zijn vrie-zer met huiden van de dieren waarop hij jaagde. Alex hield niet van de jacht, maar ze begreep dat het voor sommige cliënten, zoals Teddy, geen sport was, maar een manier om te overleven. Een veroordeling zou dan ook desastreus voor hem zijn geweest, omdat hij dan zijn vuurwapens had moeten inleveren.

'Ik heb het niet gekocht, eerlijk waar.' Teddy grinnikte. 'Het zit in mijn truck. Loop even mee.'

'Kun je het niet binnenbrengen?'

'O, nee. Nee, dat zal niet gaan.'

Wat nu weer, dacht Alex. Ze volgde Teddy naar de parkeerplaats en zag achter in zijn pick-up een gigantische dode beer liggen.

'Voor je vriezer,' zei hij.

'Teddy, dit is te veel. Je kunt hier de hele winter van eten.'

'Dat is waar, maar ik heb aan jou gedacht.'

'Ontzettend bedankt. Dit is echt heel aardig van je. Maar ik... eh... eet geen vlees. En het is zonde om het te laten bederven.' Ze legde haar hand op zijn arm. 'Ik wil liever dat je het zelf houdt.'

Teddy kneep even zijn ogen samen tegen de zon. 'Oké.' Hij knikte haar toe, stapte in de cabine, en reed het parkeerterrein af waarbij de dode beer tegen de wanden van de laadbak stuiterde.

'Alex!'

Ze draaide zich om en zag haar secretaresse in de deuropening staan.

'Ik heb iemand van Josies school aan de lijn. Ze is bij het schoolhoofd geroepen.'

Josie? Problemen op school? 'Waarom?' vroeg Alex.

'Ze heeft op het schoolplein een jongen in elkaar geslagen.'

Alex liep naar haar auto. 'Zeg maar dat ik eraan kom.'

Onderweg naar huis wierp Alex via de achteruitkijkspiegel af en toe een blik op haar dochter. Josie was die ochtend in een witte trui en een kakibroek naar school gegaan, en die zaten nu onder het vuil. Er zaten takjes in haar paardenstaart waarvan het grootste deel was losgeraakt, er zat een gat in de elleboog van haar trui, en haar lip bloedde nog steeds. Zo te zien was ze er slechter aan toe dan de kleine jongen die ze had willen verdedigen.

'Kom mee,' zei Alex, en ze ging met Josie de trap op naar de badkamer. Daar trok ze Josies trui uit, maakte haar schrammen schoon en deed er jodium en pleisters op. Toen ging ze op de badmat tegenover haar dochter zitten. 'Wil je erover praten?'

Josies onderlip trilde en ze begon te huilen. 'Het is Peter,' zei ze. 'Drew zit hem voortdurend te treiteren, en vandaag wilde ik hem terugpakken.'

'Zijn er geen onderwijzers op het schoolplein?'

'Hulpkrachten.'

'Je had tegen ze moeten zeggen dat Peter werd gepest. Door Drew in elkaar te slaan ben je geen haar beter dan hij.'

'Maar dat hébben we gezegd. Ze zeiden tegen Drew en de andere jongens dat ze Peter met rust moesten laten, maar het heeft niets geholpen.'

'Dus dacht je dat dit de beste oplossing was?'

'Voor Peter wel, ja.'

'Stel dat je dit altijd zou doen. Laten we zeggen dat je de jas van iemand anders leuker vindt dan die van jou, dus neem je die mee.'

'Dat is stelen,' zei Josie.

'Precies. En daarom zijn er ook regels. Je mag regels niet overtreden, ook niet als anderen het wél doen. Want als jij en ik, als wij allemaal de regels overtreden, dan wordt de wereld om je heen heel angstaanjagend. Een wereld waar jassen worden gestolen en kinderen op het schoolplein in elkaar worden geslagen. In plaats van de *beste* oplossing, kunnen we beter kiezen voor de *juiste* oplossing.'

'Wat is het verschil?'

'De beste oplossing is wat volgens *jou* moet worden gedaan. De juiste oplossing is wat er gedaan zou moeten worden – ongeacht je eigen gevoelens of gedachten. Wie zijn er nog meer bij betrokken? Wat is eraan voorafgegaan? Wat zijn de regels?' Ze keek even op naar haar dochter. 'Waarom heeft Peter zich niet verzet?'

'Hij was bang.'

'Dan houdt alles op,' zei Alex.

'Ben je boos op me?' vroeg Josie met betraande ogen.

Alex aarzelde. 'Ik ben boos op de hulpkrachten omdat ze niet hebben gezien dat Peter werd gepest. Ik ben niet blij dat je iemand een bloedneus hebt geslagen, maar ik ben trots op je omdat je je vriend hebt verdedigd.' Ze kuste Josie op haar voorhoofd. 'Ga maar iets aantrekken waar geen gaten in zitten, heldinnetje van me.'

Toen Josie naar haar slaapkamer ging, bleef Alex op de badkamervloer zitten. Ze bedacht dat gerechtigheid toepassen vooral met aanwezigheid en betrokkenheid had te maken – iets waar die hulpkrachten op het schoolplein in gebreke waren gebleven. Je moest streng zijn zonder te intimideren; je moest het belang van regels onderstrepen; je moest alle bewijslast in overweging nemen voordat je tot een conclusie kwam.

Een goede rechter, besefte Alex, verschilde eigenlijk weinig van een goede moeder.

Ze stond op, liep naar beneden en pakte de telefoon. Toen Whit opnam, zei ze: 'Oké, zeg maar wat ik moet doen.'

De stoel was te klein voor Lacy's achterste. Haar knieën pasten niet onder de lessenaar, en de felle kleuren op de muren deden pijn aan haar ogen. De onderwijzeres tegenover haar was zo jong dat Lacy zich afvroeg of ze een glas wijn mocht drinken zonder de wet te overtreden.

'Mevrouw Houghton, ik wilde dat ik een andere verklaring had, maar het is nu eenmaal zo dat wat pesten aangaat sommige kinderen een magnetische aantrekkingskracht uitoefenen. Zodra andere kinderen een zwakheid ontdekken, zullen ze die uitbuiten.'

'Wat is Peters zwakheid?' vroeg ze.

De onderwijzeres glimlachte. 'Ik beschouw het niet als een zwakheid. Hij is gevoelig en zachtaardig. Dat betekent ook dat hij liever met Josie in een hoekje zit te kleuren dan dat hij met de jongens achtervolgingsspelletjes speelt, en dat wordt natuurlijk opgemerkt.'

Lacy dacht aan haar eigen tijd op de kleuterschool, toen ze zich over kuikens uit een broedmachine hadden moeten ontfermen. Een van de zes kuikentjes was met een misvormde poot geboren. Het kwam altijd als laatste bij het voer en de waterbak, en het was schrieler en schuwer dan de andere. Op een dag, terwijl de klas vol afgrijzen toekeek, werd het kreupele kuiken doodgepikt door zijn soortgenoten.

'Het gedrag van die andere jongens wordt niet getolereerd,' verzekerde de onderwijzeres. 'Zodra we zien dat een kind zich misdraagt, wordt het naar het schoolhoofd gestuurd.' Ze deed haar mond open alsof ze er nog iets aan wilde toevoegen, maar zweeg abrupt.

'Wat wilde u zeggen?'

De onderwijzeres sloeg haar ogen neer. 'Helaas is het zo dat dit het tegenovergestelde effect kan hebben. De jongens zullen Peter beschouwen als degene die hen in de problemen heeft gebracht, en daardoor wordt de geweldscyclus gecontinueerd.'

Lacy voelde zich rood worden. 'Wat doet u zelf om hier een eind aan te maken?'

Ze verwachtte dat de onderwijzeres de nodige disciplinaire maatregelen zou ontvouwen, maar in plaats daarvan zei de jonge vrouw: 'Ik laat Peter zien hoe hij voor zichzelf kan opkomen. Als iemand voordringt terwijl hij in de rij voor de lunch staat, of als hij wordt gepest, moet hij zich verweren in plaats van het te accepteren.'

Lacy keek haar met knipperende ogen aan. 'Ik kan mijn oren niet geloven... Dus als hij opzij wordt geduwd, moet hij terugduwen? Wanneer iemand zijn eten op de vloer kwakt, moet hij het-zelfde terug doen?'

'Natuurlijk niet...'

'Dus u zegt dat Peter zich net zo moet gedragen als de jongens die hem treiteren wanneer hij zich op school veilig wil voelen?'

'Nee, ik probeer u de realiteit van de kleuterschool duidelijk te maken,' zei de onderwijzeres. 'Kijk eens, mevrouw Houghton, ik kan zeggen wat u wilt horen. Ik kan zeggen dat Peter een schat van een jongen is, en dat is hij ook. Ik kan zeggen dat we onze leerlingen verdraagzaamheid bijbrengen en maatregelen nemen tegen de jongens die het op Peter hebben gemunt, en dat daarmee het probleem is opgelost. Maar helaas is dat niet zo. Als Peter wil dat hier een eind aan komt, zal hij ook deel van de oplossing moeten uitmaken.'

Lacy keek naar haar handen. Ze leken veel te groot voor de kleine lessenaar. 'Bedankt dat u zo eerlijk tegen me bent geweest.' Ze stond op en liep het lokaal uit.

Peter zat te wachten op een houten bankje in de gang. Als zijn moeder was het haar taak om de weg die voor hem lag te effe-nen. Maar de onderwijzeres had haar duidelijk proberen te maken dat ze daar niet eeuwig mee kon doorgaan.

Ze hurkte voor Peter neer en pakte zijn handen. 'Je weet dat ik van je hou, hè?' zei Lacy.

Peter knikte.

'Je weet dat ik alleen het beste voor je wil.'

'Ja,' zei Peter.

'Ik weet het van de lunchtrommeltjes. Ik weet wat er gaande is tussen jou en Drew. Ik weet dat Josie hem heeft geslagen. Ik weet wat voor dingen hij tegen je zegt.' Ze voelde tranen achter haar ogen branden. 'Wanneer het weer gebeurt, moet je voor jezelf op-komen. Dat *moet*, Peter, anders... zal ik je moeten straffen.'

Het leven was niet eerlijk. Lacy was bij promoties altijd gepas-seerd, hoe hard ze ook had gewerkt. Ze had gezien dat moeders die zich scrupuleus in acht hadden genomen een doodgeboren kind ter wereld brachten, terwijl drugsverslaafden gezonde baby's kregen. Ze had veertienjarige meisjes aan ovariumkanker zien sterven voordat ze de kans kregen aan hun echte leven te beginnen. Je kon niet vechten tegen de onrechtvaardigheid van het lot, je moest het doorstaan in de hoop dat het ooit anders zou worden. Maar dat was veel moeilijker te accepteren wanneer het je eigen kind betrof. Het verscheurde haar vanbinnen dat ze het gordijn van onschuld opzij moest trekken waardoor Peter zou zien – hoeveel ze ook van hem hield – dat ze nooit de volmaakte wereld voor hem kon creëren.

Ze slikte haar tranen weg en keek Peter aan. Ze probeerde te bedenken hoe ze hem tot zelfverdediging kon aanzetten, door welke straf hij zich anders zou gaan gedragen, al brak haar hart bij die gedachte. 'Als dit nog eens gebeurt... dan mag je een maand lang niet met Josie omgaan.'

Ze sloot haar ogen bij dit ultimatum. Als ze haar zoon in een verscheurend dier kon veranderen waardoor Drew en die andere pestkoppen met de staart tussen de benen afdropen, dan zou ze het doen.

Ze streek Peters haar uit zijn gezicht en zag de twijfel in zijn ogen. Logisch. Zijn moeder had hem nooit eerder zo toegesproken. 'Drew is een laffe bullebak. En hij zal een steeds grotere laffe bullebak worden, maar jij – jij wordt later een heel bijzonder mens.' Lacy keek haar zoon met een brede glimlach aan. 'Op een dag, Peter, zal iedereen weten wie je bent.'

Er waren twee schommels op het speelplein, en soms moest je op je beurt wachten. Dan hoopte Peter altijd dat hij niet de schommel kreeg die door een vijfdeklasser over de bovenbalk was gezwaaid, want dan hing de schommelplank zo hoog boven de grond dat hij bang was dat hij zou vallen als hij erop probeerde te komen, of, nog erger, dat hij er helemaal niet op kon komen.

Wanneer hij samen met Josie wachtte, nam zij die schommel altijd. Ze deed alsof ze het juist leuk vond, maar Peter wist best dat ze doorhad dat hij er een hekel aan had.

Vandaag waren ze in de pauze niet aan het schommelen. In

plaats daarvan draaiden ze in het rond totdat de kettingen helemaal met elkaar verknoopt waren, en daarna tilden ze hun voeten op zodat ze rondtolden. Peter keek af en toe naar de hemel en stelde zich voor dat hij vloog. Toen ze waren uitgedraaid, botste zijn schommel tegen die van Josie en raakten hun voeten in elkaar verstrikt. Ze lachten.

Hij keek haar aan. 'Ik wil dat mensen me aardig vinden,' zei hij ineens.

Josie hief haar hoofd op. 'Ik vind je aardig.'

Peter maakte zijn enkels los van de hare. 'Ik bedoel andere mensen dan jij.'

Het kostte Alex twee volle dagen om de sollicitatieformulieren voor de positie van rechter in te vullen, en terwijl ze ermee bezig was, besefte ze hoe graag ze die baan eigenlijk wilde. Wat ze ook tegen Whit had gezegd, wat haar eerdere bezwaren ook waren, ze wist dat ze de juiste beslissing had genomen.

Toen de gerechtelijke selectiecommissie haar opriep voor een gesprek, werd haar duidelijk dat zo'n uitnodiging niet zomaar werd verstuurd en dat ze serieus als kandidaat werd overwogen.

De taak van de commissie was een kandidatenlijst voor de gouverneur op te stellen. De sollicitatiegesprekken werden gehouden in de oude gouverneursresidentie, Bridges House, in East Concord. De kandidaten kwamen door de ene ingang naar binnen en vertrokken via een andere, waarschijnlijk om te vermijden dat ze elkaar zouden tegenkomen.

De twaalf leden van de commissie waren advocaten, politieofficieren en voorzitters van slachtofferhulporganisaties. Ze staarden Alex zo indringend aan dat het zweet haar uitbrak. Het hielp ook niet dat ze de halve nacht op was geweest omdat Josie niet meer wilde slapen nadat ze wakker was geworden uit een nachtmerrie over een wurgslang. Alex wist niet wie de andere kandidaten waren, maar ze durfde te wedden dat het geen alleenstaande moeders waren die om drie uur 's ochtends in ventilatiegaten pookten om te bewijzen dat er geen slangen in verborgen zaten.

'Ik hou van besluitvaardigheid,' zei ze als behoedzame reactie op een vraag. Ze wist dat bepaalde antwoorden van haar verwacht werden. De kunst was om stereotiepe frasen en reacties iets persoonlijks te geven. 'Ik vind het prettig om onder druk van snelle besluitvorming te staan. Ik ben sterk in juridische bewijskracht. Ik ben in rechtszalen geweest waar rechters niet van tevoren hun huiswerk doen, en ik weet dat ik anders zal functioneren.' Ze aarzelde, keek naar de mannen en vrouwen om zich heen, en vroeg zich af of ze zich moest voordoen als het prototype dat zich aanmeldde voor juridische posities – dat meestal afkomstig was uit de geheiligde gelederen van het Openbaar Ministerie – of dat ze zichzelf moest zijn en iets van haar achtergrond als strafpleiter moest laten zien.

Ach, verrek ook.

'De werkelijke reden dat ik rechter wil worden, is omdat binnen de rechtszaal iedereen gelijke kansen wordt geboden. Als je daar binnenkomt, al is het maar voor korte tijd, is jouw zaak voor iedereen in die zaal de belangrijkste ter wereld. Het systeem werkt voor *jou*. Het doet er niet toe wie je bent of waar je vandaan komt – je wordt behandeld volgens de letter van de wet, ongeacht je sociale of economische omstandigheden.'

Een van de commissieleden keek naar haar aantekeningen. 'Wat maakt iemand tot een goede rechter, mevrouw Cormier?'

Alex voelde een zweetdruppel langs haar schouderbladen glijden. 'Je moet geduld hebben, maar ook streng zijn. Je moet gezag uitstralen zonder arrogant te zijn. Je moet de regels van procesvoering en de regels binnen de rechtszaal kennen.' Ze zweeg even. 'En volgens mij moet een rechter heel goed zijn in tangram.'

Een oudere vrouw van slachtofferhulp keek op. 'Sorry?'

'Tangram. Ik ben moeder van een meisje van vijf. Ze heeft een puzzel waarin de omtrek van een bepaalde vorm is uitgespaard – een boot, een trein, een vogel – en die moet je invullen met puzzelstukjes, zoals driehoeken en parallellogrammen, waarvan sommige groter zijn dan de andere. Het is gemakkelijk voor iemand die ruimtelijk kan denken, want je moet de grenzen niet tot binnen de puzzel beperken. En voor een rechter is het net zo. Al die concurrerende factoren – de betrokken partijen, de slachtoffers, justitie, de gemeenschap – heb je op de een of andere manier nodig om het probleem binnen een bepaald kader op te lossen.'

In de ongemakkelijke stilte die erop volgde, draaide Alex haar hoofd om en ving door het raam een glimp op van de volgende kandidaat die naar het voorportaal liep. Ze knipperde met haar ogen en dacht even dat ze zich moest hebben vergist. Maar je vergat de zilvergrijze krullen niet waar je met je vingers doorheen had gewoeld; je vergat de jukbeenderen en kaaklijn niet die je met je eigen lippen had bevoeld. Logan Rourke, die ooit haar docent was geweest, haar minnaar, de man die de vader van haar dochter was, liep nu het gebouw in en sloot de deur achter zich.

Kennelijk was hij ook kandidaat voor de rechterspost.

Alex hield haar adem in. Ze was nu vastbeslotener dan ooit om deze baan te krijgen.

'Mevrouw Cormier?' vroeg de oudere vrouw opnieuw.

'Neemt u me niet kwalijk. Wat was uw vraag?'

'Ik vroeg hoe goed u zelf bent in tangrampuzzels.'

Alex keek haar met een stralende glimlach aan. 'Ik ben kampioen van New Hampshire.'

Eerst leken de cijfers alleen maar dikker, maar toen begonnen ze een beetje te vervormen en moest Peter zijn ogen samenknijpen of dichterbij komen om te zien of het een 3 of een 8 was. Zijn onderwijzeres stuurde hem naar de schoolarts, die hem naar een kaart op de muur liet kijken.

Zijn nieuwe bril was zo licht als een veertje en had speciale glazen die niet konden krassen, ook niet als hij hem liet vallen. Het montuur was van metaal gemaakt, veel te dun volgens hem, en door de gewelfde glazen leken zijn ogen wel drie keer zo groot.

Peter was verbaasd toen hij zijn nieuwe bril opzette. Ineens veranderde de wazige vlek in de verte in een boerderij met graansilo's, weiden en koeien. De rode letters op het bord zeiden STOP. Er waren fijne rimpeltjes in de ooghoeken van zijn moeder, net als op zijn knokkels. Elke superheld had zijn eigen hulpmiddel: Batman zijn riem, Superman zijn cape, en hijzelf had nu een röntgenvizier waarmee hij alles kon zien. Hij was zo opgewonden over zijn nieuwe bril dat hij hem ophield tijdens het slapen.

Pas de volgende dag op school begreep hij dat beter zien samenging met nog beter horen: *uilenogen; zo blind als een mol.* In plaats van een ereteken was zijn bril een litteken geworden, nog iets waardoor hij zich van de anderen onderscheidde. En dat was nog niet het ergste.

Toen Peter de wereld om zich heen kon zien, besefte hij dat iedereen naar hem keek alsof hij het mikpunt van een grap was.

Dan sloeg hij achter zijn zwaar versterkte brillenglazen zijn ogen neer om het niet te hoeven zien.

'We zijn subversieve ouders,' fluisterde Alex tegen Lacy, toen ze tijdens de open schooldag achter een veel te klein tafeltje gingen zitten, en ze van de reeks gekleurde letterblokjes een scheldwoord samenstelde.

'Nu kun je nog geintjes maken, maar wacht maar tot je rechter bent,' zei Lacy, en ze veegde de blokjes met haar hand bij elkaar.

'Bang om uit de kleuterklas te worden geschopt?' lachte Alex. 'Trouwens, de kans dat ik rechter word is net zo groot als mijn kans op het winnende lotnummer.'

'We zullen zien.'

De onderwijzeres deelde aan de aanwezigen een velletje papier uit. 'Ik wil alle ouders vragen een woord op te schrijven dat hun kind het best karakteriseert. Later gaan we daar een liefdescollage van maken.'

Alex keek Lacy even aan. 'Een *liefdescollage*?'

'Doe niet zo negatief.'

'Ik doe niet negatief. Alles wat je over de wet moet weten, leer je op de kleuterschool. Niet slaan, niet pakken wat van een ander is, niet doden, niet verkrachten.'

'O ja, ik weet het weer. Dat lesje kregen we altijd vlak na de snackpauze,' zei Lacy.

'Je weet best wat ik bedoel. Het is een sociaal contract.'

'Maar stel dat je toch rechter wordt en een wet moet toepassen waar je het niet mee eens bent?'

'In dat hoogstonwaarschijnlijke geval zou ik het doen. Ik zou het heel moeilijk vinden, maar ik zou het wel doen,' zei Alex. 'Niemand wil een rechter met een persoonlijke agenda.'

Lacy scheurde de bovenhoek van haar papier aan franje. 'Stel dat je de baan krijgt, wanneer kun je dan nog jezelf zijn?'

Alex grijnsde. 'Op een open dag van de kleuterschool bijvoorbeeld.'

Ineens stond Josie met blozende wangen voor hen. 'Mammie,' zei ze, aan Alex' hand trekkend terwijl Peter op Lacy's schoot klom, 'we hebben het af.'

Ze hadden in de speelhoek aan een verrassing zitten werken. Lacy en Alex stonden op en lieten zich langs het boekenrek en de experimententafel met rottende pompoenen leiden.

'Dit is ons huis,' verklaarde Josie, en ze duwde een blok weg dat als voordeur diende. 'We zijn getrouwd.'

Lacy stootte Alex even aan. 'Gelukkig kan ik goed met mijn schoonfamilie opschieten.'

Peter stond aan een houten fornuis in een plastic pan te roeren. Josie trok een veel te grote laboratoriumjas aan. 'Ik moet aan het werk. Ik ben op tijd terug voor het eten.'

'Oké,' zei Peter. 'We eten gehaktballen.'

'Wat voor werk doe je?' vroeg Alex aan Josie.

'Ik ben rechter. Ik stuur de hele dag mensen naar de gevangenis, en als ik thuiskom, eet ik spaghetti.' Ze liep om het blokkenhuis heen en ging weer naar binnen.

'Ga zitten,' zei Peter. 'Je bent laat.'

Lacy sloot haar ogen. 'Ligt het aan mij, of wordt me een weinig flatterende spiegel voorgehouden?'

Josie en Peter schoven hun bord opzij en liepen naar een kleiner vierkant binnen het blokkenhuis. Ze gingen liggen. 'Dit is het bed,' legde Josie uit.

De onderwijzeres kwam achter Alex en Lacy staan. 'Ze zijn altijd vadertje en moedertje aan het spelen. Lief, hè?'

Alex zag dat Peter zich op zijn zij rolde. Josie drukte zich tegen hem aan en sloeg haar arm om zijn middel. Alex vroeg zich af waar haar dochter dit beeld vandaan haalde. Josie had haar moeder nog nooit met een man samen gezien.

Alex keek naar Lacy en zag dat ze 'kwetsbaar' schreef op het velletje papier. Dat was Peter ten voeten uit. Hij was zo kwetsbaar dat hij iemand als Josie nodig had om hem te beschermen.

Alex streek haar papier glad. De karakteristieken van haar dochter verdrongen zich in haar hoofd: *dynamisch, trouw, intelligent, adembenemend*, maar haar hand dwong haar tot andere woorden.

Van mij, schreef ze.

Opnieuw vloog het lunchtrommeltje het raam uit en werden Peters tonijnsandwich en zakje Dorito's overreden, maar zoals gewoonlijk had de buschauffeur niets in de gaten. De oudere jongens waren er zo goed in geworden dat het raam al weer dicht was voordat hij kon schreeuwen dat ze moesten ophouden. Peter voelde tranen opkomen toen de jongens hun handpalmen tegen elkaar sloegen. Hij hoorde in gedachten de stem van zijn moeder – dit was het moment dat hij voor zichzelf moest opkomen! – maar zijn moeder begreep niet dat het daardoor alleen maar erger zou worden.

'Ach, Peter,' zuchtte Josie, terwijl hij weer naast haar ging zitten.

Hij staarde naar zijn wanten. 'Ik denk niet dat ik vrijdag bij jou thuis kan komen.'

'Waarom niet?'

'Mijn moeder heeft gezegd dat ze me zou straffen als ik mijn lunchtrommeltje nog eens verlies.'

'Dat is niet eerlijk,' zei Josie.

Peter haalde zijn schouders op. 'Niets is eerlijk.'

Niemand was verbaasder dan Alex toen de gouverneur van New Hampshire haar van de drie overgebleven kandidaten uitkoos voor de positie van districtsrechter. Het was logisch dat Jeanne Shaheen, een jonge, democratische vrouwelijke gouverneur, een jonge, democratische vrouwelijke rechter wilde aanstellen, maar Alex kon het nog niet helemaal bevatten toen ze voor haar gesprek kwam.

De gouverneur was jonger dan Alex had verwacht, en ook knapper. *Dat zullen ze ook van mij denken als ik rechter ben*, dacht ze. Ze ging zitten en verborg haar handen onder haar dijen om het trillen tegen te gaan.

'Is er iets wat ik moet weten als ik u tot rechter benoem?' vroeg de gouverneur.

'Lijken in de kast, bedoelt u?'

Shaheen knikte. Bij een dergelijke benoeming was het vooral belangrijk dat deze een gunstige uitstraling had op de gouverneur zelf. Shaheen nam geen enkel risico voordat ze een besluit nam, en daarvoor kon Alex alleen maar bewondering hebben.

'Kan er iemand naar uw confirmatiezitting voor de raad van toezicht komen om bezwaar tegen uw benoeming te maken?'

'Dat hangt ervan af. Bent u van plan verlofbriefjes in de staatsgevangenis uit te delen?'

De gouverneur schoot in de lach en drukte Alex de hand. 'Ik denk dat we het samen wel kunnen vinden.'

Maine en New Hampshire waren de enige twee staten in de VS die nog een raad van toezicht kenden, een college dat controle uitoefende op de macht van de gouverneur. Voor Alex betekende dit dat ze in de maand tussen haar benoeming en haar beëdiging alles op alles moest zetten om vijf republikeinen gunstig te stemmen voordat ze haar door de mangel zouden halen.

Ze belde hen wekelijks op met de vraag of ze hen met meer informatie van dienst kon zijn. Ze moest ook zorgen dat er getuigen ten gunste van haar op de confirmatiezitting verschenen. Omdat ze jarenlang in de sociale advocatuur had gewerkt, zou dat niet moeilijk zijn geweest, ware het niet dat de raad niets van strafpleiters moest hebben. Die wilde van de gemeenschap horen waar Alex had gewerkt en gewoond – vanaf haar onderwijzeres op de kleuterschool tot de politieman die haar wel mocht ondanks haar banden met de andere kant van de wet. Het lastige was dat Alex al die mensen moest zien over te halen voor haar te getuigen en hen tegelijkertijd duidelijk moest maken dat ze er niets voor terug zouden krijgen.

Uiteindelijk was het Alex' beurt om voor de raad van toezicht te verschijnen en vragen te beantwoorden die varieerden van *Wat is het laatste boek dat u hebt gelezen?* tot *Wie moet de bewijslast leveren in een aanklacht wegens misbruik of verwaarlozing?* De meeste vragen waren weinig verrassend, totdat haar een gewetenskwestie werd voorgelegd.

Mevrouw Cormier, wie heeft het recht om te oordelen over een ander?

'Tja,' zei ze, 'dat hangt er vanaf of je oordeelt in morele zin of in juridische zin. In moreel opzicht heeft niemand het recht over een ander te oordelen. Maar in juridische zin is het niet alleen een recht, maar ook een plicht.'

Dat in aanmerking genomen, willen we graag uw standpunt over het bezit van vuurwapens horen.

Alex aarzelde. Ze was geen voorstander van vuurwapenbezit. Ze liet Josie nooit naar tv-programma's kijken waar geweld in voorkwam. Ze wist wat er kon gebeuren als een verward kind, een jaloerse echtgenoot of een mishandelde vrouw een pistool in handen kreeg – dat soort cliënten had ze vaak genoeg verdedigd om te weten dat hun katalyserende reactie niet mocht worden onderschat.

Maar toch.

Dit was New Hampshire, een conservatieve staat, waar ze tegenover een groep republikeinen stond die als de dood waren dat ze linkse sympathieën had. Ze zou rechtspreken in een gemeenschap waar de jacht niet alleen in ere werd gehouden, maar ook noodzakelijk werd geacht.

Alex nam een slokje water. 'In juridische zin,' zei ze, 'ben ik niet tegen vuurwapens.'

108

'Het is toch te gek voor woorden,' zei Alex, toen ze in Lacy's keuken stond. 'Als je op internet naar toga's zoekt, krijg je alleen maar linebackersmodellen met borsten te zien. Kennelijk wordt een vrouwelijke rechter als een soort Bea Arthur beschouwd.' Ze liep de gang in en riep naar boven: 'Josie! Ik tel tot tien en dan gaan we weg!'

'Kon je nergens uit kiezen?'

'Ja, uit zwart en zwart.' Alex sloeg haar armen over elkaar. 'Uit katoen en polyester, uit klokmouwen en strakke mouwen. Ze zijn allemaal even lelijk. Ik wil gewoon iets eleganters.' Ze liep opnieuw naar de gang. 'Josie, nu naar beneden komen!'

Lacy legde de theedoek neer waarmee ze een pan had afgedroogd en volgde Alex naar de gang. 'Peter, Josies moeder moet naar huis!' Toen er geen reactie kwam, liep Lacy naar boven. 'Ze zullen zich wel ergens hebben verstopt.'

Alex liep achter haar aan naar Peters slaapkamer, waar Lacy de kastdeuren opendeed en onder het bed keek. Daarna controleerde ze de badkamer, de kamer van Joey, en haar eigen slaapkamer. Pas toen ze weer naar beneden gingen, hoorden ze stemmen vanuit de kelder.

'Wat is het zwaar,' zei Josie.

'Kijk, zo moet je het vasthouden,' zei Peter.

Alex en Lacy liepen de houten keldertrap af. Bij een stapel dozen en een plank met potten ingemaakte jam, zag Alex Josie staan met een geweer in haar handen.

'Grote god,' fluisterde Alex ademloos. Josie draaide zich met een ruk om, met de loop van het geweer op haar moeder gericht.

Lacy pakte het wapen vast en trok het weg. 'Waar komt dit vandaan?' vroeg ze streng. Pas toen beseften Peter en Josie dat het mis was.

'Peter had de sleutel,' zei Josie.

'Wat voor sleutel?' schreeuwde Alex.

'De sleutel van de wapenkast,' mompelde Lacy. 'Hij moet hebben gezien dat Lewis er een geweer uit haalde toen hij afgelopen weekend ging jagen.'

'Dus al die tijd dat mijn dochter bij jou thuis komt, slingeren er gewoon geweren rond?'

'Die slingeren hier niet rond,' zei Lacy. 'Die liggen in een afgesloten wapenkast.'

'Die jouw zoon van vijf kan openmaken!'

'Lewis bewaart de munitie...'

'Waar?' snauwde Alex. 'Of kan Peter me dat ook vertellen?'

Lacy keek haar zoon aan. 'Je zou beter moeten weten. Waarom heb je dit in vredesnaam gedaan?'

'Ik wilde het haar alleen maar laten zien, mam. Ze heeft het me *gevraagd*.'

Josie keek angstig naar haar moeder op. 'Dat is niet waar.'

'Dus nu geeft je zoon mijn dochter de schuld?'

'Misschien liegt je dochter wel,' zei Lacy.

Ze staarden elkaar aan. Twee vriendinnen die door hun kinderen van elkaar werden gescheiden. Er was een blos op Alex' wangen verschenen. Wat zou er zijn gebeurd als ze vijf minuten later waren gekomen? Stel dat Josie gewond was geraakt, of misschien wel gedood? Die gedachte bracht haar terug naar de vragen van de raad van toezicht enkele weken geleden. Wie heeft het recht om over een ander te oordelen?

Niemand, had ze gezegd.

Maar nu oordeelde ze toch.

Ik ben niet tegen vuurwapens, had ze gezegd.

Was ze daardoor hypocriet? Of gewoon een goede moeder?

Alex zag dat Lacy naast haar zoon neerknielde, en méér was er niet nodig om de schakelaar om te draaien. Josies onwrikbare trouw aan Peter leek haar ineens een enorme last voor haar dochter. Misschien was het beter dat Josie nieuwe vrienden leerde kennen. Vrienden die haar geen geweer in de hand drukten en die er niet de oorzaak van waren dat ze bij het schoolhoofd werd geroepen.

Alex pakte Josies hand vast. 'We kunnen maar beter gaan.'

'Ja,' zei Lacy koeltjes. 'Dat lijkt me een goed idee.'

Ze liepen door het pad met diepvriesproducten. Alex trok een vriesdeur open en legde een zak erwten in haar winkelwagentje.

'Ik lust geen erwten,' jengelde Josie.

'Dan eet je ze maar niet.'

'Ik wil Oreo's.'

'Je krijgt geen Oreo's. Je hebt al genoeg gesnoept.' Sinds de confrontatie bij Lacy thuis was Josie al de hele week chagrijnig. Alex wist dat ze haar dochter overdag op school niet van Peter kon weghouden, maar ze kon haar wel verbieden bij hem thuis te gaan spelen.

Alex zette een jerrycan mineraalwater in haar wagentje, daarna een fles wijn. 'Wil je vanavond kip of hamburger?'

'Ik wil een tofudog.'

Alex schoot in de lach. 'Waar heb je dat vandaan?'

'Lacy heeft het weleens voor onze lunch klaargemaakt. Ze smaken als hotdogs, maar ze zijn veel gezonder.'

Toen Alex' nummer bij de vleesafdeling werd afgeroepen, bestelde ze een half pond kipfilet.

'Waarom krijg jij altijd wat je wilt, en ik nooit?' dreinde Josie.

'Geloof me, je bent lang niet zo'n misdeeld kind als je graag wilt denken.'

'Ik wil een appel,' verklaarde Josie.

Alex zuchtte. 'Kunnen we alsjeblieft boodschappen doen zonder dat je steeds "ik wil" zegt?'

Voordat Alex het besefte, schopte Josie haar vanuit het zitje in de winkelwagen hard in de zij. 'Ik haat je!' schreeuwde ze. 'Je bent de rottigste moeder van de hele wereld!'

Alex besefte dat anderen naar haar keken – de oude vrouw die een meloen uitzocht, de winkelbediende met een lading verse broccoli. Waarom kregen kinderen het altijd op hun heupen in openbare gelegenheden? 'Rustig, Josie,' zei ze met een geforceerde glimlach.

'Ik wou dat je net zo was als Peters moeder! Kon ik maar bij hém thuis gaan wonen!'

Alex greep haar dochter hardhandig bij de schouders, die daar-

111

op in tranen uitbarstte. 'Nou moet je eens goed luisteren,' zei Alex op zachte, dreigende toon. Toen hoorde ze fluisterende stemmen en ving ze het woord *rechter* op.

In de plaatselijke krant had een artikel gestaan over haar recente benoeming bij de districtsrechtbank. Er was een foto bij geplaatst. Alex had de herkennende blikken gevoeld toen ze langs de broodafdeling liep: *O, kijk, dat is zij...* Maar nu voelde ze aan hun starende ogen hoe ze ook gewikt en gewogen werd in de omgang met haar dochter.

Ze verslapte haar greep. 'Ik weet dat je moe bent,' zei Alex, hard genoeg om voor haar directe omgeving hoorbaar te zijn, 'en dat je naar huis wilt, maar je moet je in het openbaar leren gedragen.'

Door de tranen heen knipperde Josie met haar ogen. Ze vroeg zich af wat dit onbekende wezen te maken had met haar echte moeder, die zou hebben teruggeschreeuwd dat ze ogenblikkelijk haar grote mond moest houden.

Een rechter, besefte Alex ineens, is dat niet alleen in een rechtszaal. Ze is ook rechter wanneer ze zich in een restaurant bevindt, of op een feestje, of midden in het gangpad van een supermarkt staat en haar kind wel kan wurgen. Alex had de toga geaccepteerd zonder te beseffen dat ze die nooit meer kon afwerpen.

Als je je hele leven moest concentreren op wat anderen van je dachten, vergat je dan niet wie je werkelijk was? Stel dat het gezicht dat je de buitenwereld toonde een masker bleek te zijn... waar niets achter zat?

Alex duwde het winkelwagentje naar de kassa. Haar driftige dochter was inmiddels weer een deemoedig klein meisje geworden. 'Zie je wel?' zei Alex om zowel haar dochter als zichzelf gerust te stellen. 'Dit is toch veel beter?'

Haar eerste dag als rechter bracht Alex door in Keene. Behalve de griffier wist niemand dat dit haar eerste dag was. Advocaten hadden gehoord dat ze nieuw was, maar wisten niet precies wanneer ze zou beginnen. Toch was ze doodsbang. Ze trok drie keer iets anders aan, al zou niemand zien wat ze onder haar toga droeg. En ze moest drie keer braken voordat ze naar het gerechtsgebouw ging.

Daar kende ze de weg. Ze had hier tenslotte talloze processen gevoerd aan de andere kant van de rechterstafel. De griffier, Ishmael, was een magere man die haar nooit erg had gemogen. Maar vandaag likte hij zo'n beetje haar hooggehakte hielen. 'Welkom, edelachtbare,' zei hij. 'Hier is uw agenda voor vandaag. Ik zal een gerechtsbode naar u toesturen wanneer u zo ver bent. Kan ik verder nog iets voor u doen?'

'Nee,' zei Alex, 'ik ben er klaar voor.'

Hij liet haar achter in haar kantoor, waar het ijskoud was. Ze zette de thermostaat hoger, haalde de toga uit haar diplomatenkoffertje en liep de aangrenzende toiletruimte in. Ze inspecteerde zichzelf in de spiegel. Ze zag er goed uit. Waardig.

Toen ze aan haar bureau ging zitten, moest ze direct aan haar vader denken. *Kijk naar me, papa*, dacht ze, hoewel hij nu ergens was waar hij haar niet kon horen. Ze dacht aan de avondmaaltijden thuis, wanneer hij vertelde over het proces dat hij die dag had voorgezeten. Ze kon zich geen momenten herinneren dat hij haar vader was geweest in plaats van rechter.

Alex las de dossiers door over de tenlasteleggingen van die ochtend. Toen keek ze op haar horloge. Nog drie kwartier voordat de zitting begon. Eigen schuld. Ze was zo nerveus dat ze veel te vroeg was gekomen. Ze stond op en rekte zich uit. Het kantoor was zo groot dat ze een radslag kon maken.

Niet dat ze dat van plan was, want zoiets deden rechters niet.

Aarzelend opende ze de deur naar de gang, en direct schoot Ishmael tevoorschijn. 'Wat kan ik voor u doen, edelachtbare?'

'Ik heb wel trek in een kop koffie,' zei Alex.

Ishmael verdween ogenblikkelijk om aan haar verzoek te voldoen. Alex bedacht dat als ze hem gevraagd had iets voor Josies verjaardag te kopen, het cadeau verpakt en wel binnen een uur op haar bureau zou liggen. Ze volgde hem naar de lounge en liep naar het koffiezetapparaat. Meteen stond een jonge advocate haar plaats af. 'Gaat u maar voor, edelachtbare.'

Alex pakte een papieren bekertje. Ze moest niet vergeten een mok mee te nemen naar kantoor. Hoewel, ze zou elke dag van de week in een andere plaats werken, dus ze zou heel wat koffiemokken moeten aanschaffen. Toen ze zag dat de pot bijna leeg was, pakte ze zonder erbij na te denken een nieuwe filter om een verse pot te zetten.

'Dat hoeft u toch niet zelf te doen, edelachtbare,' zei de advocate, en ze nam de filter uit haar hand.

Alex keek naar de vrouw. Zou iemand haar ooit nog bij de voornaam noemen, of heette ze vanaf nu Edelachtbare? Zou iemand haar ooit nog durven zeggen dat er toiletpapier aan haar schoen hing of dat er spinazie op haar tanden zat? Het was een vreemde gewaarwording dat ze door iedereen heel kritisch werd bekeken, maar dat niemand haar in haar gezicht durfde te zeggen dat er iets niet in orde was.

De advocate bracht haar een beker verse koffie. 'Ik weet niet wat u erin wilt, edelachtbare,' zei ze, en ze bood suiker en koffiemelk aan.

'Zo is het prima,' zei Alex, maar terwijl ze het bekertje aanpakte, werd het uiteinde van haar wijde mouw in de koffie gedrenkt.

Handig, Alex, dacht ze.

'O jee,' zei de advocate. 'Het spijt me.'

Waarom zou het jou moeten spijten wanneer het mijn eigen schuld is? vroeg Alex zich af. De vrouw probeerde met tissues de vlekken te verwijderen, maar Alex trok haar toga uit. Even speelde ze met de gedachte zich helemaal uit te kleden en in beha en slipje de rechtszaal te betreden, zoals de keizer in het sprookje. *Is mijn gewaad niet mooi?* zou ze zeggen, en iedereen zou antwoorden: *Het is prachtig, edelachtbare.*

Ze spoelde de mouw af in de gootsteen en wrong hem uit. Omdat ze er tegenop zag het volgende halfuur alleen in haar kantoor te zitten, slenterde ze de gangen van het gerechtsgebouw door, ook die waar ze nooit eerder was geweest, en kwam bij een deur die naar het parkeerterrein leidde.

114

Buiten stond een vrouw in groen bewakingstenue een sigaret te roken. Alex sloeg haar armen om zichzelf heen tegen de winterse kou en knikte tegen de onbekende. 'Hallo.'

'Hoi.' De vrouw blies een rookwolk uit. 'Ik heb je hier niet eerder gezien. Hoe heet je?'

'Alex.'

'Ik ben Liz. De hele afdeling wagenpark,' voegde ze er grijnzend aan toe. 'Werk jij ook in dit gebouw?'

Alex zocht in haar handtas naar een doosje Tic Tacs. Niet dat ze behoefte had aan een pepermuntje, maar ze wilde dit gesprek zo lang mogelijk rekken voordat het abrupt werd afgebroken. 'Ik eh... ben rechter.'

Liz' gezicht betrok en ze deed behoedzaam een stap naar achteren.

'Ik had het liever niet gezegd, want ik vond het juist leuk dat je zo spontaan een gesprek aanknoopte. Dat doet niemand anders hier en daardoor voel ik me... nou ja, een beetje eenzaam.' Alex aarzelde. 'Misschien kun je even vergeten dat ik rechter ben?'

Liz trapte de sigaret uit onder haar laars. 'Hangt ervan af.'

Alex knikte en bood haar het doosje muntsnoepjes aan. 'Wil je een Tic Tac?'

Liz stak haar hand uit. 'Graag, Alex,' zei ze glimlachend.

Peter begon als een geest door zijn eigen huis te zwerven. Hij had huisarrest, en Josie kwam niet meer bij hem thuis, terwijl ze elkaar anders altijd drie of vier keer per week na schooltijd zagen. Joey wilde niet met hem spelen – die was altijd naar voetbaltraining of verdiept in een computerspelletje waarbij je in een noodvaart over een paperclipvormig racecircuit moest scheuren. Peter verveelde zich.

Op een avond na het eten hoorde hij geluiden in de kelder. Hij was daar niet meer geweest sinds zijn moeder hem daar met Josie en het geweer had betrapt, maar nu werd hij naar de werkbank van zijn vader getrokken als een mot naar het licht. Zijn vader zat op een kruk hetzelfde geweer schoon te maken dat Peter in de problemen had gebracht.

'Moet jij zo langzamerhand niet naar bed?' vroeg zijn vader.

'Ik heb geen slaap.' Hij keek naar zijn vaders hand die over de zwanenhals van het geweer gleed.

'Mooi, hè? Een Remington 721.' Zijn vader draaide zich naar hem om. 'Wil je helpen bij het schoonmaken?'

Instinctief keek Peter naar het boveneind van de trap, waar zijn moeder in de keuken stond af te wassen.

'Weet je, Peter, als je in wapens geïnteresseerd bent, moet je er om te beginnen respect voor krijgen, al was het maar voor je eigen veiligheid. Zelfs je moeder zal daar niets tegenin kunnen brengen.' Hij legde het geweer op zijn knieën. 'Een vuurwapen is een heel gevaarlijk ding, maar het is vooral gevaarlijk omdat de meeste mensen niet begrijpen hoe het werkt. En als je dat wel begrijpt, dan is het gewoon een stuk gereedschap, net als een hamer of een schroevendraaier. Het werkt alleen als je weet hoe je het moet gebruiken. Begrijp je dat?'

Peter begreep het niet, maar dat zei hij niet tegen zijn vader. Die ging hem leren hoe hij met een echt geweer moest omgaan! Wie van al die stomme kinderen in zijn klas kon hetzelfde zeggen?

'Om te beginnen moeten we de vergrendeling losmaken – zo, zie je wel? – om zeker te weten dat er geen kogels in zitten. Kijk maar in het magazijn, daar ja. Zie je een kogel?' Peter schudde zijn hoofd. 'Kijk nog maar eens. Je kunt het niet vaak genoeg controleren. En als je op dit knopje drukt – hier, vlak voor de veiligheidspal – kun je het magazijn helemaal losmaken.'

Peter zag hoe zijn vader de pal losmaakte waarmee de kolf aan de loop was bevestigd. Daarna nam hij een fles oplosmiddel van de werkbank – Hoppes #9, las Peter – en goot een paar druppels op een lap. 'Er gaat niets boven jagen, Peter,' zei zijn vader. 'In je eentje in het bos zijn wanneer iedereen nog ligt te slapen... Dan zie je ineens een hert dat recht in je gezicht kijkt...' Hij hield de lap van zich af – Peter werd duizelig van de geur – en begon er de grendel mee schoon te maken. 'Hier,' zei Peters vader, 'doe jij het maar.'

Peters mond viel open. Hij moest het geweer vasthouden na wat er eerder was gebeurd? Misschien omdat zijn vader er nu bij was om toezicht te houden? Of was het een valstrik, en zou hij opnieuw worden gestraft omdat hij het wapen had willen aannemen? Aarzelend pakte hij het aan, opnieuw verbaasd dat het zo zwaar was. Op een van Joey's computerspelletjes werd met geweren gezwaaid alsof ze zo licht als een veertje waren.

Het was geen valstrik. Zijn vader wilde echt dat hij hem hielp. Peter zag dat hij een blik wapenolie pakte en er een schone lap mee bedruppelde. 'Hiermee wrijven we de loop in en ook de slagpin... Wil je weten hoe een geweer werkt, Peter? Kom eens hier.' Hij wees naar de slagpin, een klein ringetje binnen de vergrendelingsring. 'In de loop zit een grote veer die je niet kunt zien. Als je de trekker overhaalt, komt de veer vrij. Die slaat tegen de slagpin en duwt hem iets naar buiten...' Ter illustratie hield hij zijn duim en wijsvinger een fractie van een centimeter boven elkaar. 'Die slagpin raakt een koperen patroon en drukt een knopje in dat slaghoedje wordt genoemd. Daardoor wordt de lading geactiveerd – het kruit dat in de patroonhuls zit. En wanneer het kruit wordt geactiveerd, wordt de kogel door de achterwaartse druk naar buiten geperst.'

Peters vader nam de loop uit zijn handen, wreef hem in met olie, en legde hem naast zich neer. 'Kijk er nu eens doorheen.' Hij hield het wapen omhoog alsof hij op een gloeilamp aan het plafond richtte. 'Wat zie je?'

Peter keek in de open loop. 'Het lijkt op de noedels die mama weleens voor ons maakt.'

'Ja, zo zou je het kunnen zeggen. Die draaiingen in de loop zijn een soort schroef. Als de kogel naar buiten wordt geperst, wordt hij door die schroef gedraaid. Daardoor schiet hij recht, zonder af te wijken, de loop uit.' Zijn vader pakte een lange staaf met een soort staalborstel aan het uiteinde, wikkelde er een lap omheen en doopte die in oplosmiddel. 'Maar omdat kruit een smeerboel in de loop achterlaat, moeten we die schoonmaken.'

Peter zag hoe zijn vader de staalborstel in de loop stak en die heen en weer bewoog. Daarna wikkelde hij een schone lap om de borstel en maakte er opnieuw de loop mee schoon, en herhaalde die handeling totdat er geen zwarte vegen meer op de lap te zien waren.

'Toen ik zo oud was als jij heeft mijn vader mij hetzelfde laten zien als wat ik nu aan jou laat zien,' zei zijn vader, terwijl hij de vuile lappen in de afvalbak gooide. 'Op een dag gaan jij en ik samen op jacht.'

Peter kon die gedachte bijna niet bevatten. Hij, die nog geen footballbal kon gooien, die niet met een voetbal kon dribbelen, die niet eens goed kon zwemmen, zou met zijn vader gaan jagen? Zonder Joey erbij? Het was een heerlijke gedachte. Hij vroeg zich af hoe lang hij nog moest wachten voordat hij iets met zijn vader ging doen dat alleen hun tweeën aanging.

'Kijk nu opnieuw in de loop,' zei zijn vader.

Peter pakte het geweer aan de voorkant vast en tuurde door de vuurmond, met de loop tegen zijn oog gedrukt. 'Jezus,' zei zijn vader, terwijl hij het wapen uit zijn handen trok. 'Niet zo, je houdt het achterstevoren!' Hij draaide het wapen om. 'Kijk nooit in de loop van een geweer. Richt nooit je wapen op iets dat je niet wilt raken.'

Peter knipperde met zijn ogen en keek door de andere kant in de loop. Het zag er allemaal glanzend en perfect uit.

Zijn vader wreef de buitenkant van de loop in met olie. 'Haal nu de trekker over.'

Peter staarde hem aan. Zelfs hij wist dat het niet kon.

'Het is veilig,' zei zijn vader, 'en het is nodig om het geweer weer gebruiksklaar te maken.'

Aarzelend legde Peter zijn vinger rond de halvemaanvormige trekker en haalde over. Daarmee kwam de pal vrij waardoor zijn vader de grendel weer op zijn plaats kon schuiven.

Hij zag dat zijn vader het geweer weer terugzette in de wapenkast. 'Mensen die zich opwinden over wapens weten niet hoe ze ermee moeten omgaan,' zei zijn vader. 'En ze zijn in veilige handen van degenen die het wel kunnen.'

118

Peter zag dat zijn vader de wapenkast afsloot. Hij begreep wat zijn vader wilde zeggen. Het mysterie van het geweer dat hem ertoe had gebracht de sleutel van de wapenkast uit zijn vaders ondergoedla te stelen, was nu lang niet zo spannend meer. Nu hij had gezien hoe het uit elkaar was genomen en weer in elkaar werd gezet, zag hij een vuurwapen voor wat het was: een verzameling op elkaar afgestemde onderdelen.

Eigenlijk was een geweer helemaal niets zonder degene die het in handen had.

Of je in het lot gelooft of niet, uiteindelijk komt het op één ding neer: wie geef je de schuld als er iets fout gaat? Denk je dat het jouw schuld is? Dat het nooit zou zijn gebeurd als je meer moeite had gedaan of harder had gewerkt? Of schrijf je het gewoon toe aan de omstandigheden?

Ik weet dat sommigen zullen zeggen dat het de wil van God was als ze horen dat er mensen zijn gestorven. Anderen zullen zeggen dat het pech was. Mijn persoonlijke favoriet is deze: ze waren gewoon op de verkeerde tijd op de verkeerde plaats.

Maar dat kun je eigenlijk net zo goed over mij zeggen.

De dag erna

Voor zijn zesde Kerstmis had Peter een sluierstaart gekregen, een Japanse vechtvis met zo'n dunne, gekartelde staart die als een sluier achter hem aan sleepte. Peter noemde hem Veelvraat en kon uren naar hem zitten kijken. Maar na een paar dagen begon hij zich af te vragen hoe het moest zijn om niet meer dan een kom te kunnen verkennen. Misschien bleef de vis steeds weer boven die ene plastic plantenstengel hangen omdat hij er iets nieuws aan had ontdekt, of het was zijn manier om zijn zoveelste baantje te tellen.

In de cel van Grafton County Jail probeerde Peter zich te herinneren wat er met de vis was gebeurd. Hij zou wel zijn doodgegaan. Waarschijnlijk had hij hem *zien* doodgaan.

Hij keek op naar de camera in de hoek van de cel die hem onbewogen gadesloeg. Ze – wie ze ook waren – wilden niet dat hij zelfmoord pleegde voordat hij publiekelijk werd gekruisigd. Daarom was er ook geen bed of kussen of zelfs maar een mat – alleen een harde bank en die stomme camera.

Misschien was het beter zo. Voor zover hij wist was hij de enige in deze cocon van eenpersoonscellen. Hij was doodsbang geweest toen de politiebus bij de gevangenis tot stilstand kwam. Door al die tv-series wist hij wat hier kon gebeuren. Alle daaropvolgende procedures onderging hij zonder iets te zeggen – niet omdat hij zo stoer was, maar omdat hij bang was in huilen uit te barsten en niet meer zou kunnen stoppen.

Hij hoorde het geluid van staal op staal en vervolgens voetstappen. Peter bleef zitten waar hij zat, met afhangende schouders en de handen tussen zijn knieën geklemd. Hij wilde geen gretige indruk maken, en ook geen zielige. Hij wilde geen enkele indruk maken, en dat was hem de afgelopen twaalf jaar perfect gelukt.

'Je hebt bezoek,' zei een bewaker, en hij deed de celdeur open.

Peter stond langzaam op. Hij keek naar de camera en volgde de bewaker door de betonnen gang.

Zou hij uit deze gevangenis kunnen ontsnappen? Stel dat hij, net als in videospelletjes, met één kungfubeweging deze bewaker kon uitschakelen, en vervolgens nog een paar, totdat hij de poort kon uitrennen en weer frisse lucht kon inademen?

Stel dat hij hier voor altijd moest blijven?

Op dat ogenblik wist hij weer wat er met Veelvraat was gebeurd. In een opwelling van dierenliefde had hij de vis door het toilet gespoeld met de gedachte dat de afvoer wel naar de oceaan zou leiden en dat Veelvraat zijn weg terug kon vinden naar zijn familie in Japan. Pas toen Peter zijn broer in vertrouwen nam, vertelde Joey hem over het riool en zei dat Peter zijn vis had gedood in plaats van hem te bevrijden.

De bewaker bleef staan voor een deur waarop SPREEKKAMER stond. Peter kon niet bedenken wie hem zou willen spreken, behalve zijn ouders, en die wilde hij nog niet zien. Ze zouden vragen stellen die hij niet kon beantwoorden. Misschien was het gemakkelijker om terug te gaan naar zijn cel met de camera die hem aanstaarde, maar die tenminste niets zei.

De bewaker deed de deur open.

Peter hield zijn adem in. Hij vroeg zich af wat zijn vis moest hebben gedacht toen hij in plaats van in de blauwe zee in de stront terechtkwam.

Jordan liep de gevangenis van Grafton County in en meldde zich bij de incheckbalie. Hij kreeg een bezoekersbadge van de bewaker aan de andere kant van het plexiglas, schreef zijn naam op het klembord en wilde het terugduwen door de smalle opening onder de plastic afscheiding, maar nu was er niemand om het in ontvangst te nemen. De twee bewakers stonden naar een nieuwsuitzending over de schietpartij op een kleine zwart-witmonitor te kijken.

'Neemt u me niet kwalijk,' zei Jordan, maar geen van de twee draaide zich om.

'Toen het schieten begon,' zei de verslaggever, 'keek Ed McCabe om de deur van zijn wiskundelokaal, en plaatste zich daarbij tussen zijn leerlingen en de schutter.'

Het scherm toonde een snikkende vrouw die in witte blokletters onderin werd geïdentificeerd als JOAN MCCABE, ZUS VAN HET SLACHTOFFER. 'Hij was dol op die kinderen,' huilde ze. 'Hij gaf echt om ze, al die jaren dat hij op Sterling heeft lesgegeven, tot op het laatste moment van zijn leven.'

'Hallo?' riep Jordan.

'Ogenblik, ja?' Een van de bewakers maakte een afwezig gebaar in zijn richting.

Opnieuw verscheen de verslaggever in beeld, nu met de bakstenen muur van de school als achtergrond. Er speelde een zachte wind door zijn haar. 'Collega's herinneren zich Ed McCabe als een toegewijde leraar die altijd bereid was een leerling te helpen, en als een fervent buitenmens die ervan droomde ooit nog eens door Alaska te trekken. Een droom,' zei de verslaggever plechtig, 'die nooit in vervulling zal gaan.'

Jordan schoof nu het klembord onder het plexiglas door, en het kletterde op de vloer. De twee bewakers draaiden zich meteen om.

'Ik kom mijn cliënt bezoeken,' zei hij.

In al die negentien jaar dat Lewis Houghton docent aan Sterling College was geweest, had hij het nooit laten afweten. Tot vandaag. Toen Lacy belde, was hij zo haastig vertrokken dat hij er niet eens aan had gedacht een briefje op de deur van de collegezaal achter te laten. Zijn studenten zouden nu wel op hem wachten. Klaar om alles op te schrijven wat uit zijn mond kwam, alsof hij het hoogste goed verkondigde.

Maar welke woorden, welke gemeenplaatsen, welke opmerking dan ook had Peter tot deze daad gebracht?

En met welke woorden, welke platitudes, welke opmerking dan ook had hij hem kunnen tegenhouden?

Lacy en hij zaten in hun achtertuin te wachten tot de politie was vertrokken. Ze mochten niet naar binnen zolang de huiszoeking duurde. Eerst hadden ze een tijdje op de oprit staan kijken terwijl zakken en dozen met spullen naar buiten werden gedragen. Dat ze computers en boeken van Peters kamer meenamen, leek hem logisch. Maar een tennisracket, of een megadoos waterbestendige lucifers?

'Wat moeten we doen?' fluisterde Lacy.

Hij schudde zwijgend zijn hoofd. Voor een van zijn artikelen over de waarde van geluk had hij bejaarden geïnterviewd die levensmoe waren. Wat rest ons nog om voor te leven? hadden ze gezegd. Op dat moment had Lewis hun gevoel van uitzichtloosheid niet kunnen begrijpen. Toen leek het hem onvoorstelbaar dat je geen enkele hoop meer kon koesteren.

'We kunnen niets doen,' antwoordde Lewis, en hij meende het. Hij keek naar een politieman die met Peters oude stripboeken naar buiten kwam.

Lacy had over de oprit heen en weer gelopen toen hij die ochtend thuiskwam en had zich in zijn armen geworpen. 'Waarom?' had ze gesnikt. 'Waarom?'

In die ene vraag lagen honderden andere besloten, maar Lewis kon er niet één beantwoorden. Hij klampte zich vast aan zijn vrouw alsof ze zijn enige redding was, en zag toen dat een buurvrouw aan de overkant door een kier van het gordijn naar hen gluurde.

Daarom waren ze naar de achtertuin gegaan. Ze gingen op de schommelbank zitten, omringd door kale struiken en smeltende sneeuw. Lewis zat roerloos. Zijn vingers en lippen waren gevoelloos door de kou en de schok.

'Denk je dat het onze schuld is?' fluisterde Lacy.

Verbaasd over haar moed keek hij haar aan. Zij had verwoord wat hij niet eens had durven denken. Maar wat viel er nog te zeggen? De schietpartij was een feit. Hun zoon was erbij betrokken. Je kon de feiten niet veranderen. Je kon alleen de lens bijstellen waardoor je ernaar keek.

Lewis boog zijn hoofd. 'Ik weet het niet.' Was het gebeurd omdat Lacy hun zoon als baby te vaak had opgepakt? Of omdat Lewis deed alsof hij moest lachen wanneer Peter omver tuimelde, in de hoop dat de peuter dan niet zou gaan huilen? Hadden ze beter in de gaten moeten houden wat hij las, waar hij naar keek of luisterde... of zou dat tot dezelfde uitkomst hebben geleid? Misschien lag het wel aan de combinatie van Lacy en Lewis samen. Als kinderen van een echtpaar meetelden voor hun staat van dienst, dan hadden ze hopeloos gefaald.

Twee keer.

Lacy staarde naar het stenen patroon tussen haar schoenen. Lewis had deze patio zelf ontworpen en aangelegd. Peter had mee willen helpen, maar Lewis stond het niet toe omdat de stenen te zwaar waren. Je zou je kunnen bezeren, had hij gezegd.

Had dit voorkomen kunnen worden als Lewis minder beschermend was geweest, als Peter had geweten wat echte pijn betekende?

'Hoe heette de moeder van Hitler?' vroeg Lacy.

Lewis keek haar verbaasd aan. 'Hè?'

'Was ze afschrikwekkend?'

Hij sloeg zijn arm om haar heen. 'Kwel jezelf niet zo,' mompelde hij.

Ze drukte haar gezicht tegen zijn schouder. 'Anderen zullen het ook doen.'

Heel even wilde Lewis geloven dat de anderen zich vergisten, dat de schutter van vandaag niet Peter kon zijn geweest. In zekere zin was het ook waar. De Peter die honderden getuigen hadden gezien, was een andere Peter dan de jongen met wie Lewis het gisteravond nog over zijn auto had gehad.

Je weet toch dat hij aan het eind van de maand gekeurd moet worden? had Lewis gevraagd.

Ik heb al een afspraak gemaakt, had Peter geantwoord.

Had hij daar ook over gelogen?

'De advocaat...'

'Hij heeft beloofd dat hij ons zou bellen,' zei Lewis.

'Heb je tegen hem gezegd dat Peter allergisch is voor schaaldieren? Als hij die...'

'Ja, dat heb ik hem verteld,' zei Lewis, hoewel het niet zo was. Hij zag Peter voor zich. In z'n eentje in een cel van de gevangenis waar ze elke zomer langs waren gereden op weg naar de Haverhill Fairgrounds. Hij herinnerde zich dat Peter de tweede dag in het vakantiekamp naar huis belde en had gesmeekt om te worden opgehaald. Hij dacht aan zijn zoon, die nog steeds zijn zoon was, al had hij zoiets gruwelijks gedaan dat Lewis nauwelijks lucht kreeg als hij eraan dacht.

'Lewis? Gaat het wel?' vroeg Lacy, toen ze hem naar adem zag snakken.

Hij knikte glimlachend, maar stikte bijna in de waarheid.

'Meneer Houghton?'

Ze keken allebei op naar de politieman die voor hen stond.

'Wilt u even meekomen?'

Lacy wilde ook opstaan, maar Lewis hield haar tegen. Hij wist niet wat hij onder ogen zou krijgen, maar wilde niet dat Lacy het zou zien.

Hij volgde de politieman het huis in en bleef even staan toen hij de agenten zag die met plastic handschoenen aan zijn keuken uitkamden. Toen ze bij de kelderdeur kwamen, brak het zweet hem uit. Hij wist waar ze heen gingen. Hij had uit alle macht geprobeerd er niet aan te denken toen Lacy hem die ochtend had gebeld.

In de kelder stond een andere politieman die zijn gezichtsveld blokkeerde. Het was hier vier graden koeler, maar toch bleef Lewis zweten. Hij wreef met zijn mouw over zijn voorhoofd.

'Zijn deze geweren van u?'

Lewis slikte. 'Ja, ik jaag.'

'Kunt u ons zeggen of al uw vuurwapens hier aanwezig zijn?' De politieman stapte opzij zodat de glazen voorkant van de wapenkast zichtbaar werd.

Lewis voelde zijn knieën knikken. Er hingen drie van zijn vijf jachtgeweren in de kast. Twee ontbraken er.

Tot nu toe had hij niet willen geloven dat Peter tot zoiets gruwelijks in staat was. Tot nu toe was het een rampzalig ongeluk geweest.

Nu begon Lewis zichzelf de schuld te geven.

Hij keek de politieman in de ogen zonder iets van zijn gevoelens prijs te geven. Een gezichtsuitdrukking, besefte Lewis, die hij van zijn eigen zoon had geleerd. 'Nee,' zei hij. 'Dat zijn ze niet.'

De eerste ongeschreven wet voor een advocaat van de verdediging was dat je moest doen alsof je van alles op de hoogte was, terwijl je in feite helemaal niets wist. Je stond tegenover een onbekende cliënt die al dan niet kans op vrijspraak maakte, en de kunst was even onbewogen als indrukwekkend over te komen. Je moest onmiddellijk de aard van de relatie duidelijk maken: *Ik ben de baas, en jij vertelt me alleen wat ik wil horen.*

Jordan had die situatie honderden keren eerder meegemaakt – in deze zelfde gevangenis – en hij was er oprecht van overtuigd dat niets of niemand hem nog kon verbazen. Toch wist Peter Houghton hem te verrassen. Hoe kon deze broodmagere, sproetige, bebrilde jongen verantwoordelijk zijn voor de grootschalige slachtpartij die de hele gemeenschap had ontwricht?

Dat was zijn eerste gedachte. Zijn tweede was: *Dat kan in mijn voordeel werken.*

'Peter,' zei hij, 'ik ben Jordan McAfee, advocaat. Je ouders hebben me gevraagd je te vertegenwoordigen.'

Hij wachtte op een reactie. 'Ga zitten,' zei hij, maar de jongen bleef staan. 'Dan niet,' voegde Jordan eraantoe. Hij keek naar Peter op. 'Morgen word je voorgeleid,' zei hij zakelijk. 'Je wordt niet op borgtocht vrijgelaten. Morgenochtend, voordat je voor de rechter verschijnt, zullen we de aanklacht doornemen.' Hij gaf Peter een ogenblik om die informatie te laten bezinken. 'Vanaf nu hoef je dit niet alleen te doorstaan. Je hebt mij.'

Verbeeldde hij het zich, of had hij iets in Peters ogen zien flitsen? Maar bijna op hetzelfde moment staarde Peter weer wezenloos naar de vloer.

'Goed dan.' Jordan stond op. 'Nog vragen?'

Zoals hij al had verwacht, kwam er geen reactie.

'Tot morgen.' Hij klopte op de deur om de bewaker te laten weten dat het bezoek was beëindigd. Op dat moment deed de jongen zijn mond open.

'Hoeveel heb ik er geraakt?'

Jordan aarzelde toen hij zijn hand op de deurknop legde. Hij draaide zich niet om naar zijn cliënt. 'Tot morgen,' herhaalde hij.

Dr. Ervin Peabody woonde in Norwich, Vermont, aan de overkant van de rivier. Hij was als psychiater parttime aan Sterling College verbonden. Zes jaar geleden was hij een van de zeven auteurs geweest van een gepubliceerd essay over geweld op school – een academische oefening die hij zich nauwelijks kon herinneren. Toch was hij gebeld door de producer van een ochtendprogramma van een lokale zender die gelieerd was aan NBC. Bij een bord cornflakes keek hij er weleens naar, al was het maar vanwege de blunders in de amateuristische berichtgeving. *We zoeken iemand die vanuit een psychologisch standpunt commentaar op de schietpartij kan geven*, had de producer gezegd. En Erwin had geantwoord: *Dan moet u mij hebben.*

'Waarschuwingssignalen,' was zijn antwoord op de vraag van de presentator. 'Kijk, dit soort jongelui keert zich van anderen af. Het zijn vaak eenlingen. Ze zeggen dat ze zichzelf of anderen iets zullen aandoen. Ze kunnen op school niet functioneren en zich niet aanpassen aan de daar geldende discipline. Wat ze missen is het contact met iemand – wie dan ook – die hun het gevoel geeft dat ze belangrijk zijn.'

Ervin wist dat hij niet gevraagd was vanwege zijn vakkennis, maar vooral om de kijkers gerust te stellen dat kinderen als Peter Houghton herkenbaar waren. Alsof je op de een of andere manier kon zien dat iemand van vandaag op morgen in een moordenaar veranderde. 'Dus er bestaat een algemeen profiel van een schoolschutter?' drong de presentator aan.

Ervin Peabody keek in de camera. Hij wist dat als je zei dat die kinderen zwarte kleren droegen, naar vreemde muziek luisterden en zich opstandig gedroegen, dat van toepassing kon zijn op iedere puber waar dan ook. Hij wist dat als een ernstig gestoord individu leed wilde berokkenen, hij er waarschijnlijk ook in zou slagen. Maar hij wist ook dat alle ogen in Connecticut Valley op hem waren gericht, en dat hij uit was op een vast contract met Sterling. Een beetje prestige – de kwalificatie van expert – kon daarbij geen kwaad.

'Zo zou u het kunnen zeggen,' antwoordde hij.

Lewis had het huis van de Houghtons altijd op de nacht voorbereid. Hij laadde de vaatwasser, sloot de voordeur af en deed alle lampen uit. Dan ging hij naar boven, waar Lacy al in bed lag als ze niet voor een bevalling was weggeroepen, en liep even de kamer van zijn zoon in om te zeggen dat hij de computer uit moest zetten en moest gaan slapen.

Vanavond bleef hij in Peters kamer staan en keek naar de chaos die er na de huiszoeking was achtergebleven. Hij overwoog de resterende boeken weer op de plank te zetten en de bureaulades weer in te ruimen waarvan de inhoud op het tapijt was gedumpt. Maar hij bedacht zich en deed de deur weer dicht.

Lacy was niet in de slaapkamer en ook niet in de badkamer. Hij hoorde stemmen in een kamer beneden hem. Met wie kon Lacy zo laat op de avond nog in gesprek zijn?

Het televisiescherm verspreidde een onaardse gloed in de donkere studeerkamer. Het toestel werd zo zelden gebruikt dat Lewis niet eens meer wist dat het er stond. Hij zag het logo van CNN, en de ticker-tape met het laatste nieuws dat onder in het beeld voorbijgleed. Het kwam bij hem op dat de ticker-tape pas na 11 september in gebruik was genomen. Sindsdien was iedereen zo bang dat ze meteen wilden weten wat zich in de wereld afspeelde.

Lacy zat op haar knieën naar de presentator te kijken. 'Er is nog weinig te zeggen over de aard van de wapens of hoe de schutter eraan kwam...'

'Lacy,' zei hij zacht, 'kom mee naar bed.'

Lacy bewoog zich niet. Het was alsof ze hem niet had gehoord.

Lewis streek met zijn hand over haar schouder toen hij langs haar heen liep om de tv uit te zetten. 'Voorlopige berichtgevingen maken melding van twee pistolen,' vervolgde de presentator voordat het beeld op zwart ging.

Lacy draaide zich naar hem om. Haar ogen deden hem denken aan de lucht die je vanuit een vliegtuig ziet: een grenzeloos grijs dat overal en nergens kon zijn.

'Ze hebben het steeds over een man,' zei ze, 'maar hij is nog maar een jongen.'

'Lacy,' zei hij opnieuw. Ze stond op en liep in zijn armen alsof hij haar ten dans had gevraagd.

Als je in een ziekenhuis aandachtig luistert, kun je de waarheid horen. Verpleegsters fluisteren elkaar toe boven je roerloze lichaam wanneer je doet alsof je slaapt. Politiemannen wisselen geheimen uit op de gang, en artsen komen je kamer binnen terwijl ze het over een andere patiënt hebben.

Josie had in gedachten een lijst van gewonden opgemaakt door na te gaan wie ze het laatst had gezien of was tegengekomen. Drew Girard, die Matt en Josie had aangeklampt om te zeggen dat Peter Houghton iedereen aan het neerschieten was. Emma, die drie stoelen verder van Josie in de kantine had gezeten. Trey MacKenzie, een footballspeler die bekendstond om zijn feestjes, en John Eberhard, die Josies frietjes die ochtend had opgegeten. Min Horuka, een uitwisselingsstudent uit Tokio die in een dronken bui door het open raampje in de auto van de rector had gepist. Natalie Zlenko, die in de kantine voor Josie had gestaan. Coach Spears en mevrouw Ritolli, beiden Josies voormalige docenten. Brady Pryce en Haley Weaver, het gouden paar van de ouderejaars.

Anderen kende Josie alleen van naam. Michael Beach, Steve Babourias, Natalie Phlug, Austin Prokiov, Alyssa Carr, Jared Weiner, Richard Hicks, Jada Knight, Zoe Patterson – onbekenden met wie ze nu voor altijd zou zijn verbonden.

Moeilijker was het om de naam van de doden te weten te

komen. Daar werd nog zachter over gefluisterd, alsof hun toestand besmettelijk was voor de andere ongelukkigen die alleen maar ziekenhuisbedden in beslag namen. Josie had geruchten gehoord dat meneer McCabe was gedood, en ook Topher McPhee, de potdealer van de school. Om meer informatie te krijgen, probeerde Josie naar de tv te kijken die dag en nacht informatie over de schietpartij op Sterling High uitzond, maar dan kwam onvermijdelijk haar moeder binnen die het toestel uitschakelde. Wel had ze begrepen dat er tien doden waren gevallen.

Matt was een van hen.

Elke keer dat Josie eraan dacht, gebeurde er iets met haar lichaam. Dan kon ze geen adem meer krijgen. Dan stolden de woorden achter in haar keel als een rots die de uitgang van een grot blokkeerde.

Door de kalmerende middelen leek het hele gebeuren een onwezenlijke droom, maar zodra ze aan Matt dacht, werd het rauwe werkelijkheid.

Ze zou Matt nooit meer kussen.

Ze zou hem nooit meer horen lachen.

Ze zou nooit meer zijn hand op haar middel voelen, of het briefje lezen dat hij door de gleuf van haar kastje had geschoven, of haar hart in zijn hand voelen kloppen wanneer hij haar bloes losknoopte.

Ze wist wel dat ze er zich maar een deel van kon herinneren. Niet alleen had de schutter haar leven gesplitst in Ervoor en Erna, hij had haar ook van haar zelfbeheersing beroofd. Zo hield ze het geen uur vol zonder in tranen uit te barsten. Ze kon niet naar iets roods kijken zonder misselijk te worden. Ze kon zich uit haar geheugen geen beeld van de waarheid vormen. Na wat er gebeurd was, zou het bijna obsceen zijn zich alles te kunnen herinneren.

In plaats daarvan werd ze heen en weer geslingerd tussen iets macabers en mooie herinneringen aan Matt. Ze moest steeds denken aan een zin uit *Romeo en Julia* die haar de stuipen op het lijf had gejaagd toen ze in groep negen het stuk hadden ingestudeerd. *Met wormen als uw gezellen,* had Romeo tegen Julia's vermeende lichaam in de crypte van de Capulets gezegd. Van as tot as, van stof tot stof. Maar daartussenin lagen een heleboel stappen waar niemand ooit over sprak. Toen de verpleegsters na middernacht verdwenen waren, vroeg Josie zich af hoe lang het duurde voordat de huid van de schedel losliet, wat er met de ogen gebeurde, of Matt al niet meer op Matt leek. Dan werd ze schreeuwend wakker en probeerde een nachtzuster haar te kalmeren.

Als je iemand die dood was je hart had geschonken, nam hij het dan mee? Had je dan je hele verdere leven een gat in jezelf dat nooit meer gevuld kon worden?

De deur van haar kamer ging open en haar moeder kwam binnen. 'Zo,' zei ze met een gekunstelde glimlach. 'Klaar om te gaan?'

Het was pas zeven uur in de ochtend, maar Josie werd al naar huis gestuurd. Josie knikte tegen haar moeder, aan wie ze nu eigenlijk een hekel had. Ze deed heel ongerust en bezorgd, maar daar was het veel te laat voor, alsof de schietpartij nodig was geweest om haar te laten inzien dat ze geen enkele relatie met haar dochter had. Ze zei aldoor dat ze er voor haar was als Josie met iemand wilde praten, maar dat was belachelijk. Als Josie al met iemand wilde praten – en dat was niet zo – dan was haar moeder wel de laatste die ze in vertrouwen zou nemen. Ze zou het niet begrijpen – niemand zou het begrijpen, behalve de andere kinderen die in dit ziekenhuis lagen. Het was niet zomaar ergens een schietpartij geweest, al was die op zich al erg genoeg. Dit was het ergste dat kon gebeuren op een plek waar Josie ooit weer naar terug moest, of ze wilde of niet.

Josie had iets anders aan dan de kleren waarin ze was binnengebracht. Die waren op mysterieuze wijze verdwenen. Niemand wilde er iets over zeggen, maar Josie vermoedde dat ze met Matts bloed bevlekt waren. In dat geval was het maar beter ook dat ze waren weggegooid. Hoe vaak ze ook werden gewassen, hoe veel bleekmiddel er ook werd gebruikt, Josie zou de vlekken altijd blijven zien.

Haar hoofd deed nog steeds zeer van de smak op de vloer toen ze in zwijm viel. Ze had een snee in haar voorhoofd die net niet gehecht hoefde worden, hoewel ze een nacht in het ziekenhuis had moeten blijven. (*Waarom?* had Josie zich afgevraagd. *Waren ze bang voor een beroerte? Een bloedprop? Zelfmoord?*) Toen ze opstond, sloeg haar moeder onmiddellijk een arm om haar heen om haar te ondersteunen. Josie moest eraan denken dat Matt en zij 's zomers vaak door de straat liepen met hun hand in de achterzak van elkaars jeans gestoken.

'O, Josie toch,' zei haar moeder, waardoor ze besefte dat ze opnieuw was gaan huilen. Het gebeurde nu zo vaak dat ze niet meer wist of het ophield of begon. Haar moeder gaf haar een tissue aan. 'Wedden dat je je beter voelt als je weer thuis bent? Geloof me.'

Ja, makkelijk gezegd. Erger dan nu kon het niet worden.

Toch wist ze een grijns te produceren die voor een glimlach kon doorgaan, want ze wist dat haar moeder dat nu nodig had. Ze liep de vijftien stappen naar de deur van haar kamer.

'Pas goed op jezelf, lieverd,' zei een verpleegster toen Josie langs de verpleegkundigenpost liep.

Een andere, die haar ijs had gevoerd en op wie ze het meest gesteld was, keek haar glimlachend aan. 'Ik wil je hier niet terugzien, begrepen?'

Langzaam liep Josie naar de lift, die steeds verder van haar verwijderd leek. Terwijl ze langs de patiëntenkamers liep, zag ze een deur waaraan een bordje met een bekende naam hing: HALEY WEAVER.

Haley en haar vriend Brady waren het filmsterrenpaar van Sterling High, en Josie had altijd geloofd dat Matt en zij die rol zouden overnemen wanneer Haley en Brady waren afgestudeerd. Zelfs de meisjes die heimelijk verliefd waren op Brady, met zijn omfloerste glimlach en gespierde lijf, moesten toegeven dat er een poëtische rechtvaardiging bestond voor zijn verbintenis met Haley, het mooiste meisje van de school. Met haar lange witblonde haar en heldere blauwe ogen had ze Josie altijd aan een sprookjesfee doen denken, het serene, hemelse schepsel dat naar de aarde zweeft om iemands wens te vervullen.

Er deden allerlei verhalen over hen de ronde. Dat Brady weigerde een footballbeurs te accepteren van een universiteit waar Haley geen kunstgeschiedenis kon studeren. Dat Haley Brady's initialen had laten tatoeëren op een plek die niemand kon zien. Dat Brady bij zijn eerste afspraakje met haar rozenblaadjes over de passagiersstoel van zijn Honda had gestrooid. Josie, die in dezelfde kringen als Haley verkeerde, wist dat het meeste gewoon onzin was. Haley had zelf toegegeven dat het ten eerste een tijdelijke tatoeage was, en ten tweede dat het geen rozenblaadjes waren, maar seringen die hij uit een naburige tuin had gestolen.

'Josie?' fluisterde Haley nu vanuit de ziekenkamer. 'Ben jij het?'

Josie voelde haar moeders hand op haar arm om haar tegen te houden. Toen gingen Haleys ouders, die het zicht op het bed blokkeerden, opzij.

De rechterhelft van Haleys gezicht zat in het verband. Het haar erboven was tot op de schedel weggeschoren. Haar neus was gebroken en het ene zichtbare oog was volledig met bloed doorlopen. Josies moeder hield onwillekeurig haar adem in.

Met een geforceerde glimlach ging Josie naar binnen.

'Hij heeft Courtney en Maddie gedood, Josie,' zei Haley. 'En toen richtte hij zijn wapen op mij, maar Brady ging ervoor staan.' Er gleed een traan over de wang die niet in het verband zat. 'De meesten zeggen alleen maar dat ze zoiets voor je zouden doen.'

Josie begon te beven. Ze had Haley zo veel te vragen, maar er kwam geen woord over haar trillende lippen. Haley greep haar hand, en Josie schrok. Ze wilde zich losmaken en doen alsof ze Haley Weaver nooit in deze toestand had gezien.

'Zul je eerlijk antwoord geven als ik je iets vraag?'

Josie knikte.

'Mijn gezicht is helemaal verminkt, hè?' fluisterde ze.

Josie keek Haley recht aan. 'Nee,' zei ze. 'Het ziet er prima uit.'

Ze wisten allebei dat het niet waar was.

Josie nam afscheid van Haley en haar ouders, pakte haar moeders arm vast en liep zo snel als ze kon naar de lift, al dreunde elke stap als een donderslag in haar hoofd. Ineens moest ze denken aan een biologieles over de schedel, hoe een ijzeren staaf in iemands schedel was gedrongen. Toen de man voor het eerst daarna weer zijn mond opendeed, sprak hij Portugees, een taal die hij nooit had geleerd. Misschien overkwam Josie iets soortgelijks. Misschien kon ze vanaf nu alleen nog in leugens spreken.

Toen Patrick de volgende ochtend naar Sterling High ging, had de forensische recherche de school in een gigantisch spinnenweb veranderd. Er waren linten aan de vloer bevestigd op plaatsen waar slachtoffers waren gevonden – een explosie van lijnen vanaf de plek waar Peter Houghton was blijven staan om schoten af te vuren voordat hij verder trok. Op sommige punten kruisten de linten elkaar: een netwerk van paniek, een grafiek van chaos.

Patrick bleef even staan om de bedrijvigheid in zich op te nemen en naar het patroon te kijken dat via gangen en deuropeningen werd geweven. Hij stelde zich voor hoe het geweest moest zijn om weg te rennen toen de eerste schoten vielen, met alle anderen als een vloedgolf achter je aan, wetend dat je nooit sneller kon zijn dan een afgeschoten kogel, en pas te laat te beseffen dat je in de val zat als de prooi van een spin.

Behoedzaam zocht Patrick zich een weg door het web om de technische recherche niet voor de voeten te lopen. Het resultaat van hun werk zou hij nodig hebben om de verklaringen van 1026 ooggetuigen te ondersteunen.

Het ontbijtprogramma van de drie lokale nieuwszenders was die ochtend gewijd aan de tenlastelegging van Peter Houghton. Alex stond met een kop koffie in haar hand voor de televisie in haar slaapkamer en keek naar het gebouw achter de gretige verslaggevers: de districtsrechtbank, haar vroegere werkplek.

Ze had haar dochter de vorige avond naar haar kamer gebracht, waar Josie de donkere, droomloze roes van haar slaappillen uitsliep. Eerlijk gezegd was Alex blij dat ze wat tijd voor zichzelf had. Wie had kunnen vermoeden dat een vrouw die zich als geen ander groot kon houden voor de buitenwereld het emotioneel zo uitputtend vond zich groot te houden voor haar dochter?

Ze wilde gaan zitten en dronken worden. Ze wilde huilen met haar hoofd in haar handen omdat ze zoveel geluk had gehad. Haar dochter leefde nog. Straks zouden ze samen ontbijten. Hoeveel ouders in deze stad zouden wakker worden in het besef dat ze nooit meer met hun kind zouden ontbijten?

Alex zette de tv uit. Als toekomstige rechter van deze zaak wilde ze haar objectiviteit niet in gevaar brengen door naar de media te luisteren.

Ze wist dat er kritiek zou komen. Dat ze van de zaak moest worden afgehaald omdat haar dochter op Sterling High zat. Als Josie was neergeschoten, zou ze er meteen mee hebben ingestemd. Als Josie nog steeds met Peter Houghton bevriend was geweest, zou Alex zich hebben teruggetrokken. Maar nu was Alex' positie niet compromitterender dan die van elke andere rechter die een leerling van de school kende. Het was onvermijdelijk dat rechters weleens een bekende in hun rechtszaal kregen. Toen Alex nog districtsrechter was, had ze tegenover beklaagden gestaan die ze persoonlijk kende; haar postbode die met hasj in zijn bestelwagen was betrapt; haar automonteur met een uit de hand gelopen ruzie met zijn vrouw. In dat soort gevallen moest je gewoon afstand nemen. Je was de rechter, punt. Naar Alex' mening gold dat ook voor de schietpartij. Met zo'n geruchtmakende zaak als deze was iemand nodig die ervaring had als verdediger – zoals zijzelf – om werkelijk onbevooroordeeld tegenover de dader te kunnen staan. En hoe meer ze erover nadacht, hoe meer ze ervan overtuigd raakte dat haar betrokkenheid noodzakelijk was om recht te laten geschieden.

Ze nam nog een slok koffie en liep op haar tenen naar Josies slaapkamer. De deur stond open, maar haar dochter was er niet.

'Josie?' riep Alex. 'Josie? Waar ben je?'

'Beneden,' riep Josie terug, en Alex voelde de knoop in haar

138

maag weer verdwijnen. Ze liep de trap af en zag Josie aan de keukentafel zitten.

Ze droeg een rok met een zwarte trui. Haar haar was nog vochtig van de douche, en ze had het verband om haar voorhoofd met haarlokken bedekt. 'Zie ik er goed genoeg uit?'

'Goed genoeg waarvoor?' vroeg Alex argwanend. Ze was toch niet van plan naar de school te gaan? De artsen hadden gezegd dat Josie zich de schietpartij misschien nooit zou herinneren, maar kon het feit dat die had plaatsgevonden ook uit haar geheugen worden gewist?

'Voor de tenlastelegging,' zei Josie.

'Lieverd, er is geen sprake van dat jij vandaag naar de rechtbank gaat.'

'Het moet.'

'Je gaat niet,' zei Alex kortaf.

'Waarom niet?'

Alex deed haar mond open om te antwoorden, maar kon het niet. Het had niets met logica te maken, maar alles met instinct. Ze wilde niet dat haar dochter alles opnieuw moest doormaken. 'Omdat ik het zeg,' antwoordde ze ten slotte.

'Dat is geen antwoord,' zei Josie beschuldigend.

'Ik weet hoe de media zullen reageren wanneer ze je vandaag in de rechtbank zien,' zei Alex. 'Ik weet dat er bij die tenlastelegging niets verrassends zal gebeuren. En ik weet dat ik je nu niet uit het oog wil verliezen.'

'Ga dan mee.'

Alex schudde haar hoofd. 'Dat kan niet, Josie,' zei ze zacht. 'Ik ben de rechter in deze zaak.' Ze zag dat Josie verbleekte en besefte dat haar dochter nooit bij die mogelijkheid had stilgestaan. Dit proces zou de muur tussen hen nog hoger maken. Als rechter zou ze geen informatie met haar dochter kunnen delen, geen vertrouwelijkheden kunnen uitwisselen. Terwijl Josie worstelde om deze tragedie te boven te komen, zou Alex er steeds dieper in verwikkeld raken. Waarom waren haar gedachten meer naar deze zaak uitgegaan dan naar het effect ervan op haar eigen doch-

139

ter? Op dit moment zou het Josie een zorg zijn of haar moeder een goede rechter was. Het enige wat ze wilde en nodig had, was een moeder, en het moederschap was Alex nooit gemakkelijk afgegaan.

Ineens moest ze aan Lacy Houghton denken, een moeder die nu een hel moest doormaken. Lacy zou bij Josie zijn gaan zitten, haar hand hebben gepakt en oprecht contact hebben gezocht. Maar Alex moest jaren teruggaan om een moment van verbondenheid met Josie te vinden, iets wat ze samen hadden gedaan, en wat hen misschien nu opnieuw tot elkaar kon brengen. 'Weet je wat? We gaan pannenkoeken bakken. Dat vond je toch altijd zo leuk?'

'Ja, toen ik vijf was...'

'Chocoladekoekjes dan.'

Josie keek Alex geërgerd aan. 'Ben je wel helemaal goed bij je hoofd?'

Alex hoorde zelf hoe belachelijk ze klonk, maar ze wilde wanhopig graag laten zien dat Josie op de eerste plaats kwam en haar werk op de tweede. Ze stond op en deed kastjes open tot ze een spel Scrabble vond. 'Wat dacht je hiervan?' zei ze, de doos ophoudend. 'Wedden dat je me niet kunt verslaan?'

Josie liep langs haar heen. 'Je hebt gewonnen,' zei ze toonloos, en ze liep de keuken uit.

De leerling die door een CBS-verslaggever werd geïnterviewd, herinnerde zich Peter Houghton van Engels in groep negen. 'We moesten een verhaal schrijven met een verteller in de eerste persoon,' zei de jongen. 'Je mocht kiezen wie je wilde. Peter deed alsof hij John Hinckley was. Uit wat hij schreef zou je denken dat hij in de hel zat, maar uiteindelijk bleek het de hemel. Onze lerares ging ermee naar de rector.' De jongen aarzelde. 'Peter zei dat het om dichterlijke vrijheid ging en een onbetrouwbare verteller.' Hij keek in de camera. 'Ik geloof dat hij er een tien voor kreeg.'

Voor het stoplicht dommelde Patrick even in. Hij droomde dat hij door de gangen van de school rende en schoten hoorde, maar elke keer dat hij een hoek omging, bleef hij in de lucht hangen omdat de grond onder zijn voeten was verdwenen.

Hij schrok wakker toen er werd geclaxonneerd. Hij stak verontschuldigend zijn hand op naar de auto achter hem en reed door naar het staatslab, waar iedereen, net als Patrick, de hele nacht had doorgewerkt.

Selma Abernathy, oma van vier kleinkinderen, was op ballistisch gebied scherper dan wie ook. Ze keek op toen Patrick het lab binnenkwam en keek hem fronsend aan. 'Je hebt een dutje gedaan,' zei ze beschuldigend.

Patrick schudde zijn hoofd. 'Erewoord.'

'Je ziet er veel te goed uit voor iemand die uitgeput moet zijn.'

Hij grijnsde. 'Selma, ik weet dat je verliefd op me bent, maar probeer eroverheen te komen.'

Ze duwde haar bril hoger op haar neus. 'Schat, ik ben slim genoeg om verliefd te worden op iemand die het me minder moeilijk maakt dan jij. Nou, wil je de uitkomst weten of niet?'

Patrick volgde haar naar een tafel waar vier wapens op lagen: twee pistolen en twee jachtgeweren met afgezaagde loop. Ze waren elk van een label voorzien. De twee pistolen waren gemarkeerd als Wapen A en Wapen B, de jachtgeweren als Wapen C en Wapen D. Hij herkende de pistolen. Die waren in de kleedkamer gevonden. Een in de hand van Peter Houghton, het andere iets verderop op de tegelvloer. 'Eerst heb ik ze op verborgen vingerafdrukken getest,' zei Selma, en ze liet de resultaten aan Patrick zien. 'Wapen A had een afdruk die overeenkomt met je verdachte. Wapens C en D waren schoon. Wapen B had een gedeeltelijke afdruk waaruit geen conclusies konden worden getrokken.'

Selma knikte naar de achterkant van het lab waar gigantische vaten met water stonden. Patrick wist dat ze elk wapen in water had getest. De afgevuurde kogel roteerde door de loop, waardoor groeven in het metaal ontstonden. Daardoor kon je aan de kogel zien uit welk wapen het was afgevuurd. Dat zou Patrick helpen erachter te komen welk wapen Peter Houghton op welke plaats had gebruikt.

'Bij de schietpartij werd hoofdzakelijk wapen A gebruikt, de wapens C en D zijn in de rugzak gevonden die op de plaats delict is achtergelaten. Gelukkig maar, want die zouden nog meer schade hebben aangericht. Alle kogels die uit het lichaam van de slachtoffers werden verwijderd zijn afgevuurd uit wapen A, het eerste pistool.'

Patrick vroeg zich af waar Peter Houghton zijn schiettuig vandaan had. En tegelijkertijd besefte hij dat het niet moeilijk was in Sterling een jager te vinden of iemand die oefende op een vuilstortplaats in de bossen.

'Door het kruitresidu weet ik dat met wapen B ook is geschoten. Er is alleen nog geen kogel gevonden die dit kan bevestigen.'

'Ze zijn nog bezig...'

'Laat me uitspreken. Ook interessant aan wapen B is dat het na die ene ontlading blokkeerde. Toen we het onderzochten vonden we een dubbele kogellading.'

Patrick sloeg zijn armen over elkaar. 'Geen vingerafdrukken?'

'Een afdruk waar we weinig aan hebben. Waarschijnlijk besmeurd toen de verdachte het wapen liet vallen, maar dat kan ik niet met zekerheid zeggen.'

Patrick knikte en wees naar wapen A. 'Dat liet hij vallen toen ik hem in de kleedkamer tegen de grond drukte. Dus ik neem aan dat hij het als laatste heeft gebruikt.'

Met een pincet lichtte Selma een kogel op. 'Waarschijnlijk heb je gelijk. Deze is uit de schedel van Matthew Royston verwijderd. En de groeven wijzen op ontlading uit wapen A.'

De jongen in de kleedkamer die naast Josie Cormier was gevonden. Het enige slachtoffer op wie twee keer was geschoten.

'En de kogel in zijn maag?' vroeg Patrick.

Selma schudde haar hoofd. 'Kan zowel uit wapen A als wapen B zijn afgevuurd.'

Patrick dacht na. 'Hij heeft wapen A voor bijna de hele school gebruikt. Ik kan niet bedenken waarom hij op een ander pistool is overgegaan.'

Selma keek naar hem op. Voor het eerst zag hij de donkere

kringen onder haar ogen, de tol die zijn dringende beroep van haar had geëist. 'Ik kan niet bedenken waarom hij überhaupt een wapen heeft gebruikt.'

Meredith Vieira keek in de camera met de gezichtsuitdrukking die passend was voor een nationale tragedie. 'Er worden steeds meer bijzonderheden bekend over de schietpartij in Sterling,' zei ze. 'Voor meer informatie gaan we naar Ann Curry van het journaal. Ann?'

De nieuwslezeres knikte. 'Afgelopen nacht werd duidelijk dat in Sterling High School vier wapens naar binnen zijn gebracht, waarvan er twee door de schutter werden gebruikt. Bovendien blijkt Peter Houghton, de verdachte, een hartstochtelijk liefhebber van een hardcore punkband met de naam Death Wish. Hij meldde zich regelmatig op fan-websites en downloadde songteksten op zijn pc. Teksten waarbij men zich kan afvragen of ze voor kinderoren zijn bestemd.'

Er verschenen twee coupletten op het scherm.

Black snow falling
Stone Corpse walking
Bastards laughing
Gonna blow them all away, on my Judgment Day.

Bastards dont't see
The bloody beast in me
The reaper rides for free
Gonna blow them all away, on my Judgment Day.

'De song "Judgment Day" van Death Wish is de voorbode van een gruwelijke gebeurtenis die in Sterling maar al te waar is geworden,' zei Curry. 'Raven Napalm, leadzanger van Death Wish, hield gisteravond laat een persconferentie.'

Er kwam een man in beeld die voor een stel microfoons ging staan. Hij had een zwart punkkapsel, gouden oogschaduw, en vijf piercings in zijn onderlip. 'We leven in een land waar we Amerikaanse jongens de dood in jagen door ze naar een oord te sturen waar ze mensen moeten vermoorden vanwege de olie. Maar als één verwarde stakker door het lint gaat en zijn woede uit door in een school om zich heen te knallen, wordt meteen beschuldigend naar heavy metal bands gewezen. Het probleem zit niet in onze songteksten, het zit in onze maatschappij.'

Ann Curry verscheen weer in beeld. 'We blijven u van de ontwikkelingen in Sterling op de hoogte houden. Overigens heeft de senaat het wetsvoorstel over de controle op wapenbezit afgelopen woensdag verworpen, maar volgens senator Roman Nelson is deze strijd nog niet gestreden. Hij is aan de lijn vanuit South Dakota. Senator?'

Peter dacht dat hij de hele nacht niet had geslapen, maar toch hoorde hij de bewaker niet naar zijn cel komen. Hij schrok op toen de stalen deur knarsend openging.

'Hier,' zei de man, en hij gooide Peter iets toe. 'Aantrekken.'

Het zou wel een pak zijn of zoiets. Jordan McAfee had hem verteld dat hij vandaag voor de rechter moest verschijnen. Dan had je toch altijd een pak aan, al kwam je regelrecht uit de gevangenis? Daardoor zag je er sympathieker uit. Dat had hij weleens op tv gehoord.

Maar het was geen pak. Het was een kogelvrij vest.

Jordan zag zijn cliënt in de beklaagdencel onder het gerechtsgebouw op de vloer liggen met zijn arm over zijn ogen geslagen. Peter droeg een kogelvrij vest, een onuitgesproken bevestiging van het feit dat iedereen in de bomvolle rechtszaal hem het liefst dood zag. 'Goedemorgen,' zei Jordan, en Peter ging rechtop zitten.

'Of niet,' mompelde hij.

Jordan ging dichter bij de tralies staan. 'Luister goed. Er wordt je tien keer eerstegraads moord ten laste gelegd, en negentien keer poging tot eerstegraads moord. Ik zal niet op de afzonderlijke aanklachten ingaan, dat doen we een andere keer. Nu gaan we alleen niet-schuldig pleiten, en jij houdt je mond. Eventuele vragen kun je in mijn oor fluisteren, maar verder wil ik je het komende uur niet horen. Begrepen?'

Peter keek hem aan. 'Oké,' zei hij gelaten. Jordan keek naar de handen van zijn cliënt.

Ze trilden.

Lijst van items die uit Peter Hougthons slaapkamer werden meegenomen:

1. Dell-laptop.
2. Spel-cd's: *Doom 3*, *Grand Theft Auto*; *Vice City*.
3. Drie posters van wapenfabrikanten.
4. Buizen van verschillende lengtes.
5. Boeken: *The Catcher in the Rye* van Salinger; *On War* van Clausewitz; stripboeken van Frank Miller en Neil Gaiman.
6. Dvd: *Bowling for Columbine*.
7. Jaarboek van Sterling Middle School, waarin verscheidene gezichten met zwarte viltstift zijn omcirkeld. Een omcirkeld gezicht doorgekruist, met de woorden LATEN LEVEN onder foto. Meisje in bijschrift geïdentificeerd als Josie Cormier.

Het meisje sprak zo zacht dat zelfs met de microfoon boven haar hoofd haar stem met moeite te volgen was.

'Het lokaal van mevrouw Edwards ligt naast het lokaal van meneer McCabe. Soms hoorden we ze stoelen verschuiven of antwoorden roepen,' zei ze. 'Maar nu hoorden we geschreeuw. Mevrouw Edwards schoof haar lessenaar tegen de deur en zei dat we allemaal achter in de klas bij de ramen moesten gaan zitten. Toen hoorden we schoten. En toen...' Ze zweeg even en wreef over haar ogen. 'En toen hield het geschreeuw op.'

Diana Leven had niet verwacht dat de schutter zo jong was. Peter Houghton was aan handen en voeten geboeid, droeg een kogel-

145

vrij vest en een oranje overall, maar had alle uiterlijke kenmerken van een jongen die de puberteit nog lang niet was ontstegen. Ze durfde te wedden dat hij zich nog niet hoefde te scheren. Ook de bril verontrustte haar. Ze was ervan overtuigd dat de verdediging dit zou uitspelen in het verweer dat hij door zijn bijziendheid nooit scherp had kunnen richten.

De vier camera's die ABC, CBS, NBS en CNN vertegenwoordigden, begonnen te snorren zodra de beklaagde de rechtszaal werd binnengeleid. Omdat het doodstil was geworden, draaide Peter zich onmiddellijk om naar de camera's. Diana besefte dat zijn ogen niet veel verschilden van de lenzen die op hem waren gericht: uitdrukkingsloos, blind en leeg.

Jordan McAfee – een advocaat die Diana persoonlijk niet erg mocht, al moest ze toegeven dat hij zijn werk voortreffelijk deed – boog zich opzij naar zijn cliënt toen Peter de verdedigingstafel had bereikt.

'Allen opstaan,' riep de gerechtsbode. 'De edelachtbare Charles Albert presideert.'

Rechter Albert kwam met ruisende toga de rechtszaal binnen. 'Allen zitten,' zei hij. 'Peter Houghton,' begon hij, zich tot de beklaagde richtend.

Jordan McAfee stond op. 'Edelachtbare, we zien af van voorlezing van de aanklachten. Voor elk pleiten we niet-schuldig, en we dienen een verzoekschrift in voor een hoorzitting over tien dagen.'

Het verbaasde Diana niet. Waarom zou Jordan de hele wereld laten weten dat zijn cliënt wegens tienvoudige moord werd aangeklaagd? De rechter wendde zich tot haar. 'Mevrouw Leven, de wet vereist dat een beklaagde die van eerstegraads moord wordt beschuldigd – en in dit geval het tienvoud daarvan – onvoorwaardelijk in hechtenis blijft. Ik neem aan dat u daar geen probleem mee heeft?'

Diana moest een glimlach onderdrukken. Rechter Albert, godlof, had de volledige aanklacht toch openbaar weten te maken. 'Dat is juist, edelachtbare.'

De rechter knikte. 'Goed dan. Meneer Houghton, u gaat terug naar de cel.'

De hele procedure had nog geen vijf minuten in beslag genomen, en het publiek zou er niet blij mee zijn. De mensen wilden bloed en vergelding. Diana zag Peter Houghton tussen twee bewakers wegstrompelen, terwijl hij zich nog een laatste keer omdraaide naar zijn advocaat met een onuitgesproken vraag op de lippen voordat de deuren achter hem dichtgingen. Diana pakte haar aktetas weer in en liep de rechtszaal uit naar de verslaggevers op de gang.

Omringd door microfoons bleef ze staan. 'Peter Houghton is zojuist aangeklaagd wegens tienvoudige moord en negentienvoudige poging tot moord. Daarnaast wordt hij beschuldigd van het illegaal in bezit hebben van wapens en explosieven. Onze professionele verantwoordelijkheid gebiedt ons op dit moment geen mededelingen over eventuele bewijslast te doen, maar de gemeenschap kan erop vertrouwen dat we deze zaak krachtig zullen aanpakken. Onze rechercheurs hebben dag en nacht gewerkt om bewijsmateriaal te verzamelen en te beveiligen, zodat deze onbeschrijflijke tragedie niet onbeantwoord zal blijven.' Ze wilde haar mond opendoen om nog iets te zeggen, maar hoorde toen een andere stem aan de overkant van de gang, en zag de verslaggevers van haar spontane persconferentie overlopen naar Jordan McAfee.

Hij zag er ingetogen en ernstig uit terwijl hij met de handen in zijn zakken rechtstreeks naar Diana keek. 'Ik betreur de verliezen van onze gemeenschap, en toch zal ik mijn cliënt bijstaan waar ik kan. Peter Hougthon is een jongen van zeventien, en hij is doodsbang. Ik wil u vragen respect te hebben voor zijn familie en in gedachten te houden dat deze zaak aan de rechtbank ter beoordeling is.' Jordan – altijd de showman – aarzelde en maakte toen oogcontact met de menigte. 'Ik wil u vragen te bedenken dat niet alles is wat het lijkt.'

Diana snoof verachtend. De verslaggevers – en iedereen die luisterde naar Jordans zorgvuldig voorbereide speech – zouden denken dat hij iets achter de hand hield waaruit moest blijken dat zijn cliënt geen monster was. Maar Diana wist precies hoe ze juridisch jargon moest vertalen, want dat was een taal die ze vloeiend sprak. Als een advocaat zijn toevlucht zocht tot dit soort mysterieuze retoriek, betekende het dat hij geen andere middelen had om zijn cliënt te verdedigen.

Om twaalf uur 's middags hield de gouverneur van New Hampshire een persconferentie op het bordes van het parlementsgebouw in Concord. Op zijn revers droeg hij een bruin met wit lintje – de schoolkleuren van Sterling High – dat bij benzinestations en Wal-Mart-kassa's voor één dollar verkrijgbaar was, en waarvan de opbrengst bestemd was voor het steunfonds voor Sterlingslachtoffers. Een van zijn ondergeschikten had veertig kilometer moeten rijden om er een te pakken te krijgen. De gouverneur was van plan een gooi te doen naar de voorverkiezing van de democraten in 2008, en wist dat dit een perfect mediamoment was om zijn medeleven tot uitdrukking te brengen. Natuurlijk leefde hij met de burgers van Sterling mee, vooral met de ouders van de slachtoffers, maar hij was berekenend genoeg om te weten dat een man die de staat door zo'n dramatische gebeurtenis heen kon loodsen als een krachtig leider zou worden beschouwd.

'Vandaag rouwt het hele land samen met New Hampshire,' zei hij. 'Vandaag voelt elk van ons de pijn die Sterling voelt. Hun kinderen zijn van ons allemaal.'

Hij keek op. 'Ik ben in Sterling geweest. Ik heb gesproken met dag en nacht werkende politiemannen om te begrijpen wat er gisteren is gebeurd. Ik heb met de familie van slachtoffers gepraat, en in het ziekenhuis met overlevenden. Door deze tragedie is een deel van ons verleden en een deel van onze toekomst weggevaagd.' Plechtig keek de gouverneur in de camera's. 'Nu moeten we ons oog op de toekomst richten.'

Josie had binnen een ochtend door welke magische woorden ze moest spreken om door haar moeder met rust te worden gelaten. Wanneer die haar als een havik in de gaten hield, hoefde ze alleen maar te zeggen dat ze wilde slapen. Dan trok haar moeder zich terug, zonder te beseffen dat haar hele gezicht zich ontspande zodra Josie haar van haar plichten onthief.

In haar kamer boven zat Josie in het donker met de gordijnen dicht en de handen in haar schoot gevouwen. Het was klaarlichte dag, al had je het nooit kunnen vermoeden. De mensen hadden van alles bedacht om dingen anders te laten lijken dan ze werkelijk waren. Een kamer vol zonlicht kon in een kamer bij nacht worden getransformeerd. Botox veranderde iemands gezicht in een ander gezicht. Met een digitale videorecorder kon je tijd bevriezen of opnieuw indelen. En een tenlastelegging in een rechtszaal paste als een pleister op een wond die eigenlijk een hechting nodig had.

In het donker tastte Josie onder haar nachtkastje naar het plastic zakje met slaappillen. Ze was geen haar beter dan al die andere stommelingen van deze wereld die dachten dat ze iets waar konden maken zolang ze er maar lang genoeg in geloofden. Ze had gedacht dat de dood een oplossing kon zijn, maar was te onvolwassen om te beseffen dat ze geen idee had wat de dood eigenlijk inhield.

Gisteren had ze niet geweten wat voor patronen bloedspatten op een witte muur konden verspreiden. Ze had niet geweten dat het leven het eerst uit je longen verdween en het laatst uit je ogen. Ze had gedacht dat zelfmoord een laatste statement was, een *fuck you* tegen mensen die niet begrepen hoe moeilijk het voor haar was om de Josie te zijn die ze van haar verwachtten. Ze had gedacht dat ze op de een of andere manier ieders reactie kon zien als ze zich van kant maakte, dat zij het laatst zou lachen. Tot gisteren was het niet echt tot haar doorgedrongen wat dood zijn betekende. Dood was dood. Als je doodging, kon je niet terugkomen om te zien wat je had gemist. Je kon geen excuses meer aanbieden. Je kreeg geen tweede kans. Je kon de dood niet naar je hand zetten. De dood was oppermachtig.

Ze trok het zakje open en propte vijf pillen in haar mond. Ze liep de badkamer in en hield haar mond onder de open kraan.

Slikken, beval ze zichzelf.

Maar in plaats daarvan liet ze zich voor de toiletpot zakken en spuugde de pillen uit. Daarna opende ze haar vuist en liet de resterende pillen erin vallen. Ze trok door voordat ze zich kon bedenken.

Haar moeder rende naar boven alsof ze het had gehoord, alsof het door de voegen van de tegels tot het plafond beneden was doorgedrongen. Ze stormde de badkamer in en knielde naast haar dochter neer. 'Wat kan ik doen, lieverd?' fluisterde ze, terwijl ze over Josies schouders en rug wreef, alsof het een zichtbare tatoeage betrof in plaats van een litteken op het hart.

Yvette Harvey zat op de bank met een foto van haar dochter in haar handen. Hij was genomen toen ze overging naar groep acht, twee jaar, zes maanden en vier dagen voordat ze stierf. Kaitlyns haar was langer, maar de scheve glimlach was er nog steeds, en ook het vollemaansgezicht dat kenmerkend was voor het Down-syndroom.

Wat zou er gebeurd zijn als ze Kaitlyn niet naar een gewone school had gestuurd, maar naar een school voor geestelijk gehandicapte kinderen? Waren de kinderen daar niet veel minder agressief? Zou de kans dat zich daar een moordenaar ontwikkelde niet veel geringer zijn geweest?

De producer van *The Oprah Winfrey Show* gaf het stapeltje foto's terug dat Yvette haar had aangereikt. Tot vandaag had Yvette niet geweten dat er niveaus in tragische gebeurtenissen bestonden. Zelfs als je door de *Oprah Show* werd gevraagd je droevige verhaal te vertellen, wilden ze eerst zeker weten of het wel dramatisch genoeg was. Yvettes man was fel tegen het project geweest en weigerde bij de bespreking met de producer aanwezig te zijn, maar ze was vastbesloten. Ze had naar het nieuws geluisterd. En nu had ze iets te zeggen.

'Kaitlyn had een mooie glimlach,' zei de producer zacht.

'Dat is zo,' antwoordde Yvette, en schudde toen haar hoofd. 'Dat was zo.'

'Kende ze Peter Houghton?'

'Nee. Ze zaten niet in dezelfde klas en hadden ook geen gemeenschappelijke lessen.' Ze drukte haar duim in de rand van de zilveren fotolijst tot het pijn deed. 'Al die mensen die beweren dat Peter Houghton geen vrienden had, dat hij werd gepest... Het is gewoon niet waar,' zei ze. 'Als er iemand was die geen vrienden of vriendinnen had, als er iemand was die elke dag werd gepest, dan was het wel mijn dochter. Ze voelde zich een buitenstaander omdat ze dat ook was. Peter Hougthon is niet het onaangepaste buitenbeentje zoals hij nu wordt afgeschilderd. Peter Houghton is gewoon door en door slecht.'

Yvette keek naar het portret van haar dochter. 'De traumaconsulent van de politie zei dat Kaitlyn als eerste is gestorven. Ze zei dat Kaitie niet besefte wat er gebeurde en dat ze niet heeft geleden.'

'Dat moet toch enige troost zijn geweest,' merkte de producer op.

'Eerst wel. Totdat duidelijk werd dat ze dat tegen alle ouders zei die hun kind hadden verloren.' Met tranen in haar ogen keek Yvette op. 'Die kunnen toch niet allemaal de eersten zijn geweest?'

De dagen na de schietpartij werden families van de slachtoffers bedolven onder donaties: geld, ovenschotels, oppashulp, en medeleven. De vader van Kaitlyn Harvey werd op een ochtend wakker en zag dat de oprit na een lichte sneeuwbui al door een weldoener was schoongeveegd. De familie van Courtney Ignatio werd de begunstigde van hun kerkgenootschap, waarvan de leden zich bij intekening aanmeldden om bij toerbeurt voor hen te koken of schoon te maken. De moeder van John Eberhard werd een busje voor gehandicapten aangeboden – met de complimenten van Sterling Ford – om haar zoon met zijn verlamde benen aan zijn nieuwe bestaan te laten wennen. Alle gewonden van Sterling High kregen een brief van de president van de Verenigde Staten waarin hij hun dapperheid prees.

De media – aanvankelijk een vloedgolf die even onwelkom was als een tsunami – werden een vertrouwd beeld in de straten van

Sterling. Er hingen altijd verslaggevers rond voor het politiebureau, het gerechtsgebouw en de koffieshop voor een kruimeltje informatie.

En elke dag was er een nieuwe begrafenis in Sterling.

De herdenkingsplechtigheid voor Matthew Royston vond plaats in een kerk die niet groot genoeg was om alle rouwenden te bevatten. Ouders, familie en vrienden verdrongen zich op de banken, klasgenoten en andere leerlingen stonden langs de muren of buiten de ingang. Een groep leerlingen van Sterling High was in een T-shirt gekomen met het nummer 19 op de voorkant – hetzelfde nummer dat op Matts ijshockeyshirt had gestaan.

Josie en haar moeder waren ergens achterin gaan zitten, maar toch had Josie het gevoel dat iedereen haar aanstaarde. Misschien omdat iedereen wist dat ze Matts vriendin was geweest? Of omdat iedereen dwars door haar heen kon kijken?

'Gezegend zijn degenen die vervuld zijn van rouw,' sprak de predikant, 'want zij zullen getroost worden.'

Josie huiverde. Was zij vervuld van rouw? Voelde rouw aan als een gat in jezelf dat alleen maar groter werd als je het probeerde te dichten? Of was ze niet tot rouwen in staat omdat ze zich niets kon herinneren?

Haar moeder boog zich naar haar toe. 'We kunnen weggaan als je wilt. Je hoeft het maar te zeggen.'

Het was al moeilijk genoeg om te weten wie *zij* was, maar hier, in het Erna, scheen ze ook niemand te herkennen. Mensen die haar altijd hadden genegeerd, kenden haar ineens bij naam. Iedereen die haar aankeek, kreeg een zachte blik in de ogen. En haar moeder was nog de grootste onbekende – als zo'n workaholic die na een bijna-doodervaring met bomen ging praten. Josie had verwacht dat haar moeder zich zou hebben verzet tegen haar komst naar Matts begrafenis, maar tot haar verbazing had haar moeder het juist voorgesteld. Die stomme psych waar Josie nu heen moest – waarschijnlijk voor de rest van haar leven – had het steeds over *afsluiting*. Afsluiting betekende kennelijk dat je moest beseffen dat verlies iets normaals was waar je weer overheen kwam, zoals een wedstrijd verliezen of je favoriete T-shirt kwijtraken. Afsluiting betekende ook dat haar moeder was veranderd in een soort emotionele robot die onophoudelijk vroeg of ze iets nodig had. (Hoeveel koppen kruidenthee kon je drinken voordat het je neus uitkwam?) Ze probeerde zich als een gewone moeder te gedragen, of wat ze zich daarbij ook voorstelde. Het liefst had Josie tegen haar gezegd: *Als je echt iets voor me wilt doen, ga dan weer gewoon aan het werk.* Dan konden ze doen alsof er niets was veranderd. Het was tenslotte haar moeder die Josie in de allereerste plaats het doen alsof had bijgebracht.

Voor in de kerk stond de zwartgelakte kist. Josie kon zich niet voorstellen dat Matt erin lag, dat hij niet ademde, dat het bloed uit zijn lichaam was weggezogen en zijn aderen waren volgepompt met chemicaliën.

'Terwijl wij hier bijeen zijn om Matthew Carlton Royston te gedenken, worden we beschermd door Gods genezende liefde,' vervolgde de predikant. 'Wij mogen ons verdriet en onze woede uiten, ons gemis onder ogen zien, en weten dat God over ons waakt.'

Vorig jaar hadden ze geleerd hoe de Egyptenaren hun doden prepareerden. Matt, die alleen studeerde als Josie hem ertoe dwong, was erdoor gefascineerd. De hersenen die door de neus naar buiten werden gezogen. De bezittingen die met een farao meegingen in het graf. De huisdieren die naast hem werden begraven. Met haar hoofd op Matts schoot liggend had Josie het hoofdstuk uit het geschiedenisboek hardop voorgelezen. Matt had zijn hand op haar voorhoofd gelegd en gezegd: 'Als ik doodga, neem ik jou met me mee.'

De predikant keek naar de menigte voor hem. 'De dood van een dierbare treft ons tot in het diepst van onze ziel. En wanneer het een jong iemand is met een toekomst vol mogelijkheden en beloften, wordt het verdriet nog ondraaglijker. Dan zoeken we steun bij vrienden en familie, een schouder om tegen te huilen, iemand die samen met ons de pijn van het verlies voelt. We krijgen

153

Matt niet terug, maar het geeft ons troost dat hij in de dood de vrede heeft gevonden die hem hier op aarde werd ontzegd.'

Matt ging niet naar de kerk. Zijn ouders wel, en ze probeerden hem mee te krijgen, maar Josie wist dat hij er een hekel aan had. Hij vond het verspilling van de zondag. Als God al die moeite waard was om mee om te gaan, dan liever wanneer hij rondreed in zijn Jeep of tijdens ijshockey in plaats van in een muf gebouw naar gepreek te moeten luisteren.

De predikant maakte plaats voor Matts vader. Josie kende hem als iemand die altijd smakeloze grappen en vunzige woordspelingen maakte. Hij had zelf geijshockeyd bij UVM totdat zijn knie het begaf. Sindsdien was al zijn hoop op Matt gevestigd. Maar met zijn hangende schouders, gebogen postuur en trage gang was hij nog maar een schaduw van de man die ze kende. Hij vertelde over de eerste keer dat hij Matt naar de schaatsbaan had meegenomen, dat hij hem aan een ijshockeystick had meegetrokken en niet veel later in de gaten kreeg dat Matt die had losgelaten. Daarop begon Matts moeder met lange, luidruchtige uithalen te huilen.

Voordat Josie besefte wat ze deed, kwam ze overeind. 'Josie!' fluisterde haar moeder gealarmeerd. Heel even was ze weer de moeder die Josie kende, de moeder die nooit te kijk gezet wilde worden. Josie trilde zo hevig dat haar voeten de vloer niet leken te raken toen ze in de zwarte jurk die ze van haar moeder had geleend door het gangpad naar Matts kist liep.

Ze voelde de ogen van Matts vader op zich gericht, ze hoorde het gefluister van de aanwezigen. Bij de kist bleef ze staan en zag haar gezicht vaag in het glanzende deksel weerspiegeld. Het gezicht van een bedriegster.

'Josie,' zei meneer Royston. Hij liep naar haar toe en sloeg zijn arm om haar heen. 'Gaat het een beetje?'

Josie kon niets uitbrengen. Hoe kon deze man die net zijn zoon had verloren dat aan *haar* vragen? Ze had ter plekke willen vervagen en vroeg zich af of je een geest kon worden zonder dood te gaan; of doodgaan niet meer dan een technisch detail was.

'Wil je iets zeggen?' vroeg meneer Royston. 'Over Matt?'

Voor ze het besefte, had Matts vader haar naar het spreekgestoelte gebracht. Vaag was ze zich ervan bewust dat haar moeder was opgestaan en nu naar voren liep. Waarom? Om haar dochter voor een nieuwe fout te behoeden?

Josie staarde naar een zee van mensen die ze herkende, maar eigenlijk helemaal niet kende. *Ze hield van hem*, dachten ze allemaal. *Ze was bij hem toen hij stierf.*

Wat moest ze zeggen? De waarheid?

Josie voelde haar lippen vertrekken en haar gezicht verkrampen. Ze begon te snikken. Ze snikte zo heftig dat ze zeker wist dat Matt haar kon horen in zijn afgesloten kist. 'Het spijt me,' zei ze verstikt, tegen Matt, tegen meneer Royston, en tegen iedereen die luisterde. 'God, het spijt me zo verschrikkelijk.'

Ze zag niet dat haar moeder het trapje naar het spreekgestoelte op liep. Met een arm om haar heen geslagen liep ze met Josie naar het kleine portaal dat voor de organist was bestemd. Josie protesteerde niet toen haar moeder haar een doos Kleenex gaf en over haar rug wreef. Zelfs niet toen haar moeder haar haar achter de oren streek, een gebaar van vroeger, toen Josie nog klein was. 'Ze zullen wel denken dat ik gestoord ben,' zei Josie.

'Nee, ze denken dat je Matt mist.' Haar moeder aarzelde. 'Ik weet dat je denkt dat het jouw schuld was.'

Josies hart bonkte zo hevig dat ze niets kon uitbrengen.

'Lieverd,' zei haar moeder, 'je had hem niet kunnen redden.'

Josie pakte een nieuwe tissue en deed alsof haar moeder het begreep.

Maximale bewaking betekende dat Peter geen celgenoot had. Hij kreeg geen vrij voor recreatie. Zijn maaltijd werd drie keer per dag naar zijn cel gebracht. Zijn lectuur moest eerst worden goedgekeurd. En omdat men aannam dat hij suïcidaal was, bestond zijn cel alleen uit een bank en een toilet. Geen lakens, geen matras, niets waarmee hij deze wereld kon ontvluchten.

De achterwand van zijn cel bestond uit vierhonderdvijftien gasbetonblokken. Hij had ze geteld. Twee keer. Sindsdien staarde hij recht naar de camera die hem in de gaten hield. Peter vroeg zich af wie zich aan de andere kant bevond. Misschien een stel bewakers die zich om een goedkoop tv-toestelletje hadden verzameld en elkaar aanstootten wanneer hij naar de wc ging. Opnieuw mensen die een manier hadden gevonden om hem belachelijk te maken.

Er brandde een rood controlelampje op de camera, en rond de glinsterende lens bevond zich een rubberen rand die hem aan een ooglid deed denken. Hij bedacht dat als hij nog niet suïcidaal was, hij het hier over een paar weken wel zou worden.

Het werd nooit donker in de cel, alleen schemerig. Het deed er niet toe. Hij had toch niets anders te doen dan slapen. Op de bank liggend vroeg hij zich af of je je gehoor kwijtraakte als je het nooit hoefde te gebruiken, en of dat ook gold voor je spraakvermogen. Hij moest denken aan de indianen uit het oude westen die de dood boven gevangenschap verkozen. Er werd aangenomen dat ze zo aan hun vrijheid gewend waren dat ze gevangenschap niet aankonden, maar Peter had een andere theorie. Als je geen ander gezelschap had dan jezelf, en als je je niet aan anderen kon aanpassen, dan was er maar één uitweg.

Net toen een bewaker zijn ronde langs de cellen deed, hoorde Peter het.

Ik weet wat je hebt gedaan.

Jezus, dacht Peter. *Ik begin nu al gek te worden.*

Iedereen weet het.

Hij zwaaide zijn voeten naar de betonnen vloer en keek naar de camera, maar die gaf niets prijs.

De stem was gedempt, als de fluistering van de wind in een besneeuwde vlakte. 'Rechts van je,' klonk het. Peter kwam langzaam overeind en liep naar de hoek van de cel.

'Wie... Wie is daar?' vroeg hij.

'Dat zal goddomme tijd worden. Ik dacht je nooit zou stoppen met janken.'

Peter probeerde tussen de tralies door te kijken, maar zag niets. 'Heb je me horen huilen?'

156

'Stomme kleuter,' zei de stem. 'Word toch eens volwassen.'

'Wie ben je?'

'Noem me maar Carnivoor, net als de anderen.'

Peter slikte. 'Wat heb je gedaan?'

'Niets waarvan ik beschuldigd ben,' antwoordde Carnivoor.

'Hoe lang?'

'Wat bedoel je?'

'Hoe lang voor je proces begint?'

Peter wist het niet. Hij was vergeten het aan Jordan McAfee te vragen, waarschijnlijk omdat hij bang was voor het antwoord.

'Het mijne is volgende week,' zei Carnivoor.

'Hoe lang zit je hier al?' vroeg Peter.

'Tien maanden.'

Peter stelde zich voor dat hijzelf tien maanden in deze cel moest blijven. Hij dacht aan de gasbetonblokken die hij had geteld, aan al die keren dat de bewakers hem via de monitor hadden zien pissen.

'Je hebt kinderen vermoord, hè? Weet je wat hier gebeurt met iemand die kinderen vermoordt?'

Peter gaf geen antwoord. Hij was ongeveer even oud als de gedode leerlingen van Sterling High. Dat waren echt geen kleuters meer. En hij had ook een goede reden voor zijn daden.

Hij wilde er niet over praten. 'Waarom ben je niet op borgtocht vrijgelaten?'

Carnivoor lachte spottend. 'Omdat ze zeggen dat ik een dienster heb verkracht en daarna heb neergestoken.'

Dachten ze allemaal in deze gevangenis dat ze onschuldig waren? Al die tijd dat Peter op zijn bed lag, had hij zichzelf ervan overtuigd dat hij in niets leek op de andere gevangenen in de Grafton County Jail. Maar dat bleek dus een leugen.

'Ben je er nog?' vroeg Carnivoor.

Peter ging weer liggen. Hij wendde zijn gezicht naar de muur en deed alsof hij de stem niet hoorde.

Opnieuw viel het Patrick op dat rechter Cormier er veel jonger uitzag wanneer ze niet achter de rechterstafel zat. In spijkerbroek

157

en met haar haar in een paardenstaart deed ze de deur open terwijl ze haar handen aan een theedoek afveegde. Josie stond vlak achter haar. Ze had dezelfde lege blik in haar ogen die hij bij andere slachtoffers had gezien. Josie nam in het onderzoek een essentiële plaats in. Zij had als enige gezien dat Matthew Royston door Peter Houghton werd gedood. Maar in tegenstelling tot andere slachtoffers had Josie een moeder die de fijne kneepjes van het rechtssysteem kende.

'Rechter Cormier, Josie,' groette hij. 'Dank dat jullie tijd voor me vrij wilden maken.'

De rechter keek hem onbewogen aan. 'Het is tijdverspilling. Josie kan zich niets herinneren.'

'Met alle respect, rechter, maar dat bepaal ik liever zelf.'

Hij bereidde zich voor op een discussie, maar ze deed een paar stappen naar achteren om hem binnen te laten. Patrick liet zijn ogen door de hal dwalen – over de antieke tafel met de uitbundige groene varen, over de smaakvolle landschapschilderijen aan de muur. Dus zo woonde een rechter. Zijn eigen huis was eerder een onderkomen voor wasgoed, oude kranten en voedsel waarvan de houdbaarheidsdatum allang was verstreken. Een tussenstop waar hij een paar uur verbleef voordat hij weer aan het werk ging.

Hij keek naar Josie. 'Hoe is het met je hoofd?'

'Het doet nog steeds pijn.' Ze zei het zo zacht dat Patrick zich moest inspannen het te horen.

Hij wendde zich weer tot de rechter. 'Kunnen we ergens even rustig praten?'

Ze ging hem voor naar de keuken, die eruitzag zoals Patrick zich altijd een keuken had voorgesteld als hijzelf een gezin zou hebben. Met kersenhouten kastjes, een erkerraam waardoor volop zonlicht naar binnen viel, en een schaal bananen op de keukentafel. Hij ging tegenover Josie zitten. Hoewel hij verwachtte dat de rechter ook zou aanschuiven, zei ze: 'Ik ben boven, mochten jullie me nodig hebben.'

Josie keek angstig naar haar op. 'Waarom blijf je niet gewoon hier?'

Even zag Patrick iets oplichten in de ogen van de rechter. Verlangen? Spijt? Maar het was al verdwenen voordat hij het kon benoemen. 'Je weet dat het niet kan,' zei ze zacht.

Patrick had zelf geen kinderen, maar hij wist zeker dat als zijn eigen kind zo dicht bij de dood was geweest, hij haar niet uit het oog wilde verliezen. Hij kon niet zeggen wat er speelde tussen moeder en dochter, maar hij ging er zich niet mee bemoeien.

'Ik weet zeker dat rechercheur Ducharme het je zo gemakkelijk mogelijk zal maken,' zei de rechter.

Het was zowel een wens als een waarschuwing. Patrick knikte haar toe. Een goede politieman deed al het mogelijke om te beschermen en te dienen, maar wanneer het een bekende betrof die was beroofd of bedreigd, dan kreeg diegene prioriteit. Patrick had dat jaren geleden ervaren met zijn vriendin Nina en haar zoon. Hij kende Josie Cormier niet persoonlijk, maar omdat haar moeder deel uitmaakte van het justitiële apparaat – en wel in een topfunctie – verdiende haar dochter het met tact te worden behandeld.

Hij zag Alex de trap op lopen en haalde toen zijn pen en notitieboekje uit zijn jaszak. 'Goed,' zei hij. 'Hoe gaat het met je?'

'Doe maar niet alsof het u iets kan schelen.'

'Ik doe niet alsof,' zei Patrick.

'Ik weet niet eens waarom u hier bent. Wat ik ook tegen u zeg, het verandert allemaal niets.'

'Dat is waar,' gaf Patrick toe. 'Maar voordat we Peter Houghton kunnen berechten, moeten we precies weten wat er is gebeurd. En ik was er helaas niet bij.'

'Helaas?'

Hij sloeg zijn ogen neer. 'Ik denk weleens dat ik liever een gewonde getuige was geweest dan een afwezige politieman die het niet heeft kunnen voorkomen.'

'Ik was erbij,' zei Josie fel, 'en ik kon het ook niet voorkomen.'

'Luister,' zei Patrick, 'jij kon er niets aan doen.'

Ze keek naar hem op alsof ze niets liever wilde dan hem geloven, maar het niet kon. En wie was Patrick om haar tegen te

159

spreken? Elke keer dat hij aan zijn dollemansrit naar Sterling High dacht, stelde hij zich voor wat er gebeurd zou zijn als hij in de school was geweest voordat de schutter arriveerde. Als hij de jongen had ontwapend voordat er slachtoffers waren gevallen.

'Ik kan me niets van de schietpartij herinneren,' zei Josie.

'Weet je nog dat je in de gymzaal was?'

Josie schudde haar hoofd. 'Ik kan me niet eens meer herinneren dat ik ben opgestaan en naar school ben gegaan. Het is een lege plek in mijn hoofd die ik gewoon oversla.'

Door zijn gesprekken met de psychologen die de leerlingen begeleidden, wist Patrick dat dit heel normaal was. Geheugenverlies beschermde je geest tegen een traumatische gebeurtenis, waardoor je anders finaal zou zijn ingestort. Ergens wenste hij dat hij net als Josie kon vergeten wat hij had gezien.

'En Peter Houghton? Kende je hem?'

'Iedereen wist wie hij was.'

'Wat bedoel je?'

Josie haalde haar schouders op. 'Hij viel op.'

'Omdat hij anders was?'

Josie dacht even na. 'Omdat hij niet probeerde erbij te horen.'

'Was Matthew Royston je vaste vriend?'

Meteen kwamen er tranen in Josies ogen. 'Hij wilde Matt worden genoemd.'

Patrick reikte haar een papieren servet aan. 'Ik vind het heel erg wat er met hem is gebeurd, Josie.'

Ze boog haar hoofd. 'Ik ook.'

Hij wachtte tot ze haar ogen had afgeveegd en haar neus had gesnoten. 'Heb je enig idee waarom Peter een hekel aan Matt kan hebben gehad?'

'Iedereen maakte hem altijd belachelijk,' zei Josie. 'Niet alleen Matt.'

En jij? dacht Patrick. Hij had het jaarboek gezien dat uit Peters kamer was meegenomen – de omcirkelde foto's van leerlingen van wie sommigen waren gedood en anderen niet. Daar konden vele redenen voor zijn. Misschien was Peter in tijdnood geko-

160

men, of bleek het moeilijker dan hij dacht om dertig leerlingen op een school van duizend te achterhalen. Maar van alle doelwitten die Peter in zijn jaarboek had gemarkeerd, was alleen Josies foto doorgekruist, alsof hij op andere gedachten was gekomen. Alleen onder haar portret waren in blokletters de woorden LATEN LEVEN geschreven.

'Kende je hem persoonlijk? Hadden jullie gezamenlijke lessen of zo?'

Ze keek op. 'Ik heb met hem samengewerkt.'

'Waar?'

'Bij de copyshop in het centrum.'

'Konden jullie met elkaar overweg?'

'Soms,' zei Josie. 'Niet altijd.'

'Waarom niet?'

'Hij had daar eens een brandje veroorzaakt en ik heb hem verlinkt. Toen raakte hij zijn baan kwijt.'

Patrick maakte een aantekening. Waarom had Peter besloten haar te sparen terwijl hij alle reden had om wraak te nemen?

'En daarvoor?' vroeg Patrick. 'Waren jullie toen wel met elkaar bevriend?'

Josie vouwde het servet waarmee ze haar ogen had afgeveegd in een driehoek en vervolgens in steeds kleinere driehoekjes. 'Nee,' zei ze.

De vrouw naast Lacy droeg een geblokt flannelen overhemd, rook naar sigaretten, en had bijna geen tand meer in haar mond. In één oogopslag monsterde ze Lacy's rok en bloes. 'Voor het eerst hier?' vroeg ze.

Lacy knikte. In een ruimte met een lange rij stoelen zaten ze naast elkaar te wachten. Voor hun voeten bevond zich een rode scheidslijn, met daarachter een andere rij stoelen. Gevangenen en bezoekers zaten tegenover elkaar korte mededelingen uit te wisselen. De vrouw naast Lacy keek haar glimlachend aan. 'Je raakt er wel aan gewend,' zei ze.

Om de twee weken mocht een van de ouders Peter een uur lang

bezoeken. Lacy had een mand met tijdschriften, boeken en zelf-gebakken muffins meegebracht, maar die werden haar afgenomen toen ze zich meldde voor haar bezoek. Gebak was niet toegestaan, en lectuur moest worden gescreend.

Een man met een geschoren hoofd en met tatoeages die zijn boven- en onderarmen bedekten kwam in Lacy's richting. Ze huiverde toen ze het hakenkruis op zijn voorhoofd zag. 'Dag, mam,' mompelde hij, en Lacy besefte dat de vrouw naast haar ondanks de tatoeages, de kale schedel en de oranje overall de kleine jongen zag die kikkervisjes ving in de modderpoel achter hun huis. *Elke man heeft een moeder*, dacht Lacy.

Ze wendde haar blik af van hun hereniging en zag dat Peter de bezoekersruimte werd binnengebracht. Even hield ze haar adem in. Hij was vermagerd en de ogen achter de brillenglazen waren leeg. Maar toch glimlachte ze hem stralend toe. Alsof het haar niets deed haar zoon in een gevangenisoverall te zien; alsof ze niet in de auto tegen een paniekaanval had moeten vechten toen ze op het gevangenisterrein parkeerde; alsof ze het volstrekt normaal vond om door drugdealers en verkrachters te worden omringd wanneer ze haar zoon kwam bezoeken.

'Peter,' zei ze, en ze nam hem in haar armen. Het duurde een paar seconden voordat hij haar ook omhelsde. Ze drukte haar gezicht tegen zijn hals, net als toen hij nog een baby was, maar hij rook niet als haar zoon. Toen besefte ze dat de scherpe geur die hij verspreidde afkomstig moest zijn van goedkope shampoo en deodorant.

Ineens werd er op haar schouder getikt. 'U moet hem nu loslaten, mevrouw,' zei de bewaker.

Was het maar zo gemakkelijk, dacht Lacy.

Ze gingen tegenover elkaar zitten met de rode lijn tussen hen in.

'Gaat het goed met je?' vroeg ze.

'Ik ben er nog steeds.'

Lacy huiverde bij de manier waarop hij het zei. Ze had het gevoel dat hij het niet over de gevangenis had, en het alternatief – het idee dat hij zelfmoord zou plegen – kon ze gewoon niet bevatten. Ze voelde dat haar keel werd dichtgeknepen en deed iets wat ze juist niet wilde: ze begon te huilen. 'Peter,' fluisterde ze. '*Waarom?*'

'Is de politie bij ons thuis geweest?' vroeg Peter.

Lacy knikte. Het leek allemaal zo lang geleden.

'Zijn ze op mijn kamer geweest?'

'Ze hadden een huiszoekingsbevel...'

'En ze hebben mijn spullen meegenomen?' Voor het eerst toonde Peter iets van emotie. 'Je hebt ze gewoon mijn spullen laten meenemen?'

'Wat was je van plan?' fluisterde ze. 'Met die bommen, die wapens...?'

'Dat zou je niet begrijpen.'

'Help me dan, Peter,' zei ze zacht, 'help me het te begrijpen.'

'Dat is me in zeventien jaar niet gelukt, mam. Waarom zou het nu anders zijn?' Zijn gezicht vertrok. 'Ik weet niet eens waarom je de moeite hebt genomen hier te komen.'

'Ik wilde je zien...'

'Kijk dan naar me!' schreeuwde Peter. 'Waarom kijk je verdomme niet naar me?'

Hij sloeg zijn handen voor zijn ogen en zijn smalle schouders schokten.

Hier kwam het op neer, besefte Lacy. Of je keek naar de vreemde tegenover je en kwam tot de conclusie dat hij niet langer je zoon was, of je besloot alle mogelijke resten van je kind terug te vinden in de vreemde die hij was geworden.

Maar had je als moeder werkelijk een keus?

Iedereen zei dat monsters niet werden geboren, maar dat ze werden gemaakt. Ze konden kritiek hebben op haar moederschap, dat ze te meegaand of te streng was geweest, te afstandelijk of te bezitterig. Heel Sterling zou tot op het bot analyseren wat ze fout had gedaan. Maar wisten ze ook hoe ze zich voor haar kind had ingespannen? Je kon gemakkelijk trots zijn op een kind dat goede cijfers haalde en het winnende punt scoorde – een kind dat de wereld toch al aan zijn voeten had. Maar je toonde pas karakter wanneer je in een kind dat iedereen haatte iets vond om van te houden. Stel dat alles wat ze had gedaan of nagelaten niet het juiste criterium was? Was de manier waarop ze zich onder deze afschuwelijke omstandigheden gedroeg niet een even veelzeggend blijk van moederschap?

Over de rode lijn strekte ze haar armen naar Peter uit om hem tegen zich aan te drukken. Het kon haar niet schelen of het was toegestaan of niet. Ook toen de bewakers hem van haar losmaakten, was Lacy niet van plan haar zoon te laten gaan.

Op de video waren leerlingen te zien die in de kantine met dienbladen aan een tafel gingen zitten, huiswerk maakten of zaten te kletsen toen Peter binnenkwam met een pistool in zijn hand. Een salvo van schoten werd gevolgd door een kakofonie van gegil en geschreeuw. Er ging een rookalarm af. Toen iedereen begon te rennen, schoot hij opnieuw, en nu vielen twee meisjes neer. Andere leerlingen renden over hen heen om zo snel mogelijk weg te komen.

Toen Peter en zijn slachtoffers als enigen in de kantine waren achtergebleven, liep hij tussen de tafels door om het resultaat in ogenschouw te nemen. Bij de jongen die in een plas bloed boven zijn boek in elkaar was gezakt, bleef hij staan om de iPod te pakken die op tafel lag, luisterde even door de oortelefoon, en legde hem weer neer. Hij draaide een bladzijde om in een opengeslagen schoolagenda. Toen ging hij zitten aan een tafel met een onaangeroerd dienblad en legde er het pistool op. Hij maakte een pakje Rice Krispies open, leegde die in een kom, goot er melk overheen en begon te eten. Daarna nam hij zijn pistool van het blad en liep de kantine uit.

Nooit eerder had Patrick zo'n bloedstollend kille berekening gezien.

Hij keek naar het bord pasta dat hij als avondeten had bereid en had er geen trek meer in. Hij schoof het van zich af naast een stapel oude kranten, spoelde de cassette terug en dwong zich opnieuw naar de video te kijken.

Toen de telefoon ging, nam hij afwezig op, nog steeds in beslag genomen door de beelden op zijn televisiescherm. 'Ja?'

'Ook goedenavond,' zei Nina Frost.

Zoals altijd smolt hij toen hij haar stem hoorde. 'Sorry, ik was net ergens mee bezig.'

'Dat geloof ik meteen. Je zult je handen wel vol hebben. Red je het een beetje?'

'Ach, het gaat wel,' zei hij, al wilde hij eigenlijk zeggen dat hij niet meer kon slapen, dat hij de gezichten van de doden voor zich zag zodra hij zijn ogen sloot, dat zijn mond overvloeide van vragen die hij vergeten was te stellen.

'Patrick,' zei ze, omdat ze zijn beste vriendin was en hem beter kende dan wie ook, inclusief hijzelf, 'jij hebt hier geen schuld aan.'

Hij boog zijn hoofd. 'Het is in *mijn* stad gebeurd. Hoe kan ik er *geen* schuld aan hebben?'

'Als je videofoon had, kon ik zien of je het boetekleed draagt of je gevechtsuitrusting.'

'Dit is niet grappig.'

'Nee,' gaf ze toe. 'Maar je weet ook dat het proces een gestreden strijd is met – hoeveel waren het – zo'n duizend getuigen.'

'Zoiets, ja.'

Ze zweeg. Patrick hoefde Nina – een vrouw die spijt als eeuwige levensgezel had – niet uit te leggen dat het veroordelen van Peter Houghton niet genoeg was. Patrick zou er pas vrede mee krijgen wanneer hij begreep wat Peter tot zijn daden had gebracht.

En wanneer hij kon voorkomen dat het opnieuw gebeurde.

Uit een psychiatrisch onderzoeksrapport van de FBI over schietpartijen op scholen:

```
Onder schoolschutters valt een gelijkenis
in gezinsdynamiek te constateren. Vaak heeft
de schutter een turbulente relatie met zijn
ouders, of accepteren zijn ouders
```

pathologische gedragspatronen. Binnen het
gezin ontbreekt het aan intimiteit. Er worden
de schutter geen restricties opgelegd wat
betreft tv-kijken of computergebruik, en soms
heeft hij toegang tot vuurwapens.

Binnen de schoolomgeving geeft de
schutter blijk van onverschilligheid jegens
het leerproces. De school zelf is geneigd
respectloos gedrag te tolereren, maar legt een
zware discipline op aan leerlingen die prijs
stellen op het prestige dat door docenten en
staf wordt verleend.

Schutters vinden doorgaans gemakkelijk
toegang tot gewelddadige films, tv-programma's
en videospelletjes, of tot alcohol en drugs.
Ze hebben contact met een groep gelijkgezinden
buiten de school die hun gedrag ondersteunt.

Bovendien is gebleken dat ze voor het
begaan van gewelddaden een aanwijzing laten
'lekken' dat er iets gaat gebeuren. Deze
toespelingen kunnen de vorm aannemen van
gedichten, geschriften, tekeningen,
mededelingen op internet, of al dan niet
anonieme bedreigingen.

Ondanks voornoemde gemeenschappelijke
kenmerken mag dit rapport niet als checklist
worden gebruikt om eventuele toekomstige
schutters aan te toetsen. Via de media zouden
daardoor niet-gewelddadige leerlingen als
potentiële moordenaars kunnen worden
bestempeld. Want ook adolescenten die nooit
een gewelddaad zullen plegen, kunnen dezelfde
kenmerken vertonen zoals beschreven in dit
rapport.

Lewis Houghton was een gewoontemens. Elke ochtend werd hij om half zes wakker en trapte dan zijn rondjes op de hometrainer in de kelder. Dan nam hij een douche en at een kom cornflakes terwijl hij de krant doorbladerde. Hij droeg altijd dezelfde overjas, hoe warm of koud het buiten ook was, en parkeerde altijd op dezelfde plek wanneer hij bij zijn werk arriveerde.

Ooit had hij geprobeerd het effect van routine op geluk te berekenen, maar was toen op een interessante hobbel gestuit. De mate van geluk die het vertrouwde patroon bracht, werd versterkt of verzwakt door iemands verzet tegen verandering. Ofwel – *in gewone-mensentaal, alsjeblieft,* zou Lacy hebben gezegd – tegenover iedereen die gesteld was op de dagelijkse sleur, zoals hij, stond wel iemand die het verstikkend vond. In die gevallen werd het tevredenheidsquotiënt negatief, en deden vaste gewoontes afbreuk aan geluk.

Zo moest het nu voor Lacy zijn. Ze zwierf door het huis alsof ze het nooit eerder had gezien en moest er niet aan denken weer terug te gaan naar haar praktijk. *Hoe kun je van me verwachten dat ik nu aan andermans kinderen denk?* had ze gezegd.

Ze bleef aandringen dat ze iets moesten *doen,* maar Lewis had geen idee wat dat inhield. En omdat hij niets voor zijn vrouw of zijn zoon kon doen, besloot hij iets voor zichzelf te doen. Toen hij na Peters tenlastelegging vijf dagen thuis had gezeten, pakte hij op een ochtend zijn aktetas in, at zijn cornflakes, las de krant, en ging naar zijn werk.

Hij dacht aan de geluksvergelijking terwijl hij in de auto zat. Een van de grondbeginselen van zijn succesformule – G=R/V, ofwel geluk staat gelijk aan realiteit gedeeld door verwachting – was gebaseerd op het feit dat je altijd hoop had op de toekomst. Met andere woorden: V moest wel een reëel getal zijn, want je kon niet door nul delen. Maar sinds kort vroeg hij zich af of dat wel waar was. Wanneer hij midden in de nacht klaarwakker naar het plafond lag te staren, wetend dat zijn vrouw naast hem deed alsof ze sliep, begon Lewis te geloven dat je in omstandigheden kon komen waardoor je absoluut niets meer van het leven verwachtte. Dan was je kapot van verdriet wanneer je je oudste zoon verloor. Dan stortte je in elkaar wanneer je jongste zoon in de cel zat wegens massamoord. Dan kon je wél door nul delen. Dan was er op de plek waar je hart had gezeten een ravijn ontstaan.

Zodra hij op de campus kwam, voelde hij zich al beter. Hier was hij niet de vader van de schutter en was hij het nooit geweest. Hier was hij Lewis Houghton, docent economie. Hier was hij nog steeds een autoriteit die zich niet hoefde af te vragen of zijn research aan twijfel onderhevig was.

Lewis had net een stapel papieren uit zijn aktetas gehaald, toen het hoofd van de economische faculteit zijn lokaal binnenkwam. Hugh Macquarie was een grote, zwaargebouwde man, die achter zijn rug door studenten MacAapmans werd genoemd. 'Hougthon? Wat kom je hier in vredesnaam doen?'

'Het heeft er alle schijn van dat ik hier werk,' zei Lewis, in een poging grappig te zijn. Grappig zijn ging hem niet goed af. Als hij al iets grappigs zei, kwam het altijd op het verkeerde moment.

'Jezus, Lewis, ik weet niet wat ik moet zeggen.'

Lewis nam het hem niet kwalijk. Hij wist zelf niet wat hij moest zeggen. Er waren Hallmark-kaarten voor het verlies van een familielid of een dierbaar huisdier, maar er bestonden geen troostende woorden voor iemand wiens zoon tien mensen had vermoord.

'Ik heb overwogen je thuis te bellen. Lisa wilde zelfs een ovenschotel langs brengen. Redt Lacy het een beetje?'

Lewis duwde zijn bril hoger op zijn neus. 'Ach, weet je, we proberen ons normale leven weer op te pakken.'

Hugh ging in de stoel tegenover Lewis' bureau zitten. 'Lewis, neem wat tijd voor jezelf,' zei hij.

'Bedankt, Hugh.' Lewis keek naar de ingewikkelde vergelijking op het schoolbord waar hij op had zitten zwoegen. 'Maar op dit moment ben ik liever hier. Dan hoef ik niet aan thuis te denken.' Hij pakte een stuk krijt en schreef een lange, mooie reeks cijfers op het bord die hem rust gaven vanbinnen.

Hij wist dat er verschil was tussen iets dat je gelukkig maakt en iets dat je niet ongelukkig maakt. De kunst was jezelf te overtuigen dat er geen verschil bestond.

Hugh legde zijn hand op Lewis' arm. 'Misschien heb ik me verkeerd uitgedrukt. We *willen* dat je een tijdje vrij neemt.'

Lewis keek hem aan. 'O, ik begrijp het,' zei hij, al begreep hij het niet. Als Lewis zijn werk kon scheiden van zijn privéleven, waarom kon Sterling College het dan niet?

Tenzij.

Was dit in eerste instantie niet zijn eigen schuld? Als je onzeker was over de beslissingen die je als vader nam, kon je die onzekerheden dan verdoezelen onder het zelfvertrouwen dat je als vakman bezat? Of zou die deklaag zo dun zijn dat hij geen enkele last kon dragen?

'Het is maar tijdelijk,' zei Hugh. 'Het is echt het beste.'

Voor wie? dacht Lewis, maar hij zei niets terwijl Hugh naar de deur liep en die achter zich dichtdeed.

Daarna pakte Lewis het krijtje weer op en begon furieus op het bord te krabbelen als een componist die de compositie in zijn hoofd nauwelijks bij kon houden. Waarom was het niet eerder tot hem doorgedrongen? Iedereen wist dat als je realiteit door verwachting deelde, er een geluksquotiënt uitkwam. Maar draaide je de vergelijking om – verwachting gedeeld door realiteit – dan was de uitkomst niet het tegenovergestelde van geluk. Dan, besefte Lewis, kreeg je verwachting.

Zuiver logisch gezien, aannemende dat realiteit een constante was, moest verwachting groter zijn dan werkelijkheid om optimisme tot uitkomst te hebben. Daarentegen was de verwachting van een pessimist lager dan de realiteit, waardoor de uitkomst negatief werd beïnvloed. Al met al kwam het erop neer dat de uitkomst nul werd benaderd zonder die helemaal te bereiken, wat inhield dat je verwachting nooit helemaal kon uitsluiten.

Lewis deed een stap naar achteren en keek naar het schoolbord. Iemand die gelukkig was, had geen hoop op verandering nodig. Maar ook was het zo dat een optimist wilde geloven in iets beters dan in zijn eigen werkelijkheid.

Hij begon zich af te vragen of er uitzonderingen op de regel waren. Of gelukkige mensen hoop koesterden, en of ongelukkige mensen elke hoop op geluk hadden opgegeven.

En daardoor moest Lewis aan zijn zoon denken.

Terwijl hij naar het bord keek, begon hij te huilen.

Het kantoor van het freakteam – Patricks benaming voor de technisch rechercheurs die hard-drives kraakten op zoek naar pornografie en downloads van *The Anarchist Cookbook* – stond vol met computers. Behalve het apparaat dat uit Peter Houghtons kamer was meegenomen, stonden er diverse computers van Sterling High, waaronder die van de secretaresse en die uit de bibliotheek.

'Die jongen is goed,' zei Orestes, een knul die volgens Patrick nog te jong was om zijn middelbareschooldiploma te hebben behaald. 'En dan heb ik het niet alleen over zijn HTML-progamma's. Die gast kent zijn zaakjes.'

Hij riep een paar bestanden op uit de krochten van Peters computer, grafische files waar Patrick niets van begreep, totdat Orestes een paar toetsen indrukte en er ineens een driedimensionale vuurspuwende draak op het scherm verscheen. 'Wauw,' zei Patrick.

'Hij heeft een paar computerspelletjes gemaakt die hij op een aantal sites heeft gezet waar je feedback kunt krijgen.'

'Zijn er reacties gekomen?'

Orestes klikte een site aan die hij al had aangevinkt. 'Peter meldde zich met de naam DeathWish. Dat is een...'

'... Popgroep,' vulde Patrick aan.

'Niet zomaar een popgroep,' zei Orestes eerbiedig, terwijl zijn vingers over het toetsenbord vlogen. 'Death Wish is de eigentijdse stem van het collectieve menselijk geweten.'

'Moet je tegen Tipper Gore zeggen.'

'Wie?'

Patrick schoot in de lach. 'Zal wel voor jouw tijd zijn geweest.'

'Waar luisterde jij naar toen je jong was?'

'Naar holenmensen die stenen op elkaar sloegen,' zei Patrick laconiek.

Er verscheen een reeks berichten van DeathWish op het scherm. De meeste hadden betrekking op het verbeteren van een bepaalde grafische voorstelling, of waren besprekingen van andere spelletjes die op de site waren geplaatst. Ook werd uit liedteksten van de band DeathWish geciteerd. 'Moet je dit zien,' zei Orestes, en hij scrolde naar beneden.

Van: DeathWish
Aan: Hades 1991
Wat een klotedorp. Dit weekend is er een handwerkfestival waar ouwe wijven met hun waardeloze rotzooi te koop lopen. Ze kunnen het beter SHIT-festival noemen. Ik ga me in de bosjes bij de kerk verschuilen. Schijfschieten als ze oversteken – tien punten als ik er een raak! Yee ha!

Patrick leunde achterover in zijn stoel. 'Dit bewijst helemaal niets.'

'Nee,' zei Orestes, 'maar nu dit.' Hij draaide zich om naar een andere terminal. 'Hij brak in op het computersysteem van de school.'

'Waarom? Om zijn cijfers te veranderen?'

'Nee. Het programma dat hij heeft geschreven brak om 9:58 's ochtends door de firewalls van het schoolsysteem heen.'

'Het tijdstip waarop de autobom explodeerde,' mompelde Patrick.

Orestes draaide de monitor zodat Patrick mee kon kijken. 'Dit was op elk scherm van elke computer in de school te zien.'

Patrick staarde naar de donkerrode achtergrond met de vlammende rode letters: KLAAR OF NIET… IK KOM ERAAN.

Jordan zat al in de spreekkamer te wachten toen Peter Houghton werd binnengebracht. 'Bedankt,' zei hij tegen de bewaker, met zijn ogen op Peter gericht, die onmiddellijk zijn blik op het enige raam liet rusten. Jordan had keer op keer bij gevangenen geconstateerd hoe snel een menselijk wezen in een gekooid dier kon veranderen. Maar het was de kwestie van de kip en het ei: werden ze beesten omdat ze gevangenzaten, of zaten ze gevangen omdat ze beesten waren?

'Ga zitten,' zei hij. Peter bleef staan.

Onverstoorbaar begon Jordan te praten. 'Laat ik je de grondregels uitleggen, Peter. Alles wat ik jou vertel is vertrouwelijk, en alles wat je mij vertelt is vertrouwelijk. Ik mag niemand vertellen wat je tegen mij hebt gezegd. Maar laat één ding duidelijk zijn: je praat niet met de media, niet met de politie, of met wie dan ook. Als iemand met je in contact probeert te komen, dan laat je het me onmiddellijk weten door me op mijn kosten te bellen. Als je advocaat ben ik vanaf nu je spreekbuis, je beste vriend, je moeder, je vader, en je priester. Is dat duidelijk?'

Peter keek hem even aan. 'Duidelijk.'

'Mooi.' Jordan haalde een blocnote en een pen uit zijn aktetas. 'Ik kan me voorstellen dat je het een en ander te vragen hebt, dus laten we daarmee beginnen.'

'Ik vind het hier verschrikkelijk,' barstte Peter uit, 'en ik snap niet waarom ik hier moet blijven!'

De meeste cliënten van Jordan waren in de gevangenis aanvankelijk deemoedig en bang, wat snel overging in woede en verontwaardiging. Maar Peter klonk op dat moment als een gewone tiener – net als Thomas toen hij dezelfde leeftijd had en de wereld alleen om hém draaide. Toch kreeg de advocaat in Jordan de overhand, en hij begon zich af te vragen of Peter Houghton werkelijk niet begreep waarom hij in de gevangenis zat. Jordan wist als geen ander dat voorgewende ontoerekeningsvatbaarheid zelden werkte, maar misschien deed Peter niet alsof. En dan kwam de sleutel naar vrijspraak in zicht.

'Wat bedoel je?' vroeg hij dringend.

'Zij hebben me dit aangedaan, en nu word ik ervoor gestraft.'

Jordan leunde achterover en sloeg zijn armen over elkaar. Peter voelde geen spijt van wat hij had gedaan, zoveel was duidelijk. Eigenlijk zag hij zichzelf als slachtoffer.

En het opmerkelijke was dat het Jordan weinig kon schelen. In zijn werk was geen ruimte voor persoonlijke gevoelens. Hij had eerder met moordenaars en verkrachters te maken gehad die zichzelf als martelaar beschouwden. Het was niet aan hem om hen te geloven of over hen te oordelen. Het was zijn taak om alles in het werk te stellen hen vrij te krijgen. Wat hij zojuist ook tegen Peter had gezegd, voor een cliënt was hij geen zielenherder, psychiater of vriend. Hij was gewoon een spindoctor.

'Goed,' zei Jordan zakelijk, 'maar je moet wel begrijpen dat je voor het gevangenispersoneel gewoon een moordenaar bent.'

'Dan zijn het hier allemaal hypocrieten,' zei Peter. 'Die zouden toch ook een kakkerlak vertrappen als ze er een zagen?'

'Is dat jouw omschrijving van wat er op school is gebeurd?'

Peter wendde zijn blik af. 'Weet u dat ik geen tijdschriften mag lezen? Dat ik niet naar buiten mag zoals de anderen?'

'Ik ben hier niet om je klachten aan te horen.'

'Waarom bent u hier dan wel?'

'Om je vrij te krijgen,' zei Jordan. 'En als dat lukt, dan heb je me heel wat uit te leggen.'

Peter vouwde zijn armen voor zijn borst en monsterde Jordan vanaf zijn overhemdboord tot zijn glanzend gepoetste schoenen. 'Waarom? Wat kan het u verrekken? U geeft geen ene zak om me.'

Jordan stond op en stopte zijn blocnote weer in zijn tas. 'Zal ik je eens wat zeggen? Je hebt gelijk. Ik geef inderdaad geen barst om je. Ik doe alleen mijn werk, want in tegenstelling tot jou wil ik niet voor de rest van mijn leven op de belastingbetaler parasiteren.' Hij liep naar de deur, maar bleef staan toen hij Peters stem hoorde.

'Waarom vindt iedereen het zo erg dat die rotzakken dood zijn?'

Jordan draaide zich langzaam om. Een zachtmoedige aanpak had bij Peter niet gewerkt, en de autoritaire stem evenmin. Peters reactie kwam voort uit pure haat.

'Iedereen roept dat het zo erg is dat ze dood zijn, maar het waren klootzakken. Iedereen zegt dat ik hun leven heb verwoest, maar het kon niemand wat schelen toen mijn eigen leven werd verwoest.'

Jordan ging op de rand van de tafel zitten. 'Hoe dan?'

'Waar wilt u dat ik begin?' antwoordde Peter verbitterd. 'In de kleuterklas? Toen ze me uit mijn stoel trokken waardoor ik op de grond viel en iedereen in een deuk lag? Of in groep twee, toen ze mijn hoofd in de toiletpot duwden en steeds weer doortrokken? Of die keer dat ze me onderweg naar huis in elkaar sloegen en ik hechtingen nodig had?'

Jordan maakte aantekeningen op zijn blocnote. 'Wie zijn *ze*?'

'Een stel leerlingen,' zei Peter.

Die je wilde doden? dacht Jordan, maar hij zei het niet hardop. 'Waarom hadden ze het op jou gemunt?'

'Weet ik veel. Omdat het hufters zijn? Ze moeten gewoon iemand de stront induwen om zich lekker te kunnen voelen.'

'Wat heb je ertegen gedaan?'

Peter snoof. 'Ik weet niet of het u is opgevallen, maar Sterling is niet bepaald een wereldstad. Iedereen kent elkaar. Op de middelbare school kom je iedereen weer tegen met wie je in de kleuterklas in de zandbak hebt gespeeld.'

'Kon je ze niet uit de weg gaan?'

'Ik moest naar school,' zei Peter. 'En je kunt weinig kanten uit als je daar acht uur per dag moet doorbrengen.'

'Maar ze wisten je ook buiten de school te vinden?'

'Als ze me te pakken konden krijgen,' zei Peter. 'Als ik alleen was.'

'Werd je gepest via telefoontjes of brieven? Werd je bedreigd?'

'Ik kreeg e-mails waarin ik voor loser en zo werd uitgemaakt. En een e-mail die ikzelf heb geschreven werd over de hele school verspreid en belachelijk gemaakt...' Hij wendde zijn ogen af en zweeg.

'Waarom?'

'Het was...' Hij schudde zijn hoofd. 'Ik wil er niet over praten.'

Jordan maakte een aantekening. 'Heb je ooit iemand verteld wat er gaande was? Je ouders? Docenten?'

'Het kon ze geen flikker schelen,' zei Peter. 'Ze zeiden dat ik het gewoon moest negeren. Ze zeiden dat ze het in de gaten zouden houden, maar dat deden ze niet.' Hij liep naar het raam en drukte zijn handpalm tegen het glas. 'In de eerste klas zat een meisje bij wie de ruggengraat buiten haar lichaam was gegroeid of zoiets...'

'Een open rug?'

'Ja. Ze had een rolstoel en kon niet rechtop zitten. Voordat ze binnenkwam, zei de leraar dat we haar moesten behandelen alsof ze normaal was. Maar het punt is dat ze niet normaal wás. Wij wisten het, en zij wist het ook. Dus moesten we haar gewoon maar voorliegen?' Peter schudde zijn hoofd. 'Iedereen zegt dat je best anders mag zijn, maar ook dat Amerika een smeltkroes is. Dus wat betekent het nou eigenlijk? Als Amerika een smeltkroes is, dan probeer je iedereen toch juist aan elkaar gelijk te maken?'

Jordan moest aan Thomas' overgang naar de middelbare school denken. Ze waren van Bainbridge naar Salem Falls verhuisd, waar het schoolsysteem zo bekrompen was dat er dikke muren tegen buitenstaanders waren opgeworpen. Een tijd lang had Thomas zich gedragen als een kameleon. Thuiskomend van school verschool hij zich op zijn kamer om als voetballer, acteur of atleet weer tevoorschijn te komen. Hij moest diverse adolescente huidlagen van zich afwerpen om een groep vrienden te vinden die hem accepteerden zoals hij was, en sindsdien was Thomas' middelbareschooltijd redelijk rustig verlopen. Maar stel dat hij die vrienden niet had gevonden? Stel dat hij lagen van zichzelf bleef afpellen totdat er niets meer van hem over was?

Alsof hij Jordans gedachten kon lezen, vroeg Peter ineens: 'Hebt u zelf kinderen?'

Jordan sprak met cliënten niet over zijn persoonlijke omstandigheden. De enige keer dat hij die ongeschreven regel had doorbroken, was zowel zijn privéleven als zijn carrière bijna te gronde gegaan. Toch zei hij tegen Peter 'Twee. Een baby van zes maanden en een zoon op Yale.'

'Dan begrijpt u wat ik bedoel,' zei Peter. 'Iedereen wil dat zijn kind ooit naar Harvard gaat of quarterback bij de Patriots wordt. Niemand kijkt naar zijn kind met de gedachte: *ik hoop dat hij later geen freak wordt. Ik hoop dat hij elke dag naar school gaat zonder een schietgebedje te hoeven doen dat hij niet wordt gepest.* Maar zal ik u eens wat zeggen? Er zijn zat kinderen die dat dagelijks moeten doormaken.'

Jordan kon even geen woorden vinden. Er was maar een heel dunne scheidslijn tussen normaal en abnormaal. Het ene kind groeide op tot een aangepast mens, zoals Thomas, het andere tot een onevenwichtig mens, zoals Peter. Had elke tiener de keuze welke kant van de balans hij liet doorslaan?

Hij dacht aan vanochtend, toen hij Sams luier aan het verschonen was. De baby had zijn eigen tenen vastgepakt, verrukt dat hij ze had ontdekt, en direct in zijn mond gestopt. *Moet je kijken*, had Selena lachend gezegd. *Zo vader zo zoon.* Terwijl Jordan zijn zoon verder aankleedde, bedacht hij wat een mysterie het leven voor zo'n kleintje moest zijn. Stel je een wereld voor die zo veel groter is dan jij. Stel je voor dat je op een ochtend wakker wordt en een deel van jezelf ontdekt waarvan je het bestaan niet eens wist.

Als je er niet bij hoort, word je bovenmenselijk. Je voelt dat iedereen naar je kijkt. Van een kilometer afstand hoor je dat ze over je fluisteren. Je kunt verdwijnen, zelfs als je er nog bent. Je kunt schreeuwen zonder dat iemand het hoort.

Je wordt de mutant die in een vat met zuur is gevallen, de joker die zijn masker niet kan afzetten, de bionische man die geen ledematen en geen hart heeft.

Jij bent iets dat vroeger normaal was, maar dat is zo lang geleden dat je niet meer weet wat dat inhoudt.

Zes jaar eerder

Peter wist dat hij verdoemd was toen zijn moeder hem op de eerste dag van zijn zesde schooljaar een cadeautje bij het ontbijt overhandigde. 'Ik weet hoe graag je het wilde hebben,' zei ze, gespannen wachtend tot hij het had uitpakt.

Het was een ringband met een afbeelding van Superman op het omslag. Die had hij inderdaad willen hebben... drie jaar geleden, toen zo'n ringband nog cool was.

Hij had een glimlach weten te produceren. 'Bedankt, mam,' zei hij, en ze keek hem stralend aan, terwijl hij al voor zich zag hoe dit stompzinnige ding tegen hem zou worden gebruikt.

Zoals altijd was Josie hem te hulp gekomen. Ze zei tegen de conciërge dat ze tape nodig had voor een loszittend handvat van haar fiets, al ging ze nooit op de fiets naar school. Ze liep er altijd heen met Peter, die iets verderop woonde en haar onderweg altijd oppikte. Hoewel ze elkaar buiten schooltijd nooit zagen – al jaren niet meer, vanwege een of andere ruzie tussen haar moeder en zijn moeder waarvan ze allebei niet meer wisten waar het over ging – zocht Josie nog steeds zijn gezelschap. Goddank, want zij was de enige. Tijdens de lunchpauze zaten ze bij elkaar en namen ze elkaars huiswerk voor Engels door, en ze waren altijd partners in het scheikundelokaal. De zomervakantie viel hen zwaar. Ze konden met elkaar e-mailen, en soms ontmoetten ze elkaar bij de vijver in het park, maar daar hield het mee op. En in september ging alles weer volgens het oude patroon. Josie, dacht Peter, was de definitie van je beste kameraad.

Door de Superman-ringband begon het nieuwe schooljaar met een crisis. Met Josies hulp had hij met tape en een oude krant een tweede omslag in elkaar geknutseld dat hij eraf kon halen als hij thuiskwam, zodat hij zijn moeder niet hoefde te kwetsen.

De zesdeklassers hadden al om elf uur 's ochtends lunchpauze, en Josie en Peter hadden allebei razende honger. Josie trakteerde. De kookprestaties van haar moeder, zei ze, waren beperkt tot het uitschrijven van cheques voor de kantinebeheerder. Peter stond achter haar in de rij en zette een kartonnetje melk op zijn dienblad. Zijn moeder had waarschijnlijk een korstloze sandwich voor hem ingepakt, samen met een zakje wortelsticks en een onbespoten vrucht die inmiddels wel gekneusd zou zijn.

Peter legde de ringband op het blad. Hij geneerde er zich nog steeds voor, al was het nu met krantenpapier bedekt. Hij stak een rietje in zijn kartonnetje melk. 'Weet je,' zei Josie, 'het zou je een zorg moeten zijn wat voor ringband je hebt. Laat ze toch denken wat ze willen.'

Terwijl ze een tafeltje zochten, botste Drew Girard expres tegen tegen Peter op. 'Kijk uit je doppen, debiel,' zei Drew, maar het was al te laat. Peter had zijn dienblad laten vallen.

De melk vloeide over de ringband, waardoor het krantenpapier in een doorschijnende drab veranderde en de afbeelding van Superman zichtbaar werd.

Drew begon te lachen. 'Draag jij ook van die strakke broekjes, Houghton?'

'Hou je kop, Drew.'

'Of anders? Laat je me dan smelten met je röntgenvizier?'

Mevrouw McDonald, de lerares handenarbeid die door de kantine patrouilleerde – Josie durfde te zweren dat ze haar eens op lijm snuiven in de voorraadkast had betrapt – kwam aarzelend hun richting uit. In groep zeven zaten leerlingen als Drew en Matt die groter waren dan de docenten. Jongens met zware stemmen die zich al moesten scheren. Maar ook kinderen als Peter die niets liever wilden dan volwassen worden, al moesten de eerste puberteitskenmerken nog komen. Mevrouw McDonald haalde diep adem. 'Peter, ga zitten... Drew gaat nu een nieuw pak melk voor je halen.'

180

Zal wel vergiftigd zijn, dacht Peter. Hij begon zijn ringband met een prop servetjes af te vegen. Na het opdrogen zou het wel gaan stinken. Misschien moest hij tegen zijn moeder zeggen dat hij er melk over had gemorst, wat tenslotte ook waar was. En wie weet kocht ze daarna een gewoon schrijfblok voor hem.

Inwendig moest Peter een beetje grinniken. Drew Girard had hem zojuist een dienst bewezen.

'Drew,' zei de lerares, 'ik zei *nu*.'

Terwijl Drew een stap in de richting van het buffet deed, stak Josie haar voet uit zodat hij struikelde en languit op de vloer viel. Andere leerlingen in de kantine begonnen te lachen. Zo werkte het in deze maatschappij: je stond in je eentje onder aan de totempaal, totdat je iemand vond om je plaats in te nemen. 'Bereid je voor op wraak,' fluisterde Josie zo zacht dat alleen Peter het kon horen.

Het mooiste aan het werk van een districtsrechter was volgens Alex dat mensen met problemen het gevoel kregen dat er naar hen werd geluisterd. En bovendien was er de intellectuele uitdaging. Al die factoren die je met elkaar in balans moest brengen voordat je tot een oordeel kwam: de slachtoffers, de politie, de ordehandhavers, de samenleving.

Het moeilijkste was dat je iemand die in een rechtszaak was verwikkeld niet kon geven wat hij nodig had: het slachtoffer een verontschuldiging, en de beklaagde een veroordeling die meer een genezende behandeling was dan een straf.

Vandaag stond er een blond meisje met jeugdpuistjes voor haar dat niet veel ouder kon zijn dan Josie. Ze droeg een NASCAR-jack en een zwart rokje. Alex had kinderen als zij na sluitingstijd van het winkelcentrum op het parkeerterrein zien rondhangen. Ze vroeg zich af wat van dit meisje zou zijn geworden als haar moeder rechter was geweest. Of ze ooit met knuffeldieren onder de keukentafel had gespeeld en met een zaklantaarn onder de dekens had gelezen terwijl ze had moeten slapen. Het verbaasde Alex altijd weer hoe simpel het was om het leven van een kind te laten ontsporen.

Het meisje werd ervan beschuldigd gestolen goed in ontvangst te hebben genomen – een halsketting ter waarde van vijfhonderd dollar die ze van haar vriend had gekregen. Vanaf de rechterstafel keek Alex op haar neer. Dat ze in de rechtszaal zo hoog boven haar zetelde had niets te maken met logistiek en alles met intimidatie. 'Doe je bewust en vrijwillig afstand van je rechten? Besef je dat je door schuld te bekennen de aanklacht onderschrijft?'

Het meisje knipperde met haar ogen. 'Ik wist niet dat hij gestolen was. Ik dacht dat het een cadeautje van Hap was.'

'Volgens de aanklacht word je ervan beschuldigd de halsketting te hebben aangenomen terwijl je wist dat hij gestolen was. Als je dat niet wist, dan heb je het recht mij te vragen je een advocaat toe te wijzen, want je wordt aangeklaagd wegens een misdrijf dat bestraft kan worden met een jaar cel en een boete van tweeduizend dollar. Je hebt het recht van de aanklager te eisen dat hij de zaak kan bewijzen. Je hebt het recht iedereen die tegen je getuigt te zien, te horen, en te ondervragen. Je hebt het recht om alle getuigen ten gunste van jou te dagvaarden. Je hebt het recht om tegen mijn vonnis in beroep te gaan bij het gerechtshof of het hooggerechtshof. Door schuldig te pleiten, doe je afstand van die rechten.'

Het meisje slikte. 'Nou ja,' zei ze, 'ik heb het niet verpand of zoiets.'

'Daar gaat het nu niet om,' legde Alex uit. 'Waar het in de aanklacht om draait, is of je de halsketting hebt aangenomen terwijl je wist dat hij was gestolen.'

'Toch wil ik schuld bekennen,' zei het meisje.

'Maar je vertelt me net dat je niet schuldig bent. Waarom zou je schuld bekennen voor iets wat je niet hebt gedaan?'

Achter in de rechtszaal stond een vrouw op. Ze zag eruit als een slechte, verouderde kopie van de beklaagde. 'Ik heb tegen haar gezegd dat ze *niet* schuldig moest pleiten,' zei de moeder van het meisje. 'Dat was ze ook van plan toen we hier kwamen, totdat de aanklager zei dat ze er beter afkwam als ze schuld bekende.'

De openbaar aanklager sprong ogenblikkelijk op. 'Dat heb ik nooit gezegd, edelachtbare. Ik heb haar vandaag alleen duidelijk uitgelegd wat de deal was als ze schuldig pleitte, en dat die van tafel was als ze dat niet deed.'

Alex probeerde zich in het meisje te verplaatsen dat totaal overweldigd werd door de indrukwekkende status van dit gerechtelijke systeem waarvan ze de taal niet sprak. Wanneer ze naar de aanklager keek, zag ze een quizpresentator. *Kies je voor het geld? Of kies je voor deur nummer één – waarachter zich een sportwagen, maar ook een kip kan bevinden?*

Dit meisje had voor het geld gekozen.

Alex wenkte de openbaar aanklager naar zich toe. 'Hebt u enig bewijs dat ze wist dat het was gestolen?'

'Jawel, edelachtbare.' Hij overhandigde haar het politierapport. Alex las het snel door. Uit de op tape vastgelegde verklaringen bleek dat de beklaagde wel degelijk wist dat het sieraad was gestolen.

Alex richtte zich weer tot het meisje. 'In het politierapport vind ik reden genoeg om je pleit te aanvaarden. Er is voldoende bewijslast om aannemelijk te maken dat je de halsketting hebt aangenomen terwijl je wist dat hij was gestolen.'

'Ik... begrijp het niet,' zei het meisje.

'Het betekent dat ik je schuldbekentenis aanvaard als je dat wilt,' zei Alex. 'Maar,' voegde ze eraantoe, 'dan zul je me eerst moeten zeggen dat je schuldig bent.'

De lippen van het meisje begonnen te trillen. 'Oké,' fluisterde ze. 'Ik wist het.'

Het was een prachtige herfstdag, zo'n dag waarop je heel langzaam naar school loopt omdat je er niet aan moet denken daar acht uur opgesloten te zitten. Tijdens de wiskundeles keek ze naar de blauwe hemel – azuurblauw zoals dat heette, een woord dat haar aan ijskristallen deed denken. Ze hoorde de leerlingen van groep zeven rondrennen in het gymlokaal, en het geronk van de grasmaaier toen de conciërge langs het raam kwam. Er viel een papiertje over haar schouder in haar schoot. Josie vouwde het open. Het was van Peter.

Waarom moeten we altijd oplossingen voor x vinden?
Laat x het lekker zelf oplossen en ons met rust laten!!!

Ze draaide zich om en keek hem glimlachend aan. Eigenlijk hield ze wel van wiskunde. Ze vond het leuk net zolang aan een opgave te sleutelen totdat er een logische oplossing uitkwam.

Ze hoorde niet bij de populaire kliek op school, omdat ze altijd hoge cijfers haalde. Peter kreeg meestal minder goede cijfers, maar toch hoorde hij er ook niet bij.

Wat populariteit betrof, stond Josie hoger op de ladder dan hij. Ze vroeg zich weleens af of ze met Peter omging omdat ze hem aangenaam gezelschap vond, of omdat ze zich, door met hem om te gaan, een beter mens voelde.

Terwijl de klas aan het werk was, surfte mevrouw Rasmussin op internet. Op school werden er grappen over gemaakt. Een leerling bezwoer dat ze naar een pornosite zat te kijken toen hij een keer naar voren was gelopen om haar iets te vragen.

Zoals altijd was Josie eerder klaar dan de anderen en zag dat mevrouw Rasmussin naar haar computerscherm keek. Er stroomden tranen over haar wangen zonder dat ze het scheen te beseffen.

De lerares stond op en liep zonder een woord te zeggen het lokaal uit.

Zodra ze weg was, tikte Peter op Josies schouder. 'Wat is er met háár aan de hand?'

Voordat Josie kon antwoorden, kwam mevrouw Rasmussin weer binnen. Ze zag doodsbleek. 'Kinderen,' zei ze, 'er is iets verschrikkelijks gebeurd.'

In het mediacentrum waar de leerlingen bijeen waren geroepen, deelde de rector mee dat twee vliegtuigen het World Trade Center hadden doorboord. Een ander vliegtuig was zojuist tegen het Pentagon gecrasht. De zuidelijke toren van het WTC was ingestort.

De conciërge had een tv-toestel geïnstalleerd zodat iedereen het laatste nieuws kon volgen. Het was zo stil dat Peter zijn hart kon horen kloppen. Hij keek naar de muren om zich heen, naar de lucht buiten. Deze school was geen veilig gebied. Nergens was het veilig, wat ze ook zeiden.

Was het nu oorlog?

Peter staarde naar het scherm. De mensen in New York huilden en schreeuwden, maar je zag bijna niets door het stof en de rook. Overal waren vlammen en hoorde je het gejank van brandweerwagens en ambulances. Het leek in niets op het New York dat Peter zich herinnerde toen hij er met zijn ouders op vakantie was geweest. Ze waren naar de top van het Empire State Building gegaan en zouden gaan eten in Windows on the World, maar omdat Joey misselijk was van de popcorn waren ze teruggegaan naar het hotel.

Mevrouw Rasmussin was inmiddels vertrokken. Haar broer was verzekeringsagent in het World Trade Center.

Josie zat naast Peter. Ondanks de paar centimeter ruimte tussen hun stoelen voelde hij dat ze beefde. 'Peter,' fluisterde ze, '*ze springen uit het raam*.'

Hij kon minder goed zien dan zij, zelfs met zijn bril op, maar toen hij zijn ogen samenkneep, zag hij dat het waar was. Zijn hart bonkte in zijn ribbenkast. Wie zou zoiets op zijn geweten willen hebben?

Hij gaf zelf het antwoord op die vraag: *iemand die geen andere uitweg ziet*.

'Denk je dat ze ons hier ook kunnen bereiken?' fluisterde Josie.

Peter keek haar even aan. Wist hij maar wat hij moest zeggen om haar gerust te stellen, maar hij was net zo geschokt als zij, en vroeg zich af of er woorden bestonden om deze onuitsprekelijke shock te verzachten, het besef dat de wereld nooit meer dezelfde zou zijn.

Hij keek weer naar het scherm om geen antwoord op haar

vraag te hoeven geven. Nog meer mensen sprongen uit de ramen van de noordelijke toren. Vervolgens klonk er een bulderend geraas alsof de aarde zelf haar kaken had geopend. Toen het gebouw instortte, liet Peter de adem ontsnappen die hij al die tijd had ingehouden. Nu kon hij helemaal niets meer zien.

De telefoonlijnen naar de scholen waren volledig verstopt. De ouders konden in twee categorieën worden verdeeld: degenen die hun kinderen niet de stuipen op het lijf wilden jagen door ineens op school te verschijnen om hen naar een schuilkelder te brengen, en degenen die bij hun kinderen wilden zijn om hen bij dit drama te begeleiden.

Lacy Houghton en Alex Cormier vielen beiden onder de laatste categorie en kwamen tegelijkertijd bij de school aan. Ze parkeerden naast elkaar en stapten hun auto uit. Pas toen zagen ze elkaar. Ze hadden elkaar niet meer gezien sinds de dag dat Alex met haar dochter Lacy's huis uit was gelopen na het wapenincident in de kelder.

'Is Peter...' begon Alex.

'Ik weet het niet. En Josie?'

'Ik kom haar ophalen.'

Ze liepen samen naar het hoofdkantoor, waar ze werden doorgestuurd naar de aula. 'Het is toch niet te geloven dat ze kinderen op dit moment naar het nieuws laten kijken?' zei Lacy.

'Ze zijn oud genoeg om te begrijpen wat er is gebeurd,' zei Alex.

Lacy schudde haar hoofd. '*Ik* ben niet eens oud genoeg om te begrijpen wat er is gebeurd.'

De aula was afgeladen met leerlingen – ze zaten op stoelen, op tafels, of op de vloer. Het duurde even voordat Alex besefte wat er zo onnatuurlijk aan die menigte was: iedereen was doodstil. Zelfs de docenten hielden hun hand voor hun mond alsof ze bang waren hun zelfbeheersing te verliezen.

Voor in de zaal stond een televisietoestel waar alle ogen aan gekluisterd waren. Alex herkende Josie meteen aan de haarband met luipaardprint die ze van haar had gepikt. 'Josie!' riep ze.

Haar dochter draaide zich met een ruk om en duwde andere kinderen omver in haar haast bij haar moeder te komen.

Als een orkaan wierp Josie zich tegen haar aan, een en al woede en emotie. 'Mama,' snikte ze. 'Is het voorbij?'

Alex wist niet wat ze moest zeggen. Als moeder zou ze alle antwoorden moeten weten, maar die wist ze niet. Het was haar taak de veiligheid van haar dochter te garanderen, maar dat kon ze niet. Ze moest tegen Josie zeggen dat alles goed zou komen, ook al twijfelde ze eraan. Zelfs toen ze van de rechtbank naar de school reed, was ze zich bewust van de kwetsbare weg onder haar autobanden, van de wetten van het luchtruim die gemakkelijk geschonden konden worden. Ze dacht aan drinkwaterbesmetting, en vroeg zich af hoe ver de dichtstbijzijnde kerncentrale verwijderd was.

En toch was ze jarenlang de rechter geweest die beantwoordde aan de verwachtingen – koel en beheerst, iemand die zonder emotie tot een oordeel kon komen.

'Maak je geen zorgen,' zei Alex rustig. 'Het is voorbij.' Ze wist niet dat op hetzelfde moment een vierde vliegtuig neerstortte op een veld in Pennsylvania.

Over Josies schouder knikte Alex tegen Lacy Houghton, die met haar twee zoons de school uit liep. Ineens drong het tot haar door hoe groot Peter was geworden, bijna zo groot als een volwassen man.

Hoe lang was het geleden dat ze hem voor het laatst had gezien?

Je kon van het ene moment op het andere iemand uit het oog verliezen, besefte Alex, en ze bezwoer zichzelf dat ze het niet met Josie zou laten gebeuren. Want als het erop aankwam, was het rechterschap veel minder belangrijk dan het moederschap. Toen de griffier haar op de hoogte bracht van de ramp, had ze allereerst aan Josie gedacht.

Een paar weken hield Alex zich aan haar beloftes. Ze zorgde ervoor dat ze thuis was als Josie uit school kwam en nam in het weekend geen werk mee naar huis. En elke avond tijdens het eten praatten ze met elkaar – geen oppervlakkig geklets, maar serieuze gesprekken. Bijvoorbeeld waarom *To Kill a Mockingbird* misschien wel het mooiste boek ter wereld was. Of waaraan je kon merken dat je verliefd was. Ze praatten zelfs over Josies vader. Maar toen kwam er een week dat Alex door een complexe zaak tot laat op kantoor moest blijven. Josie sliep inmiddels alweer de hele nacht door zonder ineens schreeuwend wakker te worden. Dat alles weer zijn normale gang ging, betekende ook dat wat niet normaal was naar de achtergrond werd verdrongen. Binnen een paar maanden was Alex vergeten wat er die elfde september door haar heen was gegaan, alsof het getij de boodschap had weggespoeld die ze ooit in het zand had geschreven.

Peter haatte voetbal, maar toch zat hij in het schoolteam, want de coach wilde dat iedereen meedeed. Dit – en zijn moeders overtuiging dat hij er nu bij hoorde – had tot gevolg dat hij elke middag moest trainen voor een wedstrijd twee keer per week, waarbij hij vaker achter de bal aan rende dan dat hij hem trapte. Hij had al op bijna alle reservebanken van Grafton County gezeten.

Wat Peter nog meer haatte dan voetbal was dat hij zich ervoor moest omkleden. Na schooltijd had hij altijd wel iets bij zijn garderobekastje te doen, of hij bleef in de klas rondhangen om iets aan een leraar te vragen, zodat hij meestal pas in de kleedkamer kwam wanneer zijn teamgenoten buiten al aan de warming-up bezig waren. Dan kleedde Peter zich in een hoekje haastig uit zodat hij geen grappen hoefde aan te horen over zijn magere lijf en ingevallen borstkas. Ze noemden hem Peter Homo in plaats van Peter Houghton.

Na de training wist hij altijd wel iets te verzinnen om als laatste in de kleedkamer te verschijnen. Hij verzamelde de ballen of vroeg de coach iets over een naderende wedstrijd. Met een beetje geluk was iedereen al vertrokken wanneer hij bij de douches kwam. Maar vandaag was het vlak na de training gaan onweren en de coach had iedereen naar de kleedkamer gestuurd.

Peter liep langzaam naar zijn kastje in de hoek. Een paar jongens gingen al naar de douches met een handdoek om hun middel geslagen, onder wie Drew en zijn vriend Matt Royston. Lachend stompten ze in elkaars arm om te zien wie het hardst kon slaan.

Peter trok haastig zijn broek en shirt uit en wikkelde snel een handdoek om zich heen. Zijn hart bonkte. Hij wist wat de anderen zagen als ze naar hem keken, want hij zag het zelf in de spiegel: een huid zo wit als een vissenbuik, uitstekende knobbels op zijn rug en schouderbladen, en armen zonder een spoor van spieren.

Ten slotte nam Peter zijn bril af en legde die in zijn kastje. Nu zag hij alles door een weldadige waas.

Met gebogen hoofd liep hij de doucheruimte in en trok op het allerlaatste moment de handdoek weg. Matt en Drew waren zich al aan het inzepen. Peter hief zijn gezicht naar de waterstralen. Hij stelde zich voor dat hij een avonturier was die op een wild schuimende rivier door een waterval werd meegesleurd.

Toen hij zijn ogen afveegde en zich omdraaide, zag hij de wazige lichamen van Matt en Drew. En de donkere plek tussen hun benen – schaamhaar.

Peter had nog geen schaamhaar.

Matt keek plotseling opzij. 'Jezus, sta niet zo naar mijn pik te loeren.'

'Vuile flikker,' zei Drew.

Peter wendde zich onmiddellijk af. Stel dat ze gelijk hadden? Dat hij daarom zijn blik op die plek had laten vallen? Hij moest er niet aan denken dat hij nu een stijve zou krijgen, wat de laatste tijd steeds vaker gebeurde. Want betekende dat niet dat hij homo was?

'Ik keek helemaal niet naar jou,' zei hij haastig. 'Ik kan nauwelijks iets zien.'

Drews honende lach weerkaatste tegen de betegelde muren. 'Misschien is je pik te klein, Mattie.'

Ineens greep Matt Peter bij de keel. 'Ik heb mijn bril niet op,' zei Peter verstikt, 'daarom zie ik bijna niks.'

189

Matt liet hem los en duwde hem tegen de muur. Hij nam Peters handdoek van het haakje en gooide die onder de douchestralen. Doorweekt viel hij op het afvoerputje.

Peter pakte de handdoek op en sloeg hem om zijn middel. Hij huilde, maar hoopte dat niemand het merkte omdat het water overal van hem af droop. Iedereen staarde hem aan.

Wanneer Josie bij hem was, voelde hij niet de aandrang haar te kussen of haar hand vast te houden. Maar die voelde hij ook niet bij jongens. Toch was je homo of hetero. Je kon toch niet geen van beiden zijn?

Haastig liep hij terug naar de kleedkamer en zag dat Matt zich voor zijn geopende kastje had geposteerd. Peter probeerde te zien wat Matt in zijn handen had, maar hoorde het voordat hij het zag. Matt sloeg het kastdeurtje dicht terwijl Peters bril ertussen zat. 'Nu kun je zeker niet naar me kijken,' zei hij, en hij liep de kleedkamer uit.

Peter knielde neer en probeerde de glasscherven op te rapen. Omdat hij ze niet kon zien, sneed hij zich in zijn hand. Hij ging met gekruiste benen op de vloer zitten met de handdoek in zijn schoot. Hij bracht zijn handpalm dichter bij zijn gezicht, totdat alles helder werd.

In haar droom liep Alex spiernaakt door Main Street. Ze liep het bankgebouw in en gaf een cheque af. 'Is het geen prachtige dag vandaag, edelachtbare?' zei de loketbediende glimlachend.

Vijf minuten later ging ze de koffieshop binnen en bestelde een latte met afgeroomde melk. Ze werd bediend door een meisje met paarsrood haar en een piercing die van haar neus tot haar wenkbrauwen reikte. 'Wilt u er biscotti bij, rechter?' vroeg het meisje.

Ze ging naar de boekwinkel, de apotheek, en het benzinestation, en voelde dat iedereen haar aanstaarde. Ze wist dat ze naakt was. Zij wisten dat ze naakt was. Maar niemand zei iets, totdat ze in het postkantoor kwam. De postbeambte van Sterling was een oude man die er al sinds mensenheugenis werkte. Hij gaf

Alex een rol postzegels en legde even zijn hand op de hare. 'Mevrouw, het is misschien niet aan mij om dit te zeggen...'

Alex keek hoopvol naar hem op.

De zorgrimpels op zijn voorhoofd verdwenen en met een brede glimlach zei hij: 'Wat een prachtige jurk hebt u aan, edelachtbare.'

Haar patiënt schreeuwde. Lacy kon haar aan het andere eind van de gang horen. Zo snel als ze kon rende ze naar de ziekenkamer.

Kelly Gamboni was een ouderloos meisje van eenentwintig met een IQ van 79. Ze was verkracht door drie jongens die hun proces afwachtten in een jeugdgevangenis in Concord. Kelly woonde in een katholiek gezinsvervangend tehuis, dus abortus was nooit een optie geweest. Maar nu had een eerstehulparts het medisch noodzakelijk geacht bij Kelly, die zesendertig weken zwanger was, kunstmatig weeën op te wekken. Ze lag in het ziekenhuisbed terwijl een verpleegster haar tevergeefs gerust probeerde te stellen. Met een knuffelbeer tegen zich aangedrukt schreeuwde ze tegen een vader die al vele jaren geleden was gestorven: 'Pappie, breng me naar huis! Het doet zo'n pijn!'

Toen de arts de kamer binnenkwam, bleef Lacy voor hem staan.

'Hoe durft u,' zei ze. 'Dit is mijn patiënt.'

'Ze is de Eerste Hulp binnengebracht en is dus nu *mijn* patient,' antwoordde de arts.

Lacy keek naar Kelly en liep met de dokter de gang in. Het zou Kelly niet helpen als ze nu in haar bijzijn ruzie gingen maken. 'Ze kwam binnen met de klacht dat ze al twee dagen veel vocht afscheidde,' zei de arts. 'Uit ons onderzoek bleek dat haar vliezen voortijdig waren gebroken. Het is volstrekt normaal om onder die conditie weeën op te wekken. Bovendien heeft ze het toestemmingsformulier ondertekend.'

'Het mag dan normaal zijn, raadzaam is het niet. Ze is geestelijk gehandicapt. Ze is doodsbang en heeft geen idee wat haar overkomt. En ze is zeker niet bij machte om voor wat dan ook toestemming te geven.' Lacy draaide zich op haar hakken om. 'Ik ga nu psychiatrie bellen.'

'Geen sprake van,' zei de arts, en hij greep haar bij de arm.

'Laat me los!'

Ze stonden nog vijf minuten te bekvechten voordat de psychiater arriveerde. De jongen die voor Lacy stond kon niet veel ouder zijn dan Joey. 'Dit geloof je toch niet,' zei de arts, en voor het eerst was ze het met hem eens.

Ze volgden de psychiater naar Kelly's kamer. Het meisje lag ineengedoken te kreunen met haar armen om haar buik geslagen. 'Ze heeft een ruggenprik nodig,' mompelde Lacy.

'Dat is niet veilig bij twee centimeter ontsluiting,' wierp de arts tegen.

'Kan me niet schelen. Ze moet worden verdoofd.'

'Kelly?' zei de psychiater, terwijl hij voor haar neerknielde. 'Weet je wat een keizersnede is?'

'Uh-huh,' kreunde Kelly.

De psychiater stond op. 'Ze is bij machte om al dan niet toestemming te verlenen, tenzij een rechter anders beslist.'

Lacy's mond viel open. 'En daarmee is het afgedaan?'

'Ik heb nog zes andere consulten,' snauwde de psychiater. 'Het spijt me dat ik u moet teleurstellen.'

'U stelt vooral deze patiënt teleur!' schreeuwde ze hem na. Ze ging op het bed zitten en kneep in Kelly's hand. 'Het komt goed. Ik zal zorgen dat het goed komt.' In gedachten bad ze dat het stenen hart dat sommige mannen bezaten bewogen kon worden. Toen hief ze haar gezicht op naar de arts. 'Allereerst, doe geen kwaad,' zei ze zacht.

De arts wreef over zijn voorhoofd. 'Ze krijgt een ruggenprik,' zei hij zuchtend. Pas toen besefte Lacy dat ze haar adem had ingehouden.

Het laatste waar Josie zin in had was uit eten gaan. Dan moest ze drie uur toezien hoe gerants, obers en koks haar moeders hielen likten. Dit was *haar* verjaardag, dus waarom konden ze niet gewoon iets meenemen van de afhaalchinees en een video huren? Maar haar moeder bleef erbij dat dat niet feestelijk genoeg was en vandaar dat Josie nu als een hofdame achter haar aan liep.

Ze had geteld. Er waren drie *Fijn om u te zien, edelachtbares,* drie *Natuurlijk, edelachtbares,* en twee *Graag gedaan, edelachtbares.* Er was één *U krijgt de mooiste tafel van het restaurant, edelachtbare.* Josie had in *People Magazine* gelezen dat beroemdheden vaak cadeaus kregen van tassen- en schoenfabrikanten, of vrijkaartjes voor het Yankee-stadion, of voor premières op Broadway. Goed beschouwd was haar moeder dus een beroemdheid in Sterling.

'Ongelooflijk dat ik al een dochter van twaalf heb,' zei haar moeder.

'Verwacht je nu dat ik zeg dat je een soort wonderkind moet zijn geweest?'

Haar moeder begon te lachen. 'Dat zou ik als een compliment opvatten.'

'Over drieënhalf jaar kan ik autorijden en ben ik misschien vertrokken.'

Haar moeders vork kletterde op het bord. 'Waar heb ik deze opmerking aan verdiend?'

De ober liep naar hun tafel toe. 'Edelachtbare,' zei hij, een schaaltje kaviaar op tafel zettend, 'de chef wil u graag deze amuse aanbieden.'

'Eieren van vissen? Gedver.'

'Josie!' Haar moeder glimlachte stijfjes naar de ober. 'Wilt u de chef hartelijk bedanken?'

Ze voelde haar moeders ogen op zich gericht terwijl ze in het voedsel prikte. 'Wat nou?' vroeg ze uitdagend.

'Je gedraagt je als een verwend nest.'

'Hoezo? Omdat ik liever geen embryo's eet? Jij eet ze ook niet. Ik was tenminste eerlijk.'

'En ik was tactvol,' zei haar moeder. 'Reken maar dat de ober tegen de chef-kok zegt dat de dochter van rechter Cormier zich niet weet te gedragen.'

'Kan mij wat schelen.'

'Mij wel. Jouw gedrag heeft zijn weerslag op mij, en ik heb een reputatie hoog te houden.'

'Als wat? Als aandachttrekker?'

'Als iemand die zowel binnen als buiten de rechtszaal van onbesproken gedrag moet zijn.'

Josie hield haar hoofd schuin. 'En als ik nu eens iets slechts heb gedaan?'

'Slecht? Hoe slecht?'

'Dat ik bijvoorbeeld hasj heb gerookt,' zei Josie.

Haar moeder verstrakte. 'Heb je me iets te vertellen, Josie?'

'Jezus, het is niet écht zo, het is maar een voorbeeld.'

'Want nu je op de middelbare school zit, zul je kinderen tegenkomen die heel domme of gevaarlijke dingen doen, en ik hoop dat je...'

'... sterk genoeg bent om beter te weten,' vulde Josie aan. 'Ja, duidelijk. Maar toch, mam. Stel dat je op een dag thuiskomt en me stoned in de woonkamer aantreft? Zou je me dan uitleveren?'

'Uitleveren? Wat bedoel je?'

'De politie bellen en mijn voorraadje hasj overhandigen,' zei Josie grijnzend.

'Nee,' zei haar moeder, 'ik zou je niet aangeven.'

Toen Josie jonger was, dacht ze altijd dat ze er later net zo zou uitzien als haar moeder: tenger gebouwd, met donker haar en lichtblauwe ogen. Die kenmerken bezat ze wel, maar naarmate ze ouder werd, begon ze op heel iemand anders te lijken – iemand die ze nooit had gekend. Haar vader.

Ze vroeg zich af of haar vader, net als zijzelf, iets in zijn geheugen kon opslaan en later alleen maar zijn ogen hoefde te sluiten om het weer terug te zien. Ze vroeg zich af of haar vader vals zong en graag naar horrorfilms keek. Ze vroeg zich af of hij net zulke rechte wenkbrauwen had als zij, in tegenstelling tot de fraai gewelfde boogjes van haar moeder.

194

Kortom: ze vroeg zich van alles over haar vader af.

'Als je me niet aangeeft omdat ik je dochter ben,' zei Josie, 'dan ben je toch eigenlijk niet eerlijk?'

'In dat geval gedraag ik me als moeder en niet als rechter.' Haar moeder stak haar hand over tafel uit en pakte die van Josie. Het voelde vreemd aan. Haar moeder was niet zo'n aanrakerig type. 'Josie, ik ben er voor je wanneer je met me wilt praten. Wat je ook zegt, ik geloof niet dat jij in de problemen komt. Niet waar het jou aangaat, en zelfs niet waar het je vrienden aangaat.'

Eerlijk gezegd had Josie niet veel vrienden of vriendinnen. Ja, Peter, die ze al haar leven lang kende. Hoewel ze niet meer bij elkaar thuis kwamen, gingen ze op school nog steeds met elkaar om, en hij was wel de laatste die ooit iets illegaals zou doen. Ze wist dat andere meisjes haar buitensloten omdat ze altijd voor Peter opkwam, maar ze zei bij zichzelf dat het er niet toe deed. Eigenlijk wilde ze niet bij mensen horen die alleen geïnteresseerd waren in kleren en wat er in *One Life to Live* gebeurde. Josie dacht weleens dat ze zo vol met lucht zaten dat je ze als een ballon kon doorprikken.

Wat maakte het uit dat Peter en zij niet populair waren? Ze zei altijd tegen hem dat het niet belangrijk was, dus moest ze het zelf maar eens gaan geloven.

Josie trok haar hand los en deed alsof ze aan haar aspergecrèmesoep wilde beginnen. Ze had samen met Peter eens een test gedaan om erachter te komen hoeveel asperges je moest eten voordat je plas begon te stinken, en dat was minder dan twee hapjes, verdomd als het niet waar was.

'Je moet niet steeds je rechtersstem opzetten,' zei Josie.

'Mijn wat?'

'Je rechtersstem. De stem waarmee je de telefoon opneemt. Of als je ergens in het openbaar bent, zoals nu.'

Haar moeder fronste. 'Doe niet zo raar. Ik heb altijd dezelfde stem...'

De ober gleed voorbij alsof hij door de eetzaal schaatste. 'Mag ik u vragen of alles naar wens is, edelachtbare?'

Onverstoorbaar keek haar moeder naar hem op. 'Het is heerlijk,' zei ze, en ze bleef glimlachen totdat hij was verdwenen.

De andere jongen uit het team die niet van voetballen hield heette Derek Markowitz. Hij stelde zich aan Peter voor toen ze samen op de reservebank zaten tijdens een wedstrijd tegen North Haverhill. 'Wie heeft jou gedwongen om mee te doen?' vroeg Derek, en Peter zei dat het zijn moeder was. 'De mijne ook,' bekende Derek. 'Ze is voedingsdeskundige en een fitnessfreak.'

Tijdens het avondeten zei Peter altijd tegen zijn ouders dat het prima ging met de training. Hij verzon verhalen die gebaseerd waren op het spel van andere jongens – prestaties die hijzelf nooit had kunnen leveren. Dan keek zijn moeder even naar Joey en zei: 'Kennelijk hebben we nog een sportman in de familie.' Wanneer zijn ouders hem bij een wedstrijd kwamen aanmoedigen en hij op de reservebank moest blijven zitten, zei hij dat de coach altijd zijn lievelingetjes opstelde, en in zekere zin was dat ook zo.

Net als Peter was Derek zo'n beetje de slechtste voetballer die je je kon voorstellen. Hij was zo bleek dat zijn aderen onder zijn huid doorschenen als een wegenkaart. Peter mocht hem wel, want Derek smokkelde Snickers mee naar de training die ze opaten als de coach even niet keek, en hij kon leuke moppen vertellen. Door Derek begon hij zelfs naar trainingen uit te zien, hoewel hij zich dan tegelijkertijd afvroeg of hij Derek gewoon aardig vond, of dat hij misschien homo was. Dan bleef hij afstandelijk en keek Derek niet recht in de ogen om hem niet op verkeerde ideeën te brengen.

Op een vrijdagmiddag zaten ze op de bank tijdens een wedstrijd tegen Rivendell. Het Sterling-team kon de tegenstander met de ogen dicht verslaan, en in de laatste minuut van de tweede helft was de stand 24-2 voor Sterling.

'Mooie wedstrijd,' zei de coach, toen hij elke speler de hand drukte. 'Goed gedaan, jongen.'

'Ga je mee?' vroeg Derek, en hij stond op.

'Ik zie je zo wel,' zei Peter. Terwijl hij zich bukte om zijn veters los te maken en weer vast te knopen, zag hij een paar dames-schoenen voor zich tot stilstand komen.

'Hallo, lieverd,' zei zijn moeder, terwijl ze glimlachend op hem neerkeek.

Peter stikte bijna. Zijn moeder kwam hem van het veld halen alsof hij een kleuter was die niet alleen kon oversteken.

'Blijf hier even wachten, Peter,' zei ze.

Hij keek op en zag dat het team niet naar de kleedkamer ging, maar bleef rondhangen om getuige te zijn van deze vernedering. Net toen hij dacht dat het niet erger kon worden, liep zijn moeder doelbewust op de coach af. 'Kan ik u even spreken?'

Ik wil dood, dacht Peter.

'Ik ben Peters moeder. Kunt u mij zeggen waarom u mijn zoon niet in wedstrijden opstelt?'

'Een kwestie van teamwork, mevrouw Houghton. Peter krijgt alle kans om te bewijzen dat hij net zo goed is als andere...'

'Het is halverwege het seizoen, en mijn zoon heeft evenveel recht om in het team te spelen als elke andere jongen.'

'Mam,' interrumpeerde Peter, wensend dat de aarde zich onder haar voeten zou splijten en haar zou verzwelgen. 'Hou op.'

'Nee, Peter, laat dit maar aan mij over.'

De coach wreef over zijn neus. 'Ik zal Peter opstellen in de wedstrijd van maandag, mevrouw Houghton, maar ik verwacht er weinig van.'

'Daar gaat het toch niet om? Als hij er maar plezier in heeft.' Ze draaide zich om en keek Peter met een stralende glimlach aan. 'Ja toch?'

Peter hoorde haar nauwelijks. De schaamte was als een schot dat zijn oren verdoofde. Zijn moeder hurkte voor hem neer. Hij had nooit geweten wat het betekende om iemand van wie je hield tegelijkertijd te haten, maar nu begon hij het te begrijpen. 'Zodra je op dat veld staat, zal hij inzien hoe goed je bent.' Ze gaf een klopje op zijn knie. 'Ik wacht op je in de auto.'

Toen hij langs de andere spelers liep, riepen ze lachend: 'Hé, moederskindje, ga maar gauw naar je mammie, homo.'

In de kleedkamer ging hij zitten en trok zijn voetbalschoenen uit. Er zat een gat in de teen van zijn sok en hij staarde er gebiologeerd naar om niet toe te geven aan de opkomende tranen.

Hij schrok op toen iemand naast hem kwam zitten. 'Peter? Alles oké?' vroeg Derek.

Peter probeerde 'ja' te zeggen, maar kreeg de leugen niet uit zijn keel.

'Wat is het verschil tussen dit team en een stekelvarken?'

Peter schudde zijn hoofd.

'Bij een stekelvarken zitten de stekels aan de buitenkant.' Derek grijnsde. 'Ik zie je maandag.'

Courtney Ignatio was het type dat topjes droeg die haar navel vrijlieten. Ze was de eerste zevendeklasser met een mobieltje. Het was roze, en soms werd ze gebeld tijdens de les, maar docenten werden nooit boos op haar.

Josie had inwendig gekreund toen ze voor geschiedenis samen met Courtney een werkstuk over de Amerikaanse Revolutie moest maken, want ze wist zeker dat het meeste werk op haar schouders zou neerkomen. Maar Courtney had haar thuis uitgenodigd om aan het project te werken, en nu zat ze op Courtneys bed chocoladekoekjes te eten en kaartjes met aantekeningen te ordenen.

'Wat nou?' zei Courtney, met haar handen in haar zij.

'Hoezo *wat nou*?

'Waarom kijk je zo?'

Josie haalde haar schouders op. 'Jouw kamer ziet er heel anders uit dan die van mij.'

Courtney keek om zich heen alsof ze haar slaapkamer voor het eerst zag. 'Hoezo anders?'

In Courtneys kamer lag een dieprood, hoogpolig tapijt en over de schemerlampen lagen doorzichtige zijden doeken waardoor gedempt licht werd verspreid. Er stond een toilettafel vol met make-upspullen. Aan de deur hing een poster van Johnny Depp, en in de boekenkast stonden een stereo-installatie en een dvd-speler.

Vergeleken met deze ruimte was Josies kamer spartaans ingericht. Die had een boekenplank, een schrijftafel, een ladekast en een bed. Haar gewatteerde deken had meer weg van een oude sprei naast Courtneys donzen dekbed met een overtrek van satijn. Als Josies kamer al enige stijl had, dan was het armoedzaaierstijl.

'Gewoon anders,' zei Josie.

'Mijn moeder is binnenhuisarchitect. Ze denkt dat dit de droom is van elke tiener.'

'En dit is jouw droom?'

Courtney haalde haar schouders op. 'Eerlijk gezegd doet het me denken aan een bordeel, maar ik wil haar illusie niet verpesten. Ik ga even naar beneden om m'n spullen te halen en dan kunnen we beginnen...'

Toen ze de kamer uit liep, keek Josie in de spiegel boven de toilettafel. Ze pakte tubes en flesjes op die ze nooit eerder had gezien. Haar moeder gebruikte zelden make-up, behalve soms wat lippenstift. Josie schroefde een mascararoller los en liet haar vingers over het zwarte borsteltje glijden. Ze draaide de dop van een flesje parfum en snoof de geur op.

In de spiegel zag ze hoe ze lippenstift opbracht – 'Positively Hot' stond er op de huls. Het bracht een bloesem van kleur in haar gezicht, het bracht haar tot leven.

Was het werkelijk zo gemakkelijk om iemand anders te worden?

'Wat ben je aan het doen?'

Josie schrok toen ze Courtneys stem hoorde. Ze zag in de spiegel dat Courtney dichterbij kwam en de lippenstift uit haar handen nam.

'Het... het spijt me,' stamelde Josie.

Tot haar verbazing begon Courtney Ignatio te lachen. 'Eigenlijk staat het je heel goed.'

Joey haalde betere cijfers dan zijn jongere broer en kon ook beter sporten dan Peter. Hij was geestiger, verstandiger, intelligenter, en was altijd het middelpunt van elk verjaardagsfeestje. Het enige waarin hij Peters mindere was, was dat hij niet tegen bloed kon. Daarom was hij ook nooit met zijn vader gaan jagen, al had Lewis zijn jongens beloofd dat ze op hun twaalfde met hem op jacht mochten omdat ze dan oud genoeg waren om te leren schieten.

Peter had het hele najaar op dit weekend gewacht. Hij had handboeken nageslagen over het geweer dat zijn vader hem liet gebruiken – een Winchester dat van zijn vader was geweest voordat hij de Remington kocht die hij nu voor de hertenjacht gebruikte. Nu, om halfvijf in de ochtend, kon hij bijna niet geloven dat hij het in zijn handen had, veilig vergrendeld en wel. Hij sloop door het bos achter zijn vader aan terwijl zijn adem in de koude lucht kristalliseerde.

Het had vannacht gesneeuwd, wat perfect voor de hertenjacht was. Gisteren waren ze verse sporen gaan zoeken – bomen waaraan een bok zijn gewei had geschuurd en naar was teruggegaan om zijn territorium af te bakenen. Nu was het zaak dezelfde plek terug te vinden en op nieuwe sporen te checken om te weten of de bok al was teruggekomen.

De wereld was anders met niemand om je heen. Peter probeerde dezelfde stappen als zijn vader te nemen door zijn laars in de voetafdruk te zetten die zijn vader had achtergelaten. Hij deed alsof hij in het leger zat en in een guerrillastrijd was verwikkeld. De vijand was vlakbij. Hij kon nu elk moment door een offensief worden verrast.

'Peter,' siste zijn vader over zijn schouder, 'hou je geweer naar boven gericht!'

Ze kwamen bij de groep bomen met schuurplekken. Vandaag waren er nieuwe bij gekomen. Peter keek naar de grond en zag drie stel sporen, waarvan het ene veel groter was dan de andere twee.

'Hier is hij al geweest,' mompelde zijn vader. 'Waarschijnlijk volgt hij de hinden.' Tijdens de paartijd waren herten niet zo slim als anders. Ze waren zo gericht op het najagen van vrouwtjes dat ze minder bedacht waren op de jagers die henzelf achtervolgden.

Peter en zijn vader volgden de sporen naar het moeras. Ineens stak zijn vader zijn hand op ten teken dat hij moest blijven staan. Voor hen uit zagen ze twee hinden, onder wie een jaarling. Zijn vader draaide zich om en zei geluidloos: *Verroer je niet.*

Toen een bok van achter een boom tevoorschijn kwam, hield Peter zijn adem in. Hij was groots, majestueus. De dikke nek ondersteunde het gewicht van een zestakkig gewei. Peters vader knikte hem toe. *Ga je gang.*

Peter klungelde met het geweer dat nu wel vijftien kilo zwaarder leek. Hij bracht het naar zijn schouder en richtte op de bok. Zijn hand beefde zo hevig dat hij het wapen niet stil kon houden.

In gedachten hoorde hij de instructies van zijn vader. *Laag op het lijf schieten, onder het voorbeen. Als je het hart raakt, is het dier meteen dood. Raak je de longen, dan kan het nog zo'n honderd meter rennen voordat het neervalt.*

Toen draaide de bok zich om en liet zijn ogen op Peters gezicht rusten.

Peter haalde de trekker over en schoot ver over hem heen.

Met opzet.

De drie herten doken tegelijkertijd weg. Op het moment dat Peter zich afvroeg of zijn vader had gemerkt dat hij een lafbek was, of dat hij gewoon aannam dat Peter niet kon schieten, klonk een schot uit het geweer van zijn vader. De hinden renden weg, de bok viel ter plekke neer.

Peter stond over het hert gebogen en zag het bloed uit zijn hart gutsen. 'Het was niet mijn bedoeling het van je over te nemen,' zei zijn vader, 'maar als je had herladen zou hij het hebben gehoord en zijn weggevlucht.'

'Geeft niet,' zei Peter, die zijn ogen niet van het hert kon losrukken. Toen braakte hij in het struikgewas.

Peter hoorde zijn vader iets achter hem doen, maar draaide zich niet om. Hij hoorde zijn vader naar hem toe komen. Hij kon het bloed aan zijn handen ruiken en zijn teleurstelling voelen.

Peters vader klopte hem op de schouder. 'Volgende keer beter,' zei hij zuchtend.

Dolores Keating was in januari van dit jaar naar de midden-school overgeplaatst. Ze was een onopvallend meisje – geen last-post, en niet uitgesproken knap of slim. Ze zat vóór Peter in de klas bij Frans, en haar paardenstaart wipte op en neer wanneer ze hardop werkwoorden vervoegde.

Op een dag, toen Peter nauwelijks wakker kon blijven bij Ma-dames verhandeling over het werkwoord *avoir*, zag hij dat Do-lores midden in een inktvlek zat. Hij vond het grappig, vooral omdat ze een witte broek aanhad, en besefte toen dat het hele-maal geen inktvlek was.

'Dolores bloedt!' riep hij geschokt uit. In een huis vol mannen – behalve zijn moeder, natuurlijk – was menstruatie een van de grote vrouwelijke mysteries. Hoe kon een vrouw bijvoorbeeld mascara aanbrengen zonder in haar ogen te prikken, of een beha achter zich sluiten zonder te zien wat ze deed?

Iedereen in de klas draaide zich om naar Dolores, die vuurrood was geworden. Madame bracht haar het lokaal uit en zei dat ze naar de verpleegster moest gaan. Op de stoel voor Peter lag een plasje bloed. Madame waarschuwde de conciërge, maar tegen die tijd was de klas al niet meer te houden. Als een lopend vuurtje werd het nieuws verspreid dat Dolores tot de menstruerende meisjes behoorde.

'Keating is ongesteld,' zei Peter tegen de jongen naast hem, die hem met grote ogen aankeek.

'Keating is ongesteld,' herhaalde de jongen, en het ging van oor tot oor. *Keating is ongesteld. Keating is ongesteld.* Peter keek naar Josie die aan de andere kant van het lokaal zat en zich net zo verkneukelde als de anderen. Sinds kort droeg Josie make-up.

Peter voelde zich groeien. Nu hoorde hij erbij. Door Dolores voor gek te zetten, hoorde hij erbij.

Toen hij tijdens de lunchpauze die middag met Josie aan een ta-feltje zat, kwamen Drew Girard en Matt Royston met hun dien-blad op hen af. 'We hebben gehoord dat je het hebt zien gebeu-ren,' zei Drew, en ze gingen zitten om het naadje van de kous te weten te komen. Peter begon zijn verhaal op te smukken – het bloedplasje en de vlek op haar witte broek groeiden uit tot enorme proporties. Matt riep zijn vrienden erbij, onder wie een paar spelers van het voetbalteam die Peter altijd met de nek hadden aangekeken. 'Vertel maar, het is echt een te gek verhaal,' zei Matt, en hij glimlachte naar Peter alsof hij een van hen was.

Dolores kwam die dag niet terug naar school. Peter wist dat het niet uitmaakte of ze een maand of langer wegbleef. Haar hele verdere middelbareschooltijd zou Dolores altijd het meisje blijven dat ongesteld werd tijdens Franse les en een poel van bloed op haar stoel had achtergelaten.

De ochtend dat ze terugkwam en uit de bus stapte, kreeg ze meteen gezelschap van Drew en Matt. 'Voor een *vrouw*,' zeiden ze nadrukkelijk, 'stel je wat tieten betreft niet veel voor.' Ze liep bij hen vandaan en Peter zag haar pas weer bij de Franse les.

Iemand – hij wist niet wie – had een plannetje bedacht. Madame was altijd te laat omdat ze van het andere eind van de school moest komen. Dus voordat de bel ging, zou iedereen naar Dolores' bank lopen en haar een tampon geven uit de doos die Courtney Ignatio van haar moeder had gepikt.

Drew was de eerste. Hij legde een tampon voor haar neer en zei: 'Ik geloof dat je dit hebt laten vallen.' Zes tampons later, toen de bel nog niet was gegaan en Madame nog steeds niet was gearriveerd, liep Peter op haar af met een tampon in zijn hand, en zag toen dat Dolores huilde met een ingehouden, nauwelijks hoorbaar gesnik. Op het moment dat Peter zijn hand uitstak, besefte hij ineens hoe ze zich moest voelen, hoe hij zich had gevoeld toen ze hém door de hel hadden laten gaan.

Peter hield de tampon in zijn vuist geklemd. 'Hou op,' zei hij zacht. Hij draaide zich om naar de drie leerlingen achter hem die hun beurt afwachtten om Dolores te vernederen. 'Hou hiermee op.'

'Wat het is probleem, homo?' vroeg Drew.

'Het is niet leuk meer.'

Misschien was het nooit leuk geweest. Misschien had hij het alleen leuk gevonden omdat hij voor één keer niet zelf het mikpunt was.

De jongen achter hem duwde Peter opzij en gooide zijn tampon naar Dolores, die afketste tegen haar hoofd en onder Peters stoel rolde. Daarna was Josie aan de beurt.

Ze keek naar Dolores en vervolgens naar Peter. 'Doe het niet,' mompelde hij.

Josie klemde haar lippen op elkaar en liet de tampon in haar hand op Dolores' lessenaar glijden. 'Oeps,' zei ze, en toen Matt Royston lachte, ging ze naast hem staan.

Peter hield Josie in de gaten. Hoewel ze nu al een paar weken niet meer met hem optrok, wist hij wat ze na schooltijd deed. Meestal slenterde ze de stad in om met Courtney & Co ijsthee te drinken en daarna etalages te kijken. Soms bleef hij haar van een afstand observeren en vroeg zich dan af hoe ze ineens zo veranderd kon zijn.

Nu wachtte hij tot ze van de andere meisjes afscheid nam en volgde haar naar haar huis. Ze gaf een gilletje toen hij haar inhaalde en bij de arm greep.

'Jezus, Peter! Ik schrik me dood!'

Hij had van tevoren bedacht wat hij zou zeggen, want hij was geen gemakkelijke prater en wist dat hij zich moest voorbereiden. Maar nu Josie zo dichtbij was, klapte hij dicht. Hij vroeg alleen: 'Waarom?'

'Ik doe dit niet om je te kwetsen.'

'Je past niet bij die anderen.'

'Bij hen ben ik gewoon anders dan bij jou,' zei Josie.

'Je bent gewoon nep.'

'Waarom ben ik nep als ik net ben als zij?'

'Omdat je niet bij ze hoort, zoals ik al zei.'

'Ik ga met ze om omdat ik ze aardig vind. Ze zijn leuk en geestig, en als ik bij ze ben...' Ze maakte haar zin niet af.

'Nou?' drong Peter aan.

Josie keek hem recht in de ogen. 'Als ik bij ze ben, vinden anderen mij óók leuk.'

Op dat moment besefte Peter hoe drastisch verandering kon zijn.

Van het ene moment op het andere kon je jezelf willen doden in plaats van een ander.

'Ik zal ervoor zorgen dat ze je niet meer belachelijk maken,' zei Josie. 'Dat beloof ik je.'

Peter gaf geen antwoord. Dit ging niet over hem.

'Maar ik kan niet meer met je omgaan.'

Hij keek haar aan. 'Waarom niet?'

'Tot ziens, Peter,' zei Josie, en ze liep zijn leven uit.

Je voelt dat mensen naar je kijken. Het is als de hitte die
's zomers van het trottoir opstijgt. Het is als een pook in je rug.
Wanneer er wordt gefluisterd, weet je dat het over jou gaat.

Vroeger stond ik altijd voor de badkamerspiegel om te zien
wat ze zagen. Om erachter te komen waarom ze hun hoofd
omdraaiden, waarom ik zo anders was. Eerst wist ik het niet.
Ik was gewoon mezelf.

Toen ik op een dag opnieuw in de spiegel keek, begreep ik
het. Ik keek in mijn eigen ogen en haatte mezelf net zo erg als
de anderen.

Dat was de dag waarop ik begon te geloven dat ze misschien
gelijk hadden.

Tien dagen later

Josie wachtte tot ze de tv in haar moeders slaapkamer niet meer hoorde en rolde zich op haar zij om op de digitale wekker te kijken. Toen het twee uur was en alles veilig leek, sloeg ze het dekbed terug en stond op.

Ze wist hoe ze geruisloos beneden moest komen. Dat had ze eerder gedaan toen Matt haar 's nachts eens een sms-je had gestuurd dat hij in de achtertuin op haar wachtte.

Op de overloop wist Josie de krakende vloerplanken te vermijden. Beneden nam ze de stapel dvd's door tot ze had gevonden wat ze zocht en waarmee ze niet betrapt wilde worden. Ze schakelde de tv in en zette het geluid zo zacht dat ze vlak voor het scherm moest gaan zitten om iets uit de ingebouwde speakers te horen.

Courtney kwam als eerste in beeld. Lachend hield ze haar hand op tegen de videocamera, terwijl haar lange haar als zijde voor haar gezicht viel. Buiten beeld klonk de stem van Brady Pryce: *Geef ons iets voor* Girls gone Wild, *Court.* Het beeld werd even wazig, en daarna was er een close-up van een verjaardagstaart. GEFELICITEERD MET JE ZESTIENDE VERJAARDAG, JOSIE. Dan tal van gezichten, ook dat van Haley Weaver, die haar toezongen.

Josie drukte de pauzeknop in. Daar waren Courtney en Haley, en Maddie, en John, en Drew. Ze raakte met haar vinger hun voorhoofd aan en voelde elke keer een rilling door zich heen gaan.

Op die verjaardag gingen ze barbecuen bij Storrs Pond, met hotdogs, hamburgers en zoete maïs. Omdat ze de ketchup hadden vergeten, moest iemand terugrijden naar een minimart in de stad. Courtney had haar verjaardagskaart ondertekend met *Je beste vriendin*, al had ze een maand eerder hetzelfde op Maddies kaart geschreven. Ze drukte de pauzeknop weer uit.

Tegen de tijd dat haar eigen gezicht in beeld kwam, zat Josie te huilen. Ze wist wat komen ging. Dit deel herinnerde ze zich nog goed. De camera pande terug, en daar was Matt. Hij zat in het zand met Josie op zijn schoot en zijn armen om haar heen geslagen. Hij had zijn shirt uitgetrokken, en Josie herinnerde zich hoe warm zijn huid tegen de hare had aangevoeld.

Hoe kon je het ene moment vol leven zijn en hield het volgende ogenblik alles op? Niet alleen je hart en je longen, maar ook je glimlach en je stem?

Ik kan niet leven zonder jou, had Matt altijd gezegd, en nu besefte Josie dat hij dat niet meer hoefde.

Omdat ze niet meer kon stoppen met huilen, duwde ze haar vuist tegen haar mond om geen geluid te maken. Ze keek naar Matt op het scherm alsof ze elk detail van hem in haar geheugen wilde griffen. Matts hand lag op haar blote buik en verkende de rand van haar bikinitop. Ze zag dat ze bloosde toen ze hem wegduwde. 'Niet hier,' hoorde ze zichzelf zeggen met een stem die haar volkomen vreemd voorkwam, zoals altijd wanneer je je eigen stem op de band terug hoorde.

'Dan gaan we ergens anders heen,' zei Matt.

Josie bracht haar hand onder haar pyjama en streelde haar buik. Net als Matt had gedaan, bewoog ze haar duim langs de welving van haar borst en probeerde zich voor te stellen dat hij het was.

Hij had haar voor die verjaardag een gouden medaillon gegeven dat ze sinds die dag, nu bijna zes maanden geleden, niet meer had afgedaan. Op de dvd droeg ze het ook. Ze wist nog hoe ze in de spiegel had gekeken toen hij achter haar stond om het kettinkje achter in haar nek te sluiten.

Op de avond dat Josie naar buiten ging om Matt bij maanlicht in de achtertuin te ontmoeten, moest hij lachen om haar pyjama die bedrukt was met afbeeldingen van Nancy Drew.

Wat was je aan het doen toen ik je een tekstberichtje stuurde?
vroeg hij.

Slapen. Waarom wil je me zien in het holst van de nacht?

Ik wil zeker weten dat je van me gedroomd hebt.

Op de dvd riep iemand Matts naam. Hij draaide zich grijnzend om. Zijn tanden leken op die van een wolf, dacht Josie. Scherp en onwaarschijnlijk wit. Hij drukte een kus op Josies lippen. 'Ben zo terug,' zei hij.

Ben zo terug.

Ze drukte de pauzeknop weer in op het moment dat Matt opstond. Toen reikte ze naar de sluiting van het gouden kettinkje in haar nek en rukte het los. Ze ritste de overtrek open van een kussen op de bank en verborg het kettinkje diep in de vulling.

Ze zette de tv uit en stelde zich voor dat Matt zo voor eeuwig gevangen zou blijven, vlak bij haar, zodat ze elk moment weer bij hem kon zijn, hoewel ze wist dat de dvd-recorder zichzelf al had uitgeschakeld voordat ze de kamer had verlaten.

Lacy wist dat ze geen melk meer hadden toen zij en Lewis die ochtend als zombies aan de keukentafel zaten.

Ik hoor dat het weer gaat regenen.

De melk is op.

Heb je iets van Peters advocaat gehoord?

Lacy vond het verschrikkelijk dat ze Peter de hele week niet mocht bezoeken. Gevangenisregels. Nog erger vond ze het dat Lewis hem nog helemaal niet had bezocht. Hoe kon ze zich met alledaagse dingen bezighouden terwijl haar zoon nog geen dertig kilometer verderop in een cel zat?

Dit was zo'n moment in het leven dat je als een vloedgolf overspoelde. Lacy wist het omdat ze eerder door een groot verdriet was overweldigd. Dan kwam je in een zwart gat terecht. Dan had je geen andere keus dan je aan wat dan ook vast te klampen zolang je nog kon.

Daarom stond ze nu in de shop van een benzinestation om melk te kopen, wat nog heel wat moeite had gekost. Eerst moest

211

ze haar auto uit de garage rijden terwijl verslaggevers voor haar wielen liepen en op de autoramen bonsden. Vervolgens moest ze de nieuwswagen zien kwijt te raken die haar naar de snelweg had gevolgd. Uiteindelijk was ze gestopt bij een pompstation in Purmort waar ze zelden kwam.

'Dat is dan $2,59,' zei de kassabediende.

Lacy gaf hem drie briefjes van een dollar. Toen zag ze de handgeschreven notitie op een koffieblik dat naast de kassa stond. *Herdenkingsfonds voor de slachtoffers van Sterling High.*

Ze begon te beven.

'Ja, wat een drama, hè?' zei de man meelevend.

Lacy's hart bonkte zo zwaar dat ze vreesde dat hij het kon horen.

'Je vraagt je af wat voor ouders die jongen heeft. Ik bedoel, ze moeten het toch ergens hebben geweten?'

Lacy knikte, bang dat alleen al haar stem haar identiteit kon verraden. Ze was het bijna met hem eens. Had er ooit een weerzinwekkender kind bestaan? Of een slechtere moeder?

Het was gemakkelijk gezegd dat achter ieder slecht kind een slechte ouder moest staan, maar er waren toch ook ouders die hun uiterste best deden? Had Lacy zelf haar zoon niet onvoorwaardelijk liefgehad, hem beschermd en gekoesterd zo veel ze kon? En toch had ze een moordenaar grootgebracht.

Ik wist het niet, wilde Lacy zeggen. *Het is mijn schuld niet.*

Maar ze zweeg omdat ze er niet helemaal van overtuigd was.

Lacy deed alles uit haar portemonnee in het koffieblik, zowel kleingeld als bankbiljetten. Als verdoofd liep ze naar buiten en liet de melk op de toonbank achter.

Ervin Peabody, die als psychiater aan Sterling College was verbonden, had aangeboden een rouwsessie voor heel Sterling te houden in de witte kerk in het centrum. Er werd een kort bericht aan gewijd in het plaatselijk dagblad, er hing een mededeling bij de koffieshop en de bank, en meer was ook niet nodig. Ruim voor het begin van de bijeenkomst om zeven uur 's avonds moesten auto's al een kilometer verderop parkeren. Een grote menigte stroomde over straat de kerkdeuren binnen. De pers, die massaal was gearriveerd om de bijeenkomst te verslaan, werd door een bataljon politiemannen weggestuurd.

Selena drukte de baby dichter tegen zich aan toen een nieuwe golf passanten langs haar heen drong. 'Wist je dat het zo druk zou worden?' fluisterde ze tegen Jordan.

Hij schudde zijn hoofd en keek om zich heen. Hij herkende een paar mensen die naar de tenlastelegging waren gekomen, maar zag ook veel nieuwe gezichten die hij niet in verband kon brengen met de school: universiteitsstudenten, bejaarden, jonge stelletjes met peuters.

Voor in de kerk zat Ervin Peabody op het podium naast het hoofd van politie en de rector van Sterling High.

Peabody stond op. 'Hallo, allemaal. We zijn hier bij elkaar omdat onze leefomgeving binnen een etmaal is veranderd. Daarom leek het ons goed om met elkaar te praten over wat er is gebeurd. En, misschien nog belangrijker, om naar elkaar te luisteren.'

Een man op de tweede rij stond op. 'Ik ben vijf jaar geleden naar Sterling verhuisd omdat mijn vrouw en ik het gekkenhuis van New York City wilden ontvluchten. We verwachtten ons eerste kind en zochten een plek die gewoon wat vriendelijker en gemoedelijker was. Ik bedoel, de bankbediende hier weet zich je naam te herinneren, automobilisten toeteren even als ze een bekende tegenkomen. In Amerika zijn dat soort plekjes zeldzaam geworden, en nu...' Hij maakte zijn zin niet af.

'En nu is Sterling niet meer wat het was,' vulde Ervin aan. 'Ik weet hoe moeilijk het is wanneer het beeld dat je van iets had niet meer aan de werkelijkheid voldoet, wanneer een goede vriend in een monster is veranderd.'

'Monster?' fluisterde Jordan tegen Selena.

'Wat moet hij anders zeggen? Dat Peter een tijdbom was? Alsof ze daardoor een veiliger gevoel zullen krijgen.'

De psychiater keek uit over de menigte. 'Dat jullie hier allemaal zijn, toont aan dat Sterling niet echt is veranderd. Misschien zal het nooit meer worden zoals we het kenden en zullen we een nieuw soort "normaal" moeten vinden.'

Een vrouw stak haar hand op. 'En Sterling High? Moeten onze kinderen daar weer naar terug?'

Ervin keek opzij naar de politiechef en de rector. 'Het onderzoek op de school is nog in volle gang,' zei de politieman.

'We hopen het jaar op een andere locatie af te sluiten,' voegde de rector eraantoe. 'We zijn in gesprek met de burgemeester van Lebanon over een van hun leegstaande gebouwen.'

Een andere vrouw zei: 'Maar toch zullen ze een keer terug moeten. Mijn dochter is pas tien, maar ze zal die school nooit in durven. Ze wordt 's nachts schreeuwend wakker omdat ze denkt dat er iemand op de loer staat met een geweer in zijn handen.'

'Wees blij dat ze nog nachtmerries kan hebben,' antwoordde een man. Hij stond naast Jordan met zijn armen over elkaar geslagen en had diepe kringen onder zijn ogen. 'Ga elke keer dat ze huilt of schreeuwt naar haar toe, sla je armen om haar heen en zeg dat jij zult zorgen dat ze veilig is. Lieg tegen je kind, net als ik heb gedaan.'

Er ging een golf van geroezemoes door de kerk. *Dat is Mark Ignatio. De vader van een van de gedode leerlingen.*

Ineens was er een breuklijn in Sterling ontstaan, een diep en donker ravijn tussen ouders die hun kind hadden verloren en anderen die nog kinderen hadden om zich zorgen over te maken.

'Sommigen van jullie hebben mijn dochter Courtney gekend,' zei Mark, terwijl hij zich van de muur losmaakte. 'Misschien heeft ze weleens op jullie kleintjes gepast. Of jullie 's zomers een hamburger geserveerd in de Steak Shack. Misschien kenden jullie haar van gezicht omdat ze zo mooi was.' Hij richtte zich tot de psychiater. 'Kunt u me uitleggen hoe ik aan een "nieuw soort normaal" moet komen? Ga me niet vertellen dat het op een dag makkelijker wordt. Dat ik hier wel overheen kom. Dat ik zal vergeten dat mijn dochter in een graf ligt, terwijl de psychopaat die haar gedood heeft nog in leven is.' Ineens draaide hij zich om naar Jordan. 'Hoe kunt u met uzelf leven?' zei hij beschuldigend. 'Hoe kunt u 's nachts een oog dichtdoen in het besef dat u die klootzak verdedigt?'

Iedereen keek naar Jordan. Hij voelde dat Selena Sams gezicht beschermend tegen haar borst drukte. Jordan deed zijn mond open om iets te zeggen, maar kon geen woorden vinden.

Hij werd afgeleid toen Patrick Ducharme door het middenpad op Mark Ignatio af liep. 'De pijn die je moet voelen is nauwelijks in woorden uit te drukken, Mark,' zei Patrick, en hij keek hem recht in de ogen. 'Je hebt het volste recht om kwaad te zijn. Maar in ons land is iemand onschuldig totdat zijn schuld is bewezen. Meneer McAfee doet gewoon zijn werk.' Hij legde zijn hand op Marks schouder en zei zacht: 'Zullen we samen een kop koffie gaan drinken?'

Terwijl Patrick met Mark Ignatio naar de uitgang liep, herinnerde Jordan zich wat hij had willen zeggen. 'Ik woon hier ook...' begon hij.

Mark draaide zich om. 'Niet lang meer.'

Alex was geen afkorting van Alexandra, zoals de meeste mensen dachten. Haar vader had haar gewoon de naam toebedacht van de zoon die hij liever had gekregen.

Nadat haar moeder aan borstkanker was overleden toen Alex vijf was, had haar vader haar opvoeding op zich genomen. Hij was niet het soort vader dat haar leerde fietsen of hinkelen. Wel leerde hij haar de Latijnse benamingen voor bijvoorbeeld *kraan*, *inktvis* en *stekelvarken*, en legde hij uit wat de Bill of Rights inhield. Met schoolprestaties probeerde ze zijn aandacht te trekken. Ze won wedstrijden in spelling en aardrijkskunde en wist in elk vak de hoogste cijfers te behalen.

Ze wilde later net als haar vader worden. Hij was een man naar wie eerbiedig werd geknikt als hij over straat liep. *Goedemiddag, rechter Cormier.* Een telefoniste sloeg meteen een andere toon aan als ze hoorde dat rechter Cormier aan de lijn was.

Haar vader nam haar nooit op schoot, gaf haar nooit een nachtzoen, en zei nooit dat hij van haar hield, maar zo was hij nu eenmaal. Van haar vader leerde Alex dat alles tot feiten kon worden teruggebracht. Troost, zorg, liefde – het kon allemaal worden uitgelegd in plaats van het te ondervinden. En het rechtssysteem diende ter ondersteuning van zijn overtuigingen. Voor elke emotie in de rechtszaal was een verklaring. Je mocht emotioneel zijn zolang het maar binnen een logisch kader viel.

Alex' vader kreeg een beroerte toen ze tweedejaars rechtenstudente was. Ze had op de rand van zijn ziekenhuisbed gezeten en gezegd dat ze van hem hield.

'Ach, Alex,' had hij zuchtend uitgebracht. 'Wat doet het er nog toe?'

Ze had niet gehuild op zijn begrafenis, want ze wist dat hij het niet zou hebben gewild.

Had haar vader gewild – zoals zij nu – dat de basis van hun relatie anders was geweest? Had hij uiteindelijk de hoop opgegeven en genoegen genomen met een relatie van leraar tot leerling in plaats van vader tot dochter? Hoe lang kon je op een parallel spoor met je kind meelopen voordat de kans dat je het zou kruisen voorgoed was verkeken?

Ze had tal van websites over rouw en verdriet gelezen. Ze had de nasleep van andere schietpartijen op scholen bestudeerd. Maar als ze contact met Josie zocht, keek haar dochter haar aan alsof ze haar nooit eerder had gezien. Soms ook barstte Josie in tranen uit. Alex wist niet hoe ze ermee moest omgaan. Ze voelde zich machteloos, maar bedacht toen dat het niet om haar ging, maar om Josie, en dan voelde ze zich een nog grotere mislukkeling.

De ironie van dit alles was Alex niet ontgaan. Ze leek meer op haar vader dan hij ooit had kunnen vermoeden. Ze voelde zich meer op haar gemak in de rechtszaal dan in haar eigen huis. Ze wist precies hoe ze een beklaagde moest toespreken die voor de derde keer van rijden onder invloed werd beschuldigd, maar een gesprek van vijf minuten met haar eigen kind kon ze niet aan.

Tien dagen na de schietpartij op Sterling High liep Alex de slaapkamer van haar dochter in. Het was halverwege de middag en de gordijnen waren dicht. Josie lag diep onder het dekbed verborgen. Alex wilde instinctief de gordijnen opentrekken om het zonlicht binnen te laten, maar in plaats daarvan ging ze op het bed liggen en sloeg haar armen om het bundeltje dat haar dochter was.

'Toen je klein was,' zei Alex, 'kwam ik hier weleens bij je slapen.'

Josies gezicht kwam van onder het dekbed tevoorschijn. Met roodomrande ogen en een gezwollen gezicht keek ze haar moeder aan. 'Waarom?'

Alex haalde haar schouders op. 'Ik ben altijd een beetje bang voor onweer geweest.'

'Waarom was je er dan nooit wanneer ik wakker werd?'

'Omdat ik altijd weer terugging naar mijn eigen bed. Ik vond dat ik me groot moest houden... Ik wilde niet dat je dacht dat ik ergens bang voor was.'

'Supermoeder,' fluisterde Josie.

'Maar ik ben bang dat ik je zal verliezen,' zei Alex. 'Ik ben bang dat het al gebeurd is.'

Josie keek haar even aan. 'Ik ben ook bang dat ik mezelf zal verliezen.'

Alex ging rechtop zitten en streek Josies haar achter haar oor. 'Laten we ergens heen gaan,' stelde ze voor.

Josie verstrakte. 'Ik wil nergens heen.'

'Lieverd, het zou goed voor je zijn. Een soort fysiotherapie, maar dan voor de hersenen. Je moet proberen je weer aan het gewone leven aan te passen.'

'Je begrijpt het niet...'

'Als je het niet probeert, betekent het dat hij heeft gewonnen.'

Josie keek met een ruk op. Alex hoefde niet te zeggen wie *hij* was. 'Had je er een vermoeden van?' hoorde Alex zichzelf vragen.

'Waarvan?'

'Dat hij tot zoiets in staat is?'

'Mam, ik wil hier niet...'

'Ik zie hem nog steeds als kleine jongen,' zei Alex.

Josie schudde haar hoofd. 'Dat was heel lang geleden,' mompelde ze. 'Kinderen worden groot.'

'Dat weet ik. Toch zie ik nog steeds voor me hoe hij dat geweer aan je gaf...'

'Toen waren we kleine kinderen die stomme dingen deden,' onderbrak Josie haar met tranen in de ogen. Ineens sloeg ze het dekbed terug. 'Ik dacht dat je ergens heen wilde?'

Alex keek naar haar. Een advocaat zou op dit punt zijn doorgegaan, maar een moeder waarschijnlijk niet.

Even later zat Josie naast haar in de auto en gespte haar veiligheidsgordel vast.

Onderweg wees Alex op de eerste narcissen die hun kopjes uit de besneeuwde middenberm van Main Street hadden opgestoken; op het roeiteam van Sterling College dat op de rivier aan het trainen was. Alex nam een omweg om niet langs de school te hoeven rijden. Eén keer keek Josie door het zijraampje naar buiten, en dat was toen ze langs het politiebureau reden.

Alex vond een parkeerplekje vlak voor de cafetaria. Het trottoir werd bevolkt door voetgangers die tijdens hun lunchpauze gingen shoppen en tegelijkertijd hun mobieltje tegen hun oor gedrukt hielden. Voor wie niet beter wist, ging alles in Sterling zijn gewone gang.

'Nou,' zei Alex, en ze draaide zich naar Josie om. 'Is het meegevallen?'

Josie keek naar haar handen in haar schoot. 'Gaat wel.'

'Lang niet zo erg als je had gedacht, hè?'

'Nog niet.'

'Mijn dochter de optimist.' Alex keek haar glimlachend aan. 'Wat zou je zeggen van een sandwich met bacon en tomaat en een salade erbij?'

'Je hebt het menu nog niet eens gezien,' zei Josie, terwijl ze uit de auto stapten.

Ineens scheurde een verroeste Dodge Dart met knallende uitlaat voorbij. 'Idioot,' mompelde Alex. 'Ik zou zijn kenteken moeten noteren...' Toen zag ze dat Josie was verdwenen. 'Josie!'

Haar dochter had zich languit tegen het trottoir gedrukt. Ze zag doodsbleek en trilde over haar hele lichaam.

Alex knielde naast haar neer. 'Het was een auto. Alleen maar een auto.' Ze hielp Josie overeind. De voorbijgangers keken naar hen, maar deden alsof ze niets bijzonders zagen. Alex probeerde haar dochter voor hun blikken af te schermen. Ze had opnieuw gefaald. Voor iemand die bekendstond om haar doordachte oordeel bleef ze nu schromelijk in gebreke. Ze dacht aan wat ze op internet over verdriet had gelezen. Dat je soms een stapje verder kwam en dan weer drie stappen terug moest. Alex sloeg haar arm om Josies schouders. 'Kom, we gaan naar huis.'

Patrick had alleen nog maar oog voor deze zaak. Hij stond ermee op en ging ermee naar bed. Op het bureau gedroeg hij zich als de man die alles onder controle had – hij had tenslotte de leiding van het onderzoek – maar thuis twijfelde hij aan alles wat hij deed. Midden in de nacht stelde hij vragenlijstjes op. Wat had Peter die ochtend gedaan voordat hij naar school ging? Wat stond er nog meer op zijn computer? Waar had hij leren schieten? Hoe was hij aan de wapens gekomen? Waar kwam die woede vandaan?

Overdag ploegde hij de gigantische hoeveelheid informatie door die dagelijks aangroeide. Nu zat Joan McCabe tegenover hem, die alle tissues uit de laatste doos Kleenex had gebruikt voordat ze papieren servetjes pakte om haar ogen mee af te vegen. 'Sorry,' zei ze tegen Patrick. 'Ik dacht dat het na al die keren dat ik het heb verteld makkelijker zou worden...'

'Zo werkt het waarschijnlijk niet,' zei hij zacht. 'Maar ik ben blij dat u over uw broer wilt praten.'

Ed McCabe was de enige docent die bij de schietpartij was gedood. Zijn lokaal bevond zich op de gang naar de trap die naar de gymzaal leidde. Hij was de klas uitgekomen om te proberen een eind aan het schieten te maken. Volgens de schooladministratie had Peter in groep tien wiskundeles van McCabe gehad.

Niemand kon zich herinneren of hij het met hem had kunnen vinden. De meeste leerlingen konden zich niet eens herinneren dat Peter bij hen in de klas had gezeten.

'Meer kan ik u eigenlijk niet vertellen,' zei Joan. 'Misschien weet Philip wat meer.'

'Uw man?'

Joan keek naar hem op. 'Nee, Eds partner.'

'Partner als in...'

'Ed was homo,' zei Joan.

Het kon een aanwijzing zijn.

'Niemand op school wist het,' zei Joan. 'Vermoedelijk was hij bang voor onaangename reacties. Hij zei tegen iedereen dat Philip een huisgenoot uit zijn studententijd was.'

Een ander slachtoffer – maar zij had het overleefd – was Natalie Zlenko. Ze was in haar zij geschoten en moest aan haar lever worden geopereerd. Patrick meende te hebben gelezen dat ze voorzitster was van de GLAAD-club, de vereniging van homo's en lesbiennes van Sterling High. Zij werd als een van de eersten neergeschoten. McCabe was een van de laatsten geweest.

Misschien was Peter Houghton een homohater.

Patric gaf Joan zijn kaartje. 'Ik wil graag met Philip praten.'

Lacy Houghton zette een theepot en een bord selderijstengels voor Selena neer. 'Ik heb geen melk in huis. Ik ben ervoor naar de winkel geweest, maar...' Ze maakte haar zin niet af en Selena probeerde de rest in te vullen.

'Ik stel het op prijs dat u met me wilt praten,' zei Selena. 'Alles wat u me kunt vertellen zullen we gebruiken om Peter te helpen.'

Lacy knikte. 'Vraag maar wat u wilt weten.'

'Goed, laten we met het makkelijkste beginnen. Waar is hij geboren?'

'Hier in het Dartmouth-Hitchcock-ziekenhuis.'

'Normale bevalling?'

'Heel normaal. Geen complicaties.' Glimlachend vervolgde ze: 'Toen ik zwanger was, maakte ik elke dag een wandeling van drieënhalve kilometer. Lewis was bang dat ik nog eens in iemands oprit zou bevallen.'

'Hebt u hem borstvoeding gegeven? At hij goed?'

'Sorry, maar ik begrijp niet...'

'We moeten onderzoeken of hij mogelijk een hersenstoornis heeft,' zei Selena zakelijk. 'Een organisch probleem.'

'O,' zei Lacy zwak. 'Ja, ik heb hem borstvoeding gegeven. Hij is altijd gezond geweest. Wat kleiner dan andere kinderen van zijn leeftijd, maar Lewis en ik zijn ook niet zo groot.'

'Hoe was zijn sociale ontwikkeling als kind?'

'Hij had niet veel vriendjes,' zei Lacy. 'Niet zo veel als Joey.'

'Joey?'

'Peters oudere broer. Peter is een jaar jonger en veel stiller. Hij werd gepest omdat hij zo klein was en niet zo goed kon sporten als Joey...'

'Hoe is de relatie tussen Peter en Joey?'

Lacy keek naar haar ineengeklemde handen. 'Joey is een jaar geleden gestorven. Hij werd doodgereden door een dronken bestuurder.'

Selena hield op met schrijven. 'Wat verschrikkelijk.'

'Ja,' zei Lacy.

Selena leunde iets naar achteren in haar stoel. Ze wist dat het belachelijk was, maar ze wilde niet te dichtbij komen voor het geval dat tegenspoed besmettelijk was. Ze dacht aan Sam die ze die ochtend slapend in zijn wieg had achtergelaten. Vannacht had hij z'n sok weggetrapt, en zijn teentjes hadden haar aan jonge boontjes doen denken. Het liefst had ze zijn karamelkleurige huid willen proeven. Dat was de taal van de liefde: iemand met je ogen verslinden, hem met huid en haar willen opeten.

Aan Lacy vroeg ze: 'Kon Peter het goed met Joey vinden?'

'O ja, Peter aanbad zijn grote broer.'

'Heeft hij dat gezegd?'

Lacy haalde haar schouders op. 'Dat was niet nodig. Hij ging altijd naar Joey's footballwedstrijden en juichte hem net zo hard toe als wij allemaal. Toen hij naar school ging, had iedereen hoge verwachtingen van hem omdat hij Joey's jongere broer was.'

En dat, wist Selena, kon net zo goed een bron van frustratie zijn geweest als van trots. 'Hoe reageerde Peter op Joey's dood?'

'Hij was er kapot van, net als wij. Hij huilde veel en zat bijna aldoor op zijn kamer.'

'Is uw relatie met Peter veranderd na de dood van Joey?'

'Ik denk dat die hechter is geworden,' zei Lacy. 'We waren overspoeld door verdriet. Peter... was een steun voor ons.'

'Kreeg hij steun van iemand anders? Had hij intieme relaties?'

'Met meisjes bedoelt u?'

'Of jongens,' zei Selena.

'Hij zat midden in de puberteit. Ik weet dat hij weleens een meisje mee uit had gevraagd, maar ik geloof niet dat het ooit iets is geworden.'

'Hoe waren zijn cijfers op school?'

'Hij was niet zo'n goede leerling als zijn broer,' zei Lacy, 'maar hij kreeg voornamelijk voldoendes. We zeiden altijd dat hij gewoon zijn best moest blijven doen.'

'Had hij moeite met leren?'

'Nee.'

'En na schooltijd? Wat deed hij dan?' vroeg Selena.

'Dan luisterde hij naar muziek, of hij speelde videospelletjes, net als elke andere tiener.'

'Hebt u zelf ooit naar die muziek geluisterd of die spelletjes gedaan?'

'Daar heb ik me bewust niet mee bemoeid.'

'Hield u zijn gebruik van internet in de gaten?'

'Dat was uitsluitend voor schoolprojecten bestemd. We hebben lange gesprekken over chatrooms gevoerd en over de onveiligheid van internet, maar Peter had een goed stel hersenen. We...' Ze zweeg even en wendde haar blik af. 'We vertrouwden hem.'

'Wist u wat hij downloadde?'

'Nee.'

'Wist u waar hij de wapens vandaan haalde?'

Lacy haalde diep adem. 'Lewis gaat graag op jacht. Hij heeft

Peter één keer meegenomen, maar die moest er weinig van hebben. De geweren worden bewaard in een afgesloten kast...'

'En Peter wist waar hij de sleutel kon vinden.'

'Ja,' mompelde Lacy.

'En de pistolen?'

'Die hebben we nooit in huis gehad. Ik heb geen idee waar ze vandaan kwamen.'

'Hebt u ooit zijn kamer doorzocht? Onder het bed of in zijn kasten gekeken?'

Lacy keek haar recht aan. 'We hebben altijd zijn privacy gerespecteerd. Ik vind het belangrijk dat een kind zijn eigen ruimte heeft en...' Ze perste haar lippen op elkaar.

'En?'

'En als je gaat zoeken,' zei Lacy zacht, 'vind je soms dingen die je liever niet ziet.'

Selena boog zich naar haar toe. 'Wanneer was dat?'

Lacy liep naar het raam en trok het gordijn opzij. 'Je moet Joey hebben gekend om het te kunnen begrijpen. Hij was een van de beste leerlingen van de school, een sportman. Maar een week voor de diploma-uitreiking werd hij gedood.' Ze liet haar hand langs de rand van het gordijn glijden. 'Iemand moest zijn kamer uitruimen, spullen wegdoen die we niet wilden houden. Uiteindelijk heb ik het zelf gedaan, hoe veel moeite het me ook kostte. Ik was zijn kastlades aan het opruimen toen ik de drugs vond. Een beetje poeder in gompapier, een lepel en een injectienaald. Ik wist niet dat het heroïne was, totdat ik het nazocht op internet. Ik heb het poeder door de wc gespoeld en de spuit weggegooid toen ik op mijn werk was.' Met een rood gezicht draaide ze zich naar Selena om. 'Ik kan niet geloven dat ik u dit heb verteld. Ik heb het nooit tegen iemand gezegd, zelfs niet tegen Lewis. Ik wilde niet dat hij of wie dan ook slecht over Joey zou denken.'

Ze ging weer op de bank zitten. 'Ik ben expres Peters kamer niet ingegaan omdat ik bang was voor wat ik er zou vinden,' bekende ze.

'Bent u nooit binnengekomen toen hij op zijn kamer zat? Even aankloppen en je hoofd om de deur steken?'

'Natuurlijk wel. Dan kwam ik hem welterusten wensen.'

'Wat deed hij dan meestal?'

'Dan zat hij bijna altijd achter zijn computer,' zei Lacy.

'Zag u dan ook wat er op het computerscherm stond?'

'Nee, dat had hij dan al afgesloten.'

'Hoe reageerde hij als u onverwacht binnenkwam? Verward? Boos? Schuldbewust?'

'Waarom heb ik het gevoel dat u hem veroordeelt?' vroeg Lacy. 'U zou toch aan onze kant moeten staan?'

Selena keek haar aan. 'De enige manier waarop ik deze zaak grondig kan onderzoeken is door u naar de feiten te vragen, mevrouw Houghton.'

'Hij was gewoon een tiener,' zei Lacy. 'Hij geneerde zich als ik hem een nachtkus gaf. Maar ik had niet het gevoel dat hij iets voor me verborg. Weet u nu genoeg?'

Selena legde haar pen neer. Wanneer de ondervraagde zich in de verdediging gedrongen voelde, werd het tijd het gesprek te beeindigen. Maar Lacy praatte door.

'Ik ben me nooit van een probleem bewust geweest. Ik wist niet dat Peter boos of in de war was. Ik wist niet dat hij zelfmoord wilde plegen. Daar wist ik allemaal niets van.' Ze begon te huilen. 'Wat moet ik tegen al die andere families zeggen? Kon ik maar zeggen dat ik ook een kind heb verloren. Alleen ben ik Peter al lang geleden kwijtgeraakt.'

Selena sloeg haar armen om de kleine vrouw heen. 'Het is jouw schuld niet,' zei ze, en ze wist dat Lacy Houghton die woorden wilde horen.

Ironisch genoeg had de rector van Sterling High de bijbelstudieclub ondergebracht in het lokaal naast dat van de GLAAD-club, de vereniging voor homo's en lesbiennes. Ze kwamen elke dinsdag om half vier bij elkaar in lokaal 233 en 234. Lokaal 233 was voor die tijd de klas van Ed McCabe. Een lid van de bijbelclub,

Grace Murtaugh, dochter van een plaatselijke predikant, was in de gang naar de gymzaal bij een fonteintje neergeschoten. De voorzitster van de homovereniging lag nog in het ziekenhuis. Natalie Zlenko, een jaarboekfotografe, was voor haar seksuele geaardheid uitgekomen toen ze als eersteklasser een GLAAD-bijeenkomst in lokaal 233 had bijgewoond.

'We mogen geen namen noemen.' Natalies stem was zo zwak dat Patrick zich naar haar toe moest buigen om het te horen. Natalies moeder stond aan het hoofdeind van het ziekenhuisbed. Toen hij binnenkwam om Natalie een paar vragen te stellen, zei ze dat ze de politie zou bellen als hij niet wegging. Hij herinnerde haar eraan dat hij de politie *was*.

'Ik hoef geen namen te weten,' zei Patrick. 'Ik vraag je alleen of je me wilt helpen, zodat een jury kan begrijpen waarom dit is gebeurd.'

Natalie knikte en sloot haar ogen.

'Is Peter Houghton ooit bij zo'n bijeenkomst geweest?'

'Eén keer,' zei Natalie.

'Kun je je nog herinneren wat hij heeft gezegd of gedaan?'

'Hij heeft helemaal niets gezegd of gedaan. Hij is er één keer geweest en daarna nooit meer teruggekomen.'

'Gebeurt dat wel vaker?'

'Soms,' zei Natalie. 'Als iemand nog niet zo ver is om uit de kast te komen. Er kwamen ook weleens hufters die alleen maar wilden weten wie homo of lesbisch was, zodat ze hun leven op school tot een hel konden maken.'

'Denk je dat Peter tot een van die twee categorieën behoorde?'

Met gesloten ogen bleef ze zwijgend liggen. Patrick dacht dat ze in slaap was gevallen. 'Bedankt,' zei hij tegen haar moeder, en op dat moment zei Natalie: 'Lang voordat hij naar die bijeenkomst kwam, werd Peter al gepest.'

Terwijl Selena Lacy Houghton ondervroeg, probeerde Jordan Sam in slaap te krijgen. Omdat hij wist dat een ritje van tien minuten in de auto genoeg was om de baby in te laten sluimeren, nam Jordan hem op en zette hem in het kinderzitje. Pas toen hij de Saab in z'n achteruit zette, besefte hij dat er iets mis was. Hij stapte uit en zag dat de vier banden lek waren gestoken.

'Fuck,' zei Jordan, terwijl Sam op de achterbank begon te huilen. Hij bracht hem weer naar binnen en belde de politie.

Jordan wist dat er iets niet klopte toen de agent hem niet vroeg zijn achternaam te spellen – die kende hij al. 'We gaan er werk van maken,' zei de agent, 'maar eerst moeten we een kat uit een boom helpen.' De verbinding werd verbroken.

Kon je een politieman vervolgen omdat hij een onbeschofte klootzak was?

Als door een wonder was Sam in slaap gevallen, maar hij begon weer te huilen toen de deurbel ging. Jordan trok de deur open en zag Selena op de stoep staan. 'Je hebt de baby wakker gemaakt,' zei hij verontwaardigd, terwijl hij Sam uit de draagwieg nam.

'Dan had je de deur maar niet op slot moeten doen. Dag, manneke van me,' koerde Selena. 'Heeft papa lelijk tegen je gedaan terwijl ik weg was?'

'Iemand heeft mijn banden doorgesneden.'

Over het hoofd van de baby keek Selena hem aan. 'Nou, in elk geval weet je indruk te maken. Laat me raden. Staat de politie niet te trappelen om iets met je aangifte te doen?'

'Niet bepaald, nee.'

'Dat was te verwachten,' zei Selena. 'Jij moest deze zaak zo nodig op je nemen.'

'Mag ik van mijn vrouw iets meer begrip verwachten?'

Selena haalde haar schouders op. 'Van die huwelijksgelofte kan ik me niets herinneren. Als je medelijden wilt, dan zoek je dat maar bij jezelf.'

Jordan streek door zijn haar. 'Ben je dan tenminste via zijn moeder wat meer te weten gekomen? Of Peter bijvoorbeeld psychisch gestoord is?'

Ze trok haar jack uit. Met haar ene hand Sam kietelend knoopte ze met de andere haar bloes los en ging met haar zoon op de bank zitten om hem te voeden. 'Nee, maar wel dat hij een broer had.'

'Echt waar?'

'Ja. De ideale zoon. Hij werd doodgereden door een dronken automobilist.'

Jordan liet zich naast haar op de bank zakken. 'Dat kan ik gebruiken...'

Selena rolde met haar ogen. 'Kun je voor één keer je advocatenbewustzijn even uitschakelen en proberen een normaal mens te zijn? Jordan, dat gezin zat zo diep in de vernieling dat het geen enkele kans meer had. Dat joch was een kruitvat. Zijn ouders dachten alleen maar aan hun eigen verdriet. Peter had niemand bij wie hij terecht kon.'

Jordan keek met een brede grijns naar haar op. 'Mooi,' zei hij. 'Onze cliënt heeft iets sympathieks gekregen.'

Een week na de schietpartij werd een voormalige kleuterschool in Lebanon in gereedheid gebracht als tijdelijk onderkomen voor leerlingen van Sterling High.

Op de dag dat Josie weer naar school moest, kwam haar moeder haar slaapkamer in. 'Je hoeft er niet heen,' zei ze. 'Je kunt nog een paar weken thuis blijven als je wilt.'

Een paar dagen geleden was er beroering ontstaan toen alle leerlingen bericht hadden gekregen dat de school weer ging beginnen. Ze belden elkaar op. *Ga jij terug? En jij?* Er gingen geruchten over wie niet terug zou gaan; wie werd overgeplaatst naar het St. Mary's; wie de klas van meneer McCabe zou overnemen. Josie had geen vriendinnen gebeld. Ze was bang voor wat ze te horen zou krijgen.

Josie wilde niet terug naar school. Ze kon zich niet voorstellen dat ze weer door de gangen moest lopen, al waren het niet die van Sterling High. Ze wist niet wat er wat van haar verwacht werd, alleen dat ze zou doen alsof, want ze kon het niet opbrengen haar ware gevoelens te tonen. En toch begreep ze dat ze terug moest naar school. Ze hoorde er thuis. Alleen de leerlingen van Sterling High konden begrijpen hoe het was om 's ochtends wakker te worden in het besef dat je leven voorgoed was veranderd, dat je er niet meer op kon vertrouwen dat je vaste grond onder de voeten had.

'Josie?' drong haar moeder aan.

'Nee, het is oké,' loog ze.

Haar moeder liep de kamer uit en Josie begon haar boeken te pakken. Ineens besefte ze dat ze nooit dat scheikundeproefwerk over katalysators had gemaakt. Ze wist er niets meer van. Hopelijk zouden ze er niet al de eerste dag mee worden opgezadeld. In die drie weken was alles anders geworden.

De laatste ochtend dat ze naar school was gegaan, had ze aan niets bijzonders gedacht. Misschien aan dat proefwerk. Aan Matt. Aan de hoeveelheid huiswerk voor die avond. Aan gewone dingen op een gewone dag. Die ochtend was hetzelfde begonnen als elke andere ochtend op school. Dus hoe kon ze zeker weten dat haar wereld vandaag niet opnieuw zou instorten?

Toen Josie in de keuken kwam, zag ze tot haar verbazing dat haar moeder gekleed was om aan het werk te gaan. 'Ga je vandaag al naar de rechtbank?' vroeg ze.

Haar moeder draaide zich om met een spatel in haar hand. 'Ja,' zei ze aarzelend. 'Ik dacht dat als je toch naar school gaat... Je kunt me altijd via de griffier bereiken als er problemen zijn. Dan ben ik binnen tien minuten bij je.'

Josie liet zich op een stoel zakken en sloot haar ogen. Het deed er niet toe dat ze vandaag naar school moest, maar toch had ze gehoopt dat haar moeder haar thuis zou opwachten voor het geval dat er iets misging. Stom eigenlijk. Zo was het nooit geweest, dus waarom zou het nu anders zijn?

Omdat, fluisterde een stemmetje in haar hoofd, *alles anders is geworden*.

'Ik heb mijn agenda aangepast zodat ik je van school kan halen. En als er iets is...'

'Ja, dan bel ik de griffier, oké?'

Haar moeder ging tegenover haar zitten. 'Lieverd, wat had je dan verwacht?'

Josie keek op. 'Niets. Ik verwacht helemaal niets meer.' Ze

228

stond op. 'Je laat de pannenkoeken aanbranden,' zei ze, en ze liep de trap op naar haar slaapkamer.

Ze verborg haar gezicht in het kussen. Wat mankeerde haar toch? Het was alsof er twee Josies waren – het kleine meisje dat bleef hopen dat het nooit was gebeurd, dat het een nachtmerrie was geweest – en de Josie van nu, die nog steeds zo veel verdriet had dat ze uitviel tegen iedereen die te dicht bij haar kwam. Het ergste was dat ze niet wist wie van de twee het op welk willekeurig moment ook zou overnemen. Haar moeder, die nog geen water kon koken, probeerde nu pannenkoeken te bakken voor haar dochter voordat ze naar school ging. Toen Josie jonger was, had ze ervan gedroomd in een huis te wonen waar je moeder je op de eerste schooldag een feestelijk ontbijt voorzette van eieren, bacon en sinaasappelsap in plaats van een doos ontbijtvlokken en een papieren servetje. Ze had nu toch wat ze wilde? Een moeder die aan haar bed zat als ze huilde, een moeder die tijdelijk haar baan had opgegeven om zich over haar dochter te ontfermen. En wat deed Josie? Ze duwde haar van zich af. In de ruimte tussen de woorden die ze tegen haar moeder sprak, zei ze eigenlijk: *Behalve wanneer er toeschouwers waren, heeft het je nooit iets kunnen schelen wat er in mijn leven gebeurde, dus denk niet dat je dat ineens kunt veranderen.*

Plotseling hoorde ze een auto op de oprit tot stilstand komen. *Matt*, dacht ze onwillekeurig, en vervolgens voelde ze een pijn die tot het diepst van haar wezen doordrong. Eigenlijk had ze er nog niet over nagedacht hoe ze naar school moest komen. Matt was haar altijd komen afhalen. Natuurlijk zou haar moeder haar hebben willen brengen, maar Josie vroeg zich af waarom ze het niet ter sprake had gebracht. Omdat ze bang was? Omdat ze het niet wilde?

Vanuit haar slaapkamerraam zag ze Drew Girard uit zijn gebutste Volvo stappen. Tegen de tijd dat ze beneden was om de voordeur open te doen, kwam haar moeder de keuken uit.

Er viel een zonnestraal op Drews gezicht, en met zijn vrije hand schermde hij zijn ogen af. Zijn andere arm hing nog steeds in een mitella. 'Misschien had ik eerst moeten bellen.'

'Maakt niet uit,' zei Josie. Ze voelde zich duizelig. Achter in de tuin hoorde ze vogels die waren teruggekomen van hun winterse reis.

Drew keek van Josie naar haar moeder. 'Ik dacht dat je misschien mee wilde rijden.'

'Bedankt,' zei haar moeder, 'maar vandaag breng ík Josie naar school.'

Het monster in Josie stond op. 'Ik ga liever met Drew mee,' zei ze, en ze pakte haar rugzak van de trap. 'Tot vanmiddag.' Zonder zich naar haar moeder om te draaien, rende ze naar de auto.

Terwijl ze van de oprit de straat in reden, sloot Josie haar ogen. 'Geven jouw ouders je ook weleens zo'n benauwend gevoel?'

Drew keek haar zijdelings aan.

'Soms, ja.'

'Heb je nog iemand gesproken?'

'Van de politie, bedoel je?'

Josie schudde haar hoofd. 'Iemand van ons.'

Drew schakelde naar een lagere versnelling. 'Ik heb John een paar keer in het ziekenhuis opgezocht, maar hij wist niet wie ik was. Hij kan zich bijna niets meer herinneren, zelfs geen woorden als vork, borstel, of trap bijvoorbeeld. En ik zat daar maar stompzinnige verhalen te vertellen over ijshockeywedstrijden en zo, terwijl ik me al die tijd afvroeg of hij wel besefte dat hij nooit meer kan lopen.' Bij een stoplicht draaide Drew zich naar haar toe. 'Waarom wij?'

'Wat?'

'Waarom hebben jij en ik zo veel geluk gehad?'

Josie wist niet wat ze moest zeggen. Ze keek uit het raampje en deed alsof ze in beslag werd genomen door een hond die zijn baas meetrok in plaats van omgekeerd.

Drew zette de auto op het parkeerterrein van de Mount Lebanon School. Naast het gebouw bevond zich een speelplaats uit de tijd dat het nog een kleuterschool was. Ook nadat die een administratieve bestemming had gekregen, bleven buurtkinderen van de schommels en klimrekken gebruikmaken.

230

'Ik heb iets voor je.' Drew reikte achter zich en hield een honk-balpet op die Josie herkende. De rand was gerafeld en omge-kruld, en van het borduursel erop was bijna niets meer over. Hij gaf de pet aan Josie, die haar vinger langs de binnenkant liet glij-den.

'Hij heeft hem in mijn auto laten liggen,' zei Drew. 'Ik was van plan hem aan zijn ouders te geven... Maar toen dacht ik dat jij hem wel zou willen hebben.'

Josie knikte en voelde tranen in haar keel branden.

Drew legde zijn gezicht tegen het stuur. Het duurde even voor-dat Josie besefte dat hij eveneens huilde.

Ze legde haar hand op zijn schouder. 'Dank je wel,' zei ze, en ze zette Matts honkbalpet op haar hoofd. Ze opende het portier en pakte haar rugzak, maar in plaats van naar de school te lopen ging ze het verroeste hek door naar de speelplaats. Ze ging midden in de zandbak staan en keek naar haar schoenafdrukken, terwijl ze zich afvroeg hoe lang het zou duren voordat wind of regen die had uitgewist.

Twee keer had Alex zich verontschuldigd en de rechtszaal verla-ten om Josie te bellen, hoewel ze wist dat Josie haar mobieltje afzette wanneer ze les had. De boodschap die Alex achterliet was beide keren dezelfde: *Met mij. Ik wil alleen even weten hoe het gaat.*

Tegen Eleanor, haar griffier, zei Alex dat ze haar moest waar-schuwen als Josie terugbelde.

Het was een opluchting weer aan het werk te zijn, al kon ze zich moeilijk concentreren. De beklaagde die voor haar stond beweerde geen ervaring met het strafrechtsysteem te hebben. 'Ik begrijp niets van rechtbankprocedures,' zei de vrouw. 'Kan ik nu gaan?'

'Vertelt u rechter Cormier eens over de laatste keer dat u voor de rechtbank hebt gestaan,' zei de openbaar aanklager.

De vrouw aarzelde. 'Misschien voor een snelheidsovertreding?'

'En verder?'

'Dat weet ik niet meer.'

'Bent u niet voorwaardelijk veroordeeld?' vroeg de aanklager.

'O,' antwoordde de vrouw. 'Dat.'

'En waarvoor was dat?'

'Dat weet ik niet meer.' Ze dacht ingespannen na. 'Het begint met een F, geloof ik.'

De aanklager zuchtte. 'Had het niet met een cheque te maken?'

Alex keek op haar horloge. Ze wilde weten of Josie al had teruggebeld. 'Wat dacht u van fraude?' vroeg ze.

De vrouw keek haar nietszeggend aan. 'Daar kan ik me niets van herinneren.'

'Ik schors de zitting voor een uur,' kondigde Alex aan. 'Het hof komt om elf uur weer bijeen.'

Zodra ze in haar kantoor was, trok ze haar toga uit. Vandaag stikte ze er bijna in, terwijl ze dat gevoel anders nooit had. De wet bestond uit een systeem van regels waarmee ze vertrouwd was – een gedragscode waarbij bepaalde daden bepaalde gevolgen hadden. Dat kon ze niet zeggen van haar persoonlijke leven, waarbij een school die een veilige haven had moeten zijn in een slachthuis was veranderd, en waarbij haar eigen dochter was veranderd in iemand die ze nauwelijks kende.

Nou ja, om heel eerlijk te zijn had ze haar eigenlijk nooit écht goed gekend.

Ze stond op en liep naar het kantoor van haar griffier. Voordat de zitting begon, had ze Eleanor twee keer over onbelangrijke dingen benaderd in de hoop dat de vrouw haar formele houding liet varen en zou vragen hoe het met Alex ging en of Josie het een beetje redde. Even wilde Alex geen rechter zijn, maar gewoon een moeder die het moeilijk had.

'Ik ga naar beneden om een sigaret te roken,' zei Alex.

Eleanor keek even op. 'Goed, edelachtbare.'

Alex, dacht ze. *Alex Alex Alex.*

Buiten ging ze op een stenen muurtje zitten en stak een sigaret op. Ze inhaleerde diep en sloot haar ogen.

'Weet u wel dat u daar dood van gaat?'

'En anders wel van ouderdom.' Alex draaide zich om en zag Patrick Ducharme naast haar staan.

Hij hief zijn gezicht naar de zon en kneep zijn ogen samen. 'Nooit gedacht dat een rechter slechte eigenschappen kan hebben.'

'U denkt waarschijnlijk dat we onder onze rechterstafel slapen?'

Patrick grijnsde. 'Dan moeten ze wel heel stom zijn. Daar is geen ruimte voor een matras.'

Ze hield hem het pakje sigaretten voor, maar hij schudde zijn hoofd. 'Er zijn betere manieren om me om te kopen.'

Alex voelde zich rood worden. En dat zei hij tegen haar? Tegen een *rechter*? 'Wat doet u hier als u niet rookt?'

'De hele ochtend in een rechtszaal zitten is funest voor mijn feng shui.'

'Mensen hebben geen feng shui. Huizen en gebouwen wel.'

'Weet u dat zeker?'

Alex aarzelde. 'Nee, eigenlijk niet.'

'Nou dan.' Hij draaide zich opzij, en voor het eerst zag ze de witte streep in zijn haar.

'Waarom kijkt u zo naar mijn haar?'

Alex wendde haar blik onmiddellijk af.

'Geeft niet,' zei Patrick lachend. 'Heeft met albinisme te maken.'

'Albinisme?'

'Ja, u weet wel. Bleke huid, wit haar. Het is erfelijk, dus heb ik me de stinkdier-look aangemeten voordat ik op een konijn ga lijken.' Zijn gezicht had weer een ernstige uitdrukking toen hij vroeg: 'Hoe is het met Josie?'

Ze overwoog de muur op te trekken en te zeggen dat ze niets kwijt wilde wat haar kon compromitteren. Maar Patrick Ducharme had gedaan wat ze zo graag had gewild: hij behandelde haar als een gewoon mens in plaats van rechter. 'Ze is weer naar school,' vertrouwde ze hem toe.

'Ik weet het. Ik heb haar gezien.'

233

'Bent u bij de school geweest?'

Patrick haalde zijn schouders op. 'Voor alle zekerheid.'

'Is er iets bijzonders gebeurd?'

'Nee,' zei hij. 'Alles was... normaal.'

Het woord bleef tussen hen in hangen. Niets zou ooit meer normaal worden, en dat wisten ze allebei.

'Hé,' zei Patrick, en hij legde even zijn hand op haar schouder, 'gaat het wel?'

Gegeneerd besefte ze dat ze huilde. Ze veegde haar ogen af en schoof iets van hem weg.

'Niets aan de hand,' zei ze, en ze keek Patrick uitdagend aan.

Hij wilde iets zeggen, maar bedacht zich. 'Dan laat ik u alleen met uw slechte eigenschappen.' En hij liep naar binnen.

Pas toen Alex weer op haar kantoor was, realiseerde ze zich dat de politieman haar niet alleen op roken had betrapt, maar ook op liegen.

Er waren nieuwe regels. Alle deuren, behalve die van de hoofdingang, werden afgesloten nadat de lessen waren begonnen, al kon zich een schutter onder de leerlingen bevinden. In de klaslokalen werden geen rugzakken meer toegestaan, al kon een wapen onder een jas, in een handtas of zelfs in een ringband worden binnengesmokkeld. Iedereen, zowel leerlingen als personeel, moest een identiteitskaart om de nek dragen. Dit met de bedoeling dat ze direct geïdentificeerd konden worden. *Als moordenaar of als slachtoffer?* vroeg Josie zich af.

In hun klas werden ze verwelkomd door de rector die voorstelde een minuut stilte in acht te nemen.

Terwijl andere leerlingen hun hoofd bogen, keek Josie om zich heen. Ze was niet de enige die haar ogen openhield. Sommige kinderen gaven briefjes aan elkaar door. Een paar luisterden naar hun iPod. Een jongen was huiswerk aan het overschrijven.

Ze vroeg zich af of ze, net als zij, bang waren om de doden te gedenken omdat ze zich dan nog schuldiger zouden voelen.

Josie ging verzitten en stootte haar knie tegen het tafeltje. De tafeltjes en stoeltjes in deze school waren bestemd voor kleine kinderen, niet voor vluchtelingen van Sterling High. Anderen pasten helemaal niet achter het tafeltje en moesten hun collegebloc op schoot nemen.

Ik ben Alice in Wonderland, dacht Josie. *Zie hoe ik val.*

Jordan wachtte tot zijn cliënt in de spreekkamer van de gevangenis tegenover hem ging zitten. 'Vertel eens iets over je broer,' zei hij.

Hij keek Peter aandachtig aan en zag de angst in zijn ogen toen er opnieuw iets ter sprake kwam dat zijn cliënt liever verborgen had gehouden.

'Wat wilt u weten?'

'Konden jullie met elkaar opschieten?'

'Ik heb hem niet gedood, als u dat bedoelt.'

'Dat bedoel ik niet.' Jordan haalde zijn schouders op. 'Het verbaast me alleen dat je nooit over hem hebt gesproken.'

'Wanneer had ik dat moeten doen? Bij de tenlastelegging, toen u zei dat ik mijn kop moest houden? Of daarna, toen u hier kwam om te zeggen dat u het woord zou voeren en ik maar had te luisteren?'

'Wat was hij voor iemand?'

'Hoor eens, Joey is dood, zoals u maar al te goed weet. Ik snap niet wat het nog uitmaakt.'

'Wat is er met hem gebeurd?' drong Jordan aan.

Peter wreef met zijn duimnagel langs de metalen tafelrand. 'Mijn geniale superbroer is door een dronken automobilist te pletter gereden.'

'Daar valt niet tegen op te boksen,' zei Jordan behoedzaam.

'Wat bedoelt u?'

'Jouw broer was zo'n beetje perfect, ja? Dat zal voor jou niet gemakkelijk zijn geweest, maar dan wordt hij na zijn dood ook nog eens heilig verklaard.'

Jordan speelde voor advocaat van de duivel om Peters reactie te zien. En het gezicht van de jongen vertrok van woede.

'Er valt inderdaad niet tegen hem op te boksen,' zei Peter fel. 'Hij is gewoon niet te overtreffen.'

Jordan tikte met zijn pen tegen zijn aktetas. Kwam Peters woede voort uit jaloezie of uit eenzaamheid? Of had hij dit bloedbad aangericht om de aandacht van Joey af te leiden en op zichzelf te vestigen? Kon hij een verdediging opbouwen op het gegeven dat Peter uit wanhoop had gehandeld?

'Mis je hem?' vroeg Jordan.

Peter keek hem spottend aan. 'Mijn broer, de superman die zijn team tot tot staatskampioen heeft gemaakt, mijn broer die de rector in zijn zak had, die broer, die fantastische broer van mij, zette me vijfhonderd meter voor school de auto uit omdat hij niet samen met mij gezien wilde worden.'

'Waarom niet?'

'Misschien is het u nog niet opgevallen, maar mijn gezelschap schijnt weinig pluspunten op te leveren.'

Jordan dacht aan zijn doorgesneden autobanden. 'Kwam Joey nooit voor je op als je werd gepest?'

'Mag ik even lachen? Joey is er juist mee begonnen.'

'Hoe dan?'

Peter liep naar het raam in het kleine vertrek. Er waren rode vlekken in zijn hals verschenen. 'Hij zei altijd tegen iedereen dat ik was geadopteerd. Dat mijn moeder een heroïnehoer was en dat ik daardoor niet helemaal spoorde. Soms zei hij het waar ik bij was, en als ik dan kwaad werd, begon hij te lachen en sloeg me tegen de vlakte. En u vraagt of ik hem mis?' Peter draaide zich naar Jordan om. 'Ik ben blij dat hij dood is.'

Jordan liet zich niet snel door iemand verbazen, maar toch was het Peter Houghton al meerdere keren gelukt. Het leek wel alsof de jongen geen sociale contacten had en was teruggeworpen op zijn meest elementaire emoties. Als je pijn hebt, huil je. Als je kwaad bent, sla je toe. Als je hoop hebt, ben je op teleurstelling voorbereid.

'Peter,' zei Jordan zacht, 'heb je hen met opzet gedood?'

Onmiddellijk had Jordan spijt van zijn vraag. Geen enkele strafpleiter zou die aan zijn cliënt stellen, want dan kon hij hem de bekentenis ontlokken dat hij met voorbedachten rade had gehandeld. Maar Peter repliceerde met een tegenvraag die hem in verwarring bracht. 'Wat zou u hebben gedaan?'

Jordan stopte nog een hapje vanillepudding in Sams mond en likte zelf de lepel af.

'Dat is niet voor jou bestemd,' zei Selena.

'Het is lekker. Lekkerder dan die smerige groentepuree die hij van jou moet eten.'

'Sorry dat ik een goede moeder ben.' Met een nat washandje veegde Selena Sams mond schoon en deed toen hetzelfde bij Jordan, die haar hand probeerde weg te duwen.

'Ik kan geen kant meer uit,' zei hij. 'Ik kan Peter niet sympathieker maken vanwege het verlies van zijn broer, want hij haatte Joey. Ik heb geen idee hoe ik het moet aanpakken, tenzij ik voor ontoerekeningsvatbaarheid ga, maar dat zal ik nooit kunnen aantonen met die gigantische bewijslast van het OM dat hij alles van tevoren heeft gepland.'

'Je weet wat het probleem is, hè?' zei Selena.

'Wat dan?'

'Je denkt dat hij schuldig is.'

'Nou en? Bijna al mijn cliënten waren schuldig, maar toch heb ik ze vrij kunnen pleiten.'

'Mogelijk, maar diep in je hart wil je niet dat Peter Houghton wordt vrijgesproken.'

Jordan keek haar fronsend aan. 'Lulkoek.'

'Maar het is wel waar. Je bent bang voor hem.'

'Hij is nog maar een jongen...'

'... Met wie je je geen raad weet omdat hij weigert zich door jou of wie dan ook te laten manipuleren, en dat had je niet verwacht.'

Jordan keek naar haar op. 'Je wordt geen held door leeftijdgenoten neer te schieten, Selena.'

'Wel voor miljoenen andere kinderen die wilden dat ze er het lef voor hadden,' zei ze op effen toon.

'Kijk aan. Je kunt zo de voorzitter van de Peter-Houghton-fan-club worden.'

'Ik keur het niet goed wat hij heeft gedaan, Jordan, maar ik weet ook wat zijn achtergrond is. Jij bent als bevoorrecht jongetje geboren. Zeg nou eerlijk. Jij hebt toch altijd tot de elite behoord? Op school, in de rechtszaal of waar dan ook? Iedereen kijkt naar je op. Jij mag overal binnenkomen, en je beseft niet eens dat anderen worden buitengesloten.'

Jordan sloeg zijn armen over elkaar. 'Gaat dit weer over die Afrikaanse trots van je? Eerlijk gezegd...'

'Jij hebt nooit de straat moeten oversteken omdat je op het trottoir een blanke tegenkwam. Niemand heeft jou ooit walgend aangekeken omdat je een baby op de arm had en je was vergeten je trouwring om te doen. Buitengesloten worden geeft je een machteloos gevoel, Jordan. Je raakt eraan gewend, maar je kunt er niet aan ontsnappen.'

Jordan grijnsde. 'Dat heb je uit mijn slotpleidooi in de zaak Katie Riccobono.'

'Die vrouw die door haar man werd mishandeld?' Selena haalde haar schouders op. 'Nou en? Het is toch waar?'

Ineens stond Jordan op, pakte haar bij de schouders en kuste haar. 'Je bent geniaal.'

'Ik zal het niet tegenspreken, maar leg me wel even uit waarom.'

'Het mishandelde-vrouwensyndroom. Dat is een geldig verweermiddel. Mishandelde vrouwen voelen zich op den duur zo bedreigd dat ze zelf het heft in handen nemen in de oprechte overtuiging dat ze zichzelf beschermen – zelfs als hun man in diepe slaap is. Dat is exact van toepassing op Peter Houghton.'

'Mag ik je er even op wijzen dat Peter Houghton geen vrouw is en ook niet getrouwd?'

'Dat is het punt niet. Posttraumatische stressstoornis, daar draait het om. Als die vrouwen door het lint gaan en hun man doodschieten of hun pik afhakken, denken ze niet aan de gevolgen... Ze willen alleen een eind aan de agressie maken. Peter heeft al die tijd gezegd dat hij alleen maar wilde dat het getreiter op-

238

hield. En in dit geval is het nog gunstiger, want de aanklager kan in dit geval niet met de gebruikelijke weerlegging aankomen dat een volwassen vrouw oud genoeg is om te weten wat ze doet wanneer ze een mes of een pistool pakt. Peter is nog maar een kind. Hij weet per definitie niet wat hij doet.'

Monsters ontstonden niet zomaar. Een huisvrouw pleegde niet zomaar een moord. In haar geval was dokter Frankenstein een dominante echtgenoot. En in Peters geval was het heel Sterling High. Treiterkoppen die geweld gebruikten om iemand te vertrappen en te vernederen. Door zijn kwelgeesten had Peter geleerd hoe hij moest terugvechten.

Sam werd onrustig in zijn kinderstoel. Selena trok hem eruit en nam hem in haar armen. 'Dit zou dan voor het eerst zijn. Er bestaat niet zoiets als een treiterkoppensyndroom.'

Jordan pakte Sams potje vanillepudding en schraapte het leeg met zijn wijsvinger. 'Nu wel,' zei hij.

Patrick zat in het donker voor zijn computer en bewoog de muis door het videospelletje dat Peter Houghton had ontworpen.

Eerst moest je uit drie jongens een personage kiezen: de spellingskampioen, het wiskundegenie, of de computerfreak. De eerste was klein, mager en had jeugdpuistjes. De tweede droeg een bril. De derde was heel dik.

Om aan een wapen te komen, moest je je vernuft gebruiken. Eerst moest je verscheidene plekken van de school verkennen. In de lerarenkamer stond een fles wodka waarmee je handgranaten kon maken. In de boilerruimte lag een bazooka. In het scheikundelab bevond zich zoutzuur. In het lokaal waar Engels werd gegeven kon je dikke boeken vinden. In het wiskundelokaal lagen passers om mee te steken en metalen linialen om mee te snijden. In de computerruimte lagen snoeren om mee te wurgen. In het atelier voor houtbewerking lagen kettingzagen. In het lokaal voor huisnijverheid bevonden zich mixers en breinaalden. In het lokaal voor kunstnijverheid stond een pottenbakkersoven. Al die materialen kon je combineren om er wapens van te maken.

Patrick bewoog de cursor door gangen, trappen en kleedkamers. Hij kreeg het gevoel dat hij deze route kende. Het was de plattegrond van Sterling High.

Het doel van het spel was de beste sporters, de grootste pestkoppen en de populairste leerlingen te raken. Ze waren elk een aantal punten waard. Doodde je er twee tegelijk, dan werd het aantal punten verdriedubbeld. Maar als je even niet oplette, kon je zelf tegen een muur worden geslagen en in een gangkast worden geschoven.

Met honderdduizend punten kreeg je een geweer. Met vijfhonderdduizend een machinegeweer. Met een miljoen een kernraket.

Patrick zag een virtuele deur openzwaaien. *Freeze*, schreeuwden zijn speakers, en een bataljon politiemannen in SWAT-jacks stormde het scherm op. Hij legde zijn vingers op de pijltjestoetsen, klaar om toe te slaan. Hij was nu al twee keer zo ver gekomen, maar werd elke keer gedood, wat betekende dat hij had verloren.

Nu hief hij zijn virtuele machinegeweer en zag de politiemannen neervallen in een waaier van bloed.

Gefeliciteerd! U hebt het spel VERSCHRIKKERTJE *gewonnen. Wilt u opnieuw spelen?*

Op de tiende dag na de schietpartij in Sterling High zat Jordan in zijn Volvo op het parkeerterrein van het gerechtsgebouw. Zoals verwacht stonden overal bussen van tv-zenders met satellietschotels op het dak. Hij tikte met zijn vingers op het stuur mee op het ritme van de Wiggles, de enige cd die Sam op de achterbank rustig kon houden.

Selena had ongehinderd het gerechtsgebouw binnen kunnen komen. Geen van de verslaggevers herkende haar als iemand die bij deze zaak betrokken was. Toen ze weer bij de auto terugkwam, stapte Jordan uit om het document aan te pakken dat ze bij zich had.

'Bedankt,' zei hij.

'Tot straks.' Ze boog zich de auto in om Sam uit zijn zitje los te maken, terwijl Jordan naar het gerechtsgebouw liep. Toen de verslaggevers hem in de gaten kregen, verscheen een vuurwerk aan cameraflitsen en werden van alle kanten microfoons onder zijn neus gedrukt. Hij duwde ze weg, mompelde: 'Geen commentaar', en ging haastig naar binnen.

Peter was al overgebracht naar de cel in het gerechtsgebouw in afwachting van zijn voorgeleiding. Hij liep in een kringetje rond en praatte in zichzelf toen Jordan binnenkwam. 'Dus vandaag is de grote dag,' zei Peter. Hij klonk nerveus en een beetje buiten adem.

'Merkwaardig dat je dat zegt,' zei Jordan. 'Weet je nog waarom we hier zijn?'

'Is dit een test of zo?'

Jordan keek hem zwijgend aan.

'Vorige week zei u dat dit een hoorzitting was.'

'Wat ik je niet heb verteld, is dat die niet doorgaat.'

'Wat houdt dat in?' vroeg Peter.

'Dat houdt in dat we passen nog voor we onze kaarten hebben gezien,' antwoordde Jordan. Hij reikte Peter het document aan dat Selena hem had overhandigd. 'Tekenen.'

Peter schudde zijn hoofd. 'Ik wil een andere advocaat.'

'Als die ook maar een knip voor zijn neus waard is, zal hij je hetzelfde aanraden.'

'Wat? Dat ik het zomaar moet opgeven? U zei...'

'Ik heb je beloofd dat ik je zo goed mogelijk zou verdedigen,' onderbrak Jordan hem. 'Er is alle reden om aan te nemen dat jij een misdaad hebt gepleegd, want honderden getuigen hebben je die dag zien schieten. Het gaat er niet om *of* je het gedaan hebt, Peter, de vraag is *waarom*. Een hoorzitting op dit moment betekent dat de aanklager veel punten scoort, en wij geen enkel. De tegenpartij kan daardoor bewijslast aan de media en het publiek vrijgeven voordat we de kans krijgen onze kant van het verhaal te laten horen.' Opnieuw duwde hij het document Peters kant uit. 'Tekenen.'

Peter keek hem achterdochtig aan. Toen nam hij de pen uit Jordans hand. 'Ik vertrouw het voor geen reet,' zei hij, terwijl hij zijn handtekening krabbelde.

241

'Je zou me nog minder vertrouwen als ik dit niet had gedaan.' Jordan pakte het document op en liep ermee de cel uit naar het kantoor van de griffier.

De rechtszaal was stampvol toen hij binnenkwam. De verslaggevers en hun camera's stonden achterin. Jordan zocht Selena, en vond haar en Sam midden in de derde rij achter de tafel van het OM. *En?* vroeg ze geluidloos door haar wenkbrauwen op te trekken.

Jordan knikte.

De rechter, de edelachtbare David Iannucci, was nu niet belangrijk meer. Jordan wist dat hij hoofdhaar had laten implanteren, en als je voor hem verscheen, moest je je uiterste best doen je op zijn fretachtige gezicht te concentreren in plaats van op zijn kunstmatige haarlijn.

Toen riep de griffier Peters zaak af en leidden twee gerechtsbodes hem naar binnen. Op de publieke tribune werd het doodstil. Peter keek niet op toen hij binnenkwam, maar bleef naar de vloer staren, ook toen hij naast Jordan in een stoel werd geduwd.

Rechter Iannucci keek naar het document dat voor hem lag. 'Meneer Houghton, ik begrijp dat u van deze hoorzitting afziet.'

Zoals Jordan had verwacht, klonk er een collectieve zucht van de verslaggevers die allemaal op een spektakel hadden gehoopt.

'Begrijpt u dat ik vandaag de verplichting had om te onderzoeken of u al dan niet de daden kan hebben gepleegd waarvoor u wordt aangeklaagd, en dat u door van deze zitting af te zien ik deze zaak aan een hoger gerechtshof moet overdragen waarbij u aan juryrechtspraak onderhevig bent?'

Peter draaide zich naar Jordan om. 'Waar heeft hij het over?'

'Zeg ja,' antwoordde Jordan.

'Ja,' zei Peter.

Rechter Iannucci keek hem fronsend aan. 'Ja, edelachtbare,' corrigeerde hij.

'Ja, edelachtbare.' Peter draaide zich naar Jordan om en mompelde: 'Ik snap er nog steeds geen reet van.'

'Deze zitting is beëindigd,' zei de rechter, en de gerechtsbodes trokken Peter uit zijn stoel.

Jordan stond op om plaats te maken voor de verdediging van de volgende zaak. Hij liep naar de tafel van het OM waar Diana Leven haar dossiers weer inpakte. Zonder hem aan te kijken zei ze: 'Ik kan niet zeggen dat het me verbaast.'

'Wanneer stuurt u me de stukken ter inzage?' vroeg Jordan.

'Ik kan me niet herinneren een schriftelijk verzoek van u te hebben ontvangen.' Ze liep langs hem heen en haastte zich weg. Jordan maakte in gedachten een notitie Selena te vragen een briefje naar het OM te sturen. Het was een formaliteit, maar hij wist dat Diana eraan vasthield. In zo'n belangrijke zaak als deze volgde de openbaar aanklager de wet tot op de letter, zodat als de zaak ooit in hoger beroep werd behandeld de oorspronkelijke uitspraak niet wegens procedurefouten ongeldig kon worden verklaard.

Direct buiten de dubbele deuren van het gerechtsgebouw werd hij opgewacht door de Houghtons. 'Wat moest dat voorstellen?' vroeg Lewis nijdig. 'Betalen we u niet om onze zoon te verdedigen?'

Jordan telde in stilte tot vijf. 'Ik heb dit met mijn cliënt besproken. Peter heeft me toestemming gegeven van deze zitting af te zien.'

'Maar u hebt helemaal niets gezegd,' protesteerde Lacy. 'U hebt hem nog geen schijn van kans gegeven.'

'Met deze zitting zou Peter niets zijn opgeschoten. Maar die zou wel tot gevolg hebben dat uw gezin vandaag onder de microscoop van elke hier aanwezige camera werd gelegd. Dat gaat toch wel gebeuren, maar nu nog niet. Of had u het liever nu gewild?' Hij keek van Lacy naar haar man en toen weer naar Lacy. 'Ik heb jullie een dienst bewezen,' zei Jordan. En hij liet ze achter met de waarheid tussen hen in, een last die elk ogenblik zwaarder werd.

Patrick was onderweg naar de hoorzitting van Peter Houghton toen hij gebeld werd op zijn mobieltje. Met gierende banden maakte hij rechtsomkeert naar Smyth's Gun Shop in Plainfield.

De eigenaar van de zaak, een kleine dikke man met nicotinevlekken in zijn baard, zat verslagen op de stoep toen Patrick arriveerde. Naast hem stond een agent die met zijn kin naar de open winkeldeur wees.

Patrick ging naast de eigenaar zitten. 'Ik ben rechercheur Ducharme. Kunt u me vertellen wat er is gebeurd?'

De man schudde zijn hoofd. 'Het ging allemaal zo snel. Ze wilde een pistool zien, een Smith and Wesson. Ze zei dat ze het voor bescherming in huis nodig had. Ze vroeg of ik informatie over dat model had, en toen ik me omdraaide...' Hij schudde zijn hoofd en zweeg.

'Waar had ze de kogels vandaan?' vroeg Patrick.

'Ik heb ze niet aan haar verkocht, dus die zullen wel in haar tas hebben gezeten.'

Patrick knikte. 'U blijft hier bij agent Rodriguez. Straks wil ik u misschien nog een paar vragen stellen.'

In de zaak lagen een waaier van bloed en hersenresten bij de rechtermuur. Guenther Frankenstein, de patholoog, had zich al over het lichaam gebogen dat op de zij lag. 'Jij bent er snel bij,' zei Patrick.

Guenther haalde zijn schouders op. 'Ik moest hier zijn voor een bijeenkomst van honkbalplaatjesverzamelaars.'

Patrick hurkte naast hem neer. 'Verzamel je honkbalplaatjes?'

'Ik kan moeilijk levers verzamelen, toch?' zei Guenther. 'Ze stak de loop in haar mond en haalde de trekker over.'

Patrick zag de handtas op de glazen toonbank liggen. Hij bekeek de inhoud en vond een doos munitie met een bon van de Wal-Mart. Toen hij de portefeuille opende om haar identiteitskaart te zoeken, rolde Guenther het lichaam op de rug.

Zelfs met haar verminkte gezicht herkende Patrick haar meteen. Hij had met Yvette Harvey gesproken. Hij was degene geweest die haar had moeten zeggen dat haar enige kind – haar dochter met het syndroom van Down – de schietpartij op Sterling High niet had overleefd.

Patrick besefte dat het aantal slachtoffers dat Peter Houghton had gemaakt nog steeds groeide, zij het indirect.

'Dat iemand wapens verzamelt, hoeft nog niet te betekenen dat hij ze ook gebruikt,' zei Peter nors.

Het was ongewoon warm voor eind maart – vijfendertig graden – en de airconditioning in de gevangenis was uitgevallen. De gevangenen liepen in hun onderbroek rond en de bewakers waren gespannen. De technische dienst scheen weinig haast met de reparatie te maken. Waarschijnlijk waren ze klaar tegen de tijd dat het buiten alweer was gaan sneeuwen. Jordan zat nu al meer dan twee uur met Peter in dit broeierige hok opgesloten en had het gevoel dat elke vezel van zijn pak met zweet was doordrenkt.

Hij wilde het opgeven. Hij wilde naar huis en tegen Selena zeggen dat hij deze zaak nooit had moeten aannemen. Daarna zou hij met zijn gezin naar de kust rijden en met kleren en al de ijskoude oceaan in springen. Sterven aan onderkoeling kon niet erger zijn dan de langzame dood die Diana Leven en het OM voor hem in petto hadden.

Het beetje hoop dat Jordan op zijn nieuwe verweermiddel had gevestigd, was in de weken na de hoorzitting tot nul gereduceerd toen hij de stukken zag die het OM had opgestuurd: stapels papieren, foto's en bewijzen. Met al die informatie kon hij zich niet voorstellen dat een jury zich afvroeg *waarom* Peter tien mensen had vermoord. Hij had het gewoon *gedaan*.

Jordan kneep in de brug van zijn neus. 'Je verzamelde wapens,' zei hij opnieuw. 'En die bewaarde je onder je bed. Waarom? Totdat je er een mooie glazen vitrine voor kon kopen?'

'Gelooft u me niet?'

'Iemand die wapens verzamelt, verstopt ze niet. Iemand die wapens verzamelt, heeft geen hitlist met omcirkelde foto's.'

Er kwamen zweetdruppels op Peters voorhoofd en zijn mond verstrakte.

Jordan boog zich naar voren. 'Wie is het meisje dat je hebt doorgekruist?'

'Welk meisje?'

'Het meisje op de foto waaronder je LATEN LEVEN hebt geschreven.'

Peter wendde zijn blik af. 'Iemand die ik van vroeger ken.'

'Hoe heet ze?'

'Josie Cormier.' Peter aarzelde even voordat hij Jordan weer aankeek. 'Is alles goed met haar?'

Cormier, dacht Jordan. De enige Cormier die hij kende, was de rechter aan wie Peters zaak was toegewezen.

Het kon niet waar zijn.

'Waarom vraag je dat? Heb je haar iets aangedaan?'

Peter schudde zijn hoofd.

Was hier iets aan de hand waar Jordan geen weet van had?

'Was ze je vriendin?'

Er kwam een glimlach om Peters lippen die niet zijn ogen bereikte. 'Nee.'

Jordan was een paar keer in rechter Cormiers rechtszaal geweest toen ze nog bij de districtsrechtbank werkte. Hij mocht haar wel. Ze was niet gemakkelijk, maar wel rechtvaardig. Eigenlijk kon Peter Houghton zich geen betere rechter wensen. Josie Cormier was geen slachtoffer van de schietpartij geweest, dus haar moeder zou zich als rechter in deze zaak niet compromitteren, maar er waren andere scenario's denkbaar. Jordan dacht aan het beïnvloeden van getuigen, aan de honderden dingen die verkeerd konden gaan. Hij vroeg zich af hoe hij, zonder dat iemand het merkte, erachter kon komen wat Josie Cormier wist van de schietpartij. En ook of ze iets wist wat Peter zou kunnen helpen.

'Heb je haar gesproken sinds je hier bent?' vroeg Jordan.

'Nee. Anders had ik toch niet gevraagd hoe het met haar ging?'

'Hoe dan ook, praat niet met haar. Je praat met niemand, behalve met mij.'

'Dan kan ik net zo goed tegen een muur praten,' mompelde Peter.

'Hoor eens, ik weet wel wat leukers te verzinnen dan hier met jou in een bloedhete spreekkamer te zitten.'

Peter kneep zijn ogen samen. 'Ga dan weg. U luistert toch niet naar me.'

'Ik luister naar elk woord dat je zegt, Peter. Ik luister naar je en denk dan aan de dozen met bewijslast die het OM me heeft bezorgd waaruit je als een koelbloedige moordenaar tevoorschijn komt. Je hebt wapens verzameld alsof je een of andere oorlogsfreak bent.'

Peter kromp in elkaar. 'Oké. Wilt u weten of ik van plan was die wapens te gebruiken? Ja, dat is zo. Ik heb alles van tevoren gepland. Ik zag het allemaal voor me in mijn hoofd. Ik heb de details tot op de laatste seconde uitgewerkt. Ik ging iemand vermoorden die ik haatte tot in het diepst van mijn hart. Maar ik kreeg er de kans niet voor.'

'Die tien mensen...'

'Die liepen me gewoon in de weg.'

'Wie wilde je dan eigenlijk doden?'

Aan de andere kant van het vertrek kwam de airconditioning ineens tot leven. Peter keerde Jordan de rug toe. 'Mezelf,' zei hij.

Een jaar eerder

'Ik vind dit nog steeds geen goed idee,' zei Lewis, toen hij het achterportier van de bestelbus opende. De hond, Dozer, lag snakkend naar adem op zijn zij.

'Je hebt gehoord wat de dierenarts zei,' zei Lacy, en ze streelde de kop van de retriever. Ze hadden hem gekregen toen Peter drie was. Dozer was nu twaalf en zijn nieren hadden het begeven. Door het dier met medicijnen in leven te houden, deden ze alleen zichzelf een plezier, en niet de hond. Ze kon zich moeilijk voorstellen dat ze hem nooit meer door het huis zou horen trippelen.

'Ik bedoel dat de hele familie erbij moet zijn wanneer ze hem laten inslapen,' verduidelijkte Lewis.

De jongens sprongen de auto uit en knepen hun ogen dicht tegen de zon.

'Ik snap niet waarom wij mee moesten,' zei Joey.

Peter schopte tegen de kiezels op het parkeerterrein. 'Dit is gewoon kut.'

'Dat soort taal wil ik niet horen,' waarschuwde Lacy. 'Zijn jullie echt zo egoïstisch dat jullie geen afscheid willen nemen van een lid van ons gezin?'

'Dat hadden we thuis kunnen doen,' mopperde Joey.

Lacy zette haar handen in de zij. 'De dood maakt deel uit van het leven. Ik zou de mensen van wie ik hou ook om me heen willen hebben als mijn tijd gekomen is.' Ze wachtte tot Lewis de hond in zijn armen had gesjord en sloot toen de auto af.

Lacy had een afspraak gemaakt voor het eind van de middag, zodat de dierenarts geen haast hoefde te maken. Ze zaten als enigen in de wachtkamer, met de hond als een deken over Lewis' benen gedrapeerd. Joey pakte een *Sports Illustrated* van drie maanden geleden op en Peter zat met over elkaar geslagen armen naar het plafond te staren.

'Laten we onze mooiste herinneringen aan Dozer ophalen,' stelde Lacy voor.

Lewis zuchtte. 'Godallemachtig...'

'Alsjeblieft, zeg,' voegde Joey eraantoe.

'Mijn mooiste herinnering,' vervolgde Lacy onverstoorbaar, 'is die keer dat Dozer, toen hij nog een pup was, met zijn koppie vastzat in de kalkoen die op de eettafel stond.' Liefdevol streelde ze zijn kop. 'Dat was het jaar dat we met Thanksgiving soep hebben gegeten.'

Joey smeet het tijdschrift terug op het tafeltje.

Marcia, de dierenartsassistente, had een vlecht die tot over haar heupen reikte. Vijf jaar geleden had Lacy haar geholpen bij de bevalling van haar tweeling. 'Hallo, Lacy,' zei ze, en ze liep op haar af en sloeg haar armen om haar heen. 'Gaat het een beetje?' Daarna krabbelde ze Dozer achter zijn oren. 'Blijven jullie liever hier wachten?'

'Ja,' mompelde Joey tegen Peter.

'Nee, we gaan allemaal naar binnen,' zei Lacy gedecideerd.

Ze volgden Marcia naar de behandelkamer waar Dozer op de onderzoekstafel werd gelegd. Zijn nagels tikten tegen het metaal toen hij houvast zocht. 'Rustig maar, lieverd,' zei Marcia.

Lewis en de jongens bleven naast elkaar bij de muur staan. Toen de dierenarts met een injectienaald binnenkwam, deinsden ze verder naar achteren. 'Wil een van jullie hem misschien helpen vasthouden?' vroeg de arts.

Lacy knikte en kwam dichterbij.

'Nou, Dozer, je hebt je kranig geweerd,' zei de arts. Hij draaide zich om en zei tegen de jongens: 'Hij zal er helemaal niets van voelen.'

'Wat is het?' vroeg Lewis, naar de injectienaald starend.

'Een combinatie van chemicaliën waardoor de spieren ontspannen en de overbrenging van zenuwprikkels wordt beëindigd.

En zonder zenuwprikkels is er geen hersenactiviteit, geen gevoel, geen beweging. Het is alsof je in slaap valt.' Hij zocht een ader in de poot terwijl Marcia het dier stevig vasthield. Hij injecteerde de oplossing en wreef over Dozers kop.

De hond zuchtte diep en bewoog toen niet meer. Marcia deed een stap terug en liet Dozer in Lacy's armen achter. 'We laten jullie even met hem alleen,' zei ze, waarna ze samen met de arts het vertrek verliet.

Lacy was gewend nieuw leven te voelen, niet het leven uit het lichaam in haar armen te voelen verdwijnen. Het was gewoon een andere overgang – van zwangerschap tot geboorte, van kind tot volwassene, van leven tot dood. Maar afscheid nemen van een dierbaar huisdier was op de een of andere manier moeilijker. Hoe dwaas het ook was zo'n emotionele band te voelen met een niet menselijk wezen. Hoe dwaas het ook was om net zo veel te houden van een hond – die je altijd voor de voeten liep, je leren bank beschadigde en moddersporen in huis achterliet – als van je eigen kinderen.

En toch.

Dit was de hond die de tweejarige Peter goedmoedig en stoïcijns op zijn rug had laten paardjerijden in de achtertuin. Dit was de hond die het hele huis wakker had geblaft toen Joey op de bank in slaap was gevallen terwijl zijn avondeten in de oven stond tot de vlammen eruit sloegen. Dit was de hond die hartje winter onder Lacy's bureau lag en met zijn warme buik haar voeten verwarmde terwijl zij haar e-mails beantwoordde.

Ze boog zich over Dozers lichaam heen en begon te huilen. Eerst zacht, daarna steeds luider.

'Doe iets,' hoorde ze Joey tegen Lewis zeggen.

Ze voelde een hand op haar schouder. Eerst dacht ze dat het die van Lewis was, maar toen hoorde ze Peter zeggen: 'Ik weet nog dat we hem uit een nest pups moesten kiezen. Al zijn broertjes en zusjes probeerden over de rand van de kooi te klimmen. En hij stond boven aan het trapje. Toen keek hij ons aan, struikelde en viel naar beneden.' Lacy keek naar hem op. 'Dat is mijn mooiste herinnering,' zei Peter.

Lacy had zich altijd gelukkig geprezen dat ze een zoon had die anders was dan de gemiddelde Amerikaanse jongen, iemand die sensitief en emotioneel was, en instinctief begreep wat anderen voelden of dachten. Ze liet de hond los en nam Peter in haar armen. In tegenstelling tot Joey, die al groter was dan zij en gespierder dan Lewis, paste Peter nog steeds in haar omhelzing. Zelfs zijn schouders die zo breed leken onder het katoenen shirt voelden breekbaar aan onder haar handen. Een jongen die nog een man moest worden.

Kon ze hem maar zo houden.

Bij elk concert of toneelstuk op school had Josie maar één ouder onder het publiek gehad. Ze moest haar moeder nageven dat ze altijd haar agenda had aangepast, zodat ze Josies toneelprestaties als Tandplak in het tandhygiënespel kon zien, of haar korte solozang in het kerstkoraal kon horen. Er waren meer kinderen met een alleenstaande vader of moeder – bijvoorbeeld omdat hun ouders waren gescheiden – maar Josie was de enige op school die haar vader nooit had ontmoet. Toen ze op de kleuterschool zat en de klas een kaart voor vaderdag maakte, moest zij naast het meisje zitten van wie de vader aan kanker was overleden.

Zoals elk nieuwsgierig kind wilde Josie weten waarom haar ouders gescheiden waren, maar ze had niet verwacht te horen dat haar vader en moeder nooit met elkaar waren getrouwd. 'Daar was hij het type niet voor,' had haar moeder gezegd. Josie begreep niet waarom dat ook moest betekenen dat hij haar nooit een cadeautje voor haar verjaardag stuurde, of haar in de zomervakantie niet een weekje bij hem thuis uitnodigde. Hij had niet eens gebeld om haar stem te horen.

Dit jaar zou ze biologie krijgen, en ze werd al nerveus bij de gedachte dat erfelijkheidsleer er onderdeel van uitmaakte. Josie wist niet of haar vader bruine of blauwe ogen had, krullend haar, of sproeten. Haar moeder had Josies vragen weggewuifd. 'Je moet maar denken dat je vijftig procent meer over je achtergrond weet dan iemand die is geadopteerd.'

Het enige wat Josie over haar vader wist, was dat hij Logan Rourke heette en docent was geweest aan de universiteit waar haar moeder rechten had gestudeerd.

Zijn haar was vroegtijdig wit geworden, maar het stond hem goed, had haar moeder haar verzekerd.

Hij was tien jaar ouder dan haar moeder, dus moest hij nu vijftig zijn.

Hij had lange vingers en speelde piano. Hij kon niet fluiten.

Niet echt genoeg om een biografie over hem te schrijven.

In het biologielab zat ze naast Courtney. Zelf zou Josie haar nooit als partner hebben gekozen, want Courtney was niet bepaald een van de slimsten, maar dat scheen niet uit te maken. Mevrouw Aracort begeleidde ook de cheerleaders, van wie Courtney er één was. Hoe slecht hun labverslagen ook waren, ze kregen altijd een voldoende.

Op de tafel naast het bureau van mevrouw Aracort lag een ontlede kattenschedel die naar formaldehyde stonk. Dat was al erg genoeg, maar bovendien was het net lunchpauze geweest. ('Ik ben bang dat ik alles weer uit ga kotsen,' had Courtney huiverend gezegd.) Josie probeerde er niet naar te kijken terwijl ze aan haar project werkte. Elke leerling had een draadloze laptop ter beschikking om op het net voorbeelden van diervriendelijke research te zoeken. Tot nu toe had Josie een studie over primaten gevonden van een fabrikant van allergiepillen, waarbij apen astmatisch werden gemaakt en vervolgens weer werden genezen, en een andere over wiegendood waarbij pups betrokken waren.

Ze sloeg per ongeluk een browsertoets aan waardoor ze op de homepage van *The Boston Globe* kwam. Die was volledig gewijd aan de verkiezingsstrijd tussen de zittende officier van justitie en zijn rivaal, de decaan van Harvard Law School, Logan Rourke.

Josie voelde vlinders in haar buik. Er kon er toch maar één zijn? Ze boog zich dichter naar het scherm, maar de foto was korrelig en overbelicht. 'Wat is er?' fluisterde Courtney.

Josie schudde haar hoofd en sloeg de laptop dicht, alsof haar geheim daarmee bewaard kon blijven.

Peter maakte nooit gebruik van het urinoir. Hij wilde niet naast zo'n gigantische twaalfdeklasser staan die snerend opmerkte dat hij maar een miezerig onderdeurtje was, vooral in de lagere regionen. Daarom ging hij altijd een toilethokje in waar hij de deur kon dichtdoen.

Hij las graag de teksten die op de wc-muren waren geschreven. Eén hokje had een hele reeks klop-klop-wie-is-daar-grappen. Op andere stonden namen van meisjes die wilden pijpen. Er was ook een krabbel bij die herhaaldelijk zijn oog trok: TREY WILKINS IS EEN FLIKKER. Hij kende Trey Wilkins niet – waarschijnlijk zat hij niet eens meer op Sterling High – maar toch vroeg Peter zich af of Trey ook de toilethokjes had geprefereerd boven de pisbak.

Peter had de Engelse les verlaten tijdens een schriftelijke grammaticatest. Hij geloofde niet dat het er in de almachtige kosmos iets toe deed of een adjectief veranderde door een substantief of verbum of wat dan ook. Hij had geen zin om naar de klas terug te gaan. Dit was al het tweede proefwerk dat hij niet had gemaakt. Zijn ouders zouden wel kwaad zijn, maar erger was de manier waarop ze hem zouden aankijken, teleurgesteld dat hij niet wat meer op Joey leek.

Hij hoorde de deur van de toiletruimte opengaan en het rumoer op de gang toen twee jongens binnenkwamen. Peter bukte zich en keek onder de deur door. Nikes. 'Ik zweet als een varken,' zei een stem.

De andere jongen lachte. 'Omdat je dat ook bent.'

'O ja? Ik kan je anders met mijn ogen dicht op het footballveld verslaan.'

Peter hoorde een kraan lopen en gespetter van water.

'Kijk even uit, ja?'

'Aaah, dit is beter,' zei de eerste stem. 'Hé, moet je mijn haar zien. Ik lijk Alfafa wel.'

'Wie?'

'Ben je achterlijk of zo? Die jongen van de Little Rascals met die vetkuif achter op z'n hoofd.'

'Je ziet er eerder uit als een flikker...'

'Nu je het zegt...' Meer gelach. 'Ik heb inderdaad wel iets van Peter weg.'

Zodra Peter zijn naam hoorde, begon zijn hart te bonken. Hij deed de wc-deur van het slot en kwam naar buiten. Voor de wasbakken stonden een footballspeler die hij alleen van gezicht kende en zijn eigen broer. Joey's haar was druipnat en stond achter op zijn hoofd recht overeind, net als bij Peter als hij onder de douche had gestaan en hij het tevergeefs met zijn moeders haargel glad probeerde te krijgen.

Joey keek even in zijn richting. 'Opmieteren jij,' beval hij. En Peter haastte zich naar buiten.

De twee mannen die voor Alex' rechtbank stonden, woonden in hetzelfde huis, hoewel ze elkaar haatten. Arliss Undergroot was bouwvakker. Hij had tatoeages op boven- en onderarmen, een geschoren schedel, en genoeg piercings in zijn hoofd om de metaaldetectoren van het gerechtsgebouw op tilt te zetten. Rodney Eakes was een veganistische bankbediende met een zeldzame collectie opnames van Broadway-shows in de originele bezetting. Arliss woonde beneden, Rodney woonde boven. Een paar maanden geleden had Rodney een baal hooi mee naar huis genomen waarmee hij zijn organische tuintje wilde afdekken, maar was er nog steeds niet toe gekomen, zodat het hooi voor Arliss' veranda bleef liggen. Arliss vroeg Rodney de baal weg te halen, maar Rodney had niet snel genoeg gereageerd. Dus op een avond hadden Arliss en zijn vriendin het touw rond de baal doorgeknipt en het hooi over de voortuin verspreid.

Rodney belde de politie, en die had Arliss gearresteerd wegens diefstal, ofwel het onrechtmatig in bezit nemen van een hooibaal.

'Waarom moet de belastingbetaler van New Hampshire dokken voor een ruzie die nooit een rechtszaak had mogen worden?' vroeg Alex.

De openbaar aanklager haalde zijn schouders op. 'De baas wilde het zo,' zei hij, en hij rolde met zijn ogen.

Hij had al bewezen dat Arliss het hooi over het gazon had verspreid. Maar een veroordeling betekende in dit geval dat Arliss de rest van zijn leven een strafblad zou hebben.

Hij mocht dan een onverdraagzame huisgenoot zijn, dit verdiende hij niet.

'Hoeveel heeft de gedupeerde voor die hooibaal betaald?' vroeg Alex aan de aanklager.

'Vier dollar, edelachtbare.'

Ze richtte zich tot de beklaagde. 'Hebt u vier dollar op zak?'

Arliss knikte.

'Uw dossier wordt zonder verdere consequenties gesloten wanneer u de gedupeerde betaalt. U geeft vier dollar aan de gerechtsbode en die zal ze overhandigen aan meneer Eakes. Ik las een pauze van een kwartier in.'

In haar kantoor trok Alex haar toga uit en nam een pakje sigaretten uit haar tas. Via de achtertrap liep ze naar beneden, stak een sigaret op en inhaleerde diep. Er waren dagen dat ze trots was op haar werk, maar vandaag vroeg ze zich af of het wel enige zin had.

Liz stond aan de voorkant van het gerechtsgebouw het gazon aan te harken. 'Ik kom je een sigaretje brengen,' zei Alex.

'Wat is er aan de hand?'

'Waarom denk je dat er iets aan de hand is?'

'Omdat je in al die jaren dat je hier werkt me nooit een sigaret bent komen brengen.'

Alex leunde tegen een boom en keek naar de bladeren die in Liz' hark gevangenzaten. 'Ik heb net drie uur aan een onzinnige ruzie verspild die nooit voor de rechtbank had mogen worden uitgevochten.'

Liz keek even op. 'Alex,' zei ze, 'mag ik je iets vragen?'

'Ga je gang.'

'Wanneer heb je voor het laatst seks gehad?'

Alex keek haar verbaasd aan. 'Wat heeft dat ermee te maken?'

'De meeste mensen willen zo snel mogelijk van hun werk naar huis om dingen te doen waar ze werkelijk plezier in hebben. Bij jou is het omgekeerd.'

'Dat is niet waar. Josie en ik...'

'Wat hebben jullie dit weekend gedaan?'

Alex pakte een blad op dat van de boom was gevallen en plukte eraan. De afgelopen drie jaar was Josies sociale agenda propvol geweest met bioscoopafspraakjes, feestjes en logeerpartijen. Dit weekend was ze gaan winkelen met Haley Weaver, een derdeklasser die net haar rijbewijs had gehaald. Alex had twee beschikkingen geschreven en haar koelkast uitgemest.

'Ik ga een afspraakje voor je regelen,' zei Liz.

Er waren bedrijven in Sterling die tieners na schooltijd een bijverdienste aanboden. Na zijn eerste zomer bij de copyshop begreep Peter waarom. Het was klotewerk dat niemand anders wilde doen.

Hij was verantwoordelijk voor het kopiëren van lesmateriaal voor Sterling College. Hij wist hoe je een document tot het minimum moest verkleinen, en ook hoe je toner moest toevoegen. Wanneer een klant wilde betalen, probeerde hij aan zijn kleding of haardracht te raden wat voor bankbiljet hij op de toonbank zou leggen. Studenten betaalden altijd met briefjes van twintig, moeders met kinderwagens met een creditcard, en docenten met verkreukelde eendollarbiljetten.

Hij was hier gaan werken omdat hij een nieuwe computer nodig had met een betere grafische kaart, zodat hij kon meehelpen met de spelletjes waar Derek en hij zich sinds kort mee bezighielden. Het verbaasde Peter steeds weer dat je met een reeks ogenschijnlijk onzinnige opdrachten ineens een ridder, een zwaard, of een kasteel op het scherm kon toveren. Hij vond het ongelooflijk dat je zoiets wonderbaarlijks kon creëren uit wat anderen als wartaal beschouwden.

Vorige week, toen zijn baas zei dat hij nog iemand had aangenomen, was Peter zo nerveus geworden dat hij zich twintig minuten op de wc had moeten opsluiten voordat hij kon doen alsof het hem niets interesseerde. Hoe saai dit baantje ook was, voor hem was het een toevluchtsoord. Hier was hij het grootste deel van de middag alleen en hoefde hij niet bang te zijn andere leerlingen tegen te komen.

Maar als meneer Cargrew iemand van Sterling High had ingehuurd, dan wist die leerling wie Peter was. En ook als die geen deel van de populaire kliek uitmaakte, was de copyshop niet veilig meer. Hij zou twee keer moeten nadenken over alles wat hij zei of deed om geen aanleiding tot geruchten te geven.

Maar tot Peters grote verrassing bleek de nieuwe medewerkster Josie Cormier te zijn.

Ze was achter meneer Cargrew binnengekomen. 'Dit is Josie,' zei hij ter introductie. 'Kennen jullie elkaar?'

'Een beetje,' had Josie geantwoord. 'Ja,' had Peter eraan toegevoegd.

'Peter zal je laten zien hoe alles in zijn werk gaat,' zei meneer Cargrew, en verdween toen om te gaan golfen.

Wanneer Peter haar op school weleens tegenkwam met haar nieuwe vrienden, herkende hij haar bijna niet. Ze kleedde zich nu anders. Ze droeg een spijkerbroek waarin haar platte buik goed uitkwam, en diverse lagen T-shirts in alle kleuren van de regenboog. Ze had make-up op die haar ogen veel groter maakten. En ook een beetje droevig, dacht hij, hoewel hij betwijfelde of ze het besefte.

De laatste keer dat hij Josie had gesproken, was vijf jaar geleden, toen ze samen in groep zes zaten. Hij was ervan overtuigd dat de echte Josie zich van die oppervlakkige club zou losmaken als ze besefte dat de mensen met wie ze omging de diepgang hadden van bordkarton. Hij wist zeker dat ze zijn gezelschap weer zou zoeken wanneer haar vrienden andere leerlingen gingen treiteren. Goeie god, zou ze zeggen, wanneer ze lachend terugkeken op haar reis naar de onderwereld. Wat heeft me bezield?

Maar Josie kwam niet terug, en hij raakte bevriend met Derek.

'Oké,' zei Josie, alsof ze hem nooit eerder had gezien. 'Wat gaan we doen?'

Nu werkten ze al een week samen. Nou ja, ze wisselden informatie uit. *Hebben we nog toner voor de kleurenprinter?*

Wat moet iemand betalen om hier een fax te kunnen ontvangen?

Vanmiddag stond Peter artikelen te kopiëren die voor psychologiecolleges waren bestemd. Terwijl de pagina's in de vakken van de automatische sorteermachine vielen, keek hij naar de hersenscans van schizofrenen – felroze cirkels rond de voorkwabben die in grijstinten werden gereproduceerd. 'Voor welk woord gebruik je de merknaam in plaats van de functie?'

Josie niette fotokopieën aan elkaar en haalde haar schouders op.

'Zoals Xerox,' zei Peter. 'Of Kleenex.'

'Jell-O,' antwoordde Josie.

'Google.'

Josie keek op. 'Band-Aid.'

'Q-tip.'

Ze dacht even na en zei grijnzend: 'FedEx.'

Peter glimlachte. 'Frisbee.'

'Jacuzzi,' zei Josie. 'Post-it.'

'Magic Marker.'

'Pingpong!'

Ze waren nu allebei gestopt met hun werk en stonden lachend naast elkaar toen de winkelbel rinkelde.

Matt Royston liep naar binnen. Hij droeg een ijshockeypet van Sterling High. Hoewel het nieuwe seizoen pas over een maand van start ging, wist iedereen dat hij bij het universiteitsteam zou worden ingedeeld, al was hij pas eerstejaars. Peter – dolgelukkig dat de Josie van vroeger weer terug was – zag hoe ze zich naar Matt omdraaide. Met blozende wangen en sprankelende ogen. 'Wat kom jij hier doen?'

Hij leunde tegen de toonbank. 'Begroet je al je klanten zo?'

'Wil je iets laten kopiëren?'

Matt keek haar grijnzend aan. 'Geen sprake van. Ik ben de enige echte.' Hij keek om zich heen. 'Dus hier werk je?'

'Nee, ik kom hier alleen voor de kaviaar en de champagne.'

Van achter de toonbank keek Peter naar hen. Hij verwachtte dat Josie zou zeggen dat ze aan het werk was, al was het niet helemaal waar.

'Hoe laat ben je vrij?'

'Om vijf uur.'

'We gaan vanavond met een stel naar Drew.'

'Is dat een uitnodiging?' vroeg ze. Voor het eerst zag Peter dat ze een kuiltje in haar wangen kreeg als ze glimlachte.

'Wel als jij het wilt.'

Peter liep naar voren. 'We moeten weer aan het werk.'

Matt keek hem minachtend aan. 'Flikker op, homo.'

Josie ging voor Peter staan. 'Hoe laat?'

'Zeven uur.'

'Dan zie ik je daar,' zei ze.

'Oké,' antwoordde Matt, en hij liep de zaak uit.

Josie legde een nieuwe reeks kopieën op elkaar en schudde de stapel recht.

Peter voegde papier aan de machine toe en vroeg: 'Vind je hem aardig?'

'Matt? Ja, hoor.'

'Meer dan aardig, bedoel ik.' Hij drukte de startknop in en keek naar de kopieën die uit de machine rolden.

Toen Josie geen antwoord gaf, ging hij naast haar aan de sorteertafel staan. Hij gaf haar een stapeltje kopieën dat moest worden vastgeniet. 'Hoe voelt dat nou?'

'Hoe voelt wat nou?'

Peter aarzelde even. 'Om populair te zijn.'

Josie reikte langs hem heen naar een ander stapeltje dat geniet moest worden. Het bleef geruime tijd stil voordat ze zei: 'Je hebt het gevoel dat je zult vallen als je één verkeerde stap doet.'

Bij die woorden hoorde Peter iets in haar stem wat hem als muziek in de oren klonk. Ineens herinnerde hij zich weer dat ze op een zomerdag in de oprit van Josies huis een vuurtje probeerden te stoken, dat ze hem uitdaagde haar in te halen toen ze van school naar huis renden. En hij besefte dat de Josie die vroeger zijn kameraad was geweest er ergens nog steeds moest zijn, als zo'n Russische pop met vanbinnen steeds kleinere poppetjes.

Kon hij er maar voor zorgen dat ze zich die dingen ook herinnerde. Misschien had ze niet het gezelschap van Matt & Co gezocht omdat ze populair wilde zijn. Misschien was ze gewoon vergeten hoe prettig ze het met Peter had gevonden.

Vanuit zijn ooghoek keek hij naar haar. Ze beet op haar onderlip terwijl ze ingespannen bezig was. Peter wenste dat hij zich net zo relaxed en natuurlijk kon gedragen als Matt, maar zijn hele leven had hij altijd net iets te hard of te laat gelachen, alsof hij wilde vergeten dat er om hém gelachen werd. Hij kon niemand anders zijn dan zichzelf, dus haalde hij diep adem en hield zich voor dat Josie daar ooit tevreden mee was geweest.

'Hé,' zei hij. 'Kom eens mee.' Hij liep het aangrenzende kantoor van meneer Cargrew in. Op het bureau stond een foto van zijn vrouw en kinderen, en ook zijn computer die streng verboden gebied was en met een wachtwoord was beveiligd.

Josie liep achter hem aan en ging achter de stoel staan waarop Peter ging zitten. Hij drukte een paar toetsen in, en ineens werd het scherm toegankelijk.

'Hoe krijg je dat voor elkaar?' vroeg Josie.

Peter haalde zijn schouders op. 'Ik ben nogal handig met computers. Vorige week heb ik die van Cargrew gekraakt.'

'Misschien kunnen we beter niet...'

'Wacht even.' Peters vingers bewogen over de toetsen totdat hij een goed verborgen bestand met downloads had gevonden. Hij klikte de eerste pornosite aan.

'Is dat... een dwerg?' mompelde Josie. 'En een ezel?'

Peter hield zijn hoofd scheef. 'Ik dacht eerder aan een enorme kat.'

'In elk geval is het walgelijk.' Ze huiverde. 'Jasses. En van die man moet ik geld aannemen?' Toen keek ze naar Peter. 'Wat kun je nog meer op die computer?'

'Wat je maar wilt,' blufte hij.

'Kun je ook ergens anders binnendringen? In scholen en zo?'

'Natuurlijk,' zei Peter, hoewel hij het niet zeker wist. Hij begon net te leren hoe hij door codes heen moest breken.

'Kun je ook een adres voor me vinden?'

'Makkelijk zat,' antwoordde Peter. 'Van wie?'

'Zomaar iemand,' zei ze, en ze boog zich over hem heen om iets in te tikken. Hij snoof het aroma van haar haar op – appels – en voelde haar schouder tegen de zijne. Peter sloot zijn ogen en wachtte op de vonk. Josie was aantrekkelijk, ze was een meisje, en toch... voelde hij niets.

Misschien omdat hij haar te goed kende – als een zusje?

Of omdat ze geen jongen was?

Kijk niet zo naar me, homo.

Toen hij meneer Cargrews pornosite voor de eerste keer zag, had hij vooral naar de mannen gekeken en niet naar de vrouwen. Hield dit in dat hij op jongens viel? Maar kon het niet gewoon nieuwsgierigheid zijn geweest?

Of stel dat Matt en de anderen gelijk hadden?

Josie klikte een paar keer op de muis totdat er een artikel uit *The Boston Globe* op het scherm verscheen. 'Daar,' wees ze. 'Die man.'

Peter las het bijschrift. 'Wie is Logan Rourke?'

'Wat maakt het uit,' zei Josie. 'Waarschijnlijk staat hij niet eens in het telefoonboek.'

Dat was inderdaad het geval, maar het leek Peter logisch dat iemand die zich kandidaat stelde voor een belangrijke openbare functie zijn persoonlijke gegevens geheim wilde houden. Binnen tien minuten was hij erachter dat Logan Rourke op de Harvard Law School had gewerkt, en een kwartier later was hij tot de personeelsbestanden van de universiteit doorgedrongen.

'Ta-daa! Hij woont op Conant Road in Lincoln.' Hij keek over zijn schouder en zag een brede glimlach op Josies gezicht. Ze bleef even naar het scherm staren. 'Je bent echt goed,' zei ze.

Er werd vaak gezegd dat economen overal de prijs maar nergens de waarde van kenden. Lewis dacht hierover na toen hij op kantoor het gigantische bestand van het World Values Survey opende, een databank die was aangelegd door Noorse wetenschappers die informatie over honderdduizenden mensen uit alle delen van de wereld bevatte, met een oneindige variatie aan details. Van basisgegevens – leeftijd, geslacht, gewicht, burgerlijke staat, aantal kinderen – tot complexere zaken als politieke en religieuze overtuiging. Zelfs de tijdsfactor speelde een rol: hoe lang iemand dagelijks op zijn werk was, hoe vaak hij naar de kerk ging, hoeveel keer per week hij seks had en met hoeveel partners.

Wat de meeste mensen stomvervelend aan dit werk zouden vinden, was voor Lewis een rit in de achtbaan. Wanneer je patronen in die massale hoeveelheid begon te ontdekken, wist je nooit waar de val in de diepte of de stijging naar grote hoogten begon. Hij had de getallen vaak genoeg bestudeerd om er snel iets over op papier te kunnen zetten voor zijn lezing de komende week. Het hoefde niet perfect te zijn voor die kleine bijeenkomst, en zijn hooggeleerde collega's zouden toch niet komen. Later kon hij zijn lezing nog altijd bijschaven voor publicatie in een wetenschappelijk tijdschrift.

Zijn verhandeling ging over het prijskaartje dat aan geluk hing. Iedereen zei altijd dat geluk te koop was. Maar tegen welke prijs? Had inkomen een direct of zijdelings effect op geluk? Waren gelukkige mensen succesvoller in hun werk, of kregen ze een hoger salaris omdat ze gelukkiger waren dan anderen?

Maar geluk hing niet alleen van je inkomen af. Had het huwelijk in Europa meer waarde dan in Amerika? Waarom bereikten kerkgangers een hoger geluksniveau dan niet-kerkelijken? Waarom hadden Scandinaviërs – die hoog op de geluksschaal scoorden – het hoogste zelfmoordpercentage ter wereld?

Terwijl Lewis de variabelen van het overzicht analyseerde, dacht hij aan de variabelen van zijn eigen geluk. Welke financiële vergoeding zou hebben gecompenseerd dat er nooit een vrouw als Lacy in zijn leven was gekomen? Dat hij nooit een vaste aanstelling op Sterling College had gekregen?

Wie had wat aan de wetenschap dat de huwelijkse staat geassocieerd werd met een gelukstoename van 0,07 procent (met een standaardcorrectie van 0,02 procent)? Maar zei je tegen iemand dat getrouwd zijn dezelfde bijdrage aan geluk levert als honderdduizend dollar meer per jaar, dan begreep hij het meteen. Tot dusver had hij de volgende conclusies getrokken.

1. Meer geld verdienen werd geassocieerd met meer geluk, zij het tot op zekere hoogte. Iemand die bijvoorbeeld 50.000 dollar verdiende, bleek gelukkiger dan iemand met een salaris van 25.000. Maar de geluksstijging door een salarisverhoging van 50.000 naar 100.000 was verhoudingsgewijs veel minder.

2. Ondanks materiële vooruitgang, bleef het geluksniveau in tijd gemeten hetzelfde.

3. Geluksgevoel was het grootst bij vrouwen, echtparen, academici, en degenen van wie de ouders nooit waren gescheiden.

4. Door de jaren heen was het geluk van vrouwen afgenomen, mogelijk omdat ze op de arbeidsmarkt steeds meer aan mannen gelijk werden gesteld.

5. In de VS waren zwarten ongelukkiger dan blanken, maar dat was aan het veranderen.

6. Berekeningen wezen uit dat 'herstelbetalingen' voor werkloosheid 60.000 dollar per persoon per jaar zouden kosten. 'Herstelbetalingen' omdat je zwart was, zouden 30.000 per jaar kosten. 'Herstelbetalingen' omdat je weduwe of weduwnaar was geworden, zouden 100.000 per jaar bedragen.

Er was een tijd dat Lewis zich zo gelukkig voelde, vooral na de geboorte van zijn zoons, dat hij zeker wist dat er vandaag of morgen iets verschrikkelijks ging gebeuren. Dan lag hij in bed en dwong zichzelf te kiezen tussen zijn huwelijk, zijn baan, en zijn kinderen. Hij vroeg zich af hoeveel geluk je kon verdragen voordat je eraan bezweek.

Hij sloot de databank af en staarde naar de screensaver. Het was een foto van de jongens bij een kinderboerderij in Connecticut toen ze acht en tien waren. Joey had zijn broertje op zijn rug gehesen en ze grijnsden in de camera, met de ondergaande zon op de achtergrond. Enkele ogenblikken later had een hert Joey's voeten onder hem vandaan geschopt, waardoor beide jongens op de grond vielen en in huilen uitbarstten... Maar daar dacht Lewis liever niet meer aan.

Geluk was niet alleen wat je ervan vastlegde, maar vooral wat je je ervan wilde herinneren.

Hij was nog tot een andere conclusie gekomen. Geluk had een U-vorm. Mensen waren het gelukkigst wanneer ze heel jong of heel oud waren. Het dieptepunt kwam wanneer je tegen de veertig liep.

Met andere woorden, dacht Lewis opgelucht, erger dan nu kon het niet worden.

Josie vond wiskunde leuk, en ze kreeg er ook goede cijfers voor, maar toch was dit het enige vak waar ze haar uiterste best voor moest doen. Ze had moeite met cijfers, hoewel ze logisch kon redeneren en een opstel schrijven haar gemakkelijk afging. Wat dat betrof, dacht ze, leek ze op haar moeder.

Of misschien op haar vader.

Meneer McCabe, hun wiskundeleraar, liep tussen de banken door terwijl hij een tennisbal opgooide en een variatie zong op een liedje van Don McLean.

> Bye, bye, what's the value of pi
> Gotta fidget with the digits
> Till this class has gone by...
> Them ninth graders were workin' hard with a sigh
> Sayin', Mr. McCabe, come on, why?
> Oh Mr. McCabe, come on, why-y-y...

Josie veegde een coördinaat uit.

'We hebben helemaal geen pi,' zei een andere leerling.

De leraar draaide zich om en liet de tennisbal op de lessenaar van de jongen vallen. 'Andrew, fijn dat je op tijd wakker bent geworden om dat op te merken.'

264

'Geldt dit als proefwerk?'

'Nee. Misschien moet ik hiermee op tv,' zei meneer McCabe nadenkend. 'Bestaat er ook zoiets als *Idols* voor wiskunde?'

'Ik mag hopen van niet,' mompelde Matt, die achter Josie zat. Hij porde in haar schouder, waarop ze haar werkstuk naar de linker bovenhoek schoof zodat hij de oplossingen beter kon zien.

Deze week hielden ze zich met grafieken bezig. Elke leerling moest een grafiek presenteren van iets waarmee hij vertrouwd was. Tegen het eind van de les reserveerde meneer McCabe tien minuten voor een presentatie. Gisteren had Matt een grafiek laten zien van de gemiddelde leeftijd van ijshockeyspelers in de New Hampshire League. Josie, die morgen haar presentatie moest houden, had onder haar vriendenkring gepeild of er evenredigheid bestond tussen het aantal uren dat je aan huiswerk besteedde en je gemiddelde cijfer.

Vandaag was Peter Houghton aan de beurt. Zijn grafiek had de vorm van een taart. Die was in gekleurde segmenten verdeeld, en de kop erboven luidde: POPULARITEIT.

'Ga je gang, Peter,' zei meneer McCabe.

Peter wekte de indruk alsof hij het liefst in de grond wilde zakken, maar zo had hij er altijd al uitgezien. Sinds Josie bij de copyshop was gaan werken, praatten ze weer met elkaar, maar – volgens een ongeschreven regel – alleen buiten schooltijd. De school was een vissenkom waar alles wat je zei of deed door iedereen werd gehoord of gezien.

Toen ze klein waren, scheen het Peter nooit op te vallen dat hij alleen al door zichzelf te zijn de aandacht op zich vestigde. Toch moest Josie hem nageven dat hij zich nooit anders probeerde voor te doen dan hij werkelijk was. En dat kon ze van zichzelf niet zeggen.

Peter schraapte zijn keel. 'Mijn grafiek gaat over populariteit op school. De statistische gegevens ontleen ik aan de vierentwintig leerlingen in deze klas. Hier zien jullie,' hij wees naar een segment van de taart, 'dat iets minder dan een derde deel van de klas populair is.'

265

Het populaire, violetkleurige deel, was onderverdeeld in zeven parten, waarop elk de naam van een leerling was ingevuld, zoals die van Matt en Drew, van een paar meisjes die in de lunchpauze altijd om Josie heen hingen, maar ook, zag Josie, van de clown van de klas, en van de nieuwe jongen uit Washington.

'Dit hier zijn de watjes,' zei Peter, en Josie zag de naam van de bolleboos van de klas en van het meisje dat tuba in de schoolfanfare speelde. 'De grootste groep bestaat uit leerlingen die ik normaal zou willen noemen, en zo'n vijf procent uit verschoppelingen.'

Iedereen was stil geworden. Dit was zo'n moment, dacht Josie, dat er een mentor werd bijgehaald om iedereen een lesje in verdraagzaamheid te geven. Ze zag dat meneer McCabe fronsend nadacht hoe hij van Peters presentatie een leermoment kon maken. Ze zag dat Drew en Matt elkaar grijnzend aankeken. Maar vooral zag ze Peter, die geen notie had van wat hij had aangericht.

Meneer McCabe schraapte zijn keel. 'Weet je, Peter, misschien moeten jij en ik eens...'

Matt stak zijn hand op. 'Ik heb een vraag.'

'Matt...'

'Nee, serieus. Ik kan dat dunne deel van de taart niet lezen. Dat stuk dat oranje is.'

'O,' zei Peter, 'dat is een brug. Kijk, iemand kan in meer dan één categorie thuishoren, of met een andere categorie leerlingen omgaan. Iemand als Josie, bijvoorbeeld.'

Hij keek haar stralend aan. Toen Josie alle ogen op zich gericht voelde, boog ze zich over haar lessenaar en liet haar haar voor haar ogen vallen. Ze was eraan gewend dat iedereen naar haar keek – dat was onvermijdelijk wanneer je tot het gezelschap van Courtney behoorde – maar er was verschil tussen mensen die naar je keken omdat ze net als jij wilden zijn, en mensen die naar je keken omdat ze over jouw rug hogerop hoopten te komen.

Veel leerlingen zouden zich herinneren dat Josie ooit ook een verschoppeling was geweest toen ze met Peter omging. En nu dachten ze misschien dat Peter verliefd op haar was – ze moest er niet aan denken – en dan was de ellende niet te overzien. Er ging een golf van gemompel door het klaslokaal. *Freak*, fluisterde iemand, en Josie bad vurig dat zij er niet mee werd bedoeld.

De bel ging. Goddank.

'Hé, Josie,' zei Drew. 'Wat ben je nou eigenlijk? De Golden Gate Bridge of een bruggetje over een greppel?'

Josie wilde haar boeken in haar rugzak stoppen, maar ze vielen opengeslagen op de vloer. 'Moet je kijken,' sneerde John Eberhard, 'het bruggetje stort in.'

Ze vermoedde dat iedereen op school wel te horen zou krijgen wat er was gebeurd. Die hele dag zou ze het besmuikte gelach achter zich blijven horen – misschien nog wel langer.

Terwijl ze zich bukte om haar boeken op te rapen, zag ze dat haar een helpende hand werd toegestoken, en een seconde later besefte ze dat het die van Peter was. 'Laat dat,' zei Josie op zo'n gebiedende toon dat Peter als verlamd bleef staan. 'Ik wil nooit meer iets met je te maken hebben, begrepen?'

Ze liep als verblind de gangen door. Wat was ze naïef geweest om te denken dat als ze eenmaal 'in' was, ze er voor altijd bij zou horen. Maar 'in' bestond alleen omdat iemand een grens had getrokken die anderen buitensloot. En die grens veranderde voortdurend. Voor je het wist en zonder dat je het kon helpen, stond je ineens aan de verkeerde kant van de lijn.

Ze was helemaal niet de 'brug' die Peter in zijn grafiek had willen aantonen. Ze was volledig overgestapt om deel van de groep uit te maken. Ze had andere mensen buitengesloten om te bereiken wat ze zo wanhopig graag wilde. Waarom zouden die haar nu met open armen ontvangen?

'Hé.'

Josie haalde diep adem toen ze Matts stem hoorde. 'Ik ben niet met Peter bevriend. Het is maar dat je het weet.'

'Toch heeft hij gelijk wat jou betreft.'

Josie keek hem met knipperende ogen aan. Ze had gezien hoe wreed hij kon zijn – hij schoot spuugballen af op leerlingen die gebrekkig Engels spraken en niet wisten hoe ze zich moesten beklagen; een meisje met overgewicht had hij een wandelende aardverschuiving genoemd; hij had iemands wiskundeboek verstopt om te zien hoe de jongen volledig in paniek raakte. Toen vond ze het grappig, omdat ze er zelf niet bij betrokken was. Maar voor het doelwit was de vernedering als een klap in het gezicht. Ze had gedacht dat ze immuun was door met de incrowd om te gaan, maar niets was minder waar. Je werd genadeloos afgeserveerd als anderen er populairder door konden worden.

Het was nog kwetsender om Matt met die grijns op zijn gezicht te zien, alsof hij haar altijd al een loser had gevonden, terwijl ze hem als vriend had beschouwd. Eerlijk gezegd had ze weleens gewild dat hij meer was dan een vriend. Als er een haarlok voor zijn ogen viel en die langzame glimlach om zijn mond verscheen, kon ze geen woord meer uitbrengen. Maar dat effect had Matt op iedereen – zelfs op Courtney, die in de zesde klas twee weken met hem was uitgegaan.

'Ik had nooit gedacht dat die homo iets zinnigs zou zeggen, maar jij bent een brug die me aantrekt,' zei Matt. Hij pakte Josies hand en drukte die tegen zijn borst. Ze keek naar hem op toen hij naar voren boog om haar te kussen. Ten slotte, toen ze bijna geen adem meer kreeg, maakte ze zich van hem los.

'Jezus,' zei Matt, en hij deed een stap naar achteren.

Ze raakte in paniek. Misschien bedacht hij ineens dat hij iemand kuste die vijf minuten geleden een paria was geworden. Of misschien had ze tijdens het kussen iets verkeerds gedaan.

'Ik ben hier niet zo goed in, geloof ik,' stamelde Josie.

Matt trok zijn wenkbrauwen op. 'Als je nog beter wordt, zal het mijn dood worden.'

Josie voelde zich warm worden vanbinnen. 'Echt waar?'

Hij knikte.

'Dit was mijn eerste kus,' bekende ze.

Toen Matt met zijn duim haar onderlip aanraakte, voelde Josie het over haar hele lichaam – van haar vingertoppen tot haar keel en tot het plekje tussen haar benen.

'Het zal niet je laatste zijn,' zei Matt.

Alex was zich in de badkamer aan het opmaken toen haar dochter binnenkwam. 'Wat ben je aan het doen?' vroeg Josie, terwijl ze naar Alex' gezicht in de spiegel keek alsof ze een vreemde zag.

'Ik breng mascara op mijn wimpers aan.'

'Ja, dat zie ik ook wel,' zei Josie. 'Maar waarom?'

'Misschien had ik zin om me op te maken.'

Josie ging grijnzend op de rand van de badkuip zitten. 'En misschien ben ik de koningin van Engeland. Moet je op de foto vanwege een interview?' Ineens keek ze haar moeder met grote ogen aan. 'Je hebt toch geen afspraakje of zo, hè?'

'Niet "of zo",' zei Alex, terwijl ze wat blusher op haar wangen aanbracht, 'ik heb een afspraakje, punt.'

'Met wie? Vertel.'

'Ik weet helemaal niets. Liz heeft het gearrangeerd.'

'Wie is Liz?'

'Liz is onze parkeerwacht.'

'Ze zal je toch wel iets over die man hebben verteld?' Josie aarzelde even. 'Het is toch een man, hè?'

'Josie!'

'Nou ja, het is ook zo lang geleden. Het laatste afspraakje dat ik me van jou herinner was met iemand die geen groente wilde eten.'

'Dat was het probleem niet,' zei Alex. 'Het punt was dat ik ook geen groente mocht eten.'

Josie pakte een lippenstift op. 'Dit is een mooie kleur voor je,' zei ze, en ze trok de stift langs Alex' lippen.

Alex en Josie waren precies even lang. Toen Alex in de ogen van haar dochter keek, zag ze even een reflectie van zichzelf. Ze vroeg zich af waarom ze nooit met Josie in de badkamer had gezeten om met make-up te spelen, haar teennagels te lakken of krullen in haar haar te zetten. Dat waren herinneringen die elke moeder en dochter deelden. Pas nu besefte Alex dat het haar schuld was dat zij die momenten niet hadden gekend.

'Zo.' Josie draaide Alex om naar de spiegel. 'Wat vind je ervan?'

Alex staarde in de spiegel, niet naar zichzelf, maar naar Josie. Voor het eerst kon ze iets van zichzelf in haar dochter ontdekken. Het was niet zozeer de vorm van haar gezicht als wel de gloed die het uitstraalde; niet zozeer de kleur van de ogen als wel de dromen die erin besloten lagen. Zelfs met de duurste make-up zou ze er nooit kunnen uitzien zoals Josie nu. Zo zag je eruit wanneer je verliefd was.

Kon je jaloers zijn op je eigen kind?

'Nou,' zei Josie, en ze gaf Alex een klopje op haar schouder. 'Ik zou meteen een nieuwe afspraak met je maken.'

Er werd aan de deur gebeld. 'Ik ben nog niet eens aangekleed,' zei Alex paniekerig.

'Ik hou hem wel bezig.' Josie rende de trap af. Terwijl Alex haastig een zwarte jurk aantrok, luisterde ze naar de stemmen onder aan de trap.

Joe Urquhardt was een Canadese bankier die een kennis was van Liz' neef in Toronto. Een heel aardige man, had Liz haar verzekerd. Alex had gevraagd waarom hij dan nog steeds vrijgezel was.

Hetzelfde kan ik aan jou vragen, had Liz gezegd.

Ik ben niet zo aardig, had Alex na even nadenken geantwoord.

Tot haar aangename verrassing was Joe goed gebouwd en had hij een dikke bos golvend bruin haar. Hij floot toen hij Alex zag. 'Allen opstaan,' zei hij. 'En dat geldt ook voor meneertje De Leuter.'

De glimlach bevroor op Alex' gezicht. 'Ogenblik, ja?' zei ze, en ze trok Josie mee naar de keuken. 'Godallemachtig.'

'Oké, dat was smakeloos. Maar hij eet wel groenten. Dat heb ik hem gevraagd.'

'Ga maar tegen hem zeggen dat ik ineens niet lekker ben geworden,' zei Alex. 'Dan halen we iets te eten en huren we een video.'

Josies glimlach verdween. 'Mam, ik heb al een afspraak met Matt. Maar oké, ik zal tegen hem zeggen...'

'Nee, nee,' zei Alex. 'Laat één van ons dan tenminste een leuke avond hebben.'

Ze liep de keuken uit en zag dat Joe de onderkant van een kaars bestudeerde. 'Het spijt me heel erg, maar er is iets tussengekomen.'

'Waartussen, schat,' zei Joe, haar verlekkerd aankijkend.

'Ik bedoel dat ik vanavond niet met je uit kan. Ik moet naar de rechtbank,' loog ze.

'O,' zei hij. 'Nou ja, wie ben ik om een spaak te steken in de raderen der gerechtigheid? Andere keer dan?'

Alex knikte en werkte hem naar buiten. Ze deed haar hoge hakken uit en liep naar boven om iets gemakkelijks aan te trekken. Ze ging chocola als avondmaaltijd eten en naar sentimentele films kijken totdat ze geen tranen meer overhad. Toen ze langs de badkamer kwam, hoorde ze de douche waaronder Josie zich voorbereidde op haar eigen afspraakje.

Alex legde haar hand op de deurknop en vroeg zich af of Josie het op prijs zou stellen als ze haar hielp met haar make-up, net als Josie voor haar had gedaan. Maar voor Josie was dat heel gewoon. Ze had haar hele leven al geprobeerd een paar ogenblikken van Alex' tijd te bemachtigen wanneer haar moeder het te druk had met andere dingen. Op de een of andere manier had Alex altijd aangenomen dat tijd oneindig was, dat Josie er altijd voor haar zou zijn. Ze had er nooit bij stilgestaan dat ze op een dag alleen zou achterblijven.

Uiteindelijk liep Alex door zonder op de badkamerdeur te kloppen. Ze was bang dat Josie haar aanbod zou afslaan.

Het enige wat Josie na Peters presentatie voor sociale ondergang had behoed, was het feit dat ze nu Matts vriendin was. Zij en Matt waren een stel, in tegenstelling tot de toevallige contacten op feestjes of andere kortstondige relaties. Matt bracht haar naar haar klaslokaal en nam afscheid met een kus die iedereen kon zien. Iedereen die Peter Hougthon in verband bracht met Josie, kreeg met Matt te maken.

Iedereen, behalve Peter zelf. Op het werk scheen hij geen oog te hebben voor de signalen die Josie uitzond. Ze keerde hem de rug toe wanneer hij binnenkwam en negeerde hem wanneer hij haar iets vroeg. Uiteindelijk had hij haar in de voorraadkamer in het nauw gedreven. *Waarom doe je zo?* had hij gevraagd.

Toen ik aardig tegen je deed, dacht je dat we vrienden waren.

Maar we zijn toch vrienden?

Josie had hem aangekeken. *Dat is niet aan jou om te bepalen.*

Op een middag, toen ze dozen met afval naar de vuilcontainer bracht, zag ze Peter over het metalen deksel gebogen staan. 'Opzij,' zei ze, terwijl ze de dozen over de rand gooide.

Zodra ze de bodem raakten, steeg er een vonkenregen op.

Bijna onmiddellijk vatten de dozen vlam en bulderde het vuur tegen het metaal. 'Peter, ga daar weg!' schreeuwde Josie. Peter verroerde zich niet. De vlammen dansten voor zijn ogen en de hitte vervormde zijn gezicht. 'Peter, nu!' Ze pakte hem bij de arm en drukte zich samen met hem tegen de grond toen iets – toner? olie? – in de container explodeerde.

'We moeten 911 bellen,' riep Josie, toen ze overeind krabbelde.

De brandweer die binnen enkele minuten arriveerde, spoot een chemische stof in de container. Josie piepte meneer Cargrew op die aan het golfen was. 'Goddank zijn jullie niet gewond geraakt,' zei hij later tegen hen allebei.

'Josie heeft me gered,' zei Peter.

Terwijl meneer Cargrew met de brandweerlieden sprak, ging Josie terug naar de copyshop. Peter volgde haar. 'Ik wist dat je me zou redden,' zei hij. 'Daarom heb ik het gedaan.'

'Wat gedaan?' Maar Peter hoefde geen antwoord te geven, want Josie wist dat hij de lucifer had afgestreken toen hij haar met het afval naar buiten hoorde komen.

Ze hield zichzelf voor dat ze alleen maar deed wat elke werknemer met verantwoordelijkheidsgevoel zou hebben gedaan: tegen de baas zeggen wie zijn zaak had proberen te verwoesten. Ze durfde niet toe te geven dat ze bang was voor wat Peter had gezegd. En voor het eerst kwam er een gevoel in haar op dat ze als wraakzucht herkende.

Josie luisterde niet naar wat er werd gezegd toen meneer Cargrew Peter ontsloeg. Ze voelde zijn beschuldigende ogen op zich gericht toen hij wegging, maar deed alsof ze zich op haar werk concentreerde.

Na school wachtte Josie op Matt bij de vlaggenstok. Hij kwam altijd van achteren aansluipen, en zij deed dan alsof ze niets had gemerkt, totdat hij haar kuste. Josie genoot van haar nieuwe status. Als ze nu hoge cijfers haalde, of zei dat ze plezier had in leren, vonden ze haar geen uitslover meer, want nu was ze populair. Het leek wel een beetje op wat haar moeder als rechter ondervond.

Soms had ze nachtmerries dat Matt tot het inzicht kwam dat ze helemaal niet cool was, dat ze nep was en het niet verdiende om bewonderd te worden. Dat haar vrienden zeiden: *We hebben ons voor de gek laten houden.* En misschien daarom viel het haar overdag zo moeilijk hen als vrienden te beschouwen.

Matt en zij hadden plannen voor het weekend gemaakt – grootse plannen die ze nauwelijks voor zich kon houden. Terwijl ze op de stenen trap bij de vlaggenstok zat te wachten, voelde ze een klopje op haar schouder. 'Je bent laat,' zei ze lachend, maar toen ze zich omdraaide, zag ze Peter.

Hij zag er net zo ongemakkelijk uit als zij zich voelde, al was hij degene die haar had benaderd. In de maanden na zijn ontslag bij de copyshop had ze elk contact met hem vermeden, wat niet gemakkelijk was, want ze zaten elke dag in hetzelfde wiskunde- lokaal en kwamen elkaar voortdurend in de gangen tegen. Josie hield dan altijd haar neus in een boek gedrukt of was in een diep- gaand gesprek verwikkeld.

'Josie,' zei hij, 'kunnen we even praten?'

Andere leerlingen stroomden de school uit. Ze voelde hun blik- ken op zich gericht. Keken ze zo naar haar omdat ze haar door- hadden, of omdat Peter naast haar stond?

'Nee,' zei ze kortaf.

'Het is alleen... Ik moet echt dat baantje bij meneer Cargrew zien terug te krijgen. Ik weet dat ik fout ben geweest. Maar ik dacht dat als jij hem misschien...' Hij maakte zijn zin niet af. 'Hij vindt je aardig.'

Josie wilde zeggen dat hij moest weggaan, dat ze niet meer met hem wilde samenwerken, en nog minder met hem gezien wilde worden. Maar er was iets gebeurd nadat Peter het brandje had gesticht. De wraakzucht die ze had gevoeld na zijn presentatie tijdens de wiskundeles had haar al die tijd beziggehouden. Ze begon zich af te vragen of Peter misschien op het verkeerde idee was gebracht omdat zij er aanleiding toe had gegeven. In de copy-shop hadden ze tenslotte met elkaar gepraat en gelachen als er niemand in de buurt was. Peter viel eigenlijk best mee, alleen wilde ze liever niet in het openbaar met hem gezien worden. Maar had hij daarom wraak verdiend? Ze was niet als Drew, Matt en John, die Peter altijd tegen de muur drukten als ze hem in de gang tegenkwamen, of zijn lunchpakketje pikten en naar elkaar toegooiden totdat het scheurde en de inhoud op de vloer viel. Zo was ze toch niet?

Ze wilde niet met meneer Cargrew gaan praten. Ze wilde niet dat Peter dacht dat ze vrienden of zelfs maar kennissen waren.

Toch wilde ze ook niet zijn als Matt. Zijn opmerkingen tegen Peter gaven haar soms een akelig gevoel vanbinnen.

Peter zat tegenover haar op een antwoord te wachten, totdat Matt zich ineens over hem heen boog. 'Blijf uit de buurt van mijn vriendin, homo,' zei hij. 'Ga maar een kleine jongen zoeken om mee te spelen.'

Ineens tuimelde Peter de stenen trap af en kwam met zijn gezicht tegen het plaveisel terecht. Zijn lip bloedde toen hij zijn hoofd ophief. Hij keek Josie aan. Niet boos of geschokt, maar met een intens vermoeide blik in zijn ogen.

'Matt,' zei Peter, terwijl hij op zijn knieën ging zitten. 'Heb jij een grote lul?'

'Dat zou je maar wat graag willen weten, hè?' zei Matt.

'Eigenlijk niet.' Peter kwam wankelend overeind. 'Ik vroeg me alleen af of hij lang genoeg is om hem in je eigen reet te steken.'

In een oogwenk had Matt zich op hem gestort. Hij stompte

hem in zijn gezicht en drukte hem tegen de grond. 'Dit vind je lekker, hè?' spuwde Matt hem toe terwijl hij op hem ging zitten.

Peter schudde zijn hoofd terwijl bloed zich met tranen vermengde. 'Laat... me... los...'

Er had zich inmiddels een menigte om hen heen verzameld. Josie keek panisch om zich heen naar docenten, maar die waren allang vertrokken. 'Hou op!' schreeuwde ze. 'Matt, hou op!'

Na nog een vuistslag kwam Matt overeind en liet Peter in elkaar gedoken achter. 'Je hebt gelijk. Waarom zou ik mijn tijd verspillen.' Matt maakte aanstalten om weg te gaan en wachtte tot Josie met hem meeging.

Ze liepen naar zijn auto. Josie wist dat ze de stad in zouden gaan om een kop koffie te drinken voordat ze teruggingen naar haar huis. Daar zou ze zich op haar huiswerk concentreren totdat ze niet langer kon negeren dat Matt haar schouders masseerde of haar hals kuste, en dan zouden ze vrijen totdat ze haar moeders auto hoorden arriveren.

Aan zijn gebalde vuisten zag Josie dat Matts woede nog niet tot bedaren was gekomen. Ze vouwde zijn hand open en verstrengelde haar vingers met de zijne. 'Beloof je dat je niet kwaad zult worden als ik je iets vraag?' Ze wist dat het een retorische vraag was, want Matt was al kwaad.

Toen hij geen antwoord gaf, vervolgde Josie: 'Waarom heb je zo de pik op Peter Houghton?'

'Die homo is zelf begonnen. Je hebt gehoord wat hij zei.'

'Oké. Maar je hebt hem wel eerst die trap afgeduwd.'

Matt bleef staan. 'Sinds wanneer ben jij zijn beschermengel?' Hij keek haar aan op een manier die Josie deed huiveren. 'Dat ben ik helemaal niet,' zei ze vlug, en ze haalde diep adem. 'Alleen... Waarom moet je leerlingen die anders zijn dan wij zo behandelen? Dat je niet met losers wilt omgaan, hoeft toch niet te betekenen dat je ze moet treiteren en mishandelen?'

'O, jawel,' zei Matt. 'Want anders zouden jij en ik nu niet samen zijn.' Hij kneep zijn ogen samen. 'Dat zou jij toch beter dan wie ook moeten weten.'

Josie verstijfde. Ze wist niet of Matt op Peters grafiek doelde, of erger, op het feit dat ze vroeger met Peter bevriend was geweest – maar dat wilde ze ook liever niet weten. Haar grootste angst was dat de incrowd zou begrijpen dat ze er nooit had bij gehoord.

Ze zou meneer Cargrew niet vertellen wat Peter had gevraagd. Voortaan zou ze Peter negeren als hij ooit weer contact met haar zocht. En ze zou zichzelf nooit meer wijsmaken dat ze minder slecht was dan Matt wanneer hij Peter vernederde of in elkaar sloeg. Je moest doen wat je kon om je plek in de pikorde veilig te stellen. En de beste manier om aan de top te blijven, was door iemand onder je te vertrappen.

'Nou,' zei Matt. 'Ga je nog mee?'

Ze vroeg zich af of Peter nog huilde, of zijn neus was gebroken.

'Ja,' zei Josie, en ze liep zonder om te kijken achter hem aan.

Lincoln was een buitenwijk van Boston die ooit boerenland was geweest en waar nu kapitale villa's stonden met waanzinnig hoge grondprijzen. Josie keek uit het autoraampje naar de omgeving waar ze onder andere omstandigheden misschien zou zijn opgegroeid; naar de muren die de landgoederen omringden; naar de bijna twee eeuwen oude huizen die als historisch monument waren gemarkeerd; naar de ijskraam die naar verse melk rook. Misschien zou Logan Rourke voorstellen dat ze een ijsje gingen eten. Misschien zou hij pistache-ijs voor haar bestellen zonder te hoeven vragen waar ze het meest van hield. Misschien wist een vader dat soort dingen instinctief.

Matt zat ontspannen achter het stuur met zijn hand er losjes omheen geslagen. Hij was zestien en had net zijn rijbewijs gehaald. Geen ritje was hem te veel. Of hij nu een pak melk voor zijn moeder moest halen of kleren naar de stomerij brengen, voor hem was het ritje belangrijker dan de bestemming. Daarom had Josie hem ook gevraagd haar naar haar vader te brengen.

Bovendien had ze geen alternatief. Ze kon het moeilijk aan haar moeder vragen. Die wist niet eens dat ze op zoek was naar Logan

Rourke. Ze had ook een bus naar Boston kunnen nemen, maar om vandaar in een buitenwijk te komen, leek haar vreselijk ingewikkeld. Uiteindelijk besloot ze Matt naar waarheid te zeggen dat ze haar vader nooit had gekend en dat ze in een krantenbericht had gelezen dat hij zich kandidaat had gesteld voor een hoge openbare functie.

Logan Rourkes oprijlaan was niet zo majestueus als andere waar ze voorbij waren gekomen, maar had wel iets huiselijks. Het gazon was net gemaaid en de brievenbus was rondom met wilde bloemen begroeid. Matt reed de oprit in. Er stonden een Lexus en een Jeep, en ook een speelgoedauto. Josie kon haar ogen er niet van afhouden. Ze had er nooit aan gedacht dat Logan Rourke nog andere kinderen kon hebben. 'Wil je dat ik meega?' vroeg Matt.

Josie schudde haar hoofd.

Terwijl ze naar de voordeur liep, begon ze te twijfelen. Je kon toch niet zomaar bij een vooraanstaand iemand binnenvallen? Ze zou wel worden tegengehouden door een agent van de geheime dienst of een waakhond.

Op hetzelfde moment hoorde ze geblaf. Josie draaide zich om en zag een kleine yorkshireterriër met een roze strik op zijn kop op haar afrennen.

De voordeur ging open. 'Titiana, laat de postbode met...' Logan Rourke maakte zijn zin niet af toen hij Josie voor zich zag staan. 'Jij bent de postbode niet.'

Hij was langer dan ze zich had voorgesteld, maar verder zag hij er precies zo uit als in de *Globe*, met wit haar en een Griekse neus. En hij had dezelfde kleur ogen als zij, zo helderblauw dat ze haar blik er niet van kon afwenden. Ze vroeg zich af of haar moeder daardoor voor hem was gevallen.

'Jij bent de dochter van Alex,' zei hij.

'Ja,' antwoordde Josie, 'en die van jou.'

In de deuropening hoorde Josie een kind lachen, en toen de stem van een vrouw. 'Wie is daar, Logan?'

Hij kwam naar buiten en deed de deur achter zich dicht, zodat

277

Josie niet meer in zijn leven kon kijken. Het was duidelijk dat hij zich slecht op zijn gemak voelde, maar dat kon Josie zich voorstellen wanneer je ineens tegenover de dochter stond die je voor haar geboorte in de steek had gelaten. 'Wat kom je doen?'

Moest hij dat nog vragen? 'Ik wilde kennis met je maken. Ik dacht dat je mij ook wel wilde ontmoeten.'

Hij haalde diep adem. 'Je hebt een slecht moment uitgekozen.'

Josie keek over haar schouder naar de oprijlaan waar Matt in de auto zat te wachten. 'Ik heb alle tijd.'

'Luister... Het punt is... Ik ben kandidaat in een belangrijke verkiezing, en deze complicatie kan ik me nu niet veroorloven...'

Josie struikelde over dat ene woord. Was zij een *complicatie*?

Logan Rourke pakte zijn portefeuille en nam er drie biljetten van honderd dollar uit. 'Hier,' zei hij, en hij drukte ze in haar hand. 'Is dit genoeg?'

Josie keek hem aan alsof hij een mes in haar hart had gestoken. Dacht haar eigen vader dat ze hem wilde chanteren?

'Na de verkiezing kunnen we misschien een keer gaan lunchen,' zei hij.

De biljetten knisperden in haar hand alsof ze nooit eerder waren gebruikt. Ineens herinnerde ze zich dat toen ze klein was haar moeder haar vaak meenam naar de bank als ze een bedrag wilde opnemen. Ze liet haar altijd de bankbiljetten natellen om zeker te weten dat de kassier geen fout had gemaakt. Dat geld rook altijd naar verse inkt, naar voorspoed.

Logan Rourke was haar vader niet. Hij was net zo'n vreemde voor haar als de man achter het bankloket. Kennelijk kon je je DNA met iemand delen zonder iets met hem gemeen te hebben.

Het schoot door haar heen dat ze die les al van haar moeder had geleerd.

Logan Rourke liep naar de voordeur en aarzelde even. 'Hoe heet je eigenlijk?'

Josie slikte. 'Margaret.'

'Margaret,' zei hij, toen hij weer naar binnen ging en deur dichtdeed.

Onderweg naar de auto opende Josie haar hand en liet de bankbiljetten naar de grond dwarrelen.

Het idee voor het spel was bij Peter opgekomen toen hij sliep.

Hij had al eerder computerspelletjes ontworpen – Pong-variaties, autoraces, zelfs een internationaal sf-spel – maar dit concept overtrof alle andere. Het was begonnen na een footballwedstrijd van Joey, toen ze naar een pizzatent waren gegaan waar Peter na het eten naar een spelletje zat te staren dat DEERHUNT heette. Je deed een kwartje in de gleuf en schoot met je geweer op de bokken die met hun kop van achter de bomen verschenen. Raakte je een hinde, dan had je verloren.

Die nacht droomde Peter dat hij met zijn vader op jacht ging. Nu jaagden ze niet op herten, maar op mensen.

Hij werd zwetend wakker en zijn handen waren verkrampt, alsof ze een geweer hadden vastgehouden.

Het was helemaal niet zo moeilijk om avatars – computerpersonages – te creëren. Hij had al wat geëxperimenteerd, en hoewel de kleuren en grafische voorstellingen nog niet volmaakt waren, wist hij genoeg van programmeertaal om het spel tot in perfectie uit te bouwen. Oorlogsspelletjes waren nu ouwe koek, en achtervolgings- en politiespelletjes ook. Er moest een nieuwe schurk komen die iedereen wilde neerknallen. Het leuke eraan was dat je zag hoe iemand zijn verdiende loon kreeg.

Hij probeerde andere arena's in het universum te bedenken: buitenaardse invasies, schietpartijen in het Wilde Westen, spionnen op een geheime missie. Toen dacht hij aan het front dat hijzelf elke dag moest trotseren.

Stel dat je van een prooi de jager maakte?

Hij kwam uit bed, ging achter zijn bureau zitten en trok het jaarboek van groep acht uit de la. Hij zou een computerspel ontwerpen dat een soort *Revenge of the Nerds* was, maar dan aangepast aan de eenentwintigste eeuw. Een fantasiewereld waar het machtsevenwicht op zijn kop werd gezet, waar de underdog eindelijk de kans kreeg de bullebakken te verslaan.

279

Hij bladerde het jaarboek door en omcirkelde foto's met een markeerstift.

Drew Girard.

Matt Royston.

John Eberhard.

Hij sloeg de volgende pagina om en aarzelde even. Toen omcirkelde hij ook het portret van Josie Cormier.

'Wil je hier even stoppen?' vroeg Josie. Ze kon geen minuut langer in deze auto blijven zitten en doen alsof er niets aan de hand was. Nog voordat Matt de motor had afgezet, opende ze het portier en rende door de berm het bos in.

Ze liet zich op een tapijt van dennennaalden zakken en begon te huilen. Ze kon niet zeggen wat ze had verwacht, maar dit was wel het laatste. Zo niet een hartelijk welkom, dan op z'n minst een beetje belangstelling.

'Josie?' zei Matt, die achter haar aankwam. 'Alles oké?'

Ze wilde ja zeggen, maar ze was ziek van al dat gelieg. Matt streelde haar haar, en daardoor begon ze nog harder te huilen. 'Hij geeft geen flikker om me.'

'Laat hem dan in de stront zakken.'

Josie keek naar hem op. 'Zo simpel is het niet.'

Hij nam haar in zijn armen. 'Arme Jo.'

Matt was de enige die haar met een koosnaampje aansprak. Ze kon zich niet herinneren dat haar moeder haar ooit Snoepie of Hommeltje had genoemd. Als Matt haar Jo noemde, moest ze denken aan *Little Women*. En hoewel ze zeker wist dat Matt de roman van Louisa May Alcott nooit had gelezen, gaf het haar een plezierig gevoel dat ze met zo'n sterk en zelfverzekerd karakter werd geassocieerd.

'Het is gewoon stom. Ik weet niet eens waarom ik huil. Ik... Ik wilde alleen dat hij me aardig vond.'

'Ik ben stapelgek op je,' zei Matt. 'Helpt dat een beetje?' Hij boog zich naar haar toe en kuste haar betraande wang.

'Heel veel.'

Zijn lippen gleden van haar wang naar haar hals, totdat zijn mond het plekje achter haar oor vond en ze het gevoel kreeg dat ze smolt. Ze was een groentje op het gebied van de liefde, maar elke keer dat ze alleen waren, had Matt de hartstocht in haar verder aangewakkerd. *Het is je eigen schuld,* zei hij dan met die onweerstaanbare glimlach. *Je bent zo mooi dat ik gewoon niet van je kan afblijven.* Die woorden alleen al waren als een liefdesdrank. Mooi? Zij? En net als Matt had beloofd, was het heerlijk om de strelingen van zijn tong over haar lichaam te voelen. Bij elke intimiteit met Matt kreeg ze vlinders in haar buik, ademnood, alsof ze op het punt stond in de diepte te vallen.

Nu voelde ze zijn handen onder haar T-shirt naar haar borsten glijden. Toen hij haar shirt optrok en ze de koele lucht op haar huid voelde, werd ze met een ruk teruggebracht naar de realiteit. 'Dit kan niet,' fluisterde ze.

Hij keek koortsachtig naar haar op. 'Ik verlang naar je,' zei Matt, zoals hij al zo vaak had gezegd.

Ze keek hem aan.

Ik verlang naar je.

Josie had hem kunnen tegenhouden, maar deed het niet. Hij verlangde naar haar, en dat waren de woorden die ze nu het liefst wilde horen.

Heel even vroeg Matt zich af of het feit dat ze zijn handen niet had weggeduwd betekende wat hij dacht dat het betekende. Ze hoorde hem het folie van een condoom lostrekken. *Hoe lang had hij dat al bij zich?* Toen rukte hij zijn jeans los en trok haar rok omhoog. Ze voelde zijn hand onder haar onderbroek en de vinger die bij haar naar binnen drong. Het was niet als andere keren, toen zijn aanraking haar warme tintelingen had bezorgd en ze eigenlijk wilde dat hij doorging toen ze zei dat hij moest ophouden. Matt ging op haar liggen en wreef zich opnieuw tegen haar aan, maar nu krachtiger, dwingender. 'Au,' jammerde ze zacht, en Matt aarzelde.

'Ik wil je geen pijn doen,' zei hij.

Ze draaide haar hoofd weg. 'Doe het nou maar,' zei Josie, en

Matt drukte zijn heupen tegen de hare. Ze slaakte een kreet toen ze de pijn voelde, ook al had ze die verwacht.

Matt zag het voor hartstocht aan. 'Ik weet het, baby,' kreunde hij, en hij begon sneller te bewegen en te kronkelen.

Josie wilde hem vragen of het de eerste keer altijd pijn deed. Ze vroeg zich af of het altijd pijn zou doen. Misschien was het de prijs die iedereen voor de liefde moest betalen. Ze drukte haar gezicht in zijn schouder en probeerde te begrijpen waarom ze zich leeg voelde, zelfs nu hij in haar was.

'Peter,' zei mevrouw Sandringham aan het eind van de Engelse les, 'kan ik je even spreken?'

Peter kromp in elkaar op zijn stoel. Hij begon al te bedenken wat hij straks tegen zijn ouders moest zeggen als hij weer met een onvoldoende thuiskwam.

Eigenlijk vond hij mevrouw Sandringham wel aardig. Ze was pas achter in de twintig, en terwijl ze stond te kleppen over grammatica en Shakespeare, kon hij zich gemakkelijk voorstellen dat ze nog niet zo lang geleden zelf verveeld in een schoolbank had gehangen.

Peter wachtte tot de rest van de klas het lokaal uit was voordat hij naar haar bureau liep. 'Ik wil het even over je opstel hebben,' zei mevrouw Sandringham. 'Ik heb ze nog niet allemaal bekeken, maar dat van jou wel, en...'

'Ik kan het opnieuw maken,' zei Peter in een opwelling.

Mevrouw Sandringham trok haar wenkbrauwen op. 'Ik wilde je juist zeggen dat je een tien krijgt.' Ze gaf het aan hem terug. Peter staarde naar het rode cijfer in de marge.

Ze hadden de opdracht gekregen een belangrijke gebeurtenis in hun leven te beschrijven. Peter had zijn opstel gewijd aan zijn ontslag bij de copyshop omdat hij de container in brand had gestoken. Josie Cormier werd er niet in genoemd.

In de slotalinea had mevrouw Sandringham een zin omcirkeld: *Ik heb geleerd dat je toch gepakt wordt, dus je kunt beter eerst nadenken voordat je iets doet.*

282

De lerares legde haar hand op Peters pols. 'Van dit voorval heb je werkelijk iets geleerd,' zei ze glimlachend. 'Ik heb alle vertrouwen in je.'

Peter knikte en begaf zich met het opstel in zijn hand onder de leerlingenstroom op de gang. Hij stelde zich voor wat zijn moeder zou zeggen als hij thuiskwam met een opstel waar een grote dikke tien op was geschreven. Voor één keer in zijn leven had hij iets bereikt wat iedereen van Joey, maar nooit van hém had verwacht.

Maar dan zou hij ook moeten bekennen dat hij brand had gesticht. En dat hij was ontslagen en de uren na school in de bibliotheek doorbracht in plaats van in de copyshop.

Hij verfrommelde het opstel en smeet het in de eerste de beste afvalbak.

Toen Josie bijna alleen nog maar met Matt omging, had Maddie Shaw naadloos haar plaats naast Courtney ingenomen. Eigenlijk was ze er veel geschikter voor dan Josie. Als je achter Courtney en Maddie liep, kon je hen nauwelijks uit elkaar houden. Maddie had zich Courtneys stijl en houding zo eigen gemaakt dat het van imitatie tot kunst werd verheven.

Vanavond hadden ze afgesproken bij Maddie omdat haar ouders op bezoek waren bij haar broer, een tweedejaars op Syracuse. Er werd geen alcohol gedronken, want ze zaten in het ijshockeyseizoen en de spelers hadden een contract met de coach moeten tekenen. Wel had Drew Girard de ongecensureerde versie van een tienerseksfilm gehuurd, en de jongens discussieerden over wie een hetere meid was, Elisha Cuthbert of Shannon Elizabeth. 'Ik zou ze alle twee mijn bed niet uitgooien,' zei Drew.

'Vooropgesteld dat je ze erin krijgt,' zei John Eberhard lachend.

'Mijn reputatie is wijd en zijd bekend...'

'Maar meer ook niet,' zei Courtney grijnzend.

'Had je het uit eigen ervaring maar kunnen bevestigen, hè, Court?'

'Dacht ik niet...'

Josie zat met Maddie op de vloer voor een ouijabord dat ze in de kelderkast hadden gevonden, samen met Trivial Pursuit en nog een paar spelletjes. Josies vingertoppen rustten losjes op het planchet. 'Je duwt het toch niet?'

'Echt niet, erewoord,' zei Maddie. 'Jij?'

Josie schudde haar hoofd. Ze vroeg zich af wat voor geest het gezelschap van tieners zou zoeken. Waarschijnlijk iemand die op jonge leeftijd een tragische dood was gestorven, bij een auto-ongeluk misschien. 'Hoe heet je?' vroeg Josie luid.

Het planchet draaide naar de letter A, vervolgens naar B, en hield toen stil.

'Abe,' verkondigde Maddie.

'Of Abby.'

'Ben je mannelijk of vrouwelijk?' vroeg Maddie.

Het planchet gleed naar de rand van het bord. Drew begon te lachen. 'Misschien een homo.'

'Wie de schoen past...' zei John.

Matt gaapte en rekte zich uit, waarbij zijn shirt opkroop. Hoewel Josie met haar rug naar hem toe zat, waren hun lichamen zo op elkaar afgestemd dat ze het bijna kon voelen. 'Het was allemaal heel leuk en gezellig, maar we gaan ervandoor. Jo, kom mee.'

Josie zag dat het planchet het woord N E E spelde. 'Ik blijf hier,' zei ze. 'Ik amuseer me prima.'

'Loopt hier iemand een blauwtje?' zei Drew.

Sinds hij met Josie omging, bracht Matt meer tijd door met haar dan met zijn vrienden. En hoewel hij zei dat hij liever bij haar was dan bij dat halfgare zooitje, wist Josie dat het respect van Drew en John nog steeds belangrijk voor hem was. Maar dat betekende toch niet dat hij haar als een slavin kon behandelen?

'Ik zei dat we ervandoor gingen,' herhaalde Matt.

Josie keek naar hem op. 'En ik zei dat ik kom als ik er klaar voor ben.'

Matt keek zijn vrienden met een zelfgenoegzame glimlach aan.

'Je bent nog nooit klaargekomen voordat je mij leerde kennen.'

Drew en John bulderden van het lachen en Josie voelde zich rood worden van schaamte. Ze stond op en rende de keldertrap op.

In de hal van Maddies huis trok ze haar jack van de kapstok. Toen ze voetstappen achter zich hoorde, zei ze zonder zich om te draaien. 'Ik had het naar mijn zin. Waarom...'

Ze slaakte een gilletje toen Matt haar hardhandig bij de arm greep en haar tegen de muur drukte. 'Je doet me pijn...'

'Dat flik je me niet nog een keer.'

'Jij was anders...'

'Je hebt me volledig voor schut gezet,' zei Matt. 'Ik zei dat het tijd was om weg te gaan.'

Er kwamen blauwe plekken op haar arm alsof hij zijn stempel op haar had willen achterlaten. Ze verslapte onder zijn greep. Haar instinct zei haar dat ze zich moest overgeven. 'Het... Het spijt me,' fluisterde ze.

Het waren sleutelwoorden. Matt ontspande zich. 'Jo,' zei hij zuchtend, en hij legde zijn voorhoofd tegen het hare. 'Ik wil je met niemand delen. Dat begrijp je toch wel?'

Josie knikte, maar durfde nog niets te zeggen.

'Ik hou gewoon heel veel van je.'

Ze knipperde met haar ogen. 'Echt waar?'

Hij had die woorden nooit eerder uitgesproken, en zij evenmin. Ze had ze niet durven zeggen, want als hij ze niet terug zou zeggen, zou ze ter plekke door de grond zijn gegaan van vernedering. Maar nu had Matt als eerste gezegd dat hij van haar hield.

'Is dat niet duidelijk?' Hij pakte haar hand en kuste haar knokkels zo teder dat Josie bijna vergat wat de aanleiding voor dit moment was geweest.

'Kentucky Fried People,' zei Peter peinzend. Hij dacht na over Dereks voorstel terwijl ze aan de zijlijn in de gymzaal zaten waar de basketbalteams werden gekozen. 'Ik weet het niet... Is het niet een beetje...'

'Grof?' zei Derek. 'Waarom zou het politiek correct moeten zijn? Je moet het zien als een verwijzing naar de oven die je als wapen kunt inzetten.'

Derek had Peters computerspel getest, op zwakke punten gewezen en verbeteringen voorgesteld. Ze hadden tijd genoeg om te praten, want ze wisten dat ze zonder meer de laatsten zouden zijn die in een team werden gekozen.

Coach Spears had Drew Girard en Matt Royston tot aanvoerders benoemd, wat niet echt een verrassing was, omdat ze al deel uitmaakten van het universiteitsteam. 'Beetje dynamiek, jongens!' riep de coach. 'Laat zien hoe graag jullie mee willen doen. De aanvoerders moeten denken dat jullie de volgende Michael Jordan zullen worden.'

Drew wees naar een jongen achterin. 'Noah.'

Matt knikte naar de jongen naast hem. 'Charlie.'

Peter zei tegen Derek: 'Ik heb gehoord dat Michael Jordan nadat hij is gestopt nog steeds veertig miljoen dollar per jaar vangt.'

'Dan verdient hij $109.589 per dag door niet te werken,' rekende Derek uit.

'Ash,' zei Drew.

'Robbie,' zei Matt.

Peter boog zich naar Derek toe. 'Het kost hem tien dollar om naar de bioscoop te gaan, maar tijdens het kijken verdient hij $9.132.'

Derek grinnikte. 'Als hij een ei vijf minuten laat koken, heeft hij $380 binnen.'

'Stu.'

'Freddie.'

'Walt.'

Nu waren er nog drie jongens over: Derek, Peter en Royce, die nogal agressief was.

'Royce,' zei Matt.

Drew keek kritisch naar Peter en Derek.

'Hij verdient $2.283 door naar een herhaling van *Friends* te kijken,' zei Peter.

'Als hij voor een Maserati wil sparen, hoeft hij maar eenen-twintig uur te wachten,' zei Derek. 'Verdomme, ik wou dat ik kon basketballen.'

'Derek,' zei Drew.

Derek stond langzaam op. 'Ja,' zei Peter, 'maar zelfs als Michael Jordan de komende vierhonderdvijftig jaar honderd procent van zijn inkomen zou sparen, zou hij nog steeds niet zoveel hebben als Bill Gates nu.'

'Oké,' zei Matt, 'ik neem de homo wel.'

Peter schuifelde naar Matts team. 'Je zou goed in dit spel moeten zijn, Peter,' zei Matt zo hard dat iedereen het kon horen. 'Je hoeft alleen maar je hand onder je ballen te houden.'

'Oké,' zei coach Spears, 'laten we beginnen.'

De eerste winterse storm van het seizoen kwam vóór Thanksgiving. Het begon na middernacht. De wind rukte aan de oude botten van het huis, en hagelstenen roffelden tegen de ramen. De stroom viel uit, maar daar had Alex zich op voorbereid. Ze werd met een schok wakker bij de absolute stilte om zich heen en pakte de zaklamp die ze naast haar bed had gelegd.

Ze stak ook twee kaarsen aan en keek naar de schaduwen op de muur. Ze herinnerde zich dat Josie toen ze klein was op een avond als deze bij haar in bed kroop en in slaap viel met de hoop dat ze morgen niet naar school hoefde.

Waarom kregen volwassenen dan nooit vrij? Zelfs als er morgen geen school was, de wind orkaankracht had aangenomen en haar ruitenwissers waren vastgevroren, werd Alex in de rechtbank verwacht. Yogalessen, basketbalwedstrijden en theatervoorstellingen werden afgelast, maar in haar werk werd nooit iets afgelast.

De slaapkamerdeur ging open. Op de drempel stond Josie in een mouwloos T-shirt en een boxershort. Alex had geen idee waar die vandaan kwamen en hoopte dat ze niet van Matt Royston waren. Even kon ze zich niet voorstellen dat deze jonge vrouw ooit het kleine meisje met de losgeraakte vlecht in het

287

Wonder Woman-pyjamaatje was geweest. Uitnodigend sloeg ze het dekbed terug.

Josie dook naast haar en trok het dek op tot haar kin. 'Ik vind het maar eng,' zei ze. 'Het lijkt wel of de hemel naar beneden komt.'

'Ik maak me meer zorgen over de wegen.'

'Denk je dat we morgen sneeuwvrij krijgen?'

Alex glimlachte in het donker. Josie mocht nu dan ouder zijn, haar prioriteiten waren nog hetzelfde. 'Waarschijnlijk wel.'

Josie zuchtte tevreden. 'Misschien kunnen Matt en ik dan gaan skiën.'

'Jij komt dit huis niet uit als de wegen slecht begaanbaar zijn.'

'Maar jij wel.'

'Ik heb geen keus,' zei Alex.

Josie draaide zich naar haar toe. Het kaarslicht weerkaatste in haar ogen. 'Iedereen heeft een keus,' zei ze, en ze kwam op haar elleboog overeind. 'Mag ik je iets vragen?'

'Ga je gang.'

'Waarom ben je niet met Logan Rourke getrouwd?'

Alex schrok. Ze was hier totaal niet op voorbereid. 'Waar komt dit ineens vandaan?'

'Waarom was hij niet goed genoeg? Je zei dat hij slim en aantrekkelijk was. En je moet van hem hebben gehouden, ooit tenminste...'

'Josie, dat is een eeuwigheid geleden. Denk er maar niet meer over na, want het heeft niets met jou te maken.'

'Het heeft alles met mij te maken,' zei Josie. 'Ik ben zijn dochter.'

Alex staarde naar het plafond. Misschien kwam de hemel inderdaad naar beneden wanneer je een illusie in stand probeerde te houden. 'Het lag niet aan hem,' zei Alex zacht. 'Het lag aan mij.'

'Bovendien was hij al getrouwd.'

Alex ging rechtop in bed zitten. 'Hoe ben je daarachter gekomen?'

'Het staat in alle kranten nu hij kandidaat is voor een belang-

rijke openbare functie. Daar hoef je niet voor te hebben doorge-
leerd.'

'Heb je hem gebeld?'

Josie keek haar recht in de ogen. 'Nee.'

Ergens wenste ze dat Josie wel met hem had gesproken, om te
weten te komen of hij Alex' carrière had gevolgd, of hij naar haar
had gevraagd. Dat ze Logan had verlaten ten behoeve van haar
ongeboren kind, kwam haar nu zelfzuchtig voor. Waarom had ze
er niet eerder met Josie over gesproken?

Omdat ze Logan had willen beschermen. Was het voor een
kind niet beter om zonder vader op te groeien dan te weten dat
hij het niet wilde?

'Hij wilde zijn vrouw niet verlaten.' Alex keek haar dochter
even zijdelings aan. 'Ik kon mezelf niet klein genoeg maken om
in de ruimte te passen die hij in zijn leven voor mij had gereser-
veerd. Begrijp je wat ik bedoel?'

'Ik geloof van wel.'

Onder het dekbed pakte Alex Josies hand. Als ze het bij daglicht had gedaan, zou het iets geforceerds hebben gehad, maar in
het donker leek het heel natuurlijk. 'Het spijt me,' zei ze.

'Waarom?'

'Omdat ik je niet de keus heb gelaten bij hem te zijn toen je opgroeide.'

Josie haalde haar schouders op. 'Je hebt gedaan wat het beste
was.'

'Ik weet het niet,' zuchtte Alex. 'Van het beste doen kun je
soms ongelooflijk eenzaam worden.' Ineens keek ze Josie met een
brede glimlach aan. 'Waarom praten we hier eigenlijk over? Tenslotte ben jij wel gelukkig in de liefde. Ja, toch?'

Op dat ogenblik kwam de stroom weer op gang. Ze hoorde de
piep van de magnetron die weer werd ingeschakeld, en op de
gang zag ze het licht in de badkamer. 'Ik ga maar weer naar mijn
eigen bed,' zei Josie.

'Oké,' antwoordde Alex, al wilde ze eigenlijk zeggen dat Josie
gerust kon blijven waar ze was.

Terwijl Josie de gang in liep, stelde Alex de wekker op haar nachtkastje opnieuw in, waarop de cijfers paniekerig *12:00 12:00* knipperden, als om haar eraan te herinneren dat het happy end uit sprookjes niet bestond.

Tot Peters verbazing keek de uitsmijter van de Front Runner niet eens naar zijn fake identiteitsbewijs, en voordat hij het wist werd hij naar binnen geduwd.

Direct sloeg de rook hem in het gezicht, en het duurde even voordat zijn ogen aan het gedempte licht gewend raakten. Vanuit alle hoeken en gaten dreunde keiharde muziek, technodance of zoiets, die Peter pijn deed aan de oren. Twee grote vrouwen stonden bij de deur om de gasten te begroeten. Het duurde even voor Peter besefte dat een van hen baardstoppels op haar gezicht had. *Zijn* gezicht. De ander zag er meisjesachtiger uit dan de meisjes die hij kende, maar hij had dan ook nog nooit een travestiet van dichtbij gezien.

De mannen stonden in groepjes van twee of drie bij elkaar, anderen hingen over de balustrade van het balkon naar de dansvloer te kijken. Er waren in leer geklede mannen, mannen die andere mannen kusten, mannen die joints aan elkaar doorgaven. De ruimte leek gigantisch door de spiegels aan de muren.

Via chatrooms op internet was hij achter het bestaan van de Front Runner gekomen. Omdat hij nog geen rijbewijs bezat, had hij een bus naar Manchester moeten nemen en vandaar een taxi naar de club. Hij wist niet precies wat hij hier deed. Het was een soort antropologisch experiment om te zien of hij in dit wereldje beter paste dan in zijn eigen wereld.

Niet dat hij een jongen wilde versieren – nog niet in elk geval. Hij wilde alleen weten hoe het was om je onder homo's te bevinden, of hij zich op zijn gemak voelde. Hij wilde weten of ze meteen aan hem konden zien dat hij erbij hoorde.

Hij bleef bij twee mannen staan die er in een donkere hoek flink tegenaan gingen. Natuurlijk had hij op de tv weleens gezien dat twee mannen elkaar kusten, maar dat was geacteerd, terwijl dit werkelijkheid was en zich vlak onder zijn neus afspeelde. Hij wachtte of zijn hart sneller zou gaan kloppen, of het hem iets deed.

Maar hij werd er niet opgewonden van. Wel nieuwsgierig, al voelde hij niet de aanvechting het zelf te willen proberen.

De mannen maakten zich van elkaar los en een van hen kneep zijn ogen samen. 'Dit is geen peepshow,' zei hij, en hij duwde Peter weg.

Peter struikelde en botste tegen iemand op die aan de bar zat. 'Wauw!' zei de man, en zijn ogen lichtten op. 'Wat hebben we hier?'

'Sorry...'

'Eerste keer hier?' Hij was begin twintig, met kortgeknipt witblond haar en nicotinevlekken op zijn vingertoppen.

'Hoe weet je dat?'

'Ik zie het aan die angstige blik in je ogen.' Hij drukte zijn sigaret uit en wenkte de barkeeper. 'Rico, geef mijn jonge vriend iets te drinken. Wat wil je?'

Peter slikte. 'Pepsi.'

De man grijnsde. 'Grapjas.'

'Ik drink niet.'

'Ah,' zei hij. 'Hier dan.'

Hij overhandigde Peter twee capsules en haalde er daarna twee voor zichzelf uit zijn zak. Er zat geen poeder in, alleen lucht. Peter zag hoe hij het buisje losschroefde, in zijn neusgat stak en diep inademde. Daarna stak hij het tweede buisje in zijn andere neusgat. Peter deed het hem na en voelde zijn hoofd tollen, zoals die keer dat hij een sixpack bier had gedronken toen zijn ouders naar een footballwedstrijd van Joey waren. Maar toen had hij alleen maar willen slapen, en nu voelde hij zijn hele lichaam tintelen en tot leven komen.

'Ik heet Kurt.' De man stak zijn hand uit.

'Peter.'

'Boven of onder?'

Peter haalde zijn schouders op en deed alsof hij begreep wat er bedoeld werd, al had hij er geen idee van.

'Goeie god,' zei Kurt. 'Een maagd.'

De barkeeper zette een Pepsi voor Peter neer. 'Laat hem met rust, Kurt. Het is nog een kind.'

'Laten we dan een spelletje doen,' zei Kurt. 'Hou je van biljarten?'

Voor een spelletje biljart draaide Peter z'n hand niet om. 'Ja, oké.'

Kurt nam een briefje van twintig uit zijn portefeuille en legde het op de bar. 'Hou de rest maar,' zei hij tegen Rico.

In de biljartzaal waren de vier tafels al in gebruik. Peter ging op een bank tegen de muur zitten en bestudeerde de mannen in het vertrek. Sommigen raakten elkaar aan – een arm om de schouder, een klap op het achterste – maar de meesten gedroegen zich gewoon als vrienden onder elkaar.

Kurt nam een handvol kwartjes uit zijn zak en legde ze op de rand van de tafel. Peter trok twee verkreukelde dollarbiljetten uit zijn jack in de veronderstelling dat dit de inzet was. 'Het is geen weddenschap,' zei Kurt lachend. 'Dit moet je betalen om te kunnen spelen.' Hij stond op toen de groep voor hen was uitgespeeld en duwde de kwartjes in de gleuf van de tafel.

Peter nam een keu van de muur en wreef de pomerans in met krijt. Hij was geen kei in biljarten, maar hij had een paar keer gespeeld en het er niet slecht van afgebracht. 'Dus je houdt van gokken,' zei Kurt. 'Dat kan interessant worden.'

'Ik zet vijf dollar in,' zei Peter, hopend dat hij er ouder door zou klinken.

'Ik wed niet om geld. Wat dacht je hiervan. Als ik win, ga je met mij mee naar huis. En als jij wint, ga ik met jou mee.'

Peter wilde niet met Kurt mee naar huis, en hij was zeker niet van plan Kurt mee naar zijn huis te nemen. Hij legde de keu op de tafelrand. 'Ik geloof dat ik hier toch niet zo'n zin in heb.'

Kurt greep hem bij de arm. Zijn ogen schitterden als gloeiende sterretjes. 'Mijn kwartjes zitten er al in. Jij wilde spelen, nu moet je het afmaken ook.'

'Laat me los,' zei Peter, en door paniek klonk zijn stem een octaaf hoger.

Kurt glimlachte. 'Maar we zijn net begonnen.'

Achter hem zei iemand: 'Je hebt gehoord wat de jongen zei.' Peter draaide zich om en zag meneer McCabe, zijn wiskundeleraar.

Het was een van die momenten dat je iemand herkent zonder te weten waarvan, omdat je hem buiten zijn vertrouwde omgeving ziet. Meneer McCabe droeg een zijdeachtig overhemd en had een bierflesje in zijn hand. Hij zette de fles neer en vouwde zijn armen over elkaar. 'Je laat die jongen met rust, Kurt, of ik bel de politie.'

Kurt haalde zijn schouders op en liep terug naar de bar.

Peter staarde naar de vloer en wachtte tot meneer McCabe iets zou zeggen. Hij wist zeker dat de leraar zijn ouders zou bellen, of zijn identiteitsbewijs voor zijn ogen zou verscheuren, of vragen wat hij in een homobar in Manchester te zoeken had.

Ineens besefte Peter dat hij meneer McCabe hetzelfde kon vragen. Hij keek op en dacht aan een principe dat zijn leraar ongetwijfeld kende: als twee mensen hetzelfde geheim hebben, is het geen geheim meer.

Matt drukte Josies hand tegen de zijne.

'Moet je kijken hoe klein je bent vergeleken bij mij,' zei Matt. 'Nog een wonder dat ik je niet vermorzel.'

Hij verschoof iets, terwijl hij nog in haar was, zodat ze zijn volle gewicht op zich voelde. Toen legde hij zijn hand om haar keel.

'Want dat zou ik gemakkelijk kunnen.'

Hij drukte licht tegen haar luchtpijp. Niet genoeg om haar adem af te knijpen, maar wel om haar spraak te bemoeilijken.

'Niet doen,' wist Josie uit te brengen.

Matt keek op haar neer. 'Wat niet?' zei hij, en toen hij opnieuw in haar begon te bewegen, wist Josie zeker dat ze het allemaal verkeerd had begrepen.

Het grootste deel van de een uurtje durende rit vanuit Manchester voerden Peter en meneer McCabe een oppervlakkig gesprek over ijshockey, het komende winterseizoen, en de eisen die een respectabele universiteit aan zijn studenten stelde.

Pas toen ze de afslag naar Sterling namen en over donkere wegen naar Peters huis reden, zei meneer McCabe: 'Wat vanavond betreft, op school weet bijna niemand het. Ik ben nog niet uit de kast gekomen, zoals dat heet.'

'Waarom niet?' hoorde Peter zichzelf vragen.

'Niet omdat ik denk dat de staf me niet zou steunen, maar het gaat ze gewoon niets aan. Hier rechtsaf?'

'Ja,' zei Peter. 'Het derde huis links.'

Meneer McCabe stopte voor de oprit van de Houghtons, maar reed er niet in. 'Ik vertel je dit omdat ik je vertrouw, Peter. En als jij met iemand wilt praten, dan sta ik altijd voor je klaar.'

Peter maakte zijn veiligheidsgordel los. 'Ik ben geen homo.'

'Oké,' zei meneer McCabe.

'Ik ben geen homo,' herhaalde Peter nadrukkelijk. Hij opende het portier en rende zo snel als hij kon naar zijn huis.

Josie schudde het flesje nagellak en keek naar de sticker op de onderkant. *Ik-ben-niet-echt-een-dienster-rood.* 'Wie zou zo'n kleur gebruiken? Zakenvrouwen?'

'Nee,' zei Maddie. 'Waarschijnlijk oude vriendinnen die één keer per jaar samen dronken worden.'

Courtney draaide zich om, zodat haar haar als een waterval over de rand van het bed viel. 'Ik verveel me hier dood,' verklaarde ze, hoewel het haar huis en haar logeerpartijtje was. 'Er moet iets leukers te bedenken zijn.'

'Laten we iemand opbellen,' stelde Emma voor.

Courtney dacht even na. 'Als practical joke?'

'Pizza bestellen en ergens anders laten bezorgen,' zei Maddie.

'Dat hebben we bij Drew al een keer gedaan.' Toen pakte Courtney grijnzend de telefoon. 'Ik weet wat beters.'

Met de luidspreker aan toetste ze een nummer in – een muzikale jingle die Josie maar al te bekend voorkwam. 'Hallo,' zei een norse stem aan de andere kant van de lijn.

'Matt,' zei Courtney, en ze drukte een vinger tegen haar lippen zodat de anderen zich stil zouden houden.

'Het is goddomme drie uur in de ochtend, Court.'

'Weet ik. Eigenlijk heb ik je dit al heel lang willen zeggen, maar ik durfde het gewoon niet omdat Josie mijn vriendin is...'

Josie wilde iets zeggen om Matt te laten weten dat hij in de val werd gelokt, maar Emma sloeg haar hand voor Josies mond en duwde haar weer op het bed.

'Ik vind je aardig,' zei Courtney.

'Ik jou ook.'

'Nee, ik bedoel... Ik vind je echt heel leuk.'

'Goh, had ik het maar geweten, dan hadden we wilde seks kunnen hebben. Het punt is alleen dat ik van Josie hou, die nu waarschijnlijk vlak naast je zit.'

De stilte werd verbroken door schaterend gelach. 'Jezus! Hoe wist je dat?' vroeg Courtney.

'Josie vertelt me alles, ook dat ze vanavond bij jou logeert. Nu zet je die luidspreker uit, want ik wil haar welterusten wensen.'

Courtney gaf de hoorn aan Josie.

'Goed antwoord,' zei ze.

Matts stem was hees van de slaap. 'Had je iets anders verwacht?'

'Nee,' zei Josie glimlachend.

'Nou, veel plezier nog.'

Ze hoorde hem gapen. 'Ga slapen.'

'Ik wou dat je naast me lag,' zei hij.

Josie draaide de andere meisjes haar rug toe. 'Ik ook.'

'Ik hou van je, Jo.'

'Ik ook van jou.'

'En ik,' kondigde Courtney aan, 'moet even braken.' Ze stak haar hand uit en drukte de toets in waarmee de verbinding werd verbroken.

Josie gooide de hoorn op het bed. 'Het was jouw idee om hem te bellen.'

'Ze is gewoon jaloers,' zei Emma. 'Ik wou dat ik iemand had die niet zonder me kon.'

Maddie viel haar bij. 'Je bent een bofkont, Josie.'

Josie maakte het flesje nagellak open, waarbij een druppel van het kwastje als een parel van bloed op haar dij viel. Al haar vriendinnen – behalve Courtney misschien – zouden er alles voor overhebben om in haar schoenen te staan.

Maar zouden ze er ook voor willen sterven, fluisterde een stem in haar hoofd.

In december kreeg Peter een baantje in de schoolbibliotheek. Hij was verantwoordelijk voor de audiovisuele apparatuur, wat inhield dat hij elke dag na school microfilms moest terugspoelen en dvd's alfabetisch moest rangschikken. Hij bracht de overheadprojectors en tv/videorecorders naar de klaslokalen, zodat ze de volgende ochtend klaarstonden voor gebruik. Hij vond het prettig dat hij daarbij door niemand werd lastiggevallen. De populaire kliek zou nog niet dood in de bibliotheek gevonden willen worden. Hier kwamen voornamelijk kinderen met leerproblemen om samen met een helper hun huiswerk te maken.

Hij had het baantje te danken aan mevrouw Wahl, de bibliothecaresse, nadat hij haar oude computer had opgelapt. Nu was hij haar favoriete leerling van Sterling High. Ze liet hem afsluiten wanneer ze naar huis ging, en ze had hem een sleutel voor de goederenlift gegeven, zodat hij apparatuur van de ene verdieping naar de andere kon brengen.

Als laatste klus van die dag moest Peter een projector van het biolab op de eerste verdieping terugbrengen naar de audiovisuele ruimte. Hij was in de lift gestapt en wilde de deuren sluiten toen iemand hem toeriep nog even te wachten.

Even later strompelde Josie Cormier naar binnen.

Haar voet zat in het gips en ze steunde op krukken. Ze keek Peter vluchtig aan toen de deuren dichtgingen en sloeg toen snel haar ogen neer. *Alsof ik het leuk vind met jou te worden opgescheept*, dacht hij, en op dat moment kwam de lift schokkend en knarsend tot stilstand.

'Wat is ermee?' Josie drukte herhaaldelijk op de knop voor de begane grond.

'Dat zal weinig uithalen.' Hij boog zich langs haar heen. Ze deinsde zo ver naar achteren dat ze bijna haar evenwicht verloor. Alsof hij een besmettelijke ziekte had, dacht Peter. Hij drukte de rode alarmknop in, maar er gebeurde niets.

'Dit is zwaar klote,' zei Peter. Hij keek naar het plafond van de lift. In actiefilms klom de held altijd via de luchtkoker de liftschacht in, maar al ging hij op de trolley met de projector staan om bij het luik te komen, zonder schroevendraaier zou hij het nooit open krijgen.

Josie drukte nu zelf op de alarmknop. 'Hallo?'

'Niemand kan je horen,' zei Peter. 'De leraren zijn allemaal naar huis en de conciërge zit in de kelder van vijf tot zes naar *Oprah* te kijken.' Hij keek haar even aan. 'Wat doe je hier trouwens?'

'Zelfstandig studie-uurtje.'

'Hoezo?'

Ze wees op haar krukken. 'Om te compenseren dat ik niet mee kan doen met gym. Wat doe jij hier?'

'Ik werk hier,' zei hij. Ze zwegen allebei.

De conciërge zou hen wel ontdekken wanneer hij met zijn schoonmaakspullen naar boven wilde gaan, dacht Peter. En in het ergste geval zouden ze tot morgenochtend moeten wachten. Hij glimlachte bij de gedachte aan wat hij naar waarheid tegen Derek kon zeggen: *Geloof het of niet, maar ik heb deze nacht met Josie Cormier doorgebracht.*

'Hoe lang gaat het duren voordat ze ons vinden?'

'Weet ik niet.'

'De bibliothecaresse zal toch merken dat je niet bent teruggekomen?'

'Mijn eigen ouders zouden nog niet merken dat ik niet ben teruggekomen.'

'O god... Stel dat we zuurstofgebrek krijgen?' Josie bonkte met een kruk op de liftdeur. 'Help!'

'We krijgen geen zuurstofgebrek,' zei Peter.

'Hoe weet je dat?'

Eigenlijk wist hij het niet. Maar wat moest hij anders zeggen?

'Ik word gek in kleine ruimtes,' zei Josie. 'Ik kan dit niet aan.'

'Heb je last van claustrofobie?' Hij vroeg zich af waarom hij dat nooit had geweten. Maar ja, de afgelopen zes jaar was hij niet bepaald actief bij haar leven betrokken geweest.

'Ik geloof dat ik moet overgeven,' kreunde Josie.

'O, shit,' zei Peter. 'Alsjeblieft niet. Doe je ogen dicht en vergeet dat je in een lift zit.'

Josie sloot haar ogen, maar zwaaide toen op haar krukken.

'Wacht even.' Peter nam haar krukken weg zodat ze op één voet balanceerde. Toen pakte hij haar handen vast terwijl ze zich op de vloer liet zakken.

'Hoe is het gebeurd?' vroeg hij, naar het gips knikkend.

'Ik ben uitgegleden op het ijs.' Ze begon te huilen en te hijgen. Hyperventilatie, dacht Peter. Hij had er ooit iets over gelezen. Moest je dan niet in een papieren zak ademen? Hij keek om zich heen. Naast de projector op de trolley lag een plastic map met gebruiksaanwijzingen, maar daar had hij weinig aan.

Hij dacht koortsachtig na. 'Oké. We gaan iets doen om je af te leiden.'

'Wat dan?'

'Een spelletje of zo. *Twenty Questions?*'

Josie aarzelde. 'Dierlijk, plantaardig, of mineraal?'

Na zes rondes begon Peter dorst te krijgen. Erger was dat hij moest plassen, want hij zou het nooit tot morgenochtend kunnen ophouden, maar hij verdomde het om te pissen waar Josie bij was. Ze was stil geworden, maar in elk geval beefde ze niet meer.

Ineens zei Josie: '*Truth or dare.*'

Peter draaide zich naar haar om. '*Truth.*'

'Haat je me?'

Hij boog zijn hoofd. 'Soms.'

'En terecht,' zei Josie.

'*Truth or dare?*'

'*Truth*,' zei Josie.

'Haat je mij?'

'Nee.'

'Waarom gedraag je je dan zo?' vroeg Peter.

Ze schudde haar hoofd. 'Ik doe wat anderen van me verwachten. Dat hoort er nu eenmaal bij. Anders...' Ze aarzelde. 'Het is nogal gecompliceerd. Je zou het niet begrijpen.'

'*Truth or dare*,' zei Peter.

Josie grijnsde. '*Dare*.'

'Lik de onderkant van je eigen voet.'

Ze schoot in de lach. 'Ik kan niet eens lopen op mijn eigen voet.' Maar ze bukte zich, trok haar loafer uit en stak haar tong uit. '*Truth or dare?*'

'*Truth*.'

'Lafaard,' zei Josie. 'Ben je weleens verliefd geweest?'

Peter keek haar aan en herinnerde zich hoe ze ooit een stukje papier met hun adres erop aan een heliumballon hadden vastgemaakt en die in haar achtertuin hadden losgelaten. Ze waren ervan overtuigd dat hij Mars zou bereiken, totdat ze een brief kregen van een weduwe die twee straten verderop woonde. 'Ja,' zei hij. 'Ik denk van wel.'

Josie keek hem met grote ogen aan. 'Op wie?'

'Dat was de vraag niet. *Truth or dare?*'

'*Truth*,' zei Josie.

'Wat was je laatste leugen?'

Josies glimlach verdween. 'Toen ik zei dat ik op het ijs ben uitgegleden. Matt en ik hadden ruzie en hij heeft me geslagen.'

'Hij heeft je geslagen?'

'Het is niet wat je denkt... Ik zei iets wat ik beter niet had kunnen zeggen, en toen hij... Hoe dan ook, ik struikelde en bezeerde mijn enkel.'

'Josie...'

Ze boog haar hoofd. 'Niemand weet het. Je zult het toch tegen niemand zeggen, hè?'

'Nee.' Peter aarzelde. 'Waarom heb jij het tegen niemand gezegd?'

'Dat was de vraag niet,' zei Josie, zijn eerdere antwoord citerend.

'Ik vraag het je nu.'

'Dan neem ik een *dare*.'

Peter kneep zijn handen tot een vuist. 'Kus me,' zei hij.

Ze boog zich langzaam naar hem toe. Haar haar viel als een gordijn over zijn schouder. Ze sloot haar ogen. Ze rook naar de herfst, naar appelcider, naar de laagstaande zon. Haar lippen kwamen op de rand van de zijne terecht, bijna op zijn wang en niet helemaal op zijn mond. 'Ik ben blij dat ik hier niet alleen vastzit,' zei ze verlegen, en hij rook de frisse pepermuntgeur van haar adem.

Peter keek omlaag en hoopte vurig dat Josie niet zag dat hij een stijve had. Hij glimlachte. Het punt was niet dat hij niet van meisjes hield, maar dat er maar één de ware was.

Op dat ogenblik werd er op de liftdeuren geklopt. 'Is daar iemand?'

'Ja!' riep Josie, en ze krabbelde overeind. 'Help!'

Er klonk geklop en gehamer toen met een koevoet een opening werd geforceerd. De deuren vlogen open en Josie haastte zich naar buiten. Matt Royston stond naast de conciërge te wachten. 'Ik maakte me zorgen toen je niet thuis was,' zei hij, en hij sloeg zijn armen om haar heen.

Maar je hebt haar geslagen, dacht Peter, en toen herinnerde hij zich wat hij Josie had beloofd. Hij hoorde haar verraste gilletje toen Matt haar met een zwaai in zijn armen tilde zodat ze haar krukken niet hoefde te gebruiken.

Hij bracht de projector terug naar de bibliotheek en sloot de AV-ruimte af. Het was al laat, en hij zou naar huis moeten lopen, maar het kon hem niet schelen. Als eerste ging hij straks de cirkel rond Josies portret in zijn jaarboek weghalen en ook haar karakter als schurk in zijn videospelletje.

Toen hij eindelijk thuis was gekomen, besefte Peter dat er iets niet klopte. Er brandde nergens licht, maar de auto's stonden er wel. 'Hallo?' riep hij, terwijl hij van de woonkamer naar de eetkamer en de keuken liep. 'Iemand thuis?'

300

Zijn ouders zaten in het donker aan de keukentafel. Zijn moeder keek versuft op. Het was duidelijk dat ze had gehuild.

Peter voelde een warme gloed in zijn borst. Hij had tegen Josie gezegd dat zijn ouders zijn afwezigheid nauwelijks zouden opmerken, maar dat was helemaal niet waar. Kennelijk waren ze radeloos van bezorgdheid. 'Er is niets aan de hand,' zei Peter. 'Heus.'

Zijn vader stond op terwijl hij zijn tranen probeerde terug te dringen, en drukte Peter tegen zijn borst. Peter kon zich niet herinneren wanneer hij voor het laatst zo was omarmd. Ondanks het feit dat het voor een zestienjarige niet cool was, klemde hij zich stevig aan zijn vader vast. Eerst Josie, en nu dit? Dit was de mooiste dag van zijn leven.

Toen zei zijn vader snikkend: 'Joey is dood.'

Vraag een willekeurig meisje of ze populair wil zijn en ze zal nee zeggen. Maar als ze stervend van dorst in een woestijn de keus had tussen een glas water en onmiddellijke populariteit, zou ze waarschijnlijk voor het laatste kiezen. Ze wil het alleen niet toegeven omdat dat niet cool is. Om echt populair te zijn, moet het lijken alsof je het _bent_, terwijl het in feite iets is wat je van jezelf _maakt_.

Volgens mij werkt niemand zo hard aan iets als kinderen aan hun populariteit. Ik bedoel, zelfs luchtverkeersleiders en de president van de Verenigde Staten nemen weleens vrij, maar de doorsnee middelbareschoolleerling is er het hele jaar vierentwintig uur per dag mee bezig.

Hoe je dat kunt doorbreken? Dat is het probleem, dat kun je niet zelf. Het gaat erom wat anderen van je denken, wat ze vinden van je kleding, van wat je eet, van de muziek op je iPod.

Toch heb ik me altijd afgevraagd: als de mening van anderen zo belangrijk is, heb je er dan zelf nog wel een?

Een maand later

Hoewel het onderzoeksrapport van Patrick Ducharme al tien dagen op Diana's bureau lag, had de openbaar aanklager nog geen kans gezien het te bekijken. Pas nu kwam ze toe aan de analyses van vingerafdrukken, ballistiek, bloedvlekken en politierapporten.

Terwijl ze zich die ochtend in de logistiek van de schietpartij verdiepte, bereidde ze in haar hoofd haar openingspleidooi voor door Peter Houghtons stappen van het ene slachtoffer naar het andere te volgen. De eerste die werd neergeschoten was Zoe Patterson, op de trap voor de school. Daarna Alyssa Carr, Angela Phlug, Maddie Shaw, Courtney Ignatio. Haley Weaver en Brady Price. Lucia Ritolli, Grace Murtaugh.

Drew Girard.

Matt Royston.

En anderen.

Diana zette haar bril af en wreef over haar ogen. De doden en gewonden waren in kaart gebracht. En van de gewonden alleen diegenen die in het ziekenhuis moesten blijven of naar een revalidatiecentrum waren overgebracht. Veel kinderen waren na behandeling weer naar huis gestuurd, en van anderen zaten de littekens te diep om ze te kunnen zien.

Diana had zelf geen kinderen. In haar positie kwam ze hoofdzakelijk met mannen in aanraking die criminelen of strafpleiters waren, en beide categorieën vond ze even weerzinwekkend. Haar driejarige neefje had in de peuterklas een standje gekregen omdat hij zijn wijsvinger naar een klasgenootje had uitgestoken met de woorden: 'Pang, je bent dood.' Toen haar zus verontwaardigd had opgebeld en over de Bill of Rights begon te oreren, had Diana geen moment gedacht dat haar neefje een psychopaat in de dop was. Natuurlijk niet. Het was gewoon een spelend kind.

Hadden de Houghtons dat ook gedacht?

Diana keek weer naar de namenlijst. Het was haar taak verbindende schakels te vinden, maar eerst moest ze in het verleden zoeken naar het moment dat in Peter Hougthons hoofd de knop was omgedraaid van *Wat als* naar *Wanneer*.

Haar oog viel op een andere lijst, een van het ziekenhuis. Josie Cormier, zeventien jaar, was naar het ziekenhuis gebracht. Ze had een hersenschudding en een snijwond in haar hoofd. Onder een verklaring dat bloedtests mochten worden afgenomen, stond de handtekening van haar moeder – Alex Cormier.

Het kon niet waar zijn.

Diana leunde achterover in haar stoel. Je haalde het niet in je hoofd aan een rechter te vragen zich terug te trekken. Dan kon je net zo goed meteen zeggen dat je twijfelde aan haar onpartijdigheid. En omdat Diana nog heel vaak in haar rechtbank zou verschijnen, was dit geen slimme zet als haar carrière haar lief was. Maar rechter Cormier begreep natuurlijk ook wel dat ze dit proces niet kon voorzitten wanneer haar dochter getuige van de schietpartij was geweest. Toegegeven, Josie was niet neergeschoten, maar ze was wel gewond geraakt. Ongetwijfeld zou rechter Cormier zich uit eigen beweging terugtrekken. Daar hoefde ze zich geen zorgen over te maken.

Diana boog zich weer over de rapporten en las verder totdat de letters voor haar ogen dansten.

Onderweg naar huis reed Alex langs het geïmproviseerde monument dat voor de slachtoffers van Sterling High was opgericht. Het bestond uit tien witte houten kruisen. Het bevond zich niet in de buurt van de school, maar ergens langs Route 10 op een stuk land dat regelmatig door de Connecticut River werd overstroomd. In de dagen na de schietpartij waren mensen er foto's, knuffelbeesten en bloemen komen leggen.

In een opwelling zette ze de auto in de berm. Ze wist niet waarom ze hier nu was gestopt of waarom ze hier nooit eerder was gestopt. Haar hakken zonken weg in het drassige gras toen ze naar het monument liep.

De kruisen stonden niet in een bepaalde volgorde. De naam van de dode was in de dwarsbalk aangebracht. De meeste slachtoffers kende Alex niet, maar de kruisen van Courtney Ignatio en Maddie Shaw stonden naast elkaar. De bloemen die er lagen waren verwelkt en hun papieren verpakking begon te rotten. Alex knielde neer en keek naar het gedicht dat aan Courtneys gedenkteken was bevestigd.

Courtney en Maddie waren regelmatig een nachtje blijven logeren. Alex herinnerde zich dat de meiden in de keuken koekjesdeeg aan het maken waren en het rauw opaten in plaats van er koekjes van te bakken. Ze wist nog hoe jaloers ze op hen was geweest omdat ze zo jong waren, dat ze nog geen fout hadden gemaakt die hun leven zou veranderen.

Bij het kruis van Matt Royston begon ze te huilen. Er stond een ingelijste foto die met plastic was omwikkeld om hem tegen de regen te beschermen. Met zijn arm om Josies nek geslagen keek Matt lachend in de camera. Josie staarde naar hem op alsof ze nergens anders oog voor had.

Op de een of andere manier leek het haar veiliger om hier, voor een geïmproviseerd gedenkteken in te storten dan thuis, waar Josie haar misschien zou horen huilen. Hoe kalm en beheerst ze thuis ter wille van Josie ook was, ze kon zichzelf niet voor de gek houden. Ze mocht dan naadloos haar normale leven weer hebben opgepakt, of zichzelf voorhouden dat Josie geluk had gehad, als ze alleen onder de douche stond of in bed lag, begon ze soms onbedaarlijk te trillen.

Ze besefte maar al te goed hoe onvoorspelbaar het leven was, hoe het ineens voorgoed kon veranderen. Het kruis waar ze nu voor geknield zat, had net zo goed dat van Josie kunnen zijn. Een kramp in de hand van de schutter, een stap in de verkeerde richting, een ricocherende kogel, en alles zou anders zijn geweest.

Alex stond op en haalde diep adem. Terwijl ze terugliep naar haar auto zag ze de smalle kuil waar een elfde kruis had gestaan. Nadat de andere tien waren geplaatst, had iemand er een aan toegevoegd met Peter Houghtons naam erop. Maar elke avond was het weggehaald of vernield. Er waren krantenartikelen aan gewijd. Verdiende Peter Houghton een kruis terwijl hij nog in leven was? Was dat gedenkteken voor hem een cynische grap of een aanklacht? Wie het kruis voor Peter ook steeds weer had teruggezet, uiteindelijk had hij het opgegeven.

Terwijl Alex in haar auto stapte, vroeg ze zich af of iemand Peter Houghton ook als slachtoffer beschouwde.

Sinds Die Dag, zoals Lacy hem was gaan noemen, had ze drie baby's verlost. Hoewel de bevallingen voorspoedig waren verlopen, was er elke keer iets misgegaan. Niet voor de moeder, maar voor de verloskundige. Door haar negatieve zelfbeeld had Lacy niet het idee dat ze de aangewezen persoon was om nieuw leven op deze wereld te verwelkomen. Ze deed haar werk naar behoren, en bood jonge moeders de steun en de medische zorg die ze nodig hadden, maar op het moment dat ze het ziekenhuis verlieten, wist Lacy dat ze hun de verkeerde adviezen had meegegeven. In plaats van met gemeenplaatsen aan te komen als: *Laat je baby eten wanneer hij wil*, en: *Je kunt hem niet vaak genoeg in je armen nemen*, had ze hun naar waarheid moeten zeggen: *Dit kind naar wie je zo hebt verlangd, zal niet worden wat je ervan verwacht. Jullie zijn vreemden voor elkaar en zullen dat altijd blijven.*

Jaren geleden lag ze vaak in bed te overpeinzen hoe haar leven eruit zou hebben gezien als ze geen moeder was geworden. Maar dan zag ze Joey voor zich die haar een boeketje paardenbloemen kwam brengen. Of Peter, die tegen haar borst in slaap viel met haar vlecht in zijn hand geklemd. Dan voelde ze de pijn van de weeën weer en dacht ze aan de mantra die haar erdoorheen had geholpen: *Denk aan wat je krijgt wanneer dit achter de rug is.* Het moederschap had Lacy's wereld meer kleur gegeven en tot de overtuiging gebracht dat haar leven nu compleet was. Ze had alleen niet beseft dat je je soms aan een scherp en realistisch inzicht kon bezeren. Dat je door die compleetheid pas werkelijk de pijn van de leegte kon voelen.

Ze had haar patiënten niet verteld – ze had het niet eens aan Lewis verteld – dat als ze nu in bed lag na te denken over hoe haar leven zonder kinderen zou zijn geweest, het woord *gemakkelijker* met enige verbittering in haar opkwam.

Vandaag deed Lacy de kraambezoeken. Ze was al bij vijf patiënten geweest en was op weg naar de zesde. *Janet Isinghoff*, las ze in het dossier. Hoewel ze onder behandeling van een andere verloskundige was, bezochten de vroedvrouwen elkaars patiënten omdat je nooit wist wie dienst had als iemand moest bevallen.

Janet Isinghoff was drieëndertig en hoogzwanger. Er kwam diabetes in haar familie voor. Ze was één keer eerder in het ziekenhuis opgenomen wegens blindedarmontsteking, had een lichte vorm van astma, en was over het algemeen gezond.

Janet Isinghoff stond in de deuropening van de behandelkamer en voerde een verhit gesprek met Priscilla, de kraamverpleegkundige.

'Kan me niet schelen,' zei Janet. 'Dan ga ik gewoon naar een ander ziekenhuis.'

'Maar zo werkt het nu eenmaal in onze praktijk,' legde Priscilla uit.'

'Kan ik misschien helpen?' vroeg Lacy glimlachend.

Priscilla draaide zich om en ging tussen Lacy en de patiënt in staan. 'Er is niets aan de hand.'

'Zo klonk het anders niet,' antwoordde Lacy.

'Ik wil niet dat mijn baby wordt verlost door de moeder van een moordenaar,' liet Janet zich ontvallen.

Lacy voelde zich verstijven. Even duizelde het haar alsof ze een klap in haar gezicht had gekregen, wat in zekere zin ook zo was.

Priscilla werd vuurrood. 'Mevrouw Isinghoff, namens het hele verloskundigenteam kan ik u verzekeren dat Lacy...'

'Laat maar,' mompelde Lacy, 'ik begrijp het wel.'

De andere verpleegsters en verloskundigen keken haar aan. Lacy wist dat ze allemaal achter haar stonden, dat ze tegen Janet Isinghoff zouden zeggen dat ze maar een andere praktijk moest zoeken, dat Lacy tot de beste en meest ervaren vroedvrouwen van New Hampshire behoorde. Maar dat deed er niet toe. Het ging niet alleen om Janet Isinghoff, want na haar zouden andere vrouwen een nieuwe verloskundige eisen. Wie zou willen dat de eerste die haar pasgeborene aanraakte een moordenaar had gebaard?

Lacy rende de vier trappen op naar de bovenste verdieping. Soms, na een heel zware dag, zocht ze haar toevlucht op het dak van het ziekenhuis. Dan lag ze op haar rug naar de hemel te staren en stelde zich voor dat ze waar dan ook ter wereld kon zijn.

Een proces was niet meer dan een formaliteit. Peter zou schuldig worden bevonden. Wat ze zichzelf of Peter ook wijs probeerde te maken bij die afschuwelijke gevangenisbezoeken, het lag als een onomstotelijk feit tussen hen in. Het was zoiets als een vriendin tegenkomen die je al een tijd niet meer had gezien. Door haar kale hoofd wist je dat ze chemotherapie onderging, maar je deed alsof je het niet zag omdat dat voor allebei gemakkelijker was.

Als iemand Lacy's mening zou hebben gevraagd, had ze gezegd dat Peters daden voor haar net zo onverwacht en desastreus waren als voor ieder ander. Ook zij had die dag haar zoon verloren. Niet alleen fysiek, omdat hij in de cel zat, maar ook persoonlijk, omdat de jongen die ze kende was verdwenen, opgeslokt door het monster in hem dat ze niet kende.

Maar stel dat Lacy iets had gezegd, gedaan, of nagelaten waardoor Peter tot dat punt was gekomen?

Kon je je zoon haten om wat hij had gedaan, en nog steeds liefhebben om wie hij was geweest?

De deur ging open en Lacy draaide zich met een ruk om. Ze verwachtte Priscilla of een van haar collega's te zien. Maar op de drempel stond Jordan McAfee met een map in zijn hand. Lacy sloot haar ogen. 'Net wat ik nodig heb.'

'Dat zegt mijn vrouw ook altijd.' Met een brede glimlach liep hij naar haar toe. 'Of misschien denk ik dat graag. Je secretaresse zei dat ik je waarschijnlijk hier kon vinden en... Lacy? Alles oké?'

Lacy knikte en schudde toen haar hoofd. Jordan nam haar bij de arm en bracht haar naar een vouwstoel die iemand op het dak had gezet. 'Slechte dag?'

'Dat mag je wel zeggen.' Ze probeerde haar tranen voor Jordan te verbergen. Ze wilde niet dat Peters advocaat dacht dat ze moest worden ontzien, anders zou hij haar misschien niet de keiharde waarheid over Peter vertellen, en die wilde ze tegen elke prijs horen.

'Ik wilde je vragen wat documenten te ondertekenen, maar ik kan later terugkomen...'

'Nee,' zei Lacy, 'nu is prima.' Ze vond het prettig in gezelschap te zijn van iemand die in Peter geloofde, al betaalde ze hem ervoor. 'Mag ik je iets vragen?'

'Natuurlijk.'

'Waarom wijzen mensen zo gemakkelijk een schuldige aan?'

Jordan ging tegenover haar op de rand van het dak zitten. 'Ze hebben een zondebok nodig,' zei hij. 'Dat ligt nu eenmaal in de menselijke natuur besloten. Voor ons strafpleiters is dat een enorm obstakel, want al ben je onschuldig totdat je schuld is bewezen, door een arrestatie alleen al denken ze dat je schuldig bent. Weet je hoe vaak de politie iemand ten onrechte arresteert? En denk maar niet dat ze achteraf hun excuses aanbieden, en familie, vrienden en collega's van de persoon in kwestie laten weten dat ze zich hebben vergist.'

Hij keek haar aan. 'Het moet heel moeilijk voor je zijn om in de krant te lezen dat ze Peter al hebben veroordeeld nog voordat het proces is begonnen, maar...'

'Het gaat niet om Peter,' zei Lacy zacht. 'Ze geven mij de schuld.'

Jordan knikte alsof hij dit had verwacht.

'Hij heeft dit niet gedaan als gevolg van zijn opvoeding, maar ondanks zijn opvoeding,' zei Lacy. 'Je hebt zelf een baby, hè?'

'Ja. Sam.'

'Stel dat hij heel anders wordt dan je had verwacht?'

'Lacy...'

'Dat Sam bijvoorbeeld zegt dat hij homo is?'

Jordan haalde zijn schouders op. 'Nou en?'

'Of dat hij zich tot de islam wil bekeren?'

'Dat is zijn eigen keuze.'

'Stel dat hij zelfmoordterrorist wordt?'

Jordan zweeg even. 'Daar wil ik liever niet aan denken.'

'Nee,' zei ze, en ze keek hem aan. 'Dat wilde ik ook niet.'

Philip O'Shea en Ed McCabe waren bijna twee jaar samen geweest. Patrick keek naar de foto's op de schoorsteenmantel – twee mannen met hun arm om elkaar heen geslagen. Op de achtergrond de Rocky Mountains; een graanschuur; de Eiffeltoren.

'We gingen er graag op uit,' zei Philip, toen hij met een glas ijsthee binnenkwam dat hij aan Patrick gaf. 'Voor Ed was het soms makkelijker dan hier blijven.'

'Waarom?'

Philip, een magere man met sproeten, haalde zijn schouders op. 'Ed had tegen bijna niemand gezegd dat hij... anders was. Maar in een klein stadje valt het niet mee om een geheim te bewaren.'

'Meneer O'Shea...'

'Zeg maar Philip.'

Patrick knikte. 'Heeft Ed het weleens over Peter Houghton gehad?'

'Hij was zijn leraar.'

'Ja, maar... in een ander verband?'

Philip ging hem voor naar twee rieten stoelen op een afgeschermde veranda. Elke ruimte in dit huis zag eruit als een modelfoto in een magazine voor binnenhuisarchitectuur, met zorgvuldig geschikte kussens op de banken, vazen met glazen kralen, en weelderige groene planten. Patrick dacht aan zijn eigen woonkamer, waar hij vanochtend een beschimmeld stuk toast tussen de sofazittingen had gevonden.

'Ed praatte geregeld met Peter,' zei Philip. 'Dat probeerde hij tenminste.'

'Waarover?'

'Volgens Ed was Peter een beetje een verloren ziel. Pubers proberen altijd ergens bij te horen. Als je er bij de populaire kliek niet inkomt, dan probeer je het bij de sportclub, of de toneelclub ... of bij de drugscene,' zei hij. 'Ed dacht dat Peter misschien het homowereldje wilde verkennen.'

'Dus Peter wilde met Ed over homoseksualiteit praten?'

'O, nee. Ed wilde er juist met Peter over praten. We weten allemaal hoe het is om op die leeftijd te merken dat je anders bent. Je bent doodsbang dat een andere jongen iets met je wil en dat je geheim bekend wordt.'

'Denk je dat Peter bang was dat Ed zijn geheim bekend zou maken?'

'Dat betwijfel ik ten zeerste.'

'Hoezo?'

'Homo's hebben geen speciale uiterlijke kenmerken. Je leert maniertjes herkennen, of een blik die net iets te lang op je blijft rusten. Dan weet je al vrij snel of iemand homo is, of dat hij je aanstaart omdat *jij* het bent.'

Onwillekeurig had Patrick wat afstand van Philip genomen. Die begon te lachen. 'Relax. Het is duidelijk dat je voor het andere geslacht valt.' Hij keek naar Patrick op. 'Net als Peter Houghton.'

'Ik begrijp het niet...'

'Peter mag dan getwijfeld hebben aan zijn seksuele geaardheid, voor Ed was het kristalhelder,' zei Philip. 'Die jongen is hetero.'

Peter stormde woedend de spreekkamer binnen. 'Waarom bent u zo lang niet geweest?'

Jordan keek op van zijn aantekeningen. Het viel hem op dat Peter zwaarder was geworden, en kennelijk ook assertiever.

'Ik had het druk.'

'Dus laat u me hier maar in mijn eentje verloederen.'

'Ik werk me uit de naad om te zorgen dat die situatie niet permanent wordt,' antwoordde Jordan. 'Ga zitten.'

313

Peter liet zich nors op een stoel zakken. 'En als ik nu eens geen zin heb om met u te praten? Kennelijk hebt u nooit zin om met mij te praten.'

'Peter, hou op met dat gezanik en laat me mijn werk doen.'

'Uw werk zal me een zorg zijn.'

'Jij bent anders degene die er profijt van heeft,' zei Jordan, en hij dacht: *Als dit achter de rug is, zal ik worden weggehoond of heilig worden verklaard.* 'Ik wil het over de explosieven hebben. Waar heb je die vandaan?'

'Van www.boem.com,' antwoordde Peter.

Jordan keek hem zwijgend aan.

'Nou ja, zo ver van de waarheid is dat niet,' zei Peter. '*The Anarchist Cookbook* is online te lezen, net als duizenden recepten voor molotovcocktails.'

'Ze hebben geen molotovcocktails in de school gevonden. Wel explosieven met een detonator en een timer.'

'En dus?' zei Peter.

'Stel dat ik een bom wil maken met spullen die ik in huis heb. Wat zou ik dan gebruiken?'

Peter haalde zijn schouders op. 'Krant, chemische kunstmest, katoen. En dieselolie, maar dat heb je waarschijnlijk niet in huis, dus moet je daarvoor naar een benzinestation.'

Jordan observeerde hem terwijl hij met een huiveringwekkende zakelijkheid de ingrediënten opsomde. Zorgwekkender was dat in zijn stem ook een zekere trots doorklonk.

'Je hebt dit eerder gedaan.'

'De eerste keer heb ik een bom gemaakt om te zien of het me zou lukken,' zei Peter op levendige toon. 'Daarna nog een paar waarbij je na het gooien als de sodemieter moet wegrennen.'

'In welk opzicht was deze anders?'

'Om te beginnen de ingrediënten. Je moet kaliumchloraat uit bleekmiddel onttrekken. Niet eenvoudig, maar wel te doen als je een beetje benul van scheikunde hebt. Mijn vader kwam de keuken in toen ik de kristallen stond uit te filteren. Ik zei dat het voor een scheikundeproef was, en hij vond het prachtig.'

'Jezus.'

'Verder heb je vaseline nodig – die staat bij ons in het kastje onder de wastafel in de badkamer – en gas uit bijvoorbeeld een gasfles voor op de camping. Eigenlijk durfde ik een detonator niet aan,' zei Peter. 'Dat leek me toen te ver gaan. Maar toen ik het plan eenmaal rond had...'

'Stop,' zei Jordan. 'Tot hier en niet verder.'

'U hebt er anders zelf naar gevraagd,' zei Peter gepikeerd.

'Dit deel van het antwoord wil ik niet horen. Het is mijn taak je vrij te krijgen, en ik mag niet liegen tegen de jury. En ik kan niet liegen over dingen die ik niet weet. Nu kan ik nog naar eerlijkheid zeggen dat je niet gepland hebt wat er die dag is gebeurd. Dat wil ik graag zo houden, en voor je eigen bestwil raad ik je aan er verder je mond over te houden.'

Peter liep naar het raam. Het glas was wazig en bekrast. *Door wie?* vroeg Jordan zich af. *Door wanhopige gevangenen die naar buiten verlangden?* Peter zou niet kunnen zien dat de sneeuw inmiddels was gesmolten en dat de eerste krokussen waren opgekomen. Misschien was het beter zo.

'Ik ga tegenwoordig naar de kerkdienst,' verklaarde Peter.

Jordan had weinig op met georganiseerde religie, maar misgunde anderen hun manier van troost zoeken niet. 'Dat is mooi.'

'Ik doe het alleen omdat ik dan mijn cel uit mag,' zei Peter. 'Niet omdat ik Jezus heb gevonden of zo.'

'Ik begrijp het.' Jordan vroeg zich af wat dit met explosieven had te maken, of met wat dan ook dat zijn verdediging aanging. Eerlijk gezegd had hij geen tijd voor een filosofisch gesprek over God. Over twee uur had hij een afspraak met Selena om een lijst van mogelijke getuigen ten gunste van Peter op te stellen, maar toch kapte hij hem niet af.

Peter draaide zich om. 'Gelooft u in de hel?'

'Nou en of. Die zit vol met strafpleiters. Dat zal elke aanklager kunnen bevestigen.'

'Nee, serieus,' zei Peter. 'Ik durf te wedden dat ik naar de hel ga.'

Jordan glimlachte onwillekeurig. 'Ik ga geen weddenschap aan waarvan ik de uitkomst nooit zal weten.'

'Pater Moreno, de priester die hier de dienst leidt, zegt dat je vergiffenis krijgt als je Jezus aanvaardt en berouw toont... Alsof je dan een soort pasje hebt waarmee je altijd uit de sores kunt komen. Dat kan toch niet kloppen? Want pater Moreno zegt ook dat elk leven waarde heeft... Hoe zit het dan met die tien kinderen die zijn gestorven?'

'Waarom zeg je dat zo?'

'Wat bedoelt u?'

'*Die tien kinderen die zijn gestorven.* Alsof het onvermijdelijk was.'

Peter trok zijn wenkbrauwen op. 'Dat was het toch ook?'

'Hoe dan?'

'Vergelijk het met explosieven. Als de lont eenmaal tot ontbranding is gebracht, wordt of de bom vernietigd... of de bom vernietigt alles om zich heen.'

Jordan stond op en deed een stap in Peters richting. 'Wie heeft de lont tot ontbranding gebracht, Peter?'

Peter keek naar hem op. 'Wie niet?'

Josie dacht aan wat er van haar vriendenclub was overgebleven. Haley Weaver was voor plastische chirurgie naar Boston gestuurd. John Eberhard leerde in een revalidatiecentrum hoe hij door een rietje moest drinken. Matt, Courtney en Maddie waren voorgoed verdwenen. Alleen Josie, Drew, Emma en Brady waren nog over.

Ze zaten in de kelder van Emma's huis naar een dvd te kijken. Verder ging hun uitgaansleven niet, want Drew en Brady zaten nog steeds in het verband en in het gips. Bovendien, al wilde niemand het hardop zeggen, herinnerde uitgaan hen aan de vrienden die er niet meer waren.

Brady had de film meegenomen – Josie kon zich de naam niet meer herinneren, maar het was een imitatie van *American Pie*, die, door naakte meiden en seksbeluste jongens in een Hollywood-setting tot een soort komische salade te mixen, net zo'n kassucces had moeten worden. Nu zag ze een scène waarin twee auto's elkaar achtervolgden. Het hoofdpersonage schreeuwde toen de ophaalbrug langzaam omhoogging.

Josie wist dat hij veilig aan de andere kant zou belanden, want in een comedy zou de hoofdpersoon nooit om het leven komen. Bovendien wist ze dat degene die in de auto zat een stuntman was die dit honderden keren eerder had gedaan. Maar terwijl ze naar de actie op het scherm keek, zag ze iets heel anders. Ze zag de voorbumper van de auto tegen de geopende brug slaan, de wagen naar beneden tollen en tegen het water klappen voordat hij zonk.

Volwassenen zeiden altijd dat tieners te snel reden, drugs gebruikten of condooms niet nodig vonden omdat ze dachten dat ze onaantastbaar waren. Maar de werkelijkheid was dat je elk moment kon sterven. Je kon door de bliksem worden getroffen, een beroerte krijgen, of op een doodgewone dag op school worden neergeknald.

Josie stond op. 'Ik heb frisse lucht nodig,' mompelde ze, en ze liep haastig de keldertrap op naar de voordeur. Ze ging op de veranda zitten en keek naar de hemel. Als tiener was je niet onaantastbaar. Je was gewoon stom.

Ze hoorde de deur achter zich open- en dichtgaan. 'Hé,' zei Drew, en hij kwam naast haar zitten. 'Alles oké?'

'Ja, prima.' Ze plakte een glimlach op die aanvoelde als behang dat niet goed was gladgestreken. Maar ze was er zo goed in geworden dat niemand zag dat het nep was. Wie had kunnen denken dat ze uiteindelijk toch nog iets van haar moeder had geërfd?

Drew plukte een grasspriet en draaide die om en om tussen zijn vingers. 'Dat zeg ik ook altijd als die stomme psych vraagt hoe het met me gaat.'

'Ik wist niet dat jij ook bij hem bent geroepen.'

'Waarschijnlijk wij allemaal... Je weet wel, omdat we zo hecht waren...'

Hij maakte zijn zin niet af.

'Denk je dat iemand hem ooit iets zinnigs vertelt?' vroeg Josie.

'Ik betwijfel het. Hij was er niet bij. Volgens mij begrijpt hij er weinig van.'

'Wie wel?'

'Jij, ik, en de anderen in de kelder,' zei Drew. 'Welkom bij de club waar niemand bij wil horen. Je bent lid voor het leven.'

Ineens begon Josie te huilen, al was het wel het laatste wat ze wilde. Drew sloeg de arm om haar heen die niet in het gips zat, en ze leunde tegen hem aan. Ze sloot haar ogen en drukte haar gezicht tegen zijn flanellen shirt. Het voelde vertrouwd aan, alsof ze na jarenlange omzwervingen over de aardbol thuiskwam in haar eigen bed. En toch rook het shirt anders. En ook de jongen die haar vasthield.

'Ik kan dit niet,' fluisterde Josie.

Onmiddellijk liet Drew haar los. Hij bloosde en kon haar niet recht in de ogen kijken. 'Ik bedoelde het niet zo. Jij en Matt...' Op vlakke toon vervolgde hij: 'Je bent nog steeds van hém.'

Josie knikte hem toe alsof hij het perfect had begrepen.

De garage had een boodschap op het antwoordapparaat achtergelaten dat Peter zijn auto niet voor de apk-keuring was komen brengen. Wilde hij een nieuwe afspraak maken?

Lewis was alleen thuis toen hij de boodschap hoorde. In een opwelling had hij de garage gebeld om te zeggen dat hij er alsnog aankwam. Nu stapte hij de auto uit en gaf zijn sleutels aan de monteur. 'U kunt binnen wachten,' zei de man. 'De koffie staat klaar.'

Lewis schonk een beker koffie, ging zitten, en in plaats van een beduimeld exemplaar van *Newsweek* op te pakken, bladerde hij door *PC Gamer*.

Drie seconden later kwam de monteur de wachtkamer in. 'Meneer Houghton, uw auto hoeft pas in juli gekeurd te worden.'

'Weet ik.'

'Maar toch hebt u een afspraak voor vandaag gemaakt.'

Lewis knikte. 'De auto in kwestie is nu niet in mijn bezit.'

Die was in beslag genomen, samen met Peters boeken, zijn computer, zijn agenda's, en god mocht weten wat nog meer.

De monteur keek hem aan alsof hij het spoor bijster was. 'Meneer,' zei hij, 'we kunnen geen auto keuren die er niet is.'

'Nee,' zei Lewis, 'natuurlijk niet.' Hij legde het tijdschrift terug en wreef over zijn voorhoofd. 'Het punt is... Mijn zoon heeft deze afspraak gemaakt. En ter wille van hem wil ik me eraan houden.'

De monteur knikte en liep langzaam naar achteren. 'Goed... Zal ik de auto dan maar buiten laten staan?'

'Zolang u maar weet,' zei Lewis zacht, 'dat hij de keuring zou hebben doorstaan.'

Toen Peter nog klein was, had Lacy hem eens naar hetzelfde kamp gestuurd waar Joey het zo naar zijn zin had gehad. Het bevond zich ergens aan de overkant van de rivier in Vermont. De kampeerders waterskieden op Lake Fairlee, kregen zeilles en maakten nachtelijke kanotochten. Al de eerste avond had Peter haar gebeld en gesmeekt om thuis te mogen komen. Lacy zou direct in de auto zijn gestapt om hem op te halen als Lewis het haar niet uit het hoofd had gepraat. *Als hij het nu opgeeft*, had Lewis gezegd, *weet hij nooit of hij het zou hebben volgehouden.*

Toen Lacy haar zoon na twee weken terugzag, was hij veranderd. Hij was groter en zwaarder geworden. Maar ook was de blik in zijn ogen veranderd. Alsof alle glans eruit was verdwenen. Wanneer Peter haar aankeek, leek hij op zijn hoede, alsof hij haar niet meer vertrouwde.

Nu keek hij haar net zo aan, terwijl zij naar hem glimlachte en deed alsof hij niet door fel tl-licht werd beschenen, dat ze hem kon aanraken, dat ze niet van hem gescheiden werd door een rode streep op de gevangenisvloer.

'Weet je wat ik gisteren op zolder heb gevonden? Die dinosaurus waar je altijd zo gek op was. Ik heb altijd gedacht dat je die bij je zou dragen wanneer je door het middenpad naar je bruid...' Lacy maakte haar zin niet af in het besef dat er voor Peter misschien nooit een bruiloft zou komen, althans niet buiten de muren van een gevangenis. 'Ik heb hem op je bed gelegd.'

Peter staarde haar zwijgend aan.

'Jouw leukste verjaardag was dat dinosauruspartijtje, toen we plastic botten in de zandbak verstopten en jij ze moest opgraven, weet je nog?'

'Ik weet nog dat er niemand kwam opdagen.'

'Natuurlijk wel...'

'Vijf kinderen die door hun moeder werden gedwongen,' zei Peter. 'Jezus, toen was ik zes. Waarom hebben we het hier eigenlijk over?'

Omdat ik niet weet wat ik anders moet zeggen, dacht Lacy. Ze keek om zich heen. Er waren maar een paar gevangenen met bezoek aan de andere kant van die rode streep. In werkelijkheid, besefte Lacy, was die scheidslijn tussen haar en Peter er al jaren. Misschien kon je jezelf ervan overtuigen dat er niets was dat je van elkaar scheidde. Pas wanneer je de lijn probeerde te overschrijden, begreep je dat er wel degelijk een barrière lag. 'Peter,' zei Lacy ineens, 'het spijt me dat ik je die keer niet van het kamp ben komen halen.'

Hij keek haar aan alsof ze haar verstand had verloren. 'Bedankt, maar daar ben ik al jaren overheen.'

'Dat weet ik, maar daarom kan ik er nog wel spijt van hebben.' Plotseling waren er zo veel dingen waar ze spijt van had. Dat ze er niet meer aandacht aan had geschonken toen Peter haar zijn handigheid met de computer had laten zien. Dat ze geen nieuwe hond voor hem had gekocht toen Dozer was gestorven. Dat ze de afgelopen winter niet op vakantie naar de Caribische Zee waren gegaan omdat Lacy had verondersteld dat ze alle tijd van de wereld hadden.

'Het verandert allemaal niets.'

'Wel voor degene die haar excuses aanbiedt.'

Peter kreunde. 'Wat is dit, godverdomme? Voedsel voor de geest voor het kind zonder ziel?'

Lacy kromp in elkaar. 'Je hoeft niet te vloeken om...'

'Godverdomme, godverdomme, godverdomme.'

'Ik hoef hier niet naar te luisteren...'

'O, jawel,' zei Peter. 'Want als je nu wegloopt, ga je daar ook weer spijt van krijgen.'

Lacy was al opgestaan, maar ging bij die woorden weer zitten. Kennelijk kende hij haar veel beter dan zij hem ooit had gekend.

'Ma,' zei hij zacht, 'dat meende ik niet.'

Ze keek naar hem op met een brok in haar keel. 'Dat weet ik, Peter.'

'Ik ben blij dat je er bent.' Hij slikte. 'Ik bedoel, jij bent de enige.'

'Je vader...'

Peter snoof. 'Ik weet niet wat hij jou heeft verteld, maar ik heb hem na die ene keer nooit meer gezien.'

Lewis ging niet bij Peter op bezoek? Dat was nieuw voor haar. Waar ging hij dan heen als hij zei dat hij naar de gevangenis ging?

Ze zag voor zich hoe Peter in zijn cel op zijn vader zat te wachten die niet kwam. Ze dwong zichzelf te glimlachen – de schok zou ze in haar eigen tijd verwerken, niet in die van Peter – en veranderde onmiddellijk van onderwerp. 'Ik heb een mooi jasje voor je meegenomen dat je bij de tenlastelegging kunt dragen.'

'Jordan zegt dat ik in deze kleren moet voorkomen. Dat jasje heb ik pas nodig bij het proces.' Hij liet een flauwe glimlach zien. 'Hopelijk heb je de bon nog.'

'Ik heb het niet nieuw gekocht, het is de blazer van Joey.'

Ze keken elkaar aan. 'De blazer van Joey,' mompelde Peter.

Het was even stil toen ze zich allebei herinnerden hoe Joey naar beneden was gekomen in de blazer van Brooks Brothers die Lacy voor een koopje in het souterrain van Filene in Boston had kunnen krijgen. Ze had hem gekocht voor zijn universitaire intake-gesprekken.

'Heb je weleens gewenst dat ík was doodgegaan in plaats van Joey?' vroeg Peter.

Lacy voelde haar maag samentrekken. 'Natuurlijk niet.'

'Maar dan zou dit allemaal niet zijn gebeurd,' zei Peter. 'Dan had je Joey nog.'

Ze dacht aan Janet Isinghoff, de vrouw die haar niet als verloskundige wilde. Als volwassene wist je dat je soms beter kon liegen dan iemand kwetsen met de waarheid. Daarom verscheen Lacy hier altijd met een glimlach, al kon ze wel janken wanneer ze in de bezoekersruimte zat en Peter door een bewaker werd binnengebracht. Daarom ook begon ze over het kamp en de knuffelbeesten – de kenmerken van de zoon uit haar herinnering – in plaats van te ontdekken wie hij was geworden. Maar Peter had nooit geleerd tactvol met de waarheid om te gaan. Dat was een van de redenen waarom hij zo vaak was gekwetst.

'Dan zou alles goed zijn afgelopen,' zei Peter.

Lacy haalde diep adem. 'Niet als jij niet bij ons zou zijn.'

Peter keek haar langdurig aan. 'Je liegt,' zei hij. Het klonk niet boos of beschuldigend, maar alsof hij een feit constateerde.

'Dat is niet waar...'

'Dat kun je zeggen zo vaak je wilt, maar dat maakt het niet minder waar.' Peter glimlachte haar zo oprecht toe dat Lacy het als een zweepslag voelde.

'Misschien kun je papa, de politie of wie ook voor de gek houden,' zei hij, 'maar mij niet.'

Tegen de tijd dat Diana in het gerechtsgebouw verscheen en wilde kijken welke rechter zitting had bij de tenlastelegging van Peter Houghton, stond Jordan McAfee er al. Diana haatte hem uit principe. Ze had vanochtend twee paar kousen bij het aantrekken geruïneerd en haar haar zat van geen kant. Hij scheen nergens last van te hebben. Zelfs niet van het feit dat half Sterling op het bordes stond en bloed wilde zien.

'Goedemorgen,' zei hij, zonder haar aan te kijken.

Diana reageerde niet, maar haar mond viel open toen ze de naam van de rechter las. 'Dit moet een vergissing zijn,' zei ze tegen de griffier.

De griffier keek haar over haar schouder aan. 'Rechter Cormier heeft vanochtend zitting.'

'Ook bij de zaak Hougthon? Neemt u me in de maling?'

De griffier schudde haar hoofd.

'Maar haar dochter...' Diana zweeg abrupt en dacht koortsachtig na. 'We moeten met de rechter overleggen voordat de zitting
begint.'

Toen de griffier was verdwenen, keek Diana Jordan aan. 'Is Cormier wel goed bij haar hoofd?'

Jordan had Diana Leven niet vaak zien zweten, en het amuseerde hem kostelijk. Eerlijk gezegd was hij net zo geschokt als de
openbaar aanklager toen hij Cormiers naam op de rol zag staan,
maar dat hoefde Diana niet te weten. Onverstoorbaarheid was
nu zijn enige wapen in een zaak die hij als verloren beschouwde.

Diana fronste. 'Je zou toch verwachten dat ze zich...'

De griffier kwam weer terug. Jordan mocht Eleanor wel. Ze
had gevoel voor humor en deed lang niet zo gewichtig als andere griffiers. 'De rechter kan u nu ontvangen,' zei Eleanor.

Rechter Cormier stond in toga tegen haar bureau geleund. 'Er
zitten veel mensen in de rechtszaal te wachten, dus kunt u me
even kort uitleggen wat het probleem is?'

Diana keek even naar Jordan, maar die trok alleen zijn wenkbrauwen op. Als zij een knuppel in het hoenderhok wilde gooi-
en, moest ze dat vooral doen, maar dan bleef hij uit de buurt. Hij
had liever dat Cormier de pest kreeg aan de openbaar aanklager
dan aan de verdediging.

'Rechter,' zei Diana aarzelend, 'ik heb begrepen dat uw dochter tijdens de schietpartij in de school was. De politie heeft haar
ook ondervraagd.'

De rechter keek Diana aan alsof ze iets totaal overbodigs had
gezegd. 'Daar ben ik me van bewust,' zei ze. 'Er waren honderden kinderen in de school toen de schietpartij plaatsvond.'

'Natuurlijk, edelachtbare, maar voordat we in de rechtszaal
verschijnen, wil ik weten of u alleen de tenlastelegging voorzit, of
dat u ook rechter bent tijdens het proces.'

Jordan vroeg zich af waarom Diana zo zeker wist dat Cormier
deze zaak niet kon berechten. Wist ze meer over Josie Cormier
dan hij?

'Zoals ik al zei, er waren honderden kinderen in die school. Van sommigen werken de ouders bij de politie. Een van hen werkt zelfs bij u op kantoor, mevrouw Leven.'

'Jawel, edelachtbare, maar die is niet aan deze zaak toegewezen.'

De rechter keek haar kalm aan. 'Wilt u mijn dochter als getuige oproepen, mevrouw Leven?'

Diana aarzelde. 'Nee, edelachtbare.'

'Ik heb de verklaring van mijn dochter gelezen, en daarin zag ik geen enkele aanleiding om niet gewoon door te gaan.'

Jordan dacht na over wat hij tot nu toe wist.

Peter had gevraagd of Josie oké was.

Josie was bij de schietpartij aanwezig geweest.

Josies jaarboekfoto was de enige waaronder LATEN LEVEN geschreven stond.

Maar volgens haar moeder had Josie niets tegen de politie gezegd wat de zaak kon beïnvloeden. En volgens Diana was Josie niet belangrijk genoeg om als getuige te worden gehoord.

Hij keek naar de vloer en overdacht de feiten opnieuw.

Er klopte iets niet.

De voormalige lagere school die nu in gebruik was voor de leerlingen van Sterling High had geen kantine. Kleine kinderen aten aan hun tafeltje in het klaslokaal, maar kennelijk werd dit voor tieners niet wenselijk geacht en werd daarom de bibliotheek als provisorische kantine aangewezen. Josie at niet meer samen met haar vrienden. Het voelde gewoon niet goed nu de meesten ontbraken. In plaats daarvan zonderde ze zich af in het hoekje met de beklede verhogingen waar de kinderen vroeger werden voorgelezen.

Toen ze vandaag op school kwam, stonden de tv-camera's al te wachten. Je moest er vlak langs rennen om bij de ingang te komen. De afgelopen week waren de verslaggevers geleidelijk vertrokken – ongetwijfeld naar een andere tragedie – maar waren op volle sterkte teruggekomen om de tenlastelegging te verslaan. Ze vroeg zich af hoe ze zo snel van de school op tijd in het gerechtsgebouw in het noordelijke deel van de stad konden zijn. Ze vroeg zich af hoe vaak ze nog zouden terugkomen. Op de laatste schooldag? Op de gedenkdag van de schietpartij? Bij de diploma-uitreiking? Ze zag het artikel over de overlevenden van het bloedbad voor zich dat over tien jaar in *People* zou verschijnen – WAAR ZIJN ZE NU? Zou John Eberhard dan weer kunnen lopen, of ijshockeyen? Zouden Courtneys ouders uit Sterling zijn verhuisd? Waar zou Josie zelf zijn?

En Peter?

Haar moeder was de rechter bij zijn proces. Ook al sprak ze er niet met Josie over – dat was wettelijk niet toegestaan – Josie besefte het maar al te goed. Ze werd heen en weer geslingerd tussen opluchting en doodsangst. Haar moeder zou stukje bij beetje ontdekken wat er die dag was gebeurd, en dat betekende dat Josie er niet zelf over hoefde te praten. Maar wat zou haar moeder eruit afleiden als ze daar eenmaal achter was?

Drew liep de bibliotheek in. Hij gooide een sinaasappel de lucht in en ving hem weer op. Hij keek om zich heen naar de groepjes leerlingen die met hun dienblad op de vloer zaten, totdat hij Josie zag. 'Nog nieuws?' vroeg hij, terwijl hij naast haar ging zitten.

'Niet veel.'

'Hebben de jakhalzen je te pakken gekregen?'

Hij doelde op de televisieverslaggevers. 'Ik ben langs ze heen gerend.'

'Van mij mogen ze opflikkeren,' zei Drew.

Josie liet haar hoofd tegen de muur rusten. 'Ik wou dat alles weer normaal was.'

'Misschien na het proces.' Drew draaide zich naar haar toe. 'Raar, hè? Dat je moeder daarbij rechter is en zo.'

'We praten er niet over. Eigenlijk praten we nergens meer over.' Ze zette de fles water aan haar mond om een slok te nemen, zodat Drew niet zou merken dat haar hand trilde.

'Hij is niet gek.'

'Wie?'

'Peter Houghton. Ik heb die dag zijn ogen gezien. Hij wist precies wat hij deed.'

'Schei er over uit, Drew,' zei Josie zuchtend.

'Toch is het zo. Wat die patserige advocaat van hem ook zegt om hem vrij te krijgen.'

'Dat is aan de jury ter beoordeling. Niet aan jou.'

'Jezus, Josie. Jij bent wel de laatste die hem zou moeten verdedigen.'

'Ik verdedig hem niet. Ik zeg alleen hoe het rechtssysteem in elkaar zit.'

'Nou, bedankt, edelachtbare. Maar dat interesseert je geen reet als je een kogel in je schouder hebt gekregen. Of als je beste vriend – en jouw beste vriend – ligt dood te bloeden voor een...' Hij maakte zijn zin niet af toen Josie haar fles water liet vallen en ze allebei doorweekt raakten.

'Sorry,' zei ze, terwijl ze met een papieren servet de boel begon te deppen.

Drew zuchtte. 'Het spijt mij ook. Ik word gek van die camera's en dat hele gedoe.' Hij scheurde een hoekje van het vochtige servet, stopte het in zijn mond, en spuwde het propje naar een dikke jongen die tuba speelde in de schoolfanfare.

O god, dacht Josie. Er is helemaal niets veranderd. Drew scheurde nog een stukje papier af en maakte er een propje van. 'Hou op!' riep Josie.

'Wat nou?' Drew haalde zijn schouders op. 'Je wilde toch dat alles weer normaal werd?'

Er stonden vier televisiecamera's in de rechtszaal: van ABC, NBC, CBS en CNN. Verder waren er verslaggevers van *Time*, *Newsweek*, *The New York Times*, *The Boston Globe*, en Associated Press. Vorige week hadden de media een bespreking met Alex gehad, waarna ze had besloten wie in de rechtszaal vertegenwoordigd mocht worden en wie buiten op het bordes moest blijven wachten. Ze was zich bewust van de rode lampjes op de camera's die aangaven dat ze aan het opnemen waren.

Ze hoorde het krassen van pennen op papier toen de verslag-gevers haar woorden letterlijk noteerden. Peter Houghton was berucht geworden, en daaraan dankte Alex haar vijftien minu-ten roem. Of misschien duurde die wel een uur, dacht Alex. Want zolang zou ze nodig hebben om de volledige aanklacht voor te lezen.

'Meneer Houghton,' zei Alex, 'u wordt van eerstegraads moord beschuldigd volgens artikel 631:1-A, in die zin dat u op 6 maart 2007 met opzet de dood hebt veroorzaakt van Courtney Ignatio. U wordt van eerstegraads moord beschuldigd volgens ar-tikel 631:1-A, in die zin dat u op 6 maart 2007 met opzet de dood hebt veroorzaakt van Matthew Royston...'

Het waren routineformuleringen die Alex in haar slaap kon opzeggen. Maar nu concentreerde ze zich op de woorden. Ze sprak ze op rustige, gelijkmatige toon uit, met de nadruk op de naam van elk slachtoffer. De tribune was afgeladen. Alex her-kende de ouders van sommige gedode leerlingen, en ook een paar overlevenden. Een moeder, een vrouw die Alex niet van naam of gezicht kende, zat op de voorste rij achter de verdedigingstafel met de ingelijste foto van een glimlachend meisje.

Jordan McAfee zat naast zijn cliënt. Peter Houghton droeg een oranje gevangenisoverall en was aan handen en voeten geboeid. Hij probeerde niet naar Alex te kijken terwijl ze de aanklachten voorlas.

'U wordt van eerstegraads moord beschuldigd volgens artikel 631:1A, in die zin dat u op 6 maart 2007 met opzet de dood hebt veroorzaakt van Justin Friedman.

U wordt van eerstegraads moord beschuldigd volgens artikel 631:1A, in die zin dat u op 6 maart 2007 met opzet de dood hebt veroorzaakt van Christopher McPhee.

U wordt van eerstegraads moord beschuldigd volgens artikel 631:1A, in die zin dat u op 6 maart 2007 met opzet de dood hebt veroorzaakt van Grace Murtaugh...'

De vrouw met de foto stond op terwijl Alex doorging met de aanklacht. Ze leunde over het hek dat de tribune van de verdedigingstafel scheidde en smeet de foto zo hard voor Peter Houghton neer dat het glas verbrijzelde. 'Weet je nog wie ze was?' schreeuwde de vrouw schor. 'Weet je nog wie Grace was?'

McAfee draaide zich met een ruk om. Peter boog zijn hoofd en staarde naar de tafel voor hem.

Alex had eerder ordeverstoringen in haar rechtszaal meegemaakt, maar nu snakte ze even naar adem. De pijn van deze moeder leek alle ruimte in beslag te nemen en de emoties van andere toeschouwers aan te wakkeren.

Haar handen begonnen te trillen. Ze verborg ze onder de tafel zodat niemand het kon zien. 'Mevrouw,' zei Alex, 'ik moet u vragen weer te gaan zitten...'

'Heb je haar aangekeken toen je haar neerschoot, smerige schoft?'

Had hij haar aangekeken? dacht Alex.

'Edelachtbare,' riep McAfee.

Alex' onpartijdigheid in deze zaak was door de openbaar aanklager al aan de orde gesteld. Maar Alex hoefde haar beslissing tegenover niemand te rechtvaardigen. Tegen justitie had ze gezegd dat ze haar persoonlijke en professionele betrokkenheid in deze zaak heel goed kon scheiden. Josie was immers een van de velen die zich tijdens de schietpartij in de school hadden bevonden. Ze had zich alleen niet gerealiseerd dat ze zich uiteindelijk meer moeder dan rechter zou voelen.

Je kunt dit, hield ze zichzelf voor. *Bedenk waarom je hier bent.* 'Gerechtsbodes,' mompelde Alex. Een paar tellen later grepen twee potige bewakers de vrouw bij de arm en brachten haar de rechtszaal uit.

'Je zult branden in de hel!' schreeuwde de vrouw, terwijl de televisiecamera's haar over het gangpad volgden.

Alex hield haar ogen op Peter Houghton gericht.

'Meneer McAfee,' zei ze, 'vraag uw cliënt zijn hand op te houden.'

'Met alle respect, maar zijn er voor mijn cliënt al niet genoeg nadelige...'

'Doe wat ik u vraag.'

McAfee knikte naar Peter. Die hief zijn geboeide handen op en liet de glasscherf vallen die hij in zijn vuist had geklemd. De advocaat verbleekte. 'Dank u, edelachtbare,' mompelde hij.

Alex keek naar de tribune en schraapte haar keel. 'Ik vertrouw erop dat dergelijke uitbarstingen niet meer zullen voorkomen, anders laat ik de zaal ontruimen.'

Ze ging verder met de tenlastelegging. 'U wordt van eerstegraads moord beschuldigd volgens artikel 631:1A, in die zin dat u op 6 maart 2007 met opzet de dood hebt veroorzaakt van Madeleine Shaw.

U wordt van eerstegraads moord beschuldigd volgens artikel 631:1A, in die zin dat u op 6 maart 2007 met opzet de dood hebt veroorzaakt van Edward McCabe.

U wordt beschuldigd van poging tot eerstegraads moord volgens artikel 630:1A en 629:1, in die zin dat u acties heeft ondernomen ter bevordering van de eerstegraads moord door middel van een handvuurwapen op Emma Alexis.

U wordt beschuldigd van vuurwapenbezit op het terrein van de school.'

Van het in bezit hebben van explosieven.

Van het stelen van vuurwapens.

Alex was hees toen ze klaar was. 'Meneer McAfee,' zei ze, 'pleit uw cliënt schuldig of niet schuldig?'

'Op alle aanklachten niet schuldig, edelachtbare.'

Er ging een golf van geroezemoes door de rechtszaal, zoals altijd wanneer iemand niet schuldig pleitte. Het kwam Alex nogal belachelijk voor. Wat moest de beklaagde anders doen? Zeggen dat hij wél schuldig was?

'Gezien de aard van de aanklachten hebt u geen recht op vrijlating op borgtocht. U wordt in voorlopige hechtenis gehouden.'

Alex beëindigde de zitting en ging naar haar kantoor. Ze deed de deur dicht en liep heen en weer als een gekooid dier. Als ze ergens van overtuigd was, dan was het wel van haar vermogen om eerlijk te oordelen. Maar als deze tenlastelegging haar al zo zwaar viel, hoe zou ze dan functioneren wanneer het OM de gebeurtenissen van die dag zou ontvouwen?

Ze drukte op de knop van de intercom. 'Eleanor, zeg al mijn afspraken voor de komende twee uur af.'

'Maar...'

'Doe wat ik zeg,' snauwde ze. Ze zag nog steeds al die ouders op de tribune voor zich. Wat zij hadden verloren was als een collectief litteken op hun gezicht afgetekend.

Ze trok haar toga uit en liep over de achtertrap naar het parkeerterrein. Maar in plaats van een sigaret op te steken, stapte ze in haar auto en reed naar de kleuterschool. Even raakte ze in paniek toen ze een journaalwagen geparkeerd zag staan, totdat ze besefte dat hij het kenteken van New York had en ze zonder ambtskledij waarschijnlijk niet herkend zou worden.

De enige die het recht had haar te vragen zich terug te trekken was Josie, maar Alex wist dat haar dochter het uiteindelijk zou begrijpen. Dit was haar eerste grote zaak bij het gerechtshof, en voor Josie was het een gelegenheid haar normale leven weer op te pakken. Maar er was nog een reden dat ze zich niet wilde terugtrekken, al durfde ze het nauwelijks toe te geven. Van de openbaar aanklager en de verdediging zou ze meer te weten komen wat haar dochter die dag had moeten doormaken dan ze ooit van Josie zelf te horen zou krijgen.

Ze liep het hoofdkantoor in. 'Ik kom mijn dochter ophalen,' zei Alex, en de secretaresse schoof haar een formulier toe dat ze moest invullen. *Josie Cormier,* schreef ze, *10.45 Orthodontist.*

Ze voelde dat de secretaresse haar aankeek. De vrouw vroeg zich natuurlijk af waarom rechter Cormier niet in de rechtszaal de tenlastelegging voorzat waar iedereen nieuwsgierig naar was. 'Zeg maar tegen haar dat ik buiten in de auto wacht,' zei Alex, en ze liep het kantoor uit.

Binnen vijf minuten deed Josie het portier open en ging naast haar zitten. 'Ik heb geen beugel.'

'Ik moest gauw een smoes bedenken,' antwoordde Alex. 'Dit was het eerste dat in me opkwam.'

'Waarom ben je hier?'

Alex zag dat Josie de ventilatie hoger zette. 'Heb ik een reden nodig om met mijn dochter te gaan lunchen?'

'Het is pas half elf.'

'Dan zijn we aan het spijbelen.'

Alex trok op van de stoeprand. Josie zat vlak naast haar, maar toch waren ze mijlenver van elkaar verwijderd. Haar dochter keek strak uit het raam naar buiten.

'Is het voorbij?'

'De tenlastelegging? Ja.'

'Ben je daarom hier?'

Hoe kon Alex beschrijven hoe het was om al die naamloze moeders en vaders op de tribune te zien zonder een kind tussen hen in? Kon je jezelf nog een ouder noemen als je je kind had verloren?

Alex stopte aan het eind van een weg die uitkeek over de rivier. Er stond een sterke stroming, zoals altijd in het voorjaar.

'Ik wilde je gewoon even zien,' zei ze. 'Er waren vandaag mensen in de rechtszaal... die waarschijnlijk elke ochtend wakker worden met de gedachte dat ze dit ook hadden moeten doen – midden op de dag alles in de steek laten om met hun dochter te gaan lunchen, in plaats van zichzelf voor te houden dat het wel een ander keertje komt.'

Josie plukte zwijgend aan een losse witte draad van haar shirt. Alex kon zich wel voor haar hoofd slaan. Dat had ze nou van haar spontane uitstapje naar instinctief moederschap. Tijdens de zitting had ze zich door emoties laten meeslepen. En in plaats van zichzelf tot de orde te roepen, had ze er gehoor aan gegeven.

'Liever spijbelen dan lunchen,' zei Josie zacht.

Opgelucht leunde Alex achterover en wachtte tot Josie haar aankeek. 'Ik wil met je over de rechtszaak praten.'

'Ik dacht dat dat niet kon.'

'Daar wil ik het juist over hebben. Al was het voor mijn carrière de mooiste kans ter wereld, ik zou terugtreden als jij er moeite mee zou hebben. Dat neemt niet weg dat je er altijd met me over kunt praten.'

Even deden ze alsof Josie dat regelmatig had gedaan, terwijl het in feite al jaren geleden was dat ze haar moeder in vertrouwen had genomen.

'Ook over de tenlastelegging?'

'Ook over de tenlastelegging.'

'Wat heeft Peter in de rechtszaal gezegd?' vroeg Josie.

'Niets. De advocaat voert het woord voor hem.'

'Hoe zag hij eruit?'

Alex dacht even na. Het eerste wat tot haar doordrong toen ze Peter in zijn gevangenisoverall zag, was hoe volwassen hij was geworden. Hoewel ze hem door de jaren heen wel vaker had gezien – tijdens schoolevenementen of in de copyshop waar hij en Josie hadden gewerkt – beschouwde ze hem nog steeds als de kleine jongen die met Josie op de kleuterschool had gespeeld. Ze dacht aan zijn gevangeniskleren, de rubbersandalen, de boeien. 'Hij zag eruit als een beklaagde,' zei ze.

'Als hij wordt veroordeeld, dan komt hij nooit meer vrij, hè?'

Alex hart kromp ineen. Josie probeerde het niet te laten merken, maar toch moest ze doodsbang zijn dat het opnieuw kon gebeuren. Hoe kon Alex haar – als rechter – beloven dat Peter veroordeeld zou worden voordat zijn proces ook maar was begonnen? Ze balanceerde op het smalle koord tussen persoonlijke verantwoordelijkheid en professionele ethiek, en probeerde uit alle macht haar evenwicht te bewaren. 'Maak je daar nou maar geen zorgen over...'

'Dat is geen antwoord,' zei Josie.

'Het is hoogstwaarschijnlijk dat hij tot levenslang wordt veroordeeld.'

'Mag hij dan bezoek ontvangen?'

Ineens kon Alex haar dochters logica niet meer volgen. 'Hoezo? Wil je met hem praten?'

'Ik weet het niet.'

'Ik kan me niet voorstellen waarom, na wat...'

'We waren ooit met elkaar bevriend,' zei Josie.

'Je bent al jaren niet meer met hem bevriend,' antwoordde Alex, maar ineens begreep ze waarom haar dochter na zijn veroordeling contact met hem zou willen zoeken: uit schuldgevoel. Misschien dacht Josie dat ze iets had gedaan of juist niet had gedaan dat Peter tot het uiterste had gedreven.

Als iemand wist wat het betekende om een schuldig geweten te hebben, dan was het Alex wel.

'Lieverd, er zal goed voor Peter worden gezorgd door professionele hulpverleners. Dat kun je met een gerust hart aan hen overlaten. Zorg jij maar liever voor jezelf, oké?'

Josie wendde haar blik af. 'Ik heb het volgende uur een proefwerk,' zei ze. 'Kunnen we nu terug naar school?'

Zwijgend reed Alex terug. Het was nu te laat om zichzelf te corrigeren en tegen haar dochter te zeggen dat er nog iemand was die voor haar zou zorgen, dat Josie er niet alleen voor stond.

Om twee uur in de ochtend, toen Jordan zich vijf uur achtereen over een huilende baby had ontfermd, zei hij tegen Selena: 'Zeg even waarom we ook weer zo nodig een kind wilden.'

Selena zat aan de keukentafel met haar hoofd in haar armen. 'Omdat jij de perfect afgestemde genetische blauwdruk van mijn afstamming wilde doorgeven.'

'Volgens mij hebben we alleen een of ander verderfelijk virus doorgegeven.'

Ineens ging Selena rechtop zitten. 'Hé,' fluisterde ze. 'Hij slaapt.'

'Goddank. Neem hem van me over.'

'Geen sprake van... Zo stil is hij de hele dag nog niet geweest.'

Jordan keek haar nijdig aan en ging met hun slapende zoon in zijn armen tegenover haar zitten. 'Hij is niet de enige.'

'Hebben we het weer over de rechtszaak? Eerlijk gezegd ben ik zo moe dat ik je even niet kan volgen...'

'Ik snap gewoon niet waarom ze niet is teruggetreden. Toen de aanklager over haar dochter begon, veegde Cormier het onderwerp van tafel... En erger is dat Leven hetzelfde deed.'

Selena stond geeuwend op. 'Je moet een gegeven paard niet in de bek kijken, schat. Voor jou is Cormier een betere rechter dan Wagner.'

333

'Toch zit deze zaak me niet lekker.'

Selena keek hem met een toegeeflijke glimlach aan. 'Misschien heb je een beetje last van luieruitslag?'

'Dat haar dochter zich nu niets kan herinneren, wil niet zeggen dat het altijd zo blijft. Hoe kan Cormier onpartijdig zijn als ze weet dat haar dochter erbij was toen haar vriend door mijn cliënt werd neergeknald?'

'Je kunt een verzoek indienen om haar van de zaak af te halen,' zei Selena. 'Of misschien moet je wachten tot Diana het doet.'

Jordan keek naar haar op.

'Als ik jou was, zou ik er verder niets over zeggen.'

Hij stak zijn hand uit en greep de ceintuur van haar ochtendjas die daardoor openviel. 'Je weet toch dat ik mijn mond niet kan houden?'

Selena lachte. 'Eens moet de eerste keer zijn.'

Elke gang in de maximaal beveiligde afdeling telde vier cellen van drie bij vier. Daarin bevonden zich een stapelbed en een toilet. Het had drie dagen geduurd voordat Peter op de toiletpot durfde te gaan zitten terwijl de bewakers langs zijn cel heen en weer liepen, maar nu kon hij desnoods schijten op commando, een teken dat hij aan zijn verblijf gewend was geraakt.

Aan het ene eind van de smalle gang langs de cellen stond een klein televisietoestel. Omdat er maar ruimte was voor één stoel, mocht degene die het langst vastzat erin zitten. De anderen stonden achter hem naar het scherm te kijken. Er waren niet veel programma's waar de gevangenen het over eens konden worden. Meestal werd het Jerry Springer op MTV. Want, dacht Peter, hoe grondig je je leven ook had verpest, je zag graag mensen die nog stommer waren dan jij.

Als iemand in het cellenblok iets deed wat niet mocht – die klootzak van een Satan Jones bijvoorbeeld (hij heette eigenlijk Gaylord, maar als je die naam ook maar fluisterde vloog hij je al naar de strot) had op zijn celmuur een karikatuur van twee bewakers getekend – mochten ze allemaal een week geen televisiekijken.

Dan liepen ze de andere kant van de gang in, waar zich aan het eind een douche met een plastic gordijn bevond, en de telefoon waar je voor een dollar per minuut kon bellen en je om de paar seconden hoorde: *Dit gesprek wordt gevoerd vanuit de Grafton County Jail.*

Peter was sit-ups aan het doen. Hij had er een hekel aan, zoals aan elke vorm van fysieke training. Het alternatief was op bed blijven liggen totdat hij helemaal geen spierkracht meer had en iedereen de vloer met hem kon aanvegen, of hij kon naar buiten gaan. Dat had hij een paar keer gedaan, niet om ballen in de basket te gooien, te joggen, of geheime dealtjes bij het hek te sluiten voor de drugs en sigaretten die naar binnen werden gesmokkeld, maar alleen om buiten te zijn en de frisse lucht in te ademen. Helaas kon je vanuit de binnenplaats de rivier zien. Je zou denken dat het een meevaller was, maar het bleek eerder een kwelling. Bij een bepaalde windrichting kon hij het water ruiken. Dan vond hij het verschrikkelijk dat hij er niet heen kon lopen, zijn sokken en schoenen uittrekken, en er doorheen waden, erin zwemmen, er verdomme in verdrinken als hij wilde. Uiteindelijk ging hij helemaal niet meer naar buiten.

Na zijn honderdste sit-up – ironisch genoeg was hij na een maand zo sterk geworden dat hij Matt Royston en Drew Girard allebei tegelijk in elkaar had kunnen timmeren – ging hij op zijn bed zitten met het magazijnformulier. Eén keer in de week kon je boodschappen bestellen – mondwater of papier en dat soort dingen – maar de prijzen waren belachelijk hoog. Voor een fles shampoo werd bijvoorbeeld $3,25 berekend. Je kon alleen maar hopen dat een bajesklant die naar de staatsgevangenis verhuisde zijn spullen voor je achterliet.

'Houghton,' zei een bewaker, terwijl zijn zware laarzen weergalmden op de ijzeren gang, 'er is post voor je.'

Er werden twee enveloppen zijn cel ingegooid. De ene kwam van zijn moeder, zoals hij al had verwacht. Ze schreef hem drie of vier keer per week. Meestal gingen haar brieven nergens over. Ze schreef over artikeltjes in de plaatselijke krant, of dat haar planten

335

het zo goed deden. Aanvankelijk had hij gedacht dat het een soort geheimtaal was voor iets dat hij moest weten, totdat hij besefte dat ze alleen maar ruimte wilde vullen. Vanaf dat moment opende hij haar brieven niet meer en voelde zich daar niet schuldig over. Ze schreef hem niet omdat ze wilde dat hij haar brieven las, maar alleen om haar geweten te sussen dát ze hem had geschreven.

Zijn ouders begrepen niets van hem, en hij kon het ze niet kwalijk nemen. Niemand had hem ooit begrepen, behalve misschien degenen die op die dag op school waren geweest, en die overlaadden hem niet bepaald met brieven.

Peter gooide de brief van zijn moeder op de vloer en keek naar het adres op de andere envelop. Hij herkende het niet. De brief kwam niet uit Sterling, zelfs niet uit New Hampshire. Elena Battista, las hij. Elena uit Ridgewood in New Jersey.

Hij scheurde de envelop open.

Peter,
Ik heb het gevoel dat ik je ken, want ik heb gevolgd wat er bij jou op school is gebeurd. Ik zit nu op de universiteit, maar ik weet hoe het voor je geweest moet zijn... Voor mij was het namelijk net zo. Je moet weten dat mijn proefschrift over de gevolgen van pesten op school gaat. Misschien is het aanmatigend van me om te denken dat je met me wilt praten... Maar als ik iemand als jij had gekend toen ik op de middelbare school zat, zou mijn leven er misschien heel anders hebben uitgezien. Misschien is het nooit te laat???

Met vriendelijke groet,
Elena Battista

Peter tikte met de envelop tegen zijn dij. Jordan had hem uitdrukkelijk gezegd dat hij met niemand mocht praten, behalve met zijn ouders en Jordan zelf. Maar aan zijn ouders had hij niets, en eerlijk gezegd had Jordan zich niet aan zijn belofte gehouden dat hij regelmatig bij Peter zou langskomen om naar zijn problemen te luisteren.

En dan. Ze studeerde aan de universiteit. Hij vond het wel wat dat zo iemand met hem wilde praten, al zou hij haar waarschijnlijk niets nieuws kunnen vertellen.

Peter pakte het magazijnformulier weer op en kruiste het vakje aan voor een wenskaart.

Een proces kon in twee delen worden onderscheiden: wat er op de dag zelf was gebeurd – het troetelkind van de openbaar aanklager – en alles wat eraan vooraf was gegaan, wat op het bordje van de verdediging lag. Daarom had Selena iedereen ondervraagd die de afgelopen zeventien jaar contact met hun cliënt had onderhouden. Twee dagen na Peters tenlastelegging bij het gerechtshof zat Selena tegenover de rector van Sterling High in zijn tijdelijke kantoor in de kleuterschool. Arthur McAllister had een zandkleurige baard en een buikje. Hij liet niets van zijn tanden zien als hij glimlachte. Hij deed haar denken aan zo'n sprekende speelgoedbeer van vroeger die ze als kind altijd een beetje eng had gevonden. Op haar vraag wat er op zijn school tegen pesten werd gedaan, antwoordde McAllister: 'Dat wordt niet getolereerd. We hebben het volledig onder controle.'

'Welke maatregelen neemt u tegen een leerling die een andere treitert?'

'Kijk, Selena – mag ik Selena zeggen? Het is ons duidelijk geworden dat het voor het gepeste kind in kwestie nog zwaarder wordt als de schoolleiding zich ermee gaat bemoeien.' Hij aarzelde. 'Ik weet dat de schietpartij wordt vergeleken met Columbine en Paducah. Maar ik ben ervan overtuigd dat Peter niet tot zijn daden is gekomen omdat hij werd gepest.'

'Tot de daden waarvan hij beschuldigd wordt,' corrigeerde Selena. 'Houdt u een dossier bij van treiterincidenten?'

'Ja, maar alleen wanneer ze escaleren en de kinderen naar me toe worden gestuurd.'

'Is er ooit iemand naar u toegestuurd omdat hij Peter Houghton had gepest?'

McAllister stond op en trok een map uit een dossierkast. Hij bladerde erdoorheen en liet zijn oog op een velletje papier rusten. 'Eigenlijk is Peter zelf dit jaar twee keer naar me toegestuurd omdat hij in de gang had gevochten.'

'Heeft hij gevochten?' zei Selena. 'Of heeft hij teruggevochten?'

In de zaak Katie Riccobono, een vrouw die haar man in zijn slaap zesenveertig keer met een mes in de borst had gestoken, was dr. King Wah als getuige opgeroepen, een forensisch psychiater die gespecialiseerd was in het mishandelde-vrouwensyndroom, dat verwant was aan posttraumatische stressstoornis. Vrouwen die regelmatig geestelijk of lichamelijk werden mishandeld, werden op den duur zo bang dat de scheidslijn tussen werkelijkheid en verbeelding vervaagde. Ze voelden zich zelfs bedreigd wanneer hun agressor lag te slapen, of, in het geval van Joe Riccobono, de roes uitsliep van een drie dagen durende slemppartij.

Dankzij King hadden ze de zaak gewonnen. Door de jaren heen was hij een van de belangrijkste experts op zijn gebied geworden. Hij was overal in het land als getuige voor de verdediging opgetreden, en zijn honoraria hadden inmiddels recordhoogtes bereikt. Wahs tijd was geld geworden.

Jordan reed naar Kings kantoor in Boston. Hij had geen afspraak, en hoopte dat hij met zijn charmes welke secretaresse dan ook kon vermurwen, maar hij had niet gerekend op een draak van middelbare leeftijd met de naam Ruth. 'De agenda is voor de komende zes maanden volgeboekt,' zei ze, zonder naar Jordan op te kijken.

'Dit bezoek is persoonlijk, niet zakelijk.'

'Maakt niet uit,' zei Ruth toonloos.

'Het gaat om een noodgeval in de familie.'

'Een noodgeval in uw familie,' herhaalde Ruth, nog steeds zonder hem aan te kijken.

'Ónze familie,' improviseerde Jordan. 'Ik ben de broer van doctor Wah.' Toen Ruth naar hem opkeek, voegde hij eraantoe: 'Zijn geadopteerde broer.'

Ze trok haar wenkbrauwen op en drukte een toets op haar

338

telefoontoestel in. 'Er is hier iemand die beweert dat hij uw broer is.' Ze hing op. 'U mag naar binnen.'

Jordan deed de zware houten deur open. King zat met zijn voeten op het bureau een broodje te eten. 'Jordan McAfee,' zei hij glimlachend. 'Ik had het kunnen weten. Vertel eens... Hoe gaat het met onze ma?'

'Dat weet jij beter dan ik,' zei Jordan, en hij schudde King de hand. 'Bedankt dat je me wilt ontvangen.'

King gebaarde hem te gaan zitten. 'Hoe gaat het?'

'Best,' zei Jordan. 'Nou ja, niet zo goed als met jou natuurlijk. Elke keer dat ik Court TV aanzet, zie ik jou op het scherm.'

'Ik heb het inderdaad heel druk. Eigenlijk heb ik maar tien minuten tot mijn volgende afspraak.'

'Ik ben gewoon langsgekomen in de hoop dat je even tijd voor me had. Ik wil je vragen of je mijn cliënt wilt evalueren.'

'Jordan, dat zou ik graag doen, maar mijn agenda is voor het komende halfjaar helemaal volgeboekt.'

'Dit is een apart geval, King. Hier gaat het om meervoudige moord.'

'Hoeveel echtgenoten heeft ze naar de andere wereld geholpen?'

'Geen enkele. En het is geen zij, maar een jongen. Een kind nog. Hij is jarenlang op school gepest, en is uiteindelijk op Sterling High om zich heen gaan schieten.'

King gaf hem de helft van zijn broodje tonijn. 'Oké, broertje, we maken er een snelle lunchbespreking van.'

Josie keek van de grijze tegelvloer in de wachtruimte naar de zware deur met het automatische slot. Het leek wel een gevangenis. 'Ik wil hier weg,' zei ze tegen haar moeder.

'Dat weet ik.'

'Waarom wil hij me opnieuw spreken? Ik heb hem al gezegd dat ik me niets kan herinneren.'

Ze hadden bericht gekregen dat rechercheur Ducharme haar nog een paar vragen wilde stellen. Voor Josie betekende dit dat hij iets wist wat hij niet had geweten toen hij haar de eerste keer ondervroeg. Haar moeder had uitgelegd dat een tweede onder-vraging niets bijzonders was en alleen diende om de puntjes op de i te zetten.

'Je hoeft alleen maar te zeggen dat je je niets kunt herinneren, en dan mag je weer naar huis,' zei haar moeder, en ze legde haar hand op Josies trillende knie.

Het liefst was Josie opgestaan en het politiebureau uitgerend.

Stel dat het een val was? Dat rechercheur Ducharme alles al wist?

'Josie, bedankt dat je gekomen bent.'

Ze keek op en zag de rechercheur voor zich staan. Haar moe-der stond op. Josie had er de moed niet voor.

'Josie is behoorlijk overstuur,' zei haar moeder. 'Ze kan zich nog steeds niets van die dag herinneren.'

'Dat wil ik van Josie zelf horen.' De rechercheur hurkte voor haar neer zodat hij haar recht kon aankijken. Hij had lieve ogen, dacht Josie. Een beetje droevig, als van een basset. 'Ik beloof je dat het niet lang zal duren,' zei hij zacht.

Josie probeerde zich voor te stellen wat er zou gebeuren als de deur van de spreekkamer achter haar werd gesloten. Of haar de duimschroeven zouden worden aangedraaid. Ze vroeg zich af wat meer pijn deed: dat je niet meer wist wat er was gebeurd, hoe je je ook inspande, of dat je je elk gruwelijk moment nog kon herinneren.

Ze zag dat haar moeder weer ging zitten. 'Ga je niet mee naar binnen?'

De laatste keer dat de rechercheur haar ondervroeg, was haar moeder met hetzelfde excuus aangekomen. Dat ze er als rechter niet bij aanwezig kon zijn. Maar in het gesprek na de tenlasteleg-ging had ze alles uit de kast gehaald om Josie duidelijk te maken dat ze haar taak als rechter in deze zaak kon combineren met haar taak als moeder. Met andere woorden: Josie was zo stom geweest om te denken dat er nu werkelijk iets zou veranderen.

Haar moeder opende haar mond en deed hem weer dicht. *Heb je nu een onbehaaglijk gevoel?* dacht Josie. *Welkom bij de club.*

'Wil je een kop koffie?' vroeg de rechercheur, maar schudde toen zijn hoofd. 'Of heb je liever cola? Ik weet niet eens of kinderen van jouw leeftijd al koffiedrinken.'

'Koffie, graag,' zei Josie. Ze ontweek haar moeders blik toen rechercheur Ducharme haar voorging naar het innerlijk heiligdom van het politiebureau.

Ze gingen een spreekkamer in waar hij een beker koffie voor haar inschonk. 'Melk? Suiker?'

'Alleen suiker,' zei Josie. Ze nam twee zakjes uit het schaaltje en leegde die in haar beker. Ze keek om zich heen – naar de formicatafel, de tl-buizen. Alles zag er heel normaal uit.

'Waarom kijk je zo?'

'Dit ziet er helemaal niet uit als een ruimte waar je met geweld tot een bekentenis wordt gedwongen.'

'Hangt ervan af of je iets te bekennen hebt,' zei de rechercheur. Toen hij Josies angstige blik zag, begon hij te lachen. 'Grapje. De enige keer dat ik iemand met geweld tot een bekentenis dwing, is als ik een videospelletje speel waarin ik de smeris ben.' Hij zuchtte. 'Maar goed.' Hij boog zich over een taperecorder die op tafel stond. 'Ik ga ons gesprek opnemen, net als de eerste keer, want ik ben nu eenmaal te stom om alles te onthouden.' Hij drukte de opnametoets in en ging tegenover haar zitten. 'Zeggen ze weleens tegen je dat je op je moeder lijkt?'

'Eh... nee, nooit.' Ze hield haar hoofd scheef. 'Hebt u me voor die vraag hier laten komen?'

Hij glimlachte. 'Nee.'

'Bovendien lijk ik helemaal niet op haar.'

'O jawel. Jullie hebben dezelfde ogen.'

Josie keek naar de tafel. 'Die van mij hebben een heel andere kleur.'

'Ik had het niet over de kleur,' zei de rechercheur. 'Josie, vertel me nog eens precies wat je je herinnert van de dag van de schietpartij.'

Josie klemde onder tafel haar handen in elkaar en boorde haar nagels in haar handpalm. 'Ik had een scheikundeproefwerk. Ik

341

had er de vorige avond tot laat aan gewerkt, en het was het eerste waar ik aan dacht toen ik de volgende ochtend wakker werd. Meer weet ik niet. Ik heb u al gezegd dat ik niet eens meer weet dat ik die dag op school ben geweest.'

'Ook niet dat je in de kleedkamer bewusteloos bent geraakt?'

Josie sloot haar ogen. Ze zag de kleedkamer voor zich – de tegelvloer, de grijze kastjes, de ene sok die in een hoek van de doucheruimte lag. En toen was alles rood voor haar ogen geworden. Rood als bloed.

'Nee,' zei ze, maar er klonken tranen in haar stem. 'Ik weet niet eens waarom ik nu moet huilen.' Ze geneerde zich. Het ergste was dat het gebeurde zonder dat ze er iets aan kon doen. Ze nam de tissue aan die de rechercheur haar aanreikte. 'Mag ik nu weg, alstublieft?'

Hij aarzelde even, en Josie voelde zijn medelijden als een net dat over haar heen werd gespannen waarin alleen haar woorden werden vastgehouden, terwijl haar schaamte, haar woede en haar angst door de mazen heen glipten.

'Ja, Josie,' zei hij, 'je mag weg.'

Alex deed alsof ze een tijdschrift las toen Josie ineens door de beveiligde deur de wachtruimte instormde. Ze huilde, en Patrick Ducharme was nergens te bekennen. *Ik vermoord hem*, dacht ze kalm, *maar eerst moet ik voor mijn dochter zorgen.*

'Wacht!' riep ze, toen Josie langs haar heen het gebouw uitrende naar het parkeerterrein. Alex haastte zich achter haar aan en trof haar bij de auto. Ze sloeg haar armen om Josie heen en voelde hoe haar dochter zich verzette. 'Laat me met rust,' snikte Josie.

'Lieverd, wat heeft hij tegen je gezegd? Praat met me.'

'Ik kan niet me je praten! Je begrijpt het niet. Niemand begrijpt het.' Josie maakte zich van haar los. 'De enigen die het begrijpen zijn dood.'

Alex aarzelde. Ze kon Josie dicht tegen zich aandrukken en haar laten huilen. Of ze kon haar laten inzien dat ze de kracht bezat om de situatie het hoofd te bieden, hoe ontdaan ze nu ook was. Het had wel iets van de instructie aan een jury die niet uit de beraad-slagingen kwam, en waarbij ze werden herinnerd aan hun plicht als Amerikaans staatsburger om tot een unaniem oordeel te komen.

'Ik weet hoe moeilijk het voor je is, Josie, maar je bent sterker dan je denkt, en...'

Josie duwde haar van zich af. 'Sla niet zo'n toon tegen me aan!'

'Wat bedoel je?'

'Alsof ik een of andere getuige of advocaat ben op wie je indruk probeert te maken!'

'Sorry, edelachtbare...'

Alex draaide zich om en zag Patrick Ducharme achter hen staan. Hij moest alles hebben gehoord. Het bloed steeg naar haar wangen. Dit was nu precies het soort gedrag waarop ze niet in het openbaar betrapt wilde worden. Waarschijnlijk zou hij straks in het politiebureau een mailtje naar het hele korps sturen: *Raad eens wat ik net heb gehoord?*

'Uw dochter heeft haar sweatshirt laten liggen.'

Het roze shirt hing over zijn arm. Hij gaf het aan Josie en legde daarbij zijn hand op haar schouder. 'Maak je geen zorgen, Josie,' zei hij, en ze keken elkaar aan. 'Het komt allemaal goed.'

Alex verwachtte dat ze hem ook zou afsnauwen, maar Josie werd rustig onder zijn aanraking. Voor het eerst sinds de schietpartij knikte ze alsof ze het geloofde.

Opgelucht besefte Alex dat haar dochter eindelijk een beetje hoop had gekregen. Tegelijkertijd voelde ze verbittering omdat ze niet zelf wat vrede in haar dochters hart had kunnen brengen.

Josie veegde haar ogen af aan het sweatshirt. 'Gaat het weer een beetje?'

'Ja, hoor.'

'Mooi.' De rechercheur knikte naar Alex. 'Tot ziens.'

'Bedankt,' mompelde ze, toen hij zich omdraaide en terugliep naar het politiebureau.

Ze hoorde het portier dichtslaan toen Josie de auto instapte, maar ze bleef Patrick Ducharme nakijken totdat hij uit het zicht was verdwenen. *Was ik het maar geweest*, dacht ze.

Net als Peter was Derek Markowitz een computerwhizzkid, en net als Peter was hij niet gezegend met enige spierontwikkeling of andere kenmerken van adolescentie. Hij was klein van stuk en zijn haar piekte in plukjes op zijn hoofd alsof het erin was geplant. Net als Peter was hij nooit populair geweest.

Maar anders dan Peter had hij niet op een dag tien mensen gedood.

Selena zat aan de keukentafel van de Markowitzen terwijl Dee Dee Markowitz haar als een havik in de gaten hield. Selena was hier om Derek te ondervragen in de hoop dat hij als getuige voor de verdediging kon worden opgeroepen, maar de informatie die Derek haar tot nu toe had verschaft maakte hem eigenlijk een betere kandidaat voor het OM.

'Stel dat het allemaal mijn schuld is?' zei Derek. 'Ik bedoel, ik ben de enige die hij een aanwijzing heeft gegeven. Als ik beter had geluisterd, had ik hem misschien kunnen tegenhouden. Ik had het iemand kunnen vertellen. Maar ik dacht gewoon dat het een grap was.'

'Dat zou iedereen in jouw situatie hebben gedacht,' zei Selena zacht, en ze meende het. 'De Peter die je kende, was niet dezelfde die die dag de school is ingegaan.'

Derek schudde nadenkend zijn hoofd.

'Bent u klaar?' vroeg Dee Dee. 'Derek moet naar vioolles.'

'Bijna, mevrouw Markowitz. Ik wil Derek alleen nog iets vragen over de Peter die hij wel heeft gekend. Hoe hebben jullie elkaar ontmoet?'

'We zaten allebei in het voetbalteam van de zesde klas,' zei Derek. 'En we konden er allebei geen reet van.'

'Derek!'

'Sorry, mam, maar het is toch zo?' Hij keek op naar Selena. 'Maar die voetballers waren weer te stom om iets van computers te begrijpen.'

Selena glimlachte. 'Dus in het team zijn jullie met elkaar bevriend geraakt?'

'We zaten altijd op de bank, want we werden nooit opgesteld,' zei Derek. 'Maar we zijn pas vrienden geworden toen hij niet meer met Josie omging.'

Selena pakte haar pen op. 'Josie?'

'Ja, Josie Cormier. Ze zit ook op die school.'

'En zij is Peters vriendin?'

'Vroeger, ja. Ze was de enige met wie hij omging. Maar toen kwam ze bij de populaire maffia terecht en liet ze hem stikken.' Hij keek Selena aan. 'Het kon Peter eigenlijk niet schelen. Hij zei dat ze een kutgriet was geworden.'

'Derek!'

'Sorry, mam, maar het is toch zo?'

'Willen jullie me even excuseren?' zei Selena.

Ze liep de keuken uit naar de badkamer, waar ze haar mobieltje uit haar zak trok en naar huis belde. 'Met mij,' zei ze, toen Jordan opnam. Ze aarzelde even. 'Waarom is het zo stil?'

'Sam slaapt.'

'Je hebt toch geen Wiggles-dvd opgezet om hem rustig te houden, hè?'

'Bel je alleen om me van slecht vaderschap te beschuldigen?'

'Nee,' zei Selena. 'Ik bel je om te zeggen dat Peter en Josie vroeger maatjes waren.'

Als gevangene van een maximaal beveiligde afdeling mocht Peter één bezoeker per week ontvangen, maar sommige mensen telden niet mee. Je advocaat kon bijvoorbeeld net zo vaak komen als hij wilde, en – dat was het vreemde – dat gold ook voor verslaggevers. Peter hoefde alleen maar een formulier in te vullen waarin hij verklaarde dat hij de media te woord wilde staan, zodat Elena Battista hem kon bezoeken.

Ze was een stuk, dat zag hij al meteen. In plaats van een of andere vormeloze slobbertrui droeg ze een strak T-shirt met knoopjes. Als hij naar voren boog, kon hij haar decolleté zien.

Ze had lang, dik, krullend haar en reebruine ogen. Peter kon zich niet voorstellen dat ze op school ooit was gepest. Ze zat tegenover hem in de bezoekersruimte en kon hem nauwelijks in de ogen kijken. 'Ik kan bijna niet geloven dat ik je nu in het echt ontmoet.'

Peter deed alsof hij dit dagelijks hoorde. 'Ach..' zei hij. 'Cool dat je hier bent.' Hij dacht aan verhalen die hij had gehoord over groupies die naar gevangenen schreven en uiteindelijk in de bajes met elkaar trouwden. Hij dacht aan de bewaker die Elena had binnengebracht en vroeg zich af of die tegen zijn collega's zou zeggen dat Peter Houghton bezoek had gekregen van een bloedmooie meid.

'Vind je het goed dat ik aantekeningen maak?' vroeg Elena. 'Voor mijn proefschrift?'

'Ja, cool.'

Ze haalde een pen tevoorschijn en hield de dop in haar mond terwijl ze een leeg vel in haar blocnote opsloeg. 'Oké, zoals ik al zei gaat het over de gevolgen van pesten.'

'Waarom eigenlijk?'

'Toen ik op de middelbare school zat, waren er momenten dat ik me liever van kant maakte dan dat ik er naar terugging. Later besefte ik dat anderen hetzelfde moeten hebben meegemaakt, en zo ben ik op het idee gekomen.' Ze boog zich naar hem toe en keek hem aan. 'Ik hoop dat het in een tijdschrift voor psychologie of zo wordt gepubliceerd.'

'Cool.' Jezus, hoe vaak ging hij dat nog zeggen? Hij moest wel als een volslagen debiel overkomen.

'Kun je om te beginnen vertellen hoe vaak je werd gepest?'

'Zo'n beetje elke dag.'

'Wat deden ze dan bijvoorbeeld?'

'Ze sloten me op in een garderobekastje, of ze gooiden mijn schoolboeken uit het busraampje.' Hij stak dezelfde litanie af die hij al zo vaak aan Jordan had verteld. Dat hij pootje werd gelicht op de trap, dat zijn bril werd afgerukt en kapot getrapt.

Elena keek hem meelevend aan. 'Wat moet je het zwaar hebben gehad.'

Peter wist niet wat hij moest zeggen. Hij wilde dat ze in hem geïnteresseerd bleef, maar niet omdat ze hem als een zielenpoot beschouwde. Hij haalde zijn schouders op.

346

Ze hield op met schrijven. 'Peter, mag ik je iets vragen wat zeg maar... nogal persoonlijk is?'

Hij knikte.

'Was je van plan hen te vermoorden?'

Ze boog zich opnieuw naar hem toe, met haar mond iets geopend. Peter kon haar ademhaling bijna ruiken. Hij wilde haar het juiste antwoord gegeven – een antwoord dat haar genoeg intrigeerde om terug te willen komen.

Hij glimlachte, naar hij hoopte op een verleidelijke manier. 'Laten we zeggen dat er een eind aan moest komen.'

De tijdschriften in de wachtkamer van Jordans tandarts waren al minstens een halfjaar oud, maar tot zijn aangename verrassing lag er wel de laatste editie van *Time*.

IS DE MIDDELBARE SCHOOL HET NIEUWE SLAGVELD? stond er op het omslag onder een foto van Sterling High die vanuit een helikopter was genomen. Afwezig bladerde hij het artikel door. Hij verwachtte niets tegen te komen dat hij al niet wist of in andere kranten had gelezen, totdat een onderkop zijn aandacht trok. '*In het hoofd van een moordenaar*', las hij, en zag de veel geplaatste jaarboekfoto van Peter toen hij in groep acht zat.

Hij begon te lezen.

'Wel verdomme,' zei hij, en liep naar de deur.

'Meneer McAfee,' zei de assistente, 'u kunt naar binnen.'

'Ik zal een nieuwe afspraak moeten maken...'

'Goed, maar wilt u het tijdschrift hier laten?'

'Zet het maar op mijn rekening,' snauwde Jordan, en hij haastte zich de trap af naar zijn auto. Op het moment dat hij de sleutel in het contact stak, ging zijn mobieltje. Hij wist zeker dat het een zich verkneukelende Diana Leven was, maar het bleek Selena te zijn.

'Hé, ben je klaar bij de tandarts? Je moet onderweg een pak luiers kopen, want we zitten zonder.'

'Ik ben niet op weg naar huis. Ik heb nu een groter probleem.'

'Lieverd,' zei Selena, 'er bestaat geen groter probleem.'

'Ik leg het je straks wel uit,' zei Jordan. Hij zette zijn mobieltje uit zodat Diana hem niet kon bereiken, als ze al zou bellen.

Binnen zesentwintig minuten arriveerde hij bij de gevangenis – een persoonlijk record – en stormde naar binnen. Daar drukte hij het tijdschrift tegen het plastic dat hem scheidde van de bewaker die hem inschreef. 'Dit wil ik aan mijn cliënt laten zien,' zei Jordan.

'Het spijt me,' zei de bewaker, 'maar u mag niets meenemen waar nietjes in zitten.'

Gefrustreerd begon Jordan de pagina's los te trekken. 'Oké. Kan ik dan nu naar mijn cliënt?'

In de spreekkamer liep hij heen en weer terwijl hij op Peter wachtte. Toen die arriveerde, smeet Jordan woedend het artikel op tafel. 'Wat moet dit verdomme voorstellen?'

Peters mond viel open. 'Ze... ze heeft nooit gezegd dat ze voor *Time* schreef!' Vluchtig keek hij de tekst door. 'Ik kan het niet geloven,' mompelde hij.

Jordan voelde al het bloed in zijn lichaam naar zijn hoofd stijgen. Dit moest zo'n moment zijn dat mensen een beroerte kregen. 'Besef je eigenlijk wel hoe ernstig de aanklachten zijn? Hoe groot de bewijslast is?' Hij sloeg met zijn vlakke hand op het artikel. 'Denk je nu echt dat je hier sympathieker door wordt?'

Peter keek hem met samengeknepen ogen aan. 'Misschien was deze preek niet nodig geweest als u een paar weken eerder was gekomen.'

'O, krijgen we dat weer,' zei Jordan. 'Dus omdat ik niet vaak genoeg langskom, besluit je maar achter mijn rug om je hart tegen verslaggevers uit te storten?'

'Ze was geen verslaggever. Ze was een vriendin.'

'Zal ik je eens wat zeggen?' zei Jordan. 'Je hebt geen vrienden of vriendinnen.'

'Alsof ik dat niet weet.'

Jordan deed zijn mond open om Peter opnieuw uit te kafferen, maar kon het niet. Hij dacht aan Selena's gesprek eerder die week met Derek Markowitz. Peters weinige vrienden hadden hem in de steek gelaten of verraden.

Als hij zijn werk echt goed wilde doen, dan moest hij meer voor Peter zijn dan alleen zijn advocaat. Hij moest zijn vertrouweling worden. Tot nu toe had hij de jongen alleen maar aan het lijntje gehouden, zoals ieder ander in zijn leven.

Jordan ging naast hem zitten. 'Hoor eens,' zei hij zacht, 'dit mag je nooit meer doen. Als iemand om welke reden ook contact met je zoekt, dan wil ik dat weten. Dan beloof ik dat ik je vaker kom bezoeken. Oké?'

Peter haalde zijn schouders op en knikte. Even zaten ze zwijgen naast elkaar zonder te weten wat ze moesten zeggen.

'En nu?' vroeg Peter uiteindelijk. 'Moet ik het weer over Joey hebben? Of me voorbereiden op dat gesprek met die psychiater?'

Jordan aarzelde. Hij was hier alleen gekomen om Peter de mantel uit te vegen, anders zou hij al thuis zijn geweest. Natuurlijk kon hij Peter vragen opnieuw over zijn jeugd te vertellen of hoe het voelde om gepest te worden, maar dit leek hem niet het goede moment. 'Eigenlijk,' zei hij, 'heb ik je advies nodig. 'Mijn vrouw heeft afgelopen kerst een dvd-spelletje voor me gekocht. *Agents of Stealth*. Het probleem is dat ik maar niet door het eerste level heen kom zonder te worden uitgeschakeld.'

Peter keek hem zijdelings aan. 'Hebt u zich aangemeld als Droid of als Regal?'

Wist Jordan veel. Hij had de cd niet eens uit het doosje gehaald. 'Als Droid.'

'Dat was uw eerste fout. Dan kun je geen dienst nemen in het legioen van Pyrhphorus. Dan moet je beginnen in het opleidingskamp in plaats van in de mijnen, begrijpt u wel?'

Jordan keek even naar het artikel dat nog steeds op tafel lag. Zijn zaak was aanzienlijk gecompliceerder geworden, maar dat werd weer goedgemaakt door de verbeterde relatie met zijn cliënt.

'Ja,' zei Jordan. 'Ik begin het te begrijpen.'

'Dit zult u niet leuk vinden,' zei Eleanor, terwijl ze Alex een document overhandigde.

'Waarom niet?'

'Het is een verzoekschrift u terug te trekken uit de zaak Houghton. De aanklager dringt aan op een hoorzitting.'

Een hoorzitting betekende dat er pers bij aanwezig zou zijn, dat er slachtoffers en familie van slachtoffers aanwezig zouden zijn. Alex zou publiekelijk onder de loep worden gelegd. 'Nou, die krijgt ze niet.'

De griffier aarzelde. 'Ik zou er nog eens over nadenken als ik u was.'

Alex keek haar aan. 'Je kunt gaan.'

Ze wachtte tot Eleanor de deur achter zich had dichtgedaan, en sloot toen haar ogen. Ze wist niet wat ze moest doen. Het was waar dat ze tijdens de tenlastelegging meer van slag was geweest dan ze had verwacht. Ook was het waar dat ze in haar rol als rechter te dicht bij Josie was betrokken. Alex had aangenomen dat ze onfeilbaar was – ze was er onwrikbaar van overtuigd dat ze in deze zaak een onpartijdige rechter kon zijn – en daardoor zat ze nu in de problemen. Dat je je nog voor de aanvang van het proces als rechter terugrok, was tot daar aan toe. Maar als ze nu opstapte, zou het blijk geven van onberekenbaarheid (in het gunstigste geval), of van onbekwaamheid (in het ergste geval). En beide kwalificaties wilde ze niet met haar juridische carrière geassocieerd zien.

Aan de andere kant, als ze Diana niet de hoorzitting gaf die ze wilde, zou het lijken alsof ze zich boven alles en iedereen verheven voelde. Het was beter om even de tanden op elkaar te zetten en de aanklager haar standpunt duidelijk te laten maken. Ze drukte op de toets van de intercom. 'Eleanor, plan de hoorzitting in.'

Ze streek door haar haar. Nu had ze een sigaret nodig. Ze zocht in haar bureaulades, maar vond alleen een leeg pakje. 'Verdomme,' mompelde ze, en herinnerde zich toen haar noodvoorraad in de kofferbak van de auto. Ze pakte haar sleutels en haastte zich over de achtertrap naar beneden. Ze zwaaide de branddeur open en hoorde een klap. 'O, god,' riep ze, toen ze de man zag die in elkaar kromp van de pijn. 'Hebt u zich bezeerd?'

Patrick Ducharme rechtte met een vertrokken gezicht zijn rug. 'Ik moet toch eens ophouden u tegen het lijf te lopen.'

Ze fronste. 'Had u maar niet achter een branddeur moeten staan.'

'En u had hem wat minder hardhandig moeten opendoen. Is er iets mis?'

'Hoezo?'

'Met de zaak, bijvoorbeeld.' Hij knikte tegen een andere politieman die naar een patrouillewagen liep.

Alex deed een stap naar achteren en sloeg haar armen over elkaar. 'Ik heb u al eerder gezegd dat ik het daar niet met u over kan hebben.'

'Uw positie in die zaak schijnt anders betwijfeld te worden als we het artikel in de *Sterling News* van vandaag mogen geloven.'

'Een artikel over mij?' zei Alex verbaasd. 'Wat staat erin?'

'Dat wil ik wel vertellen, maar dan zou ik het over de zaak hebben, hè?' Hij liep grinnikend weg.

'Wacht even,' riep Alex hem na. Toen hij zich omdraaide, keek ze even om zich heen om zeker te weten dat ze alleen waren. 'Mag ik u iets vragen? In vertrouwen?'

Hij knikte langzaam.

'Had u de indruk... dat alles met Josie oké was toen u met haar sprak?'

De rechercheur leunde tegen de muur van het gerechtsgebouw. 'U kent haar beter dan ik.'

'Ja... Natuurlijk,' zei Alex. 'Ik dacht alleen dat ze misschien tegen u – een vreemde – iets heeft gezegd dat ze niet aan mij wilde vertellen.' Ze sloeg haar ogen neer. 'Soms is dat makkelijker.'

Ze voelde Patricks ogen op zich gericht, maar kon niet de moed vinden hem aan te kijken.

'Mag ik u iets vertellen? Ook in vertrouwen?'

Alex knikte.

'Voordat ik hier kwam, werkte ik in Maine. Daar had ik een zaak die niet zomaar een zaak was, als u begrijpt wat ik bedoel.' Op zachte toon vervolgde hij: 'Daar was een vrouw bij betrokken die alles voor me betekende, en zij had een kleine jongen die alles voor haar betekende. Toen hem iets gruwelijks was aangedaan, heb ik hemel en aarde bewogen om die zaak toegewezen te krijgen, want ik dacht dat niemand het beter kon dan ik. Niemand kon meer betrokken zijn dan ik.' Hij keek Alex aan. 'Ik was ervan overtuigd dat ik mijn emoties kon scheiden van de manier waarop ik mijn werk deed.'

Alex slikte. 'En kon u dat?'

'Nee. Want wat je jezelf ook wijsmaakt, als je van iemand houdt, is het je werk niet meer.'

'Wat is het dan?'

Patrick dacht even na. 'Wraak.'

Op een ochtend, toen Lewis tegen Lacy had gezegd dat hij Peter in de gevangenis ging bezoeken, stapte ze in haar auto en reed achter hem aan. Nadat Peter haar had verteld dat zijn vader hem nooit kwam bezoeken, had Lacy er nooit met Lewis over gesproken. Ze praatte steeds minder met haar man, want ze was bang dat als ze eenmaal haar mond opendeed er een orkaan van woede zou ontsnappen.

Lacy zorgde dat er een auto tussen die van haar en Lewis bleef. Het deed haar denken aan lang geleden, toen ze net verkering hadden, en zij hem naar zijn appartement volgde. Dan wuifden ze naar elkaar door de achterruitenwisser aan te zetten en met de koplampen te flitsen.

Hij reed in noordelijke richting, in de richting van de gevangenis, en even begon ze te twijfelen. Zou Peter tegen haar gelogen hebben? Ze dacht van niet, maar van Lewis had ze het evenmin gedacht.

Het begon te regenen toen ze het dorpsplein in Lyme bereikten. Lewis gaf richting aan en reed een parkeerplaats op voor een bank, met daarnaast een haarsalon en een bloemenwinkel. Ze kon niet achter hem parkeren, want hij zou haar auto direct herkennen, dus reed ze een stukje verder en zette de auto op het terrein achter een ijzerwarenzaak.

Misschien moet hij geld pinnen, dacht ze, en stapte uit. Ze stelde zich verdekt op en zag hem de bloemenzaak binnengaan. Vijf minuten later kwam hij met een boeket rozen naar buiten.

Ze voelde de lucht uit haar longen verdwijnen. Had hij een minnares? Ze had nooit rekening gehouden met de mogelijkheid dat het nog erger kon worden, dat hun gezin nog verder uiteen kon vallen.

Ze haastte zich terug naar haar auto en reed weer achter Lewis aan. Het was waar dat ze geobsedeerd werd door Peters proces. En misschien had ze geen oor voor Lewis gehad toen hij wilde praten. Want wat hij ook te zeggen had over seminars, publicaties of nieuwe ontwikkelingen, niets deed er meer toe nu haar zoon in de gevangenis zat. Toch had ze Lewis altijd als het anker in hun verbintenis beschouwd. Nu was ook die zekerheid een illusie geworden.

Ze veegde haar ogen af aan haar mouw. Lewis zou natuurlijk zeggen dat het alleen om seks ging, niet om liefde. Dat het niets te betekenen had. Hij zou zeggen dat iedereen op zijn eigen manier met verdriet omging.

Lewis gaf opnieuw richting aan en sloeg rechtsaf – nu naar een kerkhof.

Lacy werd met weerzin vervuld. Dus hier ontmoette hij haar?

Lewis stapte uit met de rozen, maar zonder paraplu. Het was nu veel harder gaan regenen, maar Lacy was vastbesloten door te zetten tot het eind. Op veilige afstand volgde ze hem naar een nieuw gedeelte van de begraafplaats waar nog niet eens grafstenen waren aangebracht. De bruine aarde van de pas gedolven graven stak af tegen het jonge groene gras.

Bij het eerste graf knielde Lewis neer en legde er een roos op. Daarna ging hij naar het volgende en deed hetzelfde. En zo ging hij van het ene graf naar het andere, totdat zijn haar druipend voor zijn ogen viel en zijn overhemd doorweekt was.

Lacy kwam achter hem staan toen hij de tiende en laatste roos neerlegde. 'Ik weet dat je hier bent,' zei hij, zonder zich om te draaien.

Ze kon niets uitbrengen. De opluchting dat hij haar niet bedroog, werd getemperd door het besef dat hij hier zijn tijd doorbracht.

'Hoe durf je hier te komen,' zei zij beschuldigend, 'zonder je eigen zoon te bezoeken?'

Hij hief zijn gezicht naar haar op. 'Weet je wat chaostheorie inhoudt?'

'Ik geef geen barst om chaostheorie, Lewis. Ik geef om Peter. En dat is meer dan ik van jou...'

'Die gaat ervan uit,' onderbrak hij haar, 'dat iets wat gebeurd is, is ontstaan uit een reeks willekeurige gebeurtenissen die eraan vooraf zijn gegaan. Een kind gooit op het strand een kiezel in zee, en ergens aan de andere kant van de wereld wordt een gebied door een vloedgolf verzwolgen.' Met zijn handen in zijn zakken stond Lewis op. 'Ik heb hem mee op jacht genomen, Lacy, al moest hij er niets van hebben. Ik heb hem van alles verteld om het aantrekkelijk te maken. Misschien heb ik wel iets gezegd dat hem hiertoe heeft gebracht.'

Hij liet zich snikkend op zijn knieën vallen. Lacy stak haar armen naar hem uit terwijl de regen op haar schouders en rug roffelde.

'We hebben gedaan wat we konden,' zei ze.

'Dat was niet genoeg.' Lewis knikte naar de graven. 'Kijk om je heen. Kijk toch in godsnaam om je heen!'

Dat deed ze. In de stortregen, met haren die tegen haar wangen en kleren die tegen haar lijf plakten, keek ze op het kerkhof om zich heen en zag de gezichten van kinderen voor zich die nog in leven zouden zijn als haar zoon nooit was geboren.

Ze legde haar hand op haar buik en voelde een verscheurende pijn door zich heen trekken.

Haar ene zoon had drugs gebruikt, de andere was een moordenaar. Waren zij en Lewis geen goede ouders voor hen geweest? Hadden ze nooit ouders mogen worden?

Kinderen maakten hun eigen fouten, maar ze vielen in de kuil die hun ouders voor hen hadden gegraven. Lewis en zij hadden oprecht geloofd dat ze op de goede weg waren, maar misschien hadden ze af en toe moeten stoppen om te vragen of ze in de juiste richting gingen. Dan was dit misschien allemaal niet gebeurd.

Lacy herinnerde zich dat ze Joey's cijfers steeds met die van Peter had vergeleken; dat ze wilde dat Peter ging voetballen omdat Joey er zo gek op was. Verdraagzaamheid begon thuis, maar onverdraagzaamheid ook. Pas nu besefte ze dat Peter zich in zijn eigen huis een verschoppeling moest hebben gevoeld.

Ze kneep haar ogen dicht. Voor de rest van haar leven zou ze bekendstaan als de moeder van Peter Houghton. Ze was blij geweest met een succesvol kind als Joey, maar als moeder moest ze ook de verantwoordelijkheid nemen voor wat er was misgegaan met haar jongste zoon.

'Peter heeft ons nodig,' zei ze. 'Nu meer dan ooit.'

Lewis schudde zijn hoofd. 'Ik kan Peter niet bezoeken.'

'Waarom niet?'

'Omdat ik nog elke dag moet denken aan de dronkelap die Joey heeft doodgereden. Hij had moeten sterven in plaats van Joey. Hij verdiende het. En de ouders van al die kinderen hier denken net zo over Peter. En eerlijk gezegd kan ik het ze niet kwalijk nemen.'

In de pizzeria bij de gevangenis zat Jordan te wachten tot King Wah terugkwam van zijn afspraak met Peter. Hij was tien minuten te laat, en Jordan vroeg zich af of dat een goed teken was of juist niet.

King kwam binnen en nam een windvlaag met zich mee. Hij ging in de nis tegenover Jordan zitten en pakte een stuk pizza van Jordans bord. 'Het zou moeten lukken,' verklaarde hij, voordat hij een hap nam. 'Psychologisch gezien is er veel overeenkomst met een vrouw die door mishandeling is getraumatiseerd. Bij beiden komt het neer op posttraumatische stressstoornis.' Hij legde de korst terug op Jordans bord. 'Weet je wat Peter zei?'

'Dat hij het klote vindt om in de cel te zitten?'

'Dat zeggen ze allemaal. Nee, hij zei dat hij liever was doodgegaan dan nog langer bang te moeten zijn voor wat ze hem op school konden aandoen. Aan wie doet je dat denken?'

'Aan Katie Riccobono,' zei Jordan, 'nadat ze had besloten haar man met een vleesmes dood te steken.'

'Ja,' zei King. 'Het schoolvoorbeeld van iemand met het mishandelde-vrouwensyndroom.'

'Dus Peter wordt het eerste geval van het pesterijensyndroom,' zei Jordan. 'Zeg eens eerlijk, King, denk je dat de jury een syndroom zal accepteren dat officieel niet bestaat?'

'De jury zal dan niet uit mishandelde vrouwen bestaan, maar die werden in sommige gevallen wel vrijgesproken.' Hij pakte Jordans glas cola en nam een slok. 'Weet je dat één keer gepest worden in je jeugd op latere leeftijd net zo traumatisch kan zijn als seksueel misbruik?'

'Echt waar?'

'Het heeft allemaal met vernedering te maken. Wat is jouw vernederendste herinnering aan je middelbareschooltijd?'

Jordan moest even nadenken voordat welke herinnering dan ook uit die tijd bij hem opkwam. Toen zei hij grijnzend: 'Tijdens gym moest ik in een touw klimmen dat aan het plafond hing. Ik had toen nog niet de spiermassa die ik nu heb...'

King snoof. 'Uiteraard niet.'

'... en ik was bang dat ik het niet tot de top zou halen. Uiteindelijk bleek dat geen probleem. Het probleem was om weer beneden te komen, want door met het touw tussen mijn benen omhoog te klimmen, had ik een enorme stijve gekregen.'

'Ik bedoel maar,' zei King. 'Vijf van de tien mensen kan zich niets van dat soort vernederende momenten herinneren omdat ze het hebben verdrongen of achter zich hebben gelaten. De andere helft zal zo'n moment altijd bij zich dragen.'

'Deprimerend,' merkte Jordan op.

'Ach, als ze volwassen zijn beseffen de meesten van ons dat dit soort incidenten nietige puzzelstukjes zijn in het grote mysterie van het leven.'

356

'En wie dat niet beseffen?'

King keek Jordan aan. 'Die worden zoals Peter.'

De reden dat Alex in Josies kast zocht, was omdat haar dochter haar zwarte rok had geleend en niet had teruggebracht. Alex wilde hem vanavond aan. Ze ging uit eten met Whit Hobart, haar vroegere baas die met pensioen was gegaan. Na de hoorzitting van vandaag, waar de openbaar aanklager een motie had ingediend om Alex van de zaak te halen, kon ze zijn raad goed gebruiken.

Ze had de rok gevonden, maar ook een ware schat aan herinneringen. Ze ging op de vloer zitten met een geopende doos op haar schoot. Ze vond het zijden bovenstuk van het danspakje dat Josie had gedragen toen ze op haar zesde of zevende op jazzballet had gezeten. Nu was het vastgemaakt aan een kostuum van nep tijgerbont dat ze één keer met Halloween had aangehad. Dat was Alex' eerste en enige uitstapje naar de edele naaikunst geweest. Halverwege had ze het opgegeven en de stoffen met een lijmpistool aan elkaar gelijmd. Ze was die Halloween-avond van plan geweest met Josie mee te gaan, maar had er van af moeten zien omdat een van haar cliënten – in die tijd was ze nog pro-Deoadvocaat – opnieuw was gearresteerd. Josie was met de buurvrouw en haar kinderen op snoeptocht gegaan. Toen Alex die avond thuiskwam, had Josie haar kussensloop met lekkers op haar bed leeggegooid. *Jij mag de helft hebben*, had haar dochter gezegd, *omdat je zo veel hebt gemist*.

Ze las Josies rapporten weer door en bladerde door de atlas die Josie in de eerste klas had gemaakt. Ze had elk continent ingekleurd en daarna de bladzijden gelamineerd. Ze vond een haarband en wikkelde die om haar pols. Onder in de doos lag een briefje dat was geschreven met de hanenpoten van een klein meisje. *Liefe mama ik hou van je veel kusjes.*

Alex liet haar vingers over de letters glijden. Ze vroeg zich af waarom Josie haar dit briefje nooit had gegeven. Was ze het vergeten? Was ze boos op Alex geweest en had ze besloten het haar nooit te laten zien?

Ze stond op en zette de doos terug waar ze hem had gevonden. Ze vouwde de zwarte rok over haar arm en liep naar haar eigen slaapkamer. De meeste ouders doorzochten de bezittingen van hun kinderen omdat ze hen wilden betrappen op het bezit van condooms of drugs. Maar voor Alex was het anders. Voor haar was het doorzoeken van Josies bezittingen een manier om zich vast te klampen aan alles wat ze had gemist.

Als vrijgezel zag Patrick er niet het nut van in om voor zichzelf te koken. De meeste maaltijden at hij staande aan het aanrecht, dus waarom al dat gedoe met potten en pannen en verse ingrediënten? Hij ging echt niet tegen zichzelf zeggen: *Patrick, wat een fantastisch recept. Waar heb je dat gevonden?*

Bovendien had hij alles prima geregeld. Maandag was pizza-avond. Dinsdag was metro-avond. Woensdag was chinees. Donderdag soep, en op vrijdag een hamburger in de bar waar hij altijd een biertje dronk voordat hij naar huis ging. Het weekend was voor kliekjes, en daar waren er altijd genoeg van. Soms voelde hij zich weleens eenzaam als hij een maaltijd voor één persoon bestelde, maar door zijn vaste eetgewoontes had hij heel wat vrienden gekregen. Sal van de pizzeria gaf hem altijd gratis knoflookbolletjes omdat hij stamgast was. De man van de metro – Patrick wist zijn naam niet – riep altijd direct als hij binnenkwam: 'Kalkoen-kaas-mayo-olijven-extra-zuur-zout-en-peper!' Het verbale equivalent van hun geheime handdruk.

Nu, op woensdag, zat hij aan de bar in The Golden Dragon op zijn bestelling te wachten die hij aan May had opgegeven. Hij keek naar het tv-toestel waarop net een wedstrijd van de Sox was begonnen. Iets verderop zat een vrouw in haar eentje. Ze scheurde gerafelde randjes aan haar cocktailservetje terwijl ze op haar drankje wachtte.

Ze zat met de rug naar hem toe, maar als rechercheur kon Patrick ook daar bepaalde conclusies uit trekken. Dat ze een prachtige kont had, bijvoorbeeld, en dat ze haar haar uit dat strenge knotje moest bevrijden zodat het over haar schouders viel. Hij zag de barkeeper – een Koreaan met de naam Spike – een fles pinot noir openen. Ze had klasse. Voor haar geen cocktail met een papieren parasolletje.

Hij schoof dichter naar haar toe. 'Ik betaal,' zei hij, en hij drukte Spike een briefje van twintig in de hand.

Ze draaide zich om. Even was Patrick perplex toen hij het gezicht van rechter Cormier herkende. Ze griste het bankbiljet uit de hand van de barkeeper en gaf het terug aan Patrick. 'U mag helemaal niets voor me betalen,' zei ze. Ze haalde wat geld uit haar tas en legde het op de bar.

Patrick ging op de kruk naast haar zitten. 'Oké, dan betaalt u voor het mijne.'

'Dat dacht ik niet.' Ze keek om zich heen. 'Ik heb liever niet dat we hier samen worden gezien.'

'De enige getuigen zijn de vissen in het aquarium naast de kassa, dus u hebt niets te vrezen,' zei Patrick. 'Bovendien hebben we het niet over de zaak. U weet toch nog wel hoe u een gesprek buiten de rechtszaal moet voeren?'

Ze pakte haar glas wijn op. 'Wat doet u hier eigenlijk?'

Patrick dempte zijn stem. 'Ik bereid een inval bij de Chinese maffia voor. Ze importeren ruwe opium in suikerzakjes.'

Haar ogen werden groot. 'Echt waar?'

'Nee. En anders zou ik het u niet vertellen.' Hij glimlachte. 'Ik wacht gewoon op mijn bestelling. En u?'

'Ik wacht op iemand.'

Toen ze dit zei, besefte hij dat hij haar gezelschap prettig vond. Het amuseerde hem haar een beetje te plagen. Eigenlijk was ze achter al die poeha een heel gewone vrouw.

Die toevallig een fantastische kont had.

Hij voelde zich warm worden. *Happy family*,' zei Patrick.

'Pardon?'

'Dat heb ik besteld.'

'Neemt u maar één gerecht? Niemand bestelt in een Chinees restaurant maar één gerecht.'

'We hebben niet allemaal opgroeiende kinderen thuis.'

Ze streek met haar vinger langs de rand van het wijnglas. 'Hebt u geen kinderen?'

'Ik ben nooit getrouwd geweest.'

'Waarom niet?'

Patrick schudde met een flauwe glimlach zijn hoofd. 'Ander onderwerp.'

'Allemachtig,' zei de rechter, 'ze moet wel indruk hebben gemaakt.'

Even wist hij niet wat hij moest zeggen. Was hij zo gemakkelijk te doorzien?

'Kennelijk ontbreekt er iets aan uw voortreffelijke speurderskwaliteiten,' zei ze lachend. 'Wij noemen het vrouwelijke intuïtie.'

'Ja, daarmee ben je zo aan de top.' Hij keek even naar haar ringloze hand. 'Waarom bent u niet getrouwd?'

'Ander onderwerp.'

Ze zwegen even. Ze nam een slok wijn, en Patrick trommelde met zijn vingers op de houten bar. 'Ze was al getrouwd,' liet hij zich ontvallen.

De rechter zette haar lege glas neer. 'Hij ook,' bekende ze, en toen Patrick zich naar haar omdraaide, keek ze hem recht in de ogen.

Haar ogen waren lichtgrijs, het grijs dat de hemel vulde voordat hij door de bliksem werd opengescheurd. Het was hem nooit eerder opgevallen, en ineens wist hij waarom. 'U hebt geen bril op.'

'Ik ben blij dat zo'n scherpzinnige rechercheur als u over Sterling waakt.'

'Meestal draagt u wel een bril.'

'Alleen als ik aan het werk ben. Ik heb een leesbril nodig.'

'En ik zie u alleen maar als u aan het werk bent.'

Daarom viel het hem nu pas op dat Alex Cormier aantrekkelijk was. Hij had haar altijd in haar functie als rechter meegemaakt, en nooit aan een bar. Ze was nog nooit zo... menselijk geweest.

'Alex!' hoorde hij iemand achter zich roepen. De man was elegant, droeg een mooi pak, en zag er gedistingeerd uit met zijn grijzende slapen. Het prototype van een advocaat. Ongetwijfeld was hij rijk en gescheiden. Zo'n man die 's avonds over een strafzaak begon voordat hij de liefde bedreef. Iemand die aan zijn kant van het bed sliep in plaats van met zijn armen om haar heen geslagen.

Jezus, dacht Patrick, *waar komt dit vandaan?* Wat kon het hem schelen met wie Alex uitging, al was de man oud genoeg om haar vader te zijn?

'Whit,' zei ze, 'wat fijn dat je kon komen', en ze kuste hem op de wang. Nog steeds zijn hand vasthoudend wendde ze zich tot Patrick. 'Whit, dit is rechercheur Patrick Ducharme, meneer Ducharme, Whit Hobart.'

De man had een stevige handdruk, wat Patrick nog meer irriteerde. Hij verwachtte dat de rechter iets meer over hem zou zeggen. Maar wat viel er te zeggen? Patrick was geen oude vriend. Ze kon niet eens zeggen dat ze alle twee bij de zaak Houghton waren betrokken, want in dat geval had hij nooit met haar mogen praten.

En dat, besefte hij, probeerde ze hem al die tijd juist duidelijk te maken.

May kwam de keuken uit met een papieren zak die zorgvuldig was dichtgeniet. 'Alsjeblieft, Pat,' zei ze. 'Tot volgende week, hè?'

Hij voelde de ogen van de rechter op zich gericht. '*Happy family*,' zei ze, met een glimlach als troostprijs.

'Prettige dag nog, edelachtbare,' zei Patrick beleefd. Hij duwde de deur van het restaurant zo hard open dat hij tegen de buitenmuur klapte. Op weg naar zijn auto besefte hij dat hij geen trek meer had.

Het belangrijkste bericht op de lokale nieuwszender om elf uur 's avonds was dat tijdens de hoorzitting bij het gerechtshof een motie was ingediend om rechter Cormier van de zaak te halen. Jordan en Selena zaten in het donker in bed met een kom cornflakes op hun buik tv te kijken. De moeder van een invalide meisje zei met tranen in haar ogen recht in de camera: 'Niemand spreekt voor onze kinderen. Die hebben de kracht niet dit nog eens door te moeten maken wanneer deze zaak een juridische chaos wordt.'

'Peter ook niet,' merkte Jordan op.

Selena legde haar lepel neer. 'Cormier zal deze zaak niet loslaten, al moet ze naar de rechterstafel kruipen.'

'Ik kan moeilijk iemand inhuren om haar knieschijven kapot te schieten, wel?'

'Aan de andere kant,' zei Selena, 'staat er niets in Josies verklaring wat nadelig is voor Peter.'

'Verdomd, je hebt gelijk.' Jordan ging zo snel rechtop zitten dat hij melk op de sprei morste. Hij zette zijn kom op het nachttafeltje. 'Dat is het.'

'Wat?'

'Diana roept Josie niet als getuige op omdat ze niets aan haar heeft. Maar ik kan haar wel als getuige voor de verdediging oproepen.'

'Bedoel je dat je de dochter van de rechter op je getuigenlijst wilt zetten?'

'Waarom niet? Ze is Peters maatje geweest. Als een van de weinigen.'

'Je gaat toch niet echt...'

'Nee, ik zal haar heus niet in de getuigenbank zetten. Maar dat hoeft de openbaar aanklager toch niet te weten?' Hij keek Selena grijnzend aan. 'En de rechter toch ook niet?'

Selena zette eveneens haar kom weg. 'Als jij Josie op je getuigenlijst zet, zal Cormier wel *moeten* opstappen.'

'Precies.'

Selena nam zijn gezicht tussen haar handen en drukte een kus op zijn lippen. 'Je bent geniaal.'

'Wat zei je?'

'Je hebt me best gehoord.'

'Ja,' grinnikte Jordan, 'maar ik kan het niet vaak genoeg horen.' Hij sloeg zijn armen om haar heen. 'Je krijgt er nooit genoeg van, hè?' mompelde Selena.

'Daarom ben je toch ook verliefd op me geworden?'

Selena lachte. 'In elk geval niet vanwege je deugdzaamheid, schat.'

Jordan boog zich over haar heen en kuste haar. 'Laten we nog een kind nemen,' fluisterde hij.

'Ik heb onze eerste nog aan de borst!'

'Laten we dan oefenen voor onze tweede.'

Er was niemand zoals zijn vrouw, dacht Jordan. Ze was streng, mooi, slimmer dan hij (al zou hij dat nooit in haar gezicht zeggen), en perfect op hem ingespeeld. Hij drukte zijn lippen in het plekje tussen haar hals en haar schouder, waar haar huid de kleur van ahornstroop had en nog zoeter smaakte.

'Jordan?' zei ze. 'Maak je je weleens zorgen over de kinderen? Gewoon... Door ons werk... Door wat we allemaal te zien en te horen krijgen?'

Hij ging weer op zijn rug liggen. 'Je weet wel het moment uit te zoeken.'

'Ik meen het.'

Jordan zuchtte. 'Natuurlijk denk ik erover na. Ik maak me zorgen over Thomas. En over Sam. En over wie er daarna zal komen.' Hij kwam op zijn ellebogen overeind zodat hij haar in de ogen kon kijken. 'Maar dan bedenk ik dat we ze juist daarom hebben gekregen.'

'Hoezo?'

Hij keek over Selena's schouder naar het knipperende groene oog van de babymonitor. 'Omdat,' zei Jordan, 'zij misschien de wereld zullen veranderen.'

Eigenlijk had Alex al een beslissing genomen voordat ze met Whit uit eten ging. Maar hij was de balsem op haar wonden geweest, de rechtvaardiging die ze zichzelf niet had durven geven. *Jij krijg wel weer een andere grote zaak*, had hij gezegd. *Maar deze tijd met Josie krijg je nooit meer terug.*

Energiek liep ze haar kantoor binnen. Dit deel was niet zo moeilijk. De verklaring schrijven dat ze zich terugtrok, was lang niet zo zwaar als wat er morgen ging gebeuren, wanneer ze niet meer de rechter was in de zaak Peter Houghton. In plaats daarvan zou ze moeder zijn.

Eleanor was nergens te bekennen, maar had wel het nodige papierwerk op haar bureau gelegd. Ze ging zitten en bladerde erdoorheen.

Jordan McAfee, die tijdens de hoorzitting gisteren geen woord had gezegd, liet weten dat hij Josie als getuige wilde oproepen.

Alex voelde een vonk in zich tot ontbranding komen. Het was een emotie die ze niet onder woorden kon brengen. Een dierlijk instinct dat in je opwelde als je besefte dat iemand die je dierbaar was in gijzeling was genomen. McAfee had een zware zonde begaan door Josie hierbij te betrekken, en ze dacht koortsachtig na hoe ze hem ontslagen of zelfs geroyeerd kon krijgen. Ze zou tot het uiterste gaan om ervoor te zorgen dat hij werd gestraft. Maar ineens bedacht ze dat het niet Jordan McAfee was die ze tot het eind van de wereld zou achtervolgen, maar Josie. Ze zou alles doen om haar dochter tegen nog meer pijn te beschermen.

Misschien moest ze Jordan McAfee juist dankbaar zijn, want door hem was ze tot het inzicht gekomen dat ze het misschien toch in zich had een goede moeder te worden.

Alex ging achter haar laptop zitten en begon te typen. Haar hart bonkte toen ze naar Eleanors bureau liep en haar het document overhandigde. Maar was dat niet normaal als je op het punt stond van een rots af te springen?

'Je moet rechter Wagner bellen,' zei Alex.

Patrick had het huiszoekingsbevel niet zelf nodig, maar toen hij een andere politieman hoorde zeggen dat hij naar het gerechtsgebouw ging om het te halen, zei hij: 'Ik moet er toch heen. Ik neem het wel mee.'

Eigenlijk had hij er helemaal niet heen gehoeven. En hij ging niet zestig kilometer rijden omdat hij zo'n goedzak was. Het was alleen een excuus om Alex Cormier weer te kunnen zien.

Op het parkeerterrein zag hij direct haar Honda staan. Mooi, ze was dus aanwezig. Toen keek hij nog eens, en zag dat er iemand in de auto zat... dat het de rechter zelf was.

Ze zat roerloos voor zich uit te staren. De ruitenwissers stonden aan, al regende het niet. Het leek alsof ze niet besefte dat ze huilde.

Patrick liep op de auto af. Toen hij op het zijraampje tikte, schrok ze op en veegde haastig haar ogen af. Hij gebaarde dat ze het raampje naar beneden moest draaien. 'Alles oké?' vroeg hij.

'Ja, niets aan de hand.'

'Zo ziet het er anders niet uit.'

'Kijk dan maar niet,' snauwde ze.

Hij legde zijn hand op het portier. 'Zullen we ergens een kop koffie gaan drinken? Ik betaal.'

De rechter zuchtte. 'U mag niet voor mij betalen.'

'Daarom kunnen we toch nog wel een kop koffie gaan drinken?' Hij liep om de auto heen en ging naast haar zitten.

'U hebt dienst,' zei ze.

'Ik heb lunchpauze.'

'Om tien uur 's ochtends?'

Hij stak zijn hand uit naar de sleutel die in het contactslot zat en startte de auto. 'Bij de uitgang van het parkeerterrein linksaf, ja?'

'Of anders?'

'Hebben ze u nooit geleerd dat je iemand met een Glock op zak altijd z'n zin moet geven?'

Ze keek hem geruime tijd aan. 'Dit is toch geen ontvoering, hè?' zei ze, terwijl ze wegreed.

'Later zal ik mezelf arresteren,' zei Patrick.

The Golden Dragon was al vanaf 10 uur 's ochtends geopend. Iedereen in het Chinese restaurant scheen de rechercheur te kennen en hij kon zo doorlopen naar de keuken om koffie te halen.

'Wat u net hebt gezien...' zei Alex aarzelend. 'U gaat toch niet...'

'Iemand vertellen dat u in de auto een kleine inzinking had?'

Ze keek naar de beker die voor haar stond en wist niet wat ze moest zeggen. Ze wist uit ervaring dat als je een moment van zwakte toonde, het later tegen je werd gebruikt. 'Het valt niet altijd mee om rechter te zijn. Iedereen verwacht dat je je ernaar gedraagt, ook als je griep hebt, of je hondsberoerd voelt, of een winkelier uitscheldt die je expres te weinig wisselgeld heeft teruggegeven. Er is niet veel ruimte voor fouten.'

'Uw geheim is veilig,' zei Patrick. 'Ik zal tegen niemand zeggen dat u zowaar emoties hebt. Maak er niet zo'n punt van. We hebben allemaal weleens een slechte dag.'

'Zit u weleens te huilen in uw auto?'

'Dat niet, maar er zijn momenten dat ik uit frustratie archiefkasten neerhaal.' Hij schonk melk in een kannetje. 'Het hoeft elkaar niet uit te sluiten, weet u.'

'Wat niet?'

'Rechter zijn en menselijke trekjes hebben.'

Alex voegde melk aan haar beker toe. 'Zeg dat maar tegen iedereen die wil dat ik me terugtrek.'

'Is dit niet zo'n moment dat u me waarschuwt dat we het niet over de zaak mogen hebben?'

'Ja,' zei Alex. 'Behalve dat ik er niet meer aan ben verbonden. Vanmiddag zal het algemeen bekend zijn.'

'Was u daarom zo overstuur?'

'Nee. Die beslissing had ik al eerder genomen. Maar toen kreeg ik te horen dat Josie op de getuigenlijst van de verdediging is gezet.'

'Waarom?' vroeg Patrick. 'Ze kan zich niets meer herinneren. Wat kan ze mogelijk te vertellen hebben?'

'Ik weet het niet.' Alex keek op. 'Stel dat het mijn schuld is? Stel dat die advocaat het alleen heeft gedaan om me van de zaak af te krijgen omdat ik te koppig was me terug te trekken toen het voor het eerst ter sprake kwam?' Ze geneerde zich toen ze opnieuw tranen voelde opkomen en keek opzij in de hoop dat Patrick het niet zou merken. 'Stel dat ze voor een volle rechtszaal in de getuigenbank moet staan en alles opnieuw moet doormaken?'

Patrick gaf haar een cocktailservetje aan, en ze veegde haar ogen ermee af. 'Sorry, dit gebeurt me zelden.'

'Het lijkt me heel normaal voor een moeder die bijna haar kind was kwijtgeraakt,' zei Patrick. 'Luister, ik heb twee keer met Josie gesproken. Ik ken haar verklaring van voor naar achter. Het doet er niet toe of McAfee haar in de getuigenbank zet, want ze zal niets kunnen zeggen dat haar kwaad kan doen. En u hoeft zich geen zorgen meer over belangenverstrengeling te maken. Nu heeft Josie harder een goede moeder nodig dan een goede rechter.'

Alex glimlachte spottend. 'En dan zit ze met mij opgescheept.'

'Kom, kom.'

'Het is zo. Ik heb het gevoel dat ik geen contact meer met haar heb. U hebt de afgelopen tijd betere gesprekken met Josie gevoerd dan ik.' Alex staarde in haar koffie. 'Alles wat ik tegen haar zeg, valt verkeerd. Ze kijkt me aan alsof ik van een andere planeet kom. Alsof ik het recht niet heb me nu als bezorgde moeder te gedragen omdat ik die niet geweest ben voordat het gebeurde.'

'Waarom bent u die niet geweest?'

'Ik was hard aan het werk.'

'Veel ouders werken hard...'

'Maar ik ben een goede rechter, en een miserabele moeder.' Alex sloeg haar hand voor haar mond, maar het was al te laat om de waarheid terug te nemen. Wat bezielde haar dit tegenover een vreemde toe te geven wanneer ze het nauwelijks aan zichzelf durfde te bekennen?

'Misschien moet u haar benaderen zoals u de mensen in de rechtszaal benadert,' opperde Patrick.

'Ze haat het als ik me als rechter gedraag. Bovendien praat ik nauwelijks in de rechtszaal. Ik luister voornamelijk.'

'Nou, edelachtbare,' zei Patrick, 'dat is misschien ook een manier.'

Toen Josie nog heel klein was, was ze eens op een kruk geklommen toen Alex even niet oplette. Aan de andere kant van de kamer stond Alex doodsangsten uit. Ze kon er niet snel genoeg bij zijn om te voorkomen dat het kind viel, en ze wilde niet schreeuwen om het niet aan het schrikken te maken. Dus wachtte ze op wat er ging gebeuren. Maar er gebeurde niets. Boven op de kruk strekte Josie zich uit naar de lichtknop die ze te pakken had willen krijgen. Alex zag hoe ze het licht aan- en uitknipte. Er verscheen een stralende glimlach op haar gezicht toen ze besefte dat ze door die handeling de wereld om zich heen kon veranderen.

'Ik heb liever dat je buiten de rechtszaal Alex tegen me zegt,' zei ze aarzelend.

Patrick glimlachte. 'En ik heb liever dat je me Uwe Majesteit koning Kamehameha noemt.'

Alex schoot in de lach.

'En als je dat niet kunt onthouden, dan zeg je maar Patrick.' Hij pakte de koffiekan en schonk haar beker vol. 'Deze is gratis.'

Ze zag hem suiker en melk toevoegen, precies dezelfde hoeveelheden die ze voor haar eerste kop had gebruikt. Als rechercheur was het zijn taak om op details te letten. Maar Alex bedacht dat hij vooral een goede politieman was omdat hij het vermogen bezat vriendelijkheid als wapen te gebruiken.

Dat was nog dodelijker.

Terwijl Selena boven in bad zat, zette Jordan de dvd van de Wiggles op. Zijn persoonlijke favoriet was 'Hot Potato', maar Sam raakte altijd door het dolle heen van 'Fruit Salad'. Selena zag liever dat Jordan hem Shakespeare uit het hoofd liet leren of differentiaalvergelijkingen liet oplossen, maar volgens Jordan mocht de tv best even zijn hersenverwekende werk doen zolang hij er een wilde tangosessie met zijn zoon aan overhield.

Terwijl Jordan met de kraaiende Sam in het rond zwierde, werd er aan de voordeur gebeld. Jordan danste met zijn kleine partner de gang door om open te doen. 'Rechter Cormier!'

'Sorry dat ik onaangekondigd bij u langskom.'

Hij wist al dat ze zich van de zaak had teruggetrokken – die blijde tijding was vanmiddag bekend geworden. 'Maakt niet uit.

Komt u binnen.' Jordan keek naar het overal rondzwervende speelgoed (dat hij moest opruimen voordat Selena beneden kwam). Hij schopte zoveel mogelijk achter de bank en zette de tv uit.

'Dit moet uw zoon zijn.'

'Ja.' Jordan keek naar Sam, die scheen na te denken of hij het al dan niet op een krijsen zou zetten omdat de muziek was gestopt. 'Dit is Sam.' Ze stak haar hand uit zodat Sam haar wijsvinger kon pakken. 'Waarom hebt u mijn dochter op uw getuigenlijst gezet?'

Ah.

'Omdat,' zei Jordan, 'Josie en Peter vroeger bevriend waren.'

'Dat is tien jaar geleden. Zeg toch eerlijk dat u dit hebt gedaan om me van de zaak af te krijgen.'

Jordan tilde Sam hoger op zijn heup. 'Met alle respect, edelachtbare, maar niemand gaat me vertellen hoe ik mijn verdediging moet voeren. Laat staan een rechter die niet langer bij de zaak betrokken is.'

Hij zag iets in haar ogen flitsen. 'Juist,' zei ze gespannen. Ze draaide zich op haar hakken om en liep naar buiten.

Vraag een willekeurig meisje of ze populair wil zijn en ze zal nee zeggen. Maar als ze stervend van dorst in een woestijn de keus had tussen een glas water en onmiddellijke populariteit, dan zou ze waarschijnlijk voor het laatste kiezen.

Zodra ze het klopje op de deur hoorde, verstopte Josie haar blocnote onder het matras, wat wel de armzaligste schuilplaats ter wereld moest zijn.

Toen haar moeder de slaapkamer binnenkwam, kon Josie niet meteen zeggen wat niet klopte. Toen wist ze het. Het was nog niet donker buiten. Meestal kwam haar moeder pas tegen etenstijd thuis, en nu was het kwart voor vier. Ze was nog maar net thuis van school.

'Ik moet met je praten,' zei haar moeder, en ze ging naast haar op bed zitten. 'Ik heb me vandaag van de zaak teruggetrokken.'

Josie staarde haar aan. Ze had nog niet eerder meegemaakt dat haar moeder een juridische uitdaging uit de weg ging. Bovendien had ze een paar dagen geleden nog gezegd dat ze zich niet zou terugtrekken.

Ze kreeg een akelig gevoel in haar maag. Had haar moeder iets ontdekt?

'Wat is er gebeurd?' vroeg Josie, en ze hoopte dat haar moeder de onvastheid in haar stem niet zou horen.

'De verdediging heeft je op hun getuigenlijst gezet. Misschien moet je in de rechtszaal verschijnen.'

'Wat?' riep Josie. Heel even dacht ze dat haar hart het zou begeven. 'Dat kan ik niet, mam,' zei ze. 'Zorg dat het niet hoeft, alsjeblieft...'

'Ik heb met Peters advocaat gesproken. De enige reden dat je op die lijst staat is omdat je vroeger met Peter bevriend bent geweest.'

'Zweer je dat ik niet hoef te getuigen?'

Haar moeder aarzelde. 'Lieverd, dat kan ik niet...'

'Het moet!'

'Zullen we anders met die advocaat gaan praten?' zei haar moeder.

'Wat heeft dat voor zin?'

'Nou, misschien komt hij op andere gedachten als hij ziet hoe overstuur je ervan bent.'

Josie ging op bed liggen. Haar moeder streek even door haar haar en liep toen de kamer uit.

'Matt,' fluisterde Josie, alsof hij haar kon horen, alsof hij antwoord kon geven.

Peter brak een potlood doormidden en stak de ene helft in zijn volkorenboterham. 'Lang zal ik leven,' zong hij zacht, maar maakte het verjaardagsversje niet af.

'Hé, Houghton,' zei een bewaker. 'We hebben een cadeautje voor je.'

Achter hem stond een jongen die niet veel ouder was dan Peter.

Hij had een snotneus en stond een beetje te wiebelen. De bewaker bracht hem de cel binnen. 'Geef hem ook een stukje taart, ja?'

Peter ging op het onderste bed zitten om meteen duidelijk te maken wie hier de leiding had. De jongen hield zijn armen stevig om de deken geslagen die hem was meegegeven en staarde naar de vloer. Toen keek hij op en duwde zijn bril hoger op zijn neus. Toen zag Peter dat hij die glazige blik in zijn ogen had van iemand die niet helemaal normaal was.

Ineens begreep hij waarom ze die jongen in zijn cel hadden gestopt en niet in een andere. Ze dachten dat hij net zo'n sukkel was als hij.

Hij balde zijn handen tot vuisten. 'Hé, jij,' zei Peter.

De jongen draaide zijn hoofd naar hem toe. 'Ik heb een hond,' zei hij. 'Heb jij ook een hond?'

Peter zag voor zich hoe de bewakers via hun monitor naar dit tafereeltje keken. Maar ze moesten niet denken dat hij dit pikte.

Hij stak zijn hand uit en trok de zwartomrande bril van de jongen af, waarvan de glazen zo dik als een flessenbodem waren. De jongen greep naar zijn gezicht en begon te krijsen.

Peter gooide de bril op de vloer en stampte erop totdat het glas verbrijzelde.

Tegen die tijd waren de bewakers al gearriveerd. Ze deden hem handboeien om, en onder gejoel van zijn medegevangenen werd hij naar het kantoor van de directeur gebracht.

Hij zat in elkaar gedoken op een stoel, met een bewaker achter zich, toen de directeur binnenkwam. 'Wat had dat te betekenen?'

'Ik ben vandaag jarig,' zei Peter. 'Daarom wilde ik liever alleen zijn.'

Ook voor de schietpartij wilde hij niets liever dan met rust worden gelaten. Maar uiteindelijk bleek – al zou hij het niet tegen de directeur zeggen – dat hij het ook niet zo goed met zichzelf kon vinden.

De directeur had het over disciplinaire maatregelen, dat dit de uitkomst van zijn proces kon beïnvloeden, dat Peter van zijn weinige privileges werd beroofd. Maar Peter luisterde al niet meer.

Hij dacht aan Jordans pesterijensyndroom en vroeg zich af of iemand erin geloofde.

Op zaterdagochtend om negen uur deed Jordan in pyjamabroek de voordeur open. 'Wat krijgen we nou?'

Rechter Cormier keek hem met een onzekere glimlach aan. 'Het spijt me dat ik een verkeerde start heb gemaakt,' zei ze. 'Maar u weet hoe het gaat. Als je kind problemen heeft, dan kun je niet helder meer denken.' Naast haar stond een jongere versie van haar moeder. *Josie Cormier*, dacht Jordan, terwijl hij aandachtig naar het meisje keek dat trilde als een espenblad. Ze had kastanjebruin haar tot op de schouders, en blauwe ogen die hem niet wilden aankijken.

'Josie is bang,' zei de rechter. 'Ik dacht dat we misschien even konden praten, zodat u haar op haar gemak kunt stellen. En zodat u kunt horen of wat ze weet u inderdaad zal kunnen helpen.'

'Jordan? Wie is daar?'

Hij draaide zich om en zag Selena in een flanellen pyjama achter zich staan met Sam op haar arm.

'Rechter Cormier vraagt of we met Josie over haar getuigenis willen praten,' zei hij. Selena wist net zo goed als hij dat hij Josie alleen maar op de getuigenlijst had gezet om Cormier van de zaak af te krijgen.

Jordan wendde zich weer tot de rechter. 'Eerlijk gezegd ben ik nog niet aan die fase in mijn planning toegekomen.'

'U moet toch enig idee hebben wat u van haar wilt als u haar op uw getuigenlijst zet,' merkte Alex op.

'Waarom belt u mijn secretaresse niet om een afspraak te maken...'

'Nu leek me een goed moment,' zei rechter Cormier. 'Alstublieft. Ik ben hier niet als rechter, maar als moeder.'

Selena kwam naar voren. 'Kom binnen,' zei ze, terwijl ze haar vrije arm om Josies schouders sloeg. 'Jij bent zeker Josie? Deze kleine man is Sam.'

Josie keek de baby met een verlegen glimlach aan. 'Hallo, Sam.'

'Schatje, zorg jij even voor koffie en sap?'

Jordan keek zijn vrouw aan en vroeg zich af wat ze nu weer van plan was. 'Doe ik. Kom verder.'

Gelukkig zag het huis er anders uit dan toen Cormier eerder onaangekondigd op de stoep had gestaan. Er lag geen vuile vaat in de gootsteen, er slingerden geen papieren op tafel rond, en speelgoed was nergens te bekennen. Wat kon Jordan zeggen? Dat zijn vrouw een netheidsfreak was? Hij liet Cormier en haar dochter aan de keukentafel plaatsnemen en vroeg: 'Koffie?'

'Nee, helemaal niets, dank u,' zei de rechter. Onder tafel zocht ze de hand van haar dochter.

'Sam en ik gaan in de woonkamer spelen,' zei Selena.

'Waarom blijf je niet hier?' Hij keek haar smekend aan.

'Om jullie niet af te leiden,' zei ze, en ze liep met de baby de keuken uit.

Jordan ging tegenover moeder en dochter zitten. 'Goed,' zei hij tegen Josie. 'Je hoeft nergens bang voor te zijn. Ik ga je in de rechtszaal alleen een paar vragen stellen over je vriendschap met Peter.'

'We zijn niet bevriend,' zei Josie.

'Dat weet ik. Maar vroeger wel. Ik ben geïnteresseerd in de tijd dat je met hem omging. Hoe heb je hem leren kennen?'

Josie keek even naar Alex. 'Op de kleuterschool, of misschien eerder.'

'Ging je bij hem thuis spelen, of hij bij jou?'

'Allebei.'

'Had je nog andere vriendjes of vriendinnetjes?'

'Niet echt,' zei Josie.

Onwillekeurig luisterde Alex naar McAfees vragen met het oor van een advocaat. *Hij heeft niets*, dacht ze. *Helemaal niets.*

'Wanneer zijn jullie elkaar uit het oog verloren?'

'In de zesde klas,' antwoordde Josie. 'Toen kreeg ik belangstelling voor andere dingen dan hij.'

'Heb je daarna nog contact met Peter gehad?'

Josie schoof in haar stoel. 'Alleen in de schoolgangen en zo.'

'Heb je niet ooit met hem samengewerkt?'

Opnieuw keek Josie haar moeder aan. 'Niet lang.'

'Wat kun je vertellen over de relatie tussen Peter en Matt?'

'Die was er niet,' zei Josie, maar ze voelde zich rood worden.

'Heeft Matt ooit iets gedaan wat Peter als schokkend heeft ervaren?'

'Misschien.'

'Kun je iets duidelijker zijn?'

Ze schudde haar hoofd en perste haar lippen op elkaar.

'Wanneer heb je Matt en Peter voor het laatst samen gezien?'

'Dat weet ik niet meer,' fluisterde Josie.

'Hebben ze gevochten?'

Er welden tranen in haar ogen op. 'Dat weet ik niet.' Ze draaide zich om naar haar moeder en liet haar hoofd in haar armen op tafel zakken.

'Lieverd, blijf even hiernaast wachten, ja?' zei de rechter op effen toon. Ze keken Josie na toen ze op de bank in de woonkamer ging zitten, haar ogen afveegde en zich op de spelende baby op de vloer concentreerde.

'Luister,' zei rechter Cormier zuchtend. 'Ik heb me uit deze zaak teruggetrokken. Ik weet dat u haar op de getuigenlijst hebt gezet om me daartoe te dwingen, en dat u nooit werkelijk van plan bent geweest haar als getuige op te roepen. Maar daar gaat het nu niet om. Ik praat nu tegen u als moeder. Als ik u een beedigde verklaring overleg dat Josie zich niets van de schietpartij kan herinneren, wilt u dan overwegen haar niet te laten getuigen?'

Jordan keek de woonkamer in. Josie zat nu naast Selena op de vloer en duwde een vliegtuigje naar Sam toe. Hij kraaide van plezier, waardoor ook Josie begon te lachen. Selena kruiste Jordans blik en trok vragend haar wenkbrauwen op.

Hij had gekregen wat hij wilde. Cormier had zich teruggetrokken. Hij kon zich een genereus gebaar veroorloven.

'Oké,' zei hij tegen de rechter. 'Bezorg me die verklaring maar.'

374

'Als ze zeggen dat je de melk moet laten opkoken,' zei Josie, terwijl ze met een schuurspons de geblakerde pannenbodem schrobde, 'dan bedoelen ze iets anders dan dit.'

Haar moeder pakte een theedoek. 'Hoe moet ík dat weten?'

'Misschien moeten we met iets gemakkelijkers beginnen dan pudding,' stelde Josie voor.

'Zoals?'

'Toast bijvoorbeeld?'

Haar moeder was rusteloos nu ze overdag thuis was, en daarom had ze zich op het koken gestort, waardoor ze een groot gevaar voor de brandveiligheid werd. Zelfs als ze een recept letterlijk volgde, kwam er niets van terecht. Uit zelfbehoud had Josie voorgesteld dat haar moeder een kookcursus ging volgen – ze wist echt niet wat ze moest zeggen als er een verkoold gehaktbrood op tafel werd gezet. Maar toch kon ze er ook om lachen. Als haar moeder niet deed alsof ze het allemaal zo goed wist (want van koken had ze echt geen benul), dan was het best met haar uit te houden. Bovendien gaf ze Josie het gevoel dat haar dochter controle over de situatie had, of ze nu chocoladepudding maakten of de aangebrande resten uit de pan schraapten.

Vanavond hadden ze pizza gemaakt, die volgens Josie goed gelukt was, totdat haar moeder hem pas uit de oven haalde toen hij zwart was geworden en ze maar kaastosti's aten. Door het debacle met de pudding was er geen dessert.

'Hoe ben je trouwens zo'n Julia Child geworden?' vroeg haar moeder.

'Julia Child is dood.'

'Nigella Lawson dan.'

Josie haalde haar schouders op. Ze deed de kraan dicht en trok de gele plastic handschoenen uit. 'Ik had geen zin meer om altijd maar soep te eten.'

'Heb ik je niet verboden om de oven aan te zetten als ik niet thuis was?'

'Jawel, maar daar trok ik me niets van aan.'

Toen Josie in de vijfde klas zat, hadden de leerlingen eens een brug van ijslollystokjes moeten bouwen die tegen druk bestand was. Ze wist nog dat ze in de auto over de Connecticut River reed en ze de bogen, pijlers en steunen van de brug bestudeerde. Twee ingenieurs van de genie zouden met een speciale machine bepalen wie de sterkste brug had gebouwd.

De ouders waren uitgenodigd bij de uitslag aanwezig te zijn. Alleen Josies moeder was er niet bij omdat ze moest werken. Nu herinnerde ze zich dat haar moeder de laatste tien minuten wel aanwezig was. Ze mocht Josies test dan hebben gemist – haar brug was versplinterd en in elkaar gezakt – maar haar moeder was er in elk geval om haar te troosten.

De pan was weer blinkend schoon. En er was nog melk over. 'We kunnen het opnieuw proberen,' stelde Josie voor. Ze draaide zich om naar haar moeder. 'Dat zou ik fijn vinden,' zei haar moeder zacht, en Josie begreep dat ze niet op de pudding doelde.

Er werd op de deur geklopt en het moment van contact tussen hen werd verbroken. 'Verwacht je iemand?' vroeg haar moeder.

Josie schudde haar hoofd. Toen ze opendeed zag ze de rechercheur staan die haar had ondervraagd.

De politie kwam toch alleen aan de deur als je in de nesten zat?

Diep ademhalen, zei ze bij zichzelf. Pas toen haar moeder kwam kijken wie er was, zag ze de fles wijn in zijn hand.

'O,' zei haar moeder. 'Patrick.'

Patrick?

Josie draaide zich om en zag dat haar moeder bloosde.

Hij stak de fles wijn naar haar uit. 'Nu we de strijdbijl hebben begraven...'

Weinig op haar gemak zei Josie: 'Ik denk dat ik boven maar huiswerk ga maken', hoewel ze dat voor het eten al had gedaan.

Ze stampte luidruchtig de trap op zodat ze niet kon horen wat er gezegd werd. Op haar kamer zette ze de cd-speler op z'n hardst, liet zich op bed vallen en staarde naar het plafond.

Als ze uitging, moest Josie altijd om middernacht thuis zijn. Als Matt haar dan naar binnen had gebracht, verdween haar moeder altijd naar boven, zodat zij en Matt in de woonkamer konden vrijen. Waarschijnlijk vond haar moeder het veiliger dat ze het in haar eigen woonkamer deden dan in een auto of onder een tribune. Ze herinnerde zich hoe hun lichamen in het donker met elkaar versmolten. Dat haar moeder elk moment beneden kon komen, maakte het nog opwindender.

Om drie of vier uur in de ochtend, wanneer haar ogen wazig waren en haar kin ruw was van Matts baardstoppels, gaf ze hem bij de voordeur een afscheidskus en keek hem na totdat de achterlichten van zijn auto uit het zicht waren verdwenen. Dan liep ze op haar tenen langs de slaapkamer van haar moeder, en dacht: *Je kent me helemaal niet.*

'Als ik niet wil dat je een drankje voor me betaalt,' zei Alex, 'waarom zou ik dan een fles wijn van je aannemen?'

Patrick grinnikte. 'Die geef ik je ook niet. Ik ga hem openmaken en dan laat ik je ervan proeven.'

Hij liep het huis in alsof hij er de weg kende. In de keuken haalde hij zijn neus op – het rook er nog steeds naar verkoolde pizza en aangebrande melk – en begon lades open te trekken op zoek naar een kurkentrekker.

Alex kon zich niet herinneren zich zo licht en warm vanbinnen te hebben gevoeld. Ze zag dat Patrick twee wijnglazen uit een kastje pakte en de wijn inschonk.

'Op het burgerbestaan,' zei hij, zijn glas heffend.

De wijn was zacht en geurig, als fluweel, als de herfst. Kon ze dit ogenblik maar voor altijd vasthouden.

'En,' zei Patrick, 'hoe bevalt het om werkloos te zijn?'

Ze dacht even na. 'Ik heb vandaag een kaastosti gemaakt zonder hem aan te laten branden.'

'Hopelijk heb je hem ingelijst.'

Ze glimlachte. 'Voel je je weleens schuldig?' vroeg ze.

'In welk opzicht?'

'Dat je weleens even vergeet wat er allemaal is gebeurd.'

Patrick zette zijn glas neer. 'Soms, als ik de bewijslast doorneem en ik een vingerafdruk, foto of schoen van een slachtoffer zie, dan sta ik er even bij stil. Het klinkt misschien gek, maar ik vind dat iemand dat moet doen, zodat ze een paar minuten extra worden herdacht.' Hij keek naar haar op. 'Als iemand sterft, is hun leven niet het enige wat op dat moment ophoudt, weet je.'

Alex draaide de wijn in haar glas rond. 'Vertel me hoe je haar hebt gevonden.'

'Wie?'

'Josie. Die dag.'

Patrick ontmoette haar blik. 'Ze lag in de kleedkamer,' begon hij zacht. 'Ik dacht... ik dacht eerst dat ze dood was omdat ze onder het bloed zat en met haar gezicht naar de vloer naast Matt Royston lag. Maar toen bewoog ze zich en...' Zijn stem brak.

'Je weet dat je een held bent, hè?'

Patrick schudde zijn hoofd. 'Ik ben een lafaard. De enige reden dat ik dat gebouw ben in gerend, is omdat ik anders de rest van mijn leven nachtmerries zou hebben gehad.'

Alex huiverde. 'Ik heb ook nachtmerries, en ik ben er niet eens bij geweest.'

Hij nam het glas uit haar hand en keek naar haar palm alsof hij haar levenslijn bestudeerde. 'Misschien moet je dan maar niet meer slapen.' Hij stond zo dicht bij haar dat ze de pepermuntgeur van zijn adem kon ruiken. Haar hart begon sneller te kloppen. Ze wist wat er nu ging gebeuren, maar het zou niet goed zijn. Ze wilde zich van hem losmaken, maar Patrick trok haar naar zich toe. 'Hang niet aldoor de rechter uit, Alex,' fluisterde hij, en hij kuste haar.

Ze sloot haar ogen en aarzelde. Toen kuste ze hem terug, bereid om toe te geven dat je eerst de controle over jezelf moest verliezen voordat je kon vinden wat je had gemist.

De maand ervoor

Als je van iemand houdt, ontstaat er een patroon in de manier van samenzijn. Zonder dat je het beseft, past je lichaam zich als vanzelf aan dat van de ander aan. Eén aanraking is al genoeg: een streling over de heup, over het haar. Kleine kusjes, een lange kus, een hand die onder je shirt glijdt. Het is routine, maar dan in positieve zin.

Matt en Josie hadden zo'n patroon. Wanneer ze samen waren en hij zich over haar heen boog, keek hij haar aan alsof de rest van de wereld niet bestond. Het was hypnotiserend, besefte ze, want op dat moment kreeg ze hetzelfde gevoel. Dan kuste hij haar, zo langzaam dat ze nauwelijks enige druk op haar mond voelde en ze zich dichter tegen hem aandrukte. Hij kuste haar van haar mond naar haar hals naar haar borsten, totdat zijn vingers onder haar spijkerbroek verdwenen. Dat duurde ongeveer tien minuten. Dan rolde Matt van haar af en haalde het condoom tevoorschijn zodat ze seks konden hebben.

Nu lagen ze in het donker in de woonkamer met het geluid van de televisie op de achtergrond. Matt had haar kleren al uitgetrokken, en nu boog hij zich over haar heen terwijl hij zijn boxershort uitdeed en zich tussen haar benen nestelde.

'Hé,' zei ze, 'vergeet je niet iets?'

'Voor één keertje wil ik dat er niets tussen ons is.'

Ze liet zich net zo gemakkelijk door zijn woorden verleiden als door zijn kussen en liefkozingen. Ze had een hekel aan de rubberachtige stank wanneer het condoom werd uitgepakt. En bestond er iets heerlijkers dan Matt in je te voelen?

Toen Josie op haar dertiende ongesteld was geworden, had

haar moeder niet het gebruikelijke openhartige praatje van moeder tot dochter afgestoken. In plaats daarvan had ze Josie een boek over kansberekeningen gegeven. 'Elke keer dat je seks hebt, kun je zwanger worden, of je kunt niet zwanger worden,' had haar moeder gezegd. 'Een kans van vijftig procent. Dus hou jezelf niet voor de gek door te denken dat je een keertje níét veilig kunt vrijen.'

Josie duwde Matt weg. 'Ik geloof niet dat dit verstandig is,' fluisterde ze.

'Vrijen?'

'Vrijen zonder... je weet wel.'

Hij was teleurgesteld. Zijn gezicht verstrakte even, maar toen maakte hij zich van haar los en viste een condoom uit zijn portefeuille. Josie nam het uit zijn hand, scheurde het open, en hielp hem met het aanbrengen. 'Later...' begon ze, maar toen kuste hij haar en was ze vergeten wat ze had willen zeggen.

In november was Lacy maïs in de achtertuin gaan strooien om de herten door de winter heen te helpen. Veel inwoners fronsten hun wenkbrauwen bij dat initiatief, meestal dezelfde mensen van wie de tuin 's zomers door overlevende herten was gemolesteerd. Maar voor Lacy ging het om karma. Als Lewis zo nodig op jacht moest, zou zij het hare doen om tegenwicht te bieden, hoe weinig ze ook kon uitrichten.

Ze trok laarzen aan, want er lag nog veel sneeuw, al was duidelijk het voorjaar in aantocht. Zodra ze buiten was, rook ze de ahornsiroop in de suikerraffinaderij van haar buurman. Ze droeg de emmer met voedermaïs naar de schommels waarop de jongens hadden gespeeld toen ze klein waren en die Lewis nog steeds niet had afgebroken.

'Hé, mam.'

Lacy draaide zich om en zag Peter achter zich staan met de handen in de zakken van zijn jeans gestoken. Daarboven droeg hij alleen een T-shirt met een onderhemd. Ze bedacht dat hij het ijskoud moest hebben. 'Dag, lieverd,' zei ze. 'Nog iets bijzonders?'

Het aantal keren dat Peter de laatste tijd van zijn kamer kwam, was op één hand te tellen. Het zou wel met de puberteit te maken hebben dat hij zich voortdurend opsloot.

'Nee. Wat ben je aan het doen?'

'Hetzelfde wat ik al de hele winter doe.' Ze keek naar hem op. Met zijn bleke huid en tengere postuur leek Peter totaal misplaatst in dit grootse witte landschap met de bergen op de achtergrond.

'Hier,' zei Lacy, en ze gaf hem de emmer aan. 'Je kunt me helpen.'

Peter nam de emmer over en begon maïs op de grond uit te strooien. 'Ik wou je iets vragen.'

'Ga je gang.'

'Is het waar dat jij papa als eerste mee uit hebt gevraagd?'

Lacy grinnikte. 'Anders had ik kunnen wachten tot ik een ons woog. Je kunt veel van je vader zeggen, maar niet dat hij veel waarnemingsvermogen bezit.'

Lacy had Lewis ontmoet bij een abortusdemonstratie. Hoewel ze als eerste zou toegeven dat er geen groter geschenk dan een baby bestond, was ze ook realistisch. Er waren genoeg moeders die te jong, te arm of te overbelast waren om een kind een goed leven te kunnen bieden. Samen met een vriendin was ze in een protestmars meegelopen naar het parlementsgebouw in Concord, waar ze tussen andere vrouwen op het bordes was gaan staan. Er werden borden opgehouden met leuzen als IK BEN VOOR VRIJE KEUZE en TEGEN ABORTUS? DOE HET DAN NIET. Ze had naar de menigte gekeken en ineens een man tussen al die vrouwen opgemerkt. Hij was goed gekleed in een duur pak met das. Lacy vond het fascinerend dat hij meedeed aan de demonstratie, al leek hij er totaal het type niet voor. Ze had zich door de menigte naar hem toe gewerkt.

Wat een dag, hè?

Mag je wel zeggen.

Ben je hier vaker geweest? had Lacy gevraagd.

Ik ben hier voor het eerst, zei Lewis.

Ik ook.

Ze werden gescheiden toen een nieuwe stroom betogers het bordes opkwam. Er was een papier uit Lewis' hand gewaaid, maar toen Lacy het te pakken kreeg, was hij al opgeslokt door de massa. Het was het omslag van een of andere publicatie met de slaapverwekkende titel: *Toekenning van middelen voor het openbaar onderwijs in New Hampshire. Een kritische analyse.* Maar er stond wel een auteursnaam bij: Lewis Houghton, Sterling College Afd. Economie.

Toen ze hem belde om te zeggen dat ze het omslag had gevonden, zei hij dat hij het niet nodig had. Hij kon een ander exemplaar uitprinten.

Maar ik wil het je graag persoonlijk teruggeven, had Lacy gezegd.

Waarom?

Zodat je me er tijdens een etentje meer over kunt vertellen.

Pas toen ze in een sushirestaurant zaten, begreep ze dat Lewis helemaal niet aan de demonstratie had deelgenomen, maar dat hij bij het parlementsgebouw moest zijn omdat hij een afspraak had met de gouverneur.

'Dus je hebt gewoon tegen hem gezegd dat je hem aardig vond?' vroeg Peter.

'Als ik me goed herinner heb ik hem na ons derde afspraakje vastgepakt en gekust, maar misschien ook omdat hij maar bleef doorratelen over de vrijemarkteconomie.' Ze keek hem aan en begreep ineens waar al die vragen vandaan kwamen. 'Peter,' zei ze glimlachend, 'heb je iemand ontmoet die je aardig vindt?'

Hij hoefde niet eens antwoord te geven, want hij werd vuurrood.

'Ga je me vertellen hoe ze heet?'

'Nee,' zei Peter gedecideerd.

'Nou, doet er ook niet toe.' Ze haakte haar arm in de zijne. 'Ik ben jaloers op je, weet je dat? Er is niets mooiers dan die eerste maanden dat je alleen maar aan elkaar kunt denken. Verliefd zijn is iets fantastisch. Daarna... nou ja.'

'Dit is anders,' zei Peter. 'Het is nogal eenzijdig.'

'Wedden dat ze net zo nerveus is als jij?'

'Mam, ze is zich nauwelijks van mijn bestaan bewust. Ik ben niet... Ik ga niet met dezelfde mensen om als zij.'

Lacy keek haar zoon aan. 'Dan moet je daar verandering in brengen.'

'Hoe dan?'

'Probeer een manier te vinden om met haar in contact te komen. Ergens waar haar vrienden niet in de buurt zijn. En dan laat je jezelf van je beste kant zien.'

'Zoals?'

'De binnenkant.' Lacy gaf een klopje op zijn borst. 'Als je zegt wat je voor haar voelt, zou haar reactie je nog weleens kunnen verbazen.'

Peter boog zijn hoofd en schopte wat sneeuw voor zich uit. Toen keek hij verlegen naar haar op. 'Denk je?'

Lacy knikte. 'Voor mij heeft het ook gewerkt.'

'Oké,' zei Peter. 'Bedankt.'

Ze keek hem na toen hij over de heuvel naar het huis liep. Daarna richtte ze zich weer op haar taak. Ze moest de herten blijven voederen tot de sneeuw was gesmolten. Als je er eenmaal mee was begonnen, moest je ermee doorgaan, anders zouden ze het niet redden.

Ze lagen halfnaakt op de vloer van de woonkamer. Josie kon Matts bieradem ruiken, maar die had ze zelf ook. Bij Drew hadden ze een paar glazen gedronken – niet genoeg om dronken te worden, maar wel een beetje aangeschoten. Ze voelde zich aangenaam roezig terwijl hij haar beha losmaakte. Ze lag loom onder hem op de vloer terwijl hij haar spijkerbroek uittrok. Ineens drukte hij zijn lippen zo hard op de hare dat het pijn deed.

'Mmmph,' kreunde ze, en duwde hem weg.

'Relax,' mompelde Matt, en beet toen in haar schouder. Hij drukte haar handen boven haar hoofd en wreef zijn heupen tegen de hare. Ze voelde zijn warme erectie tegen haar buik.

Het was niet zoals anders, maar Josie moest toegeven dat het opwindend was. Ze klauwde in Matts rug om hem dichter tegen zich aan te drukken.

'Ja,' kreunde hij, en hij duwde haar dijen uit elkaar. Ineens was hij in haar en begon zo hard te pompen dat ze naar achteren schoof op het tapijt.

'Wacht,' zei Josie, en ze probeerde onder hem uit te rollen, maar hij klemde zijn hand over haar mond en begon sneller te stoten, totdat Josie voelde dat hij ging klaarkomen. Warm, kleverig sperma viel op de vloer. Matt legde zijn handen om haar gezicht. 'Jezus, Josie,' fluisterde hij, en ze zag tranen in zijn ogen. 'Ik hou zo godsgruwelijk veel van je.'

Josie wendde haar gezicht af. 'Ik ook van jou.'

Ze bleef tien minuten in zijn armen liggen. Toen zei ze dat ze moe was en wilde gaan slapen. Nadat ze hem bij de voordeur een afscheidskus had gegeven, liep ze naar de keuken en haalde de tapijtreiniger uit het gootsteenkastje. Ze wreef er de natte plek in de woonkamer mee in en hoopte dat er geen vlek zou achterblijven.

```
# include <stdio.h>
main ( )
{
    int time;
    for (time=0; time<infinity (1) ; time ++)
    { printf ("I love you/n") ; }
}
```

Peter markeerde de tekst op zijn computerscherm en drukte op Delete. Hoewel het hem wel gaaf leek om bij het openen van een e-mail automatisch een I LOVE YOU-bericht te krijgen, zag hij ook wel in dat het een beetje vreemd was.

Hij had besloten haar een e-mail te sturen, want dan kon hij in afzondering de vernedering ondergaan als ze hem afwees. Hij zag haar voor zich terwijl ze in de auto zat met haar arm op het portier en haar opwaaiende haar. Hij had al vaak gefantaseerd dat hijzelf achter het stuur zat.

Mijn reis was zinloos, tikte hij, *totdat ik voor jou door de bocht ging.*

Kreunend wiste hij de zin weer uit. Dit was erger dan de tekst op een Hallmark-kaart.

Hij dacht na over wat hij haar het liefst zou zeggen als hij er het lef voor had.

Ik weet dat je niet aan me denkt.

En je zult zeker nooit aan ons samen hebben gedacht.

Maar waarschijnlijk was pindakaas heel lang gewoon pinda-kaas, voordat iemand eraan dacht die met jam te combineren. En zo was er ook zout, maar dat smaakte beter toen er ook peper was. En wat heb je aan boter zonder brood?

(Waarom al die voorbeelden van VOEDINGSMIDDELEN!?!?!??*)*

Maar goed. In mijn eentje ben ik niets bijzonders. Maar samen met jou zou ik het kunnen worden.

Hij pijnigde zijn hersens voor de afsluiting.

Je vriend, Peter Houghton.

Maar feitelijk gezien was hij haar vriend niet.

Met hartelijke groet, Peter Houghton.

Daar kon hij zich geen buil aan vallen, maar het was nogal nietszeggend. Dan had je nog het voor de hand liggende *Liefs, Peter Houghton.*

Hij tikte het in en las de e-mail nog eens door. Voordat hij zich kon bedenken drukte hij op *Send* en stuurde zijn hart via internet naar Josie Cormier.

Courtney Ignatio verveelde zich stierlijk.

Josie mocht dan haar beste vriendin zijn, bij haar thuis viel niets, maar dan ook helemaal niets te beleven. Ze hadden al naar drie dvd-films met Paul Walker gekeken, op de website van *Lost* de bio gezocht van dat stuk dat Sawyer speelde, en ze hadden alle *Cosmo*'s gelezen die niet waren gerecycled, maar er lag niets van chocola in de koelkast en nergens was een feestje van Sterling

College. Dit was Courtneys tweede avond in het huis van de Cormiers, dankzij die stomme broer van haar die haar ouders zo nodig moest meeslepen op een trip langs de Ivy-League-universiteiten aan de oostkust.

Courtney drukte een knuffelnijlpaard tegen haar buik. Gisteravond had ze Josie bijzonderheden over Matt proberen te ontfutselen – of hij een grote pik had en of hij die wist te gebruiken – maar Josie had gedaan alsof ze niet wist wat seks betekende.

Josie stond in de badkamer te douchen. Courtney rolde zich op haar zij en keek aandachtig naar een ingelijste foto van Josie en Matt. Matt was het soort über-vriend die op feestjes altijd om zich heen keek of Josie wel in de buurt was. Hij belde haar op om haar welterusten te wensen, al had hij haar een halfuur eerder thuisgebracht. In tegenstelling tot de meeste jongens van het ijshockeyteam met wie Courtney uit was geweest, scheen Matt oprecht Josies gezelschap boven dat van een ander te prefereren. Toch was Courtney niet jaloers op Josie. Misschien omdat je aan haar kon zien dat ze niet lekker in haar vel zat.

U hebt een nieuw e-mailbericht.

Pas toen ze de geautomatiseerde stem hoorde, besefte Courtney dat Josies computer nog steeds online was. Ze ging achter het bureau zitten en drukte op de muisknop om weer beeld te krijgen. Misschien was het een liefdesmailtje van Matt, en kon ze hem een beetje verneuken door te doen alsof ze Josie was.

Maar ze herkende het e-mailadres van de afzender niet. Courtney klikte het mailtje open en begon te lezen.

'Jezus,' mompelde ze. 'Dit is te mooi om waar te zijn.'

Direct stuurde ze het bericht door naar RTWING90@yahoo.com.

Drew, typte ze, *spam dit mailtje door naar iedereen op school.*

De deur van de badkamer ging open en Josie kwam in een badjas en met een handdoek om haar hoofd de slaapkamer in. Courtney sloot de computer af. *Tot ziens*, zei de geautomatiseerde stem.

'Wat was je aan het doen?' vroeg Josie.

386

Courtney draaide zich glimlachend om. 'Ik heb even mijn mail gecheckt.'

Josie kon niet slapen. Er ging van alles door haar heen. Ze had een probleem waarover ze met iemand wilde praten. Maar met wie? Haar moeder? Niet dus. Matt? Uitgesloten. En Courtney kwam evenmin in aanmerking, want die zou het overal rond-bazuinen.

Ze wachtte tot Courtney in slaap was gevallen en sloop toen de badkamer in. Ze deed de deur dicht en trok haar pyjamabroek omlaag.

Niets.

Ze was drie dagen over tijd.

Op dinsdagmiddag, terwijl Matt en Drew aan het gewichtheffen waren, zat Josie op de bank in Matts souterrain na te denken over het opstel dat hij voor maatschappijleer over machtsmisbruik in Amerika moest schrijven.

'Je zou Watergate kunnen nemen,' zei Josie. 'Of Abu Ghraib.'

'Schrijf maar wat je het makkelijkst afgaat, Jo,' zei Matt onder het gewicht van een lange halter.

'Kom op, slomo,' zei Drew, 'anders word je nog naar de junioren gedegradeerd.'

Matt grijnsde en drukte grommend de halter op. Hij ging rechtop zitten, veegde zijn voorhoofd af, en maakte plaats voor Drew.

'Of iets over de Patriot Act,' stelde Josie voor terwijl ze op haar pen beet.

'Ik heb het beste met je voor, makker,' zei Drew. 'Als je het niet voor de coach doet, doe het dan voor Josie.'

Ze keek op. 'Drew, ben je als idioot geboren of is het een gevolg van je opvoeding?'

'Ik zeg alleen dat Matt beter kan uitkijken nu hij competitie krijgt.'

'Waar heb je het over?' Josie keek hem aan alsof hij gek was geworden, maar vanbinnen raakte ze in paniek. Het deed er niet toe of ze al dan niet belangstelling voor iemand anders had getoond, maar wel als Matt dacht dat het wel zo was.

'Geintje, Josie,' zei Drew, terwijl hij op de bank ging liggen en zijn handen om een halter klemde.

Matt lachte. 'Dat is een goeie beschrijving van Peter Houghton.'

'Ga je hem terugpakken?'

'Wat dacht je. Ik weet alleen nog niet hoe.'

'Misschien heb je wat dichterlijke inspiratie nodig,' zei Drew. 'Hé, Josie, pak dat mailtje even. Het zit in het voorvak van mijn ringband.'

Josie zocht in Drews rugzak en haalde er een opgevouwen vel papier uit. Bovenin stond haar eigen e-mailadres. De mail was doorgestuurd naar alle leerlingen van Sterling High,

Waar kwam dit bericht vandaan? En waarom had zij het nooit gezien?

'Lees voor,' zei Drew, de halter optillend.

Josie aarzelde. '"Ik weet dat je niet aan me denkt. En je zult zeker nooit aan ons samen hebben gedacht."'

De woorden bleven in haar keel steken. Maar Drew en Matt kenden de tekst uit hun hoofd.

'"In mijn eentje ben ik niets bijzonders,"' zei Matt.

'"Maar samen met jou zou ik..."' Drew sloeg dubbel van het lachen en liet de halter vallen. 'Jezus, ik kom niet meer bij.'

Matt ging naast Josie zitten, sloeg zijn arm om haar heen en streelde haar borsten. Ze schoof van hem vandaan, want ze wilde niet dat Drew het zag, maar Matt schoof met haar mee. 'Jij inspireert tot poëzie,' zei hij glimlachend. 'Slechte poëzie, maar toch.'

Josie werd rood. Ze kon niet geloven dat Peter haar die woorden had geschreven, dat hij ook maar een seconde had kunnen denken dat ze er ontvankelijk voor zou zijn. Ze kon niet geloven dat de hele school wist dat Peter verliefd op haar was. Ze mochten niet denken dat ze ook maar iets voor hem voelde.

Zelfs geen medelijden.

Erger was dat iemand haar voor gek had willen zetten. Het verbaasde haar niet dat iemand tot haar e-mailaccount was doorgedrongen. Ze kenden allemaal elkaars wachtwoord. Het had een van haar vriendinnen kunnen zijn, of Matt zelf. Maar waarom zou iemand haar zo willen vernederen?

Josie wist het antwoord al. De leerlingen die om haar heen hingen, waren haar vrienden niet. Populaire kinderen hadden eigenlijk geen vrienden, ze hadden bondgenoten. Je was alleen veilig zolang je niemand in vertrouwen nam, anders konden ze je elk moment voor schut zetten.

Josie was gekwetst, maar ze wist ook dat veel van haar reactie afhing. Als ze haar vrienden ervan beschuldigde haar e-mailaccount te hebben gekraakt en haar privacy te hebben geschonden, dan zou het haar ondergang worden. Het mailtje van Peter Houghton kon ze maar beter afdoen als een lachtertje.

'Wat een complete loser,' zei Josie, alsof het haar niets kon schelen, alsof ze het net zo grappig vond als Drew en Matt. Ze verfrommelde het velletje en gooide de prop achter de bank. Haar handen trilden.

Matt legde zijn hoofd in haar schoot. 'Waar gaat mijn opstel over?'

'Indianen,' antwoordde Josie afwezig. 'Dat de regering afspraken met hen heeft geschonden en hun land heeft gestolen.'

Het was iets dat ze kon begrijpen: die ontheemding, het besef dat je je nooit ergens thuis zou voelen.

Peter had vijf minuten om van de ene les naar de andere te komen, maar hij was het eerst op de gang toen de bel ging. Met een beetje geluk werd hij dan niet lastiggevallen door iemand van de populaire maffia.

Hij knielde voor zijn garderobekluisje om een ander lesboek te pakken, toen hij een paar zwarte sleehakken naast zich tot stilstand zag komen. Hij keek op. Courtney Ignatio stond met over elkaar geslagen armen ongeduldig op hem neer te kijken.

'Kom overeind,' zei ze. 'Ik wil niet te laat in de les verschijnen.'

Peter stond op en sloot zijn kastje af. Hij wilde niet dat Courtney zag dat binnenin een foto hing van Josie en hem toen ze nog klein waren. Hij was naar de zolder gegaan waar zijn moeder de oude fotoalbums bewaarde nadat ze twee jaar geleden op digitale fotografie was overgegaan. Op de foto zaten Josie en hij op de rand van de zandbak bij de kleuterschool. Josies hand lag op zijn schouder.

'Hoor eens, het laatste wat ik wil is dat iemand me met jou ziet praten, maar ik doe dit voor Josie.' Courtney keek de gang in om zeker te weten dat er niemand aankwam. 'Ze vindt je aardig.'

Peter staarde haar aan.

'Hoor je wat ik zeg, mongool? Ze heeft het helemaal gehad met Matt. Ze wil hem alleen niet dumpen voordat ze zeker weet dat je hetzelfde voor haar voelt.' Ze keek Peter even aan. 'Ik heb gezegd dat het sociale zelfmoord was, maar dat heeft ze er kennelijk voor over.'

Peter voelde het bloed naar zijn wangen stijgen. 'Waarom zou ik je geloven?'

Courtney schudde haar lange blonde haar naar achteren. 'Het zal me een zorg zijn of je me gelooft of niet. Ik vertel je alleen wat ze heeft gezegd. Doe ermee wat je wilt.'

Ze liep weg en verdween om de hoek op het moment dat de bel ging. Nu zou hij te laat komen. Hij vond het vreselijk om te laat te komen, want dan keek iedereen naar hem als hij het lokaal binnenkwam. Dan voelde hij al die blikken als speldenprikken in zijn huid.

Maar wat maakte het nu nog uit?

Het lekkerste wat je in de kantine kon krijgen, waren de gefrituurde aardappeltjes die dreven in het vet. Je voelde je gewoon uitdijen als je die at, maar toch kon Josie er geen weerstand aan bieden. Ze vroeg zich af of ze het net zo lekker zou vinden als het even gezond als broccoli was geweest.

Josies vriendinnen namen meestal alleen suikervrije frisdrank als lunch. Alles wat gebaseerd was op koolhydraten bestempelde je als een walvis of een boulimiepatiënt. Doorgaans beperkte

Josie zich tot drie aardappeltjes en gaf dan de rest aan de jongens. Maar de afgelopen twee lessen had ze aan niets anders kunnen denken, en nu kon ze niet nalaten er nog een paar te nemen.

Courtney streek met haar vinger door het vet dat op het bord lag. 'Gedver,' zei ze. 'Waarom is benzine zo duur wanneer hier genoeg olie ligt om er de tank van Drews pick-up mee te vullen?'

'Dat is een ander soort olie, Einstein,' zei Drew. 'Dacht je nou echt dat je bij een benzinestation frituurolie kon tanken?'

Josie bukte zich om haar rugzak los te ritsen. Ze had er vanochtend een appel in gedaan. Ze rommelde tussen losse papieren en make-up, en was zo geconcentreerd aan het zoeken dat ze niet besefte dat de rest van het gezelschap ineens stil was geworden.

Peter Houghton was bij hun tafel komen staan met een bruine zak in zijn ene hand en een geopend pak melk in de andere. 'Hoi, Josie,' zei hij, alsof hij verwachtte dat ze zou luisteren, alsof ze in deze ene seconde geen duizend doden stierf. 'Misschien heb je zin om met me te lunchen?'

Ze was als versteend. Ze zag voor zich hoe jaren later leerlingen naar de pilaar zouden wijzen waarin ze was veranderd, en zeiden: *Ja, ik heb gehoord wat er met haar is gebeurd.*

'Eh...' begon Josie.

'Dat wil ze best,' zei Courtney, 'maar alleen over haar lijk.'

Iedereen aan tafel lag in een deuk. Peter begreep niet waarom. 'Wat zit er in die zak?' vroeg Drew. 'Pindakaas en jam?'

'Zout en peper?' viel Courtney in.

'Brood en boter?'

De glimlach op Peters gezicht verdween toen hij besefte dat hij in de kuil was gevallen die ze voor hem hadden gegraven. Hij keek van Drew naar Courtney en toen weer naar Josie. Ze wendde haar blik af, zodat niemand – ook Peter niet – zou zien hoeveel pijn het haar deed hem te kwetsen, dat ze geen haar beter was dan de anderen, al had Peter het niet willen geloven.

'Ik vind dat Josie op z'n minst de waren mag inspecteren,' zei Matt, die achter Peter was gaan staan en in één soepele beweging zijn broek tot op zijn enkels trok.

Peters huid was spierwit onder het felle licht van de tl-buizen, en zijn penis een kleine spiraalvormige schelp in een dun nestje schaamhaar. Onmiddellijk hield hij het boterhamzakje voor zijn genitaliën, waardoor hij het pak melk liet vallen dat tussen zijn voeten leegstroomde.

'Moet je kijken,' zei Drew. 'Voortijdige ejaculatie.'

Meneer Isles, de leraar Spaans, haastte zich in hun richting terwijl Peter zijn broek optrok. Hij greep Peter en Matt bij de arm. 'Is het nu afgelopen?' blafte hij. 'Of gaan we naar de rector?'

Peter vluchtte de kantine uit, maar de rest bleef achter om na te genieten van het glorieuze moment. Drew sloeg een high-five met Matt. 'Te gek, makker, deze voorstelling zal ik niet gauw vergeten.'

Josie bukte zich weer naar haar rugzak en deed alsof ze de appel zocht, al had ze er geen trek meer in. Ze wilde nu niet naar hen kijken, en ook niet dat ze naar haar keken.

Naast haar voet lag het het lunchzakje dat Peter Houghton had laten vallen toen hij wegrende. Ze keek er even in. Een sandwich. Een zakje pretzels. Worteltjes die liefdevol in gelijkmatige reepjes waren gesneden.

Josie stopte het in haar rugzak. Ze nam zich voor het aan hem terug te geven of bij zijn kastje te leggen, al wist ze dat ze het niet zou doen. Ze zou het bij zich houden tot het begon te stinken en ze het weg moest gooien.

Peter rende de gangen door naar zijn garderobekluisje. Hij liet zich op zijn knieën vallen en beukte met zijn hoofd tegen het metaal. Hoe kon hij zo stom zijn geweest om Courtney te vertrouwen en te denken dat Josie ook maar ene flikker om hem gaf? Dat ze op iemand als hij zou kunnen vallen?

Blindelings toetste hij de nummers in. Het kastdeurtje zwaaide open en hij haalde de foto van hem en Josie eruit. Hij verkreukelde hem in zijn hand en liep de gang weer in.

Onderweg werd hij staande gehouden door een leraar. Meneer McCabe keek hem fronsend aan en legde zijn hand op zijn schouder. 'Peter,' zei hij, 'alles oké?'

'Wc,' zei Peter schor, en hij rende verder de gang door.

Hij sloot zich op in een toilethokje en gooide de foto in de toiletpot. Toen ritste hij zijn gulp open en urineerde erop. 'Krijg toch de kolere,' fluisterde hij, en schreeuwde toen: 'Jullie kunnen allemaal de kolere krijgen!'

Zodra haar moeder de kamer uit was, nam Josie de thermometer uit haar mond en hield die tegen het peertje in de lamp op haar nachtkastje. Toen ze haar moeder hoorde terugkomen, stak ze hem weer in haar mond. 'Hmm,' zei haar moeder, en ze liep met de thermometer naar het raam om hem beter af te kunnen lezen. 'Kennelijk ben je écht ziek.'

Josie liet een overtuigend gekreun horen en draaide zich op haar zij.

'Weet je zeker dat je het wel redt in je eentje?'

'Ja, hoor.'

'Je kunt me altijd bellen als het nodig is. Dan schors ik de zitting en kom ik naar huis.'

'Oké.'

Haar moeder ging op bed zitten en drukte een kus op haar voorhoofd. 'Wil je vruchtensap? Soep?'

Josie schudde haar hoofd. 'Ik ga liever slapen.' Ze sloot haar ogen om haar woorden kracht bij te zetten.

Ze wachtte tot ze de auto hoorde wegrijden en bleef nog tien minuten liggen zodat ze zeker wist dat ze alleen was. Toen kwam ze haar bed uit, startte haar computer op, en tikte op Google 'abortus' in.

Het was niet zo dat ze Matts baby niet wilde, ze wist alleen dat ze dat besluit nu nog niet wilde nemen.

Haar moeder zou vloeken en schelden als ze het hoorde, maar zou dan met haar naar de dokter gaan. Dat gevloek en gescheld was niet erg. Maar wel het besef dat als haar moeder zeventien jaar geleden abortus had gepleegd, Josie er nooit zou zijn geweest. Maar voordat ze het haar vertelde, wilde ze eerst wat research doen. Met een been onder zich gevouwen keek ze naar het scherm en zag tot haar verbazing dat er bijna 99.000 hits waren.

Een aantal verhalen kende ze al. Bakerpraatjes over een breinaald die in je werd gestoken; dat je laxeermiddelen of wonderolie moest slikken. Andere waren nieuw voor haar: douchen met kalium, of gemberwortel of onrijpe ananas eten. En dan had je de kruidentherapieën: aftreksels van tijm, bijvoet, salie en wintergroen; cocktails van zilverkaars en bergamotplant of wat dat ook wezen mocht. Dat vond je echt niet naast de aspirine in de supermarkt.

Met kruidengeneeskunst had je volgens de website veertig tot vijfenveertig procent kans op succes. Dat was al iets.

Ze boog zich dichter naar het scherm.

Begin niet aan een kruidenkuur na de zesde week van de zwangerschap.

Houd in gedachten dat dit geen betrouwbare manieren zijn om een zwangerschap te beëindigen.

Drink de thee overdag en 's avonds, zodat de vorderingen die u overdag hebt gemaakt niet teniet worden gedaan.

Vang het bloed op en leng het aan met water. Controleer het op bloedstolsels en weefsel om zeker te weten dat de placenta naar buiten is gekomen.

Josie vertrok haar gezicht.

Drink drie tot vier keer per dag thee van 1 theelepel gedroogde kruiden per kop. Verwar wormkruid niet met boerenwormkruid. Boerenwormkruid is fataal geweest voor koeien die ervan hebben gegeten.

Toen vond ze iets wat minder middeleeuws leek: vitamine C. Dat kon toch niet slecht zijn? Josie klikte op de link. *Ascorbinezuur, acht gram, vijf dagen lang. Op de zesde of zevende dag zou menstruatie moeten volgen.*

Josie liep naar haar moeders medicijnkastje. Er stond een grote pot met vitamine C en kleinere potjes met vitamine B12 en calciumsupplementen.

Ze schroefde de grote pot open en aarzelde. Op elke website stond de waarschuwing dat je zeker moest weten dat je reden had om je lichaam aan een kuur te onderwerpen.

Ze liep terug naar haar kamer en deed haar rugzak open waar de zwangerschapstest in zat die ze gisteren bij de apotheek had gekocht.

Twee keer las ze de gebruiksaanwijzing. Hoe kon je zo lang op een stokje blijven plassen? Ze ging op de wc zitten met het staafje tussen haar benen. Daarna zette ze het in het houdertje en waste haar handen.

Op de rand van de badkuip zittend zag ze dat de controlelijn blauw kleurde. Daarna zag ze de evenwijdige lijn verkleuren: een plusteken, een kruis dat ze moest dragen.

Toen de sneeuwruimer geen brandstof meer had, liep Peter de garage in om het reserveblik benzine te halen, maar dat was leeg. Zijn ouders hadden hem gevraagd de paden voor en achter het huis sneeuwvrij te maken, een verzoek dat ze normaal gesproken zes keer moesten herhalen, maar nu ging hij meteen aan de slag. Hij wilde, nee, hij moest het huis uit en iets doen om zijn gedachten af te leiden. Maar toen hij zijn ogen dichtkneep tegen de laagstaande zon, zag hij de beelden weer achter zijn oogleden. Matt die zijn broek naar beneden trok, de melk die over de vloer stroomde, Josies afgewende blik.

Hij sjokte naar het huis van hun overbuurman. Meneer Weatherhall was een gepensioneerde politieman. Midden in de voortuin stond een grote vlaggenmast, in de zomer was het gras met militaire precisie gemillimeterd, en in de herfst lagen er nooit bladeren op het gazon. Peter had zich weleens afgevraagd of hij het ook midden in de nacht aanharkte.

Voor zover hij wist bracht meneer Weatherhall zijn dagen voor de tv door als hij niet aan het tuinieren was. Omdat hij het gras nooit langer dan een halve centimeter liet worden, had hij altijd wel een paar extra blikken benzine voor zijn grasmaaier in voorraad.

Peter drukte op de bel, die de eerste tonen van een militaire mars liet horen. Meneer Weatherhall deed open. 'Zo, jongen, hoe gaat het?'

'Goed, meneer Weatherhall. Kunt u me misschien wat benzine voor de sneeuwruimer lenen?'

'Kom binnen.' Het huis rook naar sigaren en kattenvoer. Hij ging Peter voor naar de keuken. 'Wacht hier maar even. De kelder is niet geschikt voor bezoekers.' Waarschijnlijk omdat er een stofje op een plank lag, dacht Peter.

Hij leunde tegen het aanrecht met zijn handen op het formica gespreid. Peter mocht meneer Weatherhall wel. Vroeger hadden Joey en zijn vriendjes hem vaak getreiterd door sneeuw aan het eind van zijn oprit op te hopen of hun hond op het gemanicuurde gazon te laten schijten. Met Halloween hadden ze eens zijn huis met eieren bekogeld. Ze werden op heterdaad betrapt en het huis binnengebracht voor 'een stevig gesprek'. 'Die gast is geschift,' had Joey later tegen Peter gezegd. 'Hij bewaart een pistool in zijn meelbus.'

Peter luisterde even bij de trap en hoorde meneer Weatherhall nog steeds in de kelder rondscharrelen.

Hij liep terug naar het aanrecht waar vier roestvrijstalen voorraadbussen stonden. Hij deed de bus met het opschrift MEEL open. Er stoof een wolk wit poeder in zijn gezicht.

Hij kuchte en schudde zijn hoofd. Als hij het niet dacht. Joey had gelogen.

Afwezig keek hij in de suikerbus en staarde toen naar een halfautomatisch pistool. Het was een Glock 17, waarschijnlijk dezelfde die meneer Weatherhall als politieman had bezeten. Peter wist iets van vuurwapens omdat hij ermee was opgegroeid. Maar een jachtgeweer was iets heel anders dan zo'n mooi compact wapen als dit. Het voelde koel en glad aan. Gebiologeerd liet hij zijn vinger over de trekker glijden.

Voetstappen.

Hij drukte het deksel weer op de bus en leunde weer tegen het aanrecht. Meneer Weatherhall kwam met een rood benzineblik de trap op. 'Alsjeblieft,' zei hij. 'Breng het vol terug.'

'Doe ik,' antwoordde Peter.

Na school arriveerde Matt met kippensoep uit een restaurant en een paar stripboeken. 'Waarom lig je niet in bed?' vroeg hij.

'Omdat je hebt aangebeld,' zei Josie. 'Ik moest toch opendoen?'

Toen hij haar die ochtend vanuit school had gebeld, had ze gezegd dat ze niet lekker was, maar nu betuttelde hij haar alsof ze dodelijk ziek was. Hij bracht haar naar bed, stopte haar in en ging bij haar zitten. 'Deze soep geneest alles.'

'En die stripboeken?'

Matt haalde zijn schouders op. 'Die kocht mijn moeder vroeger altijd voor me als ik ziek was en in bed moest blijven. Ik knapte er altijd weer van op.'

Josie dacht aan de zwangerschapstest die ze in keukenrolpapier gewikkeld in de vuilnisbak had gegooid zodat haar moeder hem niet zou vinden.

'Drew geeft vrijdagavond een feest,' zei Matt. 'Zijn ouders gaan dit weekend naar Foxwoods.' Hij fronste. 'Hopelijk ben je dan weer beter. Wat heb je eigenlijk?'

Ze keek hem aan en zuchtte diep. 'Ik ben twee weken over tijd. Ik heb vandaag een zwangerschapstest gedaan.'

'Hij heeft via iemand van Sterling College een paar vaatjes bier weten te regelen. Ik voorspel je dat het een te gekke avond gaat worden.'

'Heb je gehoord wat ik zei?'

Matt keek haar aan met de glimlach waarmee je een angstig kind geruststelt. 'Overdrijf je niet een beetje?'

'De uitslag was positief.'

'Het kan ook stress zijn.'

'En als het geen stress is? Als ik echt zwanger ben?'

'Dan is het een probleem van ons allebei.' Hij boog zich naar haar toe en kuste haar voorhoofd. 'Baby, ik laat je nooit in de steek.'

Een paar dagen later, toen het sneeuwde, liet Peter opzettelijk de benzine uit de sneeuwruimer lopen. Daarna liep hij naar de overkant.

'Ga me niet vertellen dat je weer zonder zit,' zei meneer Weatherhall toen hij opendeed.

'Mijn vader heeft de reservetank nog niet kunnen vullen,' antwoordde Peter.

'Daar moet je tijd voor maken,' zei meneer Weatherhall, maar hij wenkte Peter mee te komen. 'Dat soort dingen moet je inplannen, dan kom je niet voor verrassingen te staan.'

Hij liet Peter in de keuken achter terwijl hij in de kelder verdween. Peter deed de suikerbus open en nam de Glock eruit. Hij durfde nauwelijks adem te halen toen hij het wapen in de broekband van zijn jeans stak. Zijn jack viel eroverheen zodat je het niet kon zien.

Hij trok de besteklade open en gluurde in de kastjes. Toen hij zijn hand over de bovenkast van de koelkast liet glijden, voelde hij de gladde omtrek van een ander handvuurwapen.

'Het is altijd verstandig om een extra tank in voorraad te houden,' hoorde hij meneer Weatherhall zeggen toen hij de trap op kwam. Peter liet het wapen los en sloeg zijn armen over elkaar. Hij zweette toen meneer Weatherhall de keuken inliep. 'Alles goed met je?' vroeg hij, Peter aandachtig aankijkend. 'Je ziet een beetje pips.'

'Ik heb gisteren tot laat op de avond huiswerk zitten maken. Bedankt voor de benzine.'

'Zeg tegen je vader dat dit de laatste keer is.'

Peter wachtte tot meneer Weatherhall de deur had gesloten en begon toen te rennen. Hij zette het benzineblik naast de sneeuwruimer en stormde het huis in. Hij deed de deur van zijn slaapkamer op slot, haalde het pistool tevoorschijn en ging zitten.

Het was zwart en van een metaallegering gemaakt. Wat hem vooral verbaasde, was dat het net een speelgoedpistool leek. Hij haalde het magazijn eruit, sloot zijn ogen en hield het wapen tegen zijn hoofd. 'Pang,' fluisterde hij.

Toen legde hij het pistool op zijn bed en trok een sloop van een van de kussens. Hij wikkelde de Glock erin en legde het bundeltje onder zijn matras.

Hij dacht aan het sprookje over die prinses die een boon of een erwt onder haar matras kon voelen. Hij was geen prins of prinses, en de Glock zou hem niet uit de slaap houden.

Misschien zou hij er juist beter door slapen.

Josie droomde dat ze zich in een prachtige tipi van goudgele hertenhuid bevond. Overal om haar heen waren kleurige verhalen geschilderd in rood, oker, violet en blauw – verhalen over jachtpartijen, liefde, en verlies. Dikke bizonhuiden waren hoog opgestapeld en dienden als kussens. Kooltjes glinsterden als diamanten in de vuurkuil. Toen ze opkeek, kon ze door het rookgat sterren zien vallen.

Ineens voelde ze de bodem onder haar voeten verdwijnen. Ze keek omlaag en zag alleen maar lucht. Dacht ze werkelijk dat ze op wolken kon lopen, of was de grond onder haar verdwenen toen ze even niet keek?

Ze begon te vallen. Ze voelde hoe ze naar beneden tuimelde, met opbollende rok en de wind tussen haar benen. Ze durfde haar ogen niet open te doen, maar kon niet nalaten even te gluren. De aarde kwam steeds dichterbij, postzegels van groen, bruin en blauw die steeds groter, gedetailleerder en realistischer werden.

Daar was haar school, haar huis, het dak boven haar slaapkamer. Ze bereidde zich voor op de onvermijdelijke klap. Maar in je dromen sloeg je nooit tegen de grond en zag je jezelf niet sterven. In plaats daarvan viel ze met een plons in warm water.

Buiten adem werd ze wakker en besefte dat ze echt in iets warms en vochtigs lag. Ze ging rechtop zitten, sloeg het dekbed terug, en zag de plas bloed op het onderlaken.

Na drie positieve zwangerschapstests, na drie weken over tijd te zijn geweest, had ze een miskraam gekregen.

Goddankgoddankgoddank. Ze drukte haar gezicht in het kussen en begon te huilen.

Lewis zat op zaterdagmorgen aan de keukentafel *The Economist* te lezen en een volkorenwafel te eten, toen de telefoon ging. Hij keek op naar Lacy, die aan het aanrecht stond en dichter bij het toestel was dan hij, maar ze hield haar handen op die dropen van het zeepsop. 'Wil jij...?'

Hij stond op en nam de hoorn van de haak. 'Hallo?'

'Meneer Houghton?'

'Ja?'

'Met Tony van Burnside. Uw patronen zijn binnen.'

Burnside was een wapenzaak waar Lewis in het najaar altijd munitie kocht, maar het was nu februari en het hertenseizoen was voorbij. 'Ik heb niets besteld,' zei Lewis. 'Het moet een vergissing zijn.'

Hij hing op en ging weer aan de keukentafel zitten. Lacy trok een grote koekenpan uit de gootsteen en legde hem in het droogrek. 'Wie was dat?'

Lewis las verder in zijn tijdschrift. 'Verkeerd verbonden.'

Matt had een ijshockeywedstrijd in Exeter. Josie kwam altijd kijken als hij thuis speelde, maar ging nooit naar uitwedstrijden. Toch had ze vandaag de auto van haar moeder te leen gevraagd om naar de kust te rijden. Ze was vroeg vertrokken, zodat ze Matt nog voor de wedstrijd kon treffen.

Nu stak ze haar hoofd om de deur van de kleedkamer. Matt stond met zijn rug naar haar toe. Hij had zijn uitrusting al aan, behalve zijn shirt.

Een andere speler zag haar het eerst. 'Hé, Royston,' zei de vierdejaars, 'ik geloof dat de voorzitster van je fanclub is gearriveerd.'

Matt hield er niet van dat ze hem voor de wedstrijd kwam opzoeken. Na de wedstrijd, ja, dan was ze het verplicht, zodat hij zijn overwinning met haar kon vieren. Maar hij had haar heel duidelijk gemaakt dat hij geen tijd voor haar had als hij zich voorbereidde, dat hij dan commentaar van de anderen zou krijgen, dat de coach van het team eiste dat ze zich op de wedstrijd concentreerden. Toch dacht ze dat ze deze keer een uitzondering kon maken.

Zijn gezicht betrok toen het team begon te joelen.

Hé, Matt, hulp nodig bij je jockstrap?
Is je knuppel wel groot genoeg?

'Jullie mochten willen dat jullie iemand hadden die het chroom van een bumper kan zuigen,' riep Matt terug toen hij naar Josie toe liep.

De vlammen sloegen haar uit toen de hele kleedkamer in lachen uitbarstte. Matt greep haar bij de arm en trok haar mee naar buiten.

'Ik heb je gezegd dat je me voor een wedstrijd niet mag storen.'

'Ja, maar het is belangrijk...'

'Dít is belangrijk,' zei Matt, om zich heen naar de ijsbaan wijzend.

'Er is niets aan de hand,' gooide ze eruit.

'Mooi.'

'Ik bedoel... Ik ben niet zwanger. Je had gelijk.'

Toen het tot hem doordrong wat ze zei, sloeg hij zijn armen om haar middel, tilde haar van de grond en kuste haar.

'Ik heb altijd gelijk,' zei hij grijnzend.

DEEL TWEE

Wanneer u op wraak uit bent,
begin dan met twee graven te delven:
een voor uw vijand, en een voor uzelf.

– Chinees spreekwoord

Sterling is niet als de grote stad. Je vindt hier geen crackdealers of huishoudens onder de armoedegrens. Criminaliteit bestaat hier vrijwel niet.

Daarom is iedereen ook zo verbijsterd.

Hoe kon zoiets hier gebeuren? vragen ze.

Waarom zou zoiets hier _niet_ gebeuren?

Meer dan een verwarde jongen die aan wapens kan komen is er niet voor nodig.

Je hoeft niet naar de grote stad om zo iemand te vinden. Je hoeft alleen maar je ogen open te houden. De volgende mogelijke kandidaat zit misschien op zijn kamer of ligt in je huiskamer voor de tv. Oké, doe maar alsof het hier niet kan gebeuren. Maak jezelf maar wijs dat je immuun bent door waar je woont of wie je bent.

Dat is toch veel makkelijker?

Vijf maanden later

Aan de hand van hun gewoontes kun je veel over mensen te weten komen. Zo ontmoette Jordan potentiële juryleden die de hele *New York Times* online lazen. Anderen wilden geen nieuws-update op het welkomstscherm van AOL omdat ze dat deprimerend vonden. Er waren plattelandsbewoners tussen die slechts één publieke zender konden ontvangen omdat ze het geld niet hadden voor een kabel naar hun afgelegen huizen. Anderen bezaten gevanceerde satellietsystemen, zodat ze Japanse soaps konden ontvangen, of zuster Mary Margarets Gebedsuurtje om drie uur in de ochtend. Dan had je degenen die naar CNN keken. En anderen keken naar FOX News.

Ze waren bezig met de selectie van de jury voor het proces van Peter Houghton. Dat betekende lange dagen in de rechtszaal met Diana Leven en rechter Wagner, terwijl de ene na de andere mogelijke gezworene in de getuigenbank plaatsnam, waar hij of zij een verscheidenheid aan vragen kreeg voorgelegd van zowel de openbaar aanklager als de verdediging. Het doel was twaalf mensen te vinden, plus een invaller, die niet persoonlijk bij de schietpartij betrokken waren; een jury die bereid was zich aan een langdurig proces te verbinden zonder zich om huiselijke of zakelijke beslommeringen te hoeven bekommeren. Een groep mensen die de afgelopen vijf maanden niet met dit proces waren opgestaan en naar bed gegaan, of, zoals Jordan dacht, de weinige uitverkorenen die in zalige onwetendheid hadden geleefd.

Het was augustus, en de afgelopen week was de temperatuur overdag tot boven de veertig graden gestegen. Om het nog erger te maken had de airconditioning in de rechtszaal het begeven, en stonk rechter Wagner naar mottenballen en tenenkaas.

Jordan had zijn jasje uitgetrokken en het bovenste knoopje van zijn overhemd losgemaakt. Zelfs Diana – die hij er heimelijk van verdacht een robot te zijn uit *The Stepford Wives* – had haar haar in een knot op haar hoofd gedraaid en met een potlood vastgezet.

'Hoe ver zijn we nu?' vroeg rechter Wagner.

'Kandidaat nummer zes miljoen zevenhonderddertigduizend,' mompelde Jordan.

'Kandidaat nummer achtentachtig,' zei de griffier.

Deze keer was het een man. Hij had dunnend haar, droeg een kaki broek, een overhemd met korte mouwen, bootschoenen, en een trouwring. Jordan noteerde dit alles in zijn blocnote.

Diana stond op, stelde zich voor, en begon haar vragenlijst af te werken. Van de antwoorden hing af of een potentieel jurylid van zijn plicht werd ontheven – bijvoorbeeld als zijn kind bij de schietpartij om het leven was gekomen en hij niet onpartijdig kon zijn. Zowel Diana als Jordan had de mogelijkheid in vijftien gevallen een kandidaat intuïtief af te wijzen.

'Wat voor werk doet u, meneer Alstrop?' vroeg Diana.

'Ik ben architect.'

'Bent u getrouwd?'

'Twintig jaar, in oktober.'

'Hebt u kinderen?'

'Twee. Een jongen van veertien en een meisje van negentien.'

'Gaan ze naar school?'

'Mijn zoon nog wel. Mijn dochter studeert aan Princeton,' zei hij trots.

'Weet u iets van deze zaak?'

'Ik heb de krantenartikelen gevolgd,' zei Alstrop.

'Leest u een bepaald dagblad?'

'Vroeger de *Union Leader*,' zei hij, 'maar daar ging ik me aan ergeren. Nu lees ik *The New York Times*.'

Jordan noteerde het. De *Union Leader* was een notoir conservatieve krant, *The New York Times* een liberale.

'Naar welke tv-programma's kijkt u graag?' vroeg Diana.

Ze moesten geen jurylid hebben dat tien uur per dag naar Court-TV keek.

'*60 Minutes*,' antwoordde Alstrop. 'En *The Simpsons*.'

Eindelijk een normale man, dacht Jordan. Hij kwam overeind toen Diana de ondervraging aan hem overdroeg. 'Kunt u zich herinneren wat u over deze zaak hebt gelezen?' vroeg hij.

Alstrop haalde zijn schouders op. 'Er was een schietpartij op een middelbare school, en een van de leerlingen is als verdachte aangehouden.'

'Kent u leerlingen van die school?'

'Nee.'

'Kent u iemand die op Sterling High werkt?'

'Nee.'

'Hebt u iemand gesproken die bij deze zaak betrokken is?'

'Nee.'

Jordan ging voor de getuigenbank staan. 'Er is een verkeersregel in deze staat die inhoudt dat je bij rood licht rechtsaf mag slaan als je eerst voor het rode licht bent gestopt. Kent u die regel?'

'Jazeker,' zei Alstrop.

'Stel dat de rechter tegen u zegt dat u niet rechtsaf mag bij rood, dat u moet stoppen tot het weer groen wordt, al staat er een bord dat aangeeft dat u bij rood rechtsaf mag. Wat zou u dan doen?'

Alstrop keek naar rechter Wagner. 'Dan zou ik doen wat hij zegt.'

Jordan glimlachte bij zichzelf. Deze vraag was bedoeld om die mensen eruit te zeven die zich star aan de regels hielden. Hij had juryleden nodig die ruimdenkend genoeg waren om te begrijpen dat regels geen doel op zich waren, mensen die geen moeite hadden met veranderingen.

Toen hij geen vragen meer had, liepen Diana en hij naar de rechterstafel. 'Is er reden om deze kandidaat af te wijzen?' vroeg rechter Wagner.

'Nee, edelachtbare,' zei Diana, en Jordan schudde zijn hoofd.

'Dus?'

Diana knikte. Jordan keek naar de man die nog steeds in de getuigenbank zat. 'Van mij mag hij blijven.'

Toen Alex wakker werd, deed ze haar ogen op een kiertje en staarde naar de man die naast haar lag. Deze relatie – nu vier maanden oud – was nog steeds een mysterie voor haar. Ze keek naar de sproeten op Patricks schouders, de welving van zijn rug, het zwarte haar dat afstak tegen het witte laken. Het leek alsof hij door osmose haar leven was binnengedrongen. Ze zou zijn overhemd in haar was vinden; ze zou zijn shampoo op haar kussensloop ruiken; ze zou de telefoon opnemen met de gedachte dat ze hem wilde bellen, en dan was hij al aan de lijn. Alex had zo lang alleen gestaan. Ze was praktisch, resoluut, vastberaden (ach, kom – dat waren allemaal eufemismen voor wat ze wérkelijk was: koppig). Deze plotselinge aanslag op haar privacy verontrustte haar niet, zoals ze had verwacht. Ze voelde zich eerder gedesoriënteerd wanneer Patrick niet bij haar was.

'Ik voel dat je naar me ligt te kijken,' mompelde Patrick. Er verscheen een lome glimlach op zijn gezicht, maar zijn ogen bleven gesloten.

Alex boog zich over hem heen en liet haar hand onder het dekbek glijden. 'En wat voel je nu?'

Bliksemsnel greep hij haar bij de pols en trok haar onder zich. Zijn blauwe ogen deden Alex denken aan gletsjers en ijszeeën. Hij kuste haar en ze sloeg haar armen om hem heen.

'O, shit,' zei ze ineens. 'Weet je wel hoe laat het is?'

Gisteravond hadden ze de luiken neergelaten omdat het volle maan was, maar nu stroomde het zonlicht door de kieren. Alex hoorde dat Josie in de keuken met potten en pannen in de weer was.

Patrick leunde over haar heen om zijn horloge te pakken dat hij op haar nachtkastje had gelegd. 'Verdomme, ik ben al een uur te laat.'

Hij trok zijn boxershort aan terwijl Alex in haar ochtendjas schoot. 'Wat zeg ik tegen Josie?'

Het was niet zo dat ze hun relatie voor Josie verborgen probeerden te houden. Patrick kwam na het werk vaak langs om mee te eten of de avond met Alex door te brengen. Ze had geprobeerd met Josie over hem te praten, maar die deed alles wat ze kon om dat gesprek te vermijden. Alex wist zelf niet waar deze relatie toe zou leiden, maar ze wilde niet dat Josie zich buitengesloten voelde nu Patrick in haar leven was gekomen. Allereerst wilde ze de verloren tijd met haar dochter inhalen voordat ze aan iets anders dacht. Wanneer Patrick de nacht met haar had doorgebracht, wilde ze dan ook dat hij wegging voordat Josie wakker werd.

Maar om tien uur in de ochtend op deze zomerse donderdag was het daar nu te laat voor.

'Misschien is dit een goed moment om het haar te vertellen,' stelde Patrick voor.

'Wat te vertellen?'

'Dat we...' Hij keek haar aan.

Alex kon de zin niet voor hem afmaken. Ze wist niet hoe ze de rest moest invullen. Waren ze bij elkaar omdat hij het gevoel had dat ze hem nodig had? Zou hij zijn eigen leven weer oppakken wanneer dit proces achter de rug was? Of zij?

'Dat we samen zijn,' zei hij gedecideerd.

Alex draaide hem de rug toe en trok haar ochtendjas dicht. Als hij haar nu zou vragen wat ze van deze relatie verwachtte... dan wist ze het wel, al zou ze het nooit durven zeggen. Ze wilde liefde. Ze wilde iemand die een thuishaven voor haar was. Ze wilde dromen over een gezamenlijke vakantie als ze zestig waren en weten dat hij dan nog steeds bij haar zou zijn. Maar stel dat ze dat tegen hem zei en hij haar verschrikt aankeek? Dat hij het te vroeg vond om aan dat soort dingen te denken?

Als hij het haar nu zou vragen, zou ze geen antwoord geven omdat ze bang was teleurgesteld te worden.

Ze tastte onder het bed naar haar slippers, maar vond in plaats daarvan Patricks riem. Ze gooide hem in zijn richting. Dat ze Josie niet had verteld dat ze met Patrick sliep, had misschien niets te maken met het feit dat ze Josie wilde beschermen, maar dat ze in de eerste plaats zichzelf wilde beschermen.

Patrick gespte de riem om zijn spijkerbroek. 'Het hoeft toch geen staatsgeheim te zijn,' zei hij. 'Je hebt toch het recht om... je weet wel.'

Alex keek naar hem op.

'Seks te hebben?'

'Ik probeerde het iets romantischer te formuleren,' zei Patrick.

'Ik heb ook het recht om bepaalde dingen gescheiden te houden.'

'Mam,' riep Josie onder aan de trap. 'De pannenkoeken zijn klaar!'

'Luister,' zei Patrick met een zucht. 'Josie hoeft niet te weten dat ik hier ben. Als jij haar afleidt, sluip ik stiekem naar buiten.'

Ze knikte. 'Ik hou haar wel in de keuken bezig. Schiet jij nu maar op.' Ze wilde de slaapkamer uitlopen, maar Patrick hield haar tegen.

'Hé, wacht even.' Hij boog zich naar haar toe en kuste haar.

'Mam, ze worden koud!'

'Tot kijk,' zei Alex, en ze maakte zich van hem los.

Haastig liep ze de trap af. Josie zat in de keuken achter een schaal bosbessenpannenkoeken. 'Ze ruiken heerlijk... Niet te geloven dat ik zo laat wakker ben geworden,' begon Alex, en zag toen dat de tafel voor drie was gedekt.

Josie sloeg haar armen over elkaar. 'Hoe drinkt hij zijn koffie?'

Alex ging op een stoel tegenover haar zitten. 'Ik had het voor je verborgen willen houden.'

'Ten eerste ben ik een grote meid. Ten tweede had die geniale rechercheur zijn auto niet op de oprit moeten laten staan.'

Alex plukte aan een placemat. 'Geen melk, twee klontjes.'

'Nou,' zei Josie, 'dat weet ik dan voor de volgende keer.'

'Vind je het vervelend?' vroeg Alex zacht.

'Om koffie voor hem in te schenken?'

'Nee, dat er een volgende keer komt.'

Josie prikte in een bosbes die op haar pannenkoek lag. 'Heb ik daar dan iets van te vinden?'

412

'Jawel,' zei Alex. 'Want als jij er moeite mee hebt, dan zal ik hem niet meer ontmoeten.'

'Vind je hem aardig?' vroeg Josie, naar haar bord starend.

'Ja.'

'En hij jou?'

'Dat denk ik wel.'

Josie keek naar haar op. 'Dan doet het er niet toe wat anderen ervan vinden.'

'Ik wil weten wat *jij* ervan vindt,' zei Alex. 'Ik wil niet dat je het gevoel hebt dat je door hem minder belangrijk voor me bent.'

'Weet wat je doet,' antwoordde Josie met een langzame glimlach. 'Elke keer dat je seks hebt, kun je zwanger raken, of je kunt niet zwanger raken. Dat is een kans van vijftig procent.'

Alex trok haar wenkbrauwen op. 'Wauw. En ik dacht dat je niet eens luisterde toen ik die preek afstak.'

Josie wreef met haar vinger in een druppel stroop die op tafel was gevallen. 'Dus... eh... hou je van hem?'

De woorden leken kwetsbaar, fragiel. 'Nee,' zei Alex snel, want als ze Josie kon overtuigen, kon ze zeker zichzelf overtuigen dat wat ze voor Patrick voelde alles met lust en niets met... nou ja... liefde te maken had. 'Het is nog maar een paar maanden aan de gang.'

'Ik geloof niet dat er een termijn voor dit soort dingen bestaat,' zei Josie.

Alex besloot dat er maar één manier was om dit mijnenveld te vermijden en te voorkomen dat zij en Josie letsel opliepen, en dat was door te doen alsof het niet meer dan een bevlieging was, een avontuurtje. 'Ik zou niet weten hoe het voelt om verliefd te zijn,' zei ze luchtig.

'Het is niet zo dat alles dan ineens rozengeur en maneschijn wordt.' Josies stem was als een fluistering. 'Als het je overkomt, denk je de hele tijd aan wat er mis kan gaan.'

Alex keek haar geschokt aan. 'O, Josie. Ik wilde je niet...'

'Laten we erover ophouden, ja?' Met een geforceerde glimlach vervolgde Josie: 'Voor iemand van zijn leeftijd ziet hij er trouwens niet slecht uit.'

'Hij is een jaar jonger dan ik,' merkte Alex op.

'Ja, echt nog een jonkie.' Josie gaf haar de schaal met pannenkoeken aan. 'Ze worden koud.'

'Dank je,' zei Alex. Ze hield haar dochters blik vast zodat Josie begreep waar Alex haar werkelijk voor bedankte.

Op dat moment sloop Patrick naar beneden. Onder aan de trap stak hij zijn duim naar Alex op. 'Patrick,' riep ze, 'Josie heeft pannenkoeken voor ons gebakken.'

Selena wist dat je niet mocht zeggen dat jongens anders waren dan meisjes, maar ze wist ook dat moeders en peuterleidsters er in hun hart heel anders over dachten. Vanochtend zat ze op een bank in het park naar Sam te kijken die in een zandbak met leeftijdgenootjes aan het spelen was. Twee kleine meisjes waren pizza's aan het bakken van zand en kiezels. Het jongetje naast Sam probeerde een kiepauto te slopen door hem tegen de houten omlijsting van de zandbak te meppen. *Niet anders?* dacht Selena. *Kom nou.*

Geamuseerd zag ze hoe Sam zich wegdraaide van het jongetje en de meisjes begon na te doen door een zandtaart te maken.

Selena grijnsde. Hopelijk was dit een kleine aanwijzing dat haar zoon zich later tegen de stereotiepe rolverdeling zou verzetten en ging doen waar hij zich het prettigst bij voelde. Maar werkte het zo? Kon je aan een kind zien wie hij later zou worden? Zouden deze kleine meisjes later huismoeder of zakenvrouw worden? Zou het destructieve gedrag van het jongetje ontaarden in drugs- of alcoholverslaving? Had Peter Houghton als kind speelkameraadjes geschopt of krekels geplet, of wat dan ook waaruit kon blijken dat er een toekomstige moordenaar in hem school?

Het jongetje liet de kiepauto vallen en begon te graven. Sam liet zijn taart links liggen om het plastic voertuig op te pakken, maar verloor zijn evenwicht en stootte zijn knie tegen de rand van de zandbak.

Selena schoot overeind om haar zoon op te pakken voordat hij het op een krijsen ging zetten. Maar Sam keek naar de andere kinderen alsof hij besefte dat hij publiek had. Hoewel zijn gezicht vertrok en rood aanliep, huilde hij niet.

Voor meisjes was het gemakkelijker. Die konden zeggen: *Dit doet zeer* of *Ik voel me niet lekker*. Dat werd volstrekt normaal gevonden. Maar jongens spraken die taal niet. Die leerden ze niet als kind, en later ook niet als volwassene. Selena dacht aan afgelopen zomer, toen Jordan was gaan vissen met een oude vriend wiens vrouw net een scheiding had aangevraagd.

Waar hebben jullie het over gehad? vroeg ze toen hij thuiskwam.

Nergens over, had Jordan geantwoord. *We zaten te vissen.*

Voor Selena was dit onvoorstelbaar. Ze waren zes uur op stap geweest. Hoe kon hij zo lang bij zijn vriend in een bootje zitten zonder te vragen hoe het met hem ging? Of hij zich een beetje redde? Hoe hij zijn verdere leven voor zich zag?

Ze keek naar Sam, die nu de kiepauto over zijn taart liet rijden. Hij was zijn val alweer vergeten. Iets kon zo snel veranderen. De Sam die zijn armpjes om haar hals sloeg en haar een kus gaf, de Sam die naar haar toe rende als ze haar armen naar hem uitstak, zou vandaag of morgen beseffen dat zijn vriendjes niet meer aan de hand van hun moeder de weg overstaken, dat ze geen pizza's en taarten meer in de zandbak maakten, maar steden bouwden en grotten groeven. Op een dag, als hij op de middelbare school zat, of eerder, zou Sam zich op zijn kamer terugtrekken. Hij zou terugdeinzen als ze hem wilde aanraken. Hij zou norse antwoorden geven, stoer doen, een man willen zijn.

Misschien is het onze eigen schuld dat mannen worden zoals ze worden, dacht Selena. Misschien kwijnde hun invoelingsvermogen weg zoals een nooit gebruikte spier zijn kracht verloor.

Josie had haar moeder verteld dat ze zich had aangemeld om in de zomervakantie wiskundebijles te geven aan leerlingen van de midden- en basisschool. Ze had het over Angie, van wie de ouders dat jaar waren gescheiden, met als indirect gevolg dat ze een onvoldoende voor algebra had. Joseph was een leukemiepatiënt die vanwege zijn ziekte veel lessen had moeten missen. Elke avond dat ze aan tafel zaten, vroeg haar moeder hoe het was gegaan, en dan kwam Josie met een verhaal. Het punt was alleen dat het verzonnen was. Joseph en Angie bestonden helemaal niet.

Vanochtend verliet Josie het huis en stapte zoals elke ochtend op de bus. Ze groette de chauffeur, Rita, die de hele zomer op deze route reed. De meeste passagiers stapten vóór Josie uit, maar zij bleef zitten tot de eindhalte, die anderhalve kilometer verwijderd was van de begraafplaats Whispering Pines.

Ze vond het daar prettig. Ze was er bijna altijd alleen. Ze liep het bochtige pad af dat ze nu blindelings kende. Ze wist dat ze halverwege de felblauwe hortensiastruik zou tegenkomen, dat ze vlak bij Matts graf de kamperfoelie kon ruiken.

Er was nu een grafsteen van wit marmer geplaatst met Matts naam erin gegraveerd. Ook was het gras opgekomen. Josie maakte haar rugzak open en nam er een fles water uit, een boterham met pindakaas en een pakje zoute stengels.

'Kun je geloven dat we over een week alweer naar school gaan?' zei ze tegen Matt. Ze praatte wel vaker tegen hem. Niet dat ze antwoord verwachtte, maar het gaf haar gewoon een prettig gevoel. 'Niet de echte school, die gaat waarschijnlijk tegen Thanksgiving weer open als ze klaar zijn met de verbouwing.'

Ze had begrepen dat de kantine en de gymzaal zouden worden gesloopt. Dachten ze nou echt dat als je de plaats van het misdrijf afbrak iedereen zou denken dat er niets was gebeurd?

Ze had eens gelezen dat geesten niet alleen op een bepaalde plek rondhingen, maar ook bij personen. Josie had weinig op met paranormale verschijnselen, maar hier geloofde ze in. Er waren herinneringen waarvoor je altijd kon blijven weglopen maar die je nooit van je af kon schudden.

Ze ging languit in het jonge gras liggen. 'Vind je het fijn dat ik hier ben?' fluisterde ze. 'Of zou je hebben gezegd dat ik op moest rotten als je kon praten?'

Ze wilde het antwoord niet weten. Ze wilde er niet eens over nadenken. Ze staarde naar de hemel totdat het indringende blauw pijn deed aan haar ogen.

Lacy stond op de herenafdeling van Filene aan de stof van sport-colberts te voelen. Ze was er speciaal voor naar Boston gereden, want ze wilde ruime keus hebben. Peter moest er piekfijn uitzien wanneer het proces begon. Brooks Brothers, Hugo Boss, Calvin Klein, Ermenegildo Zegna. De jasjes waren gemaakt in Italië, Frankrijk, Engeland, Californië. Ze hield haar adem in toen ze de prijskaartjes zag, maar bedacht toen dat het haar niet kon sche-len. Dit zou waarschijnlijk de laatste keer zijn dat ze kleren voor haar zoon kon kopen.

Ze liep systematisch de afdeling door. Ze zocht boxershorts uit van het mooiste Egyptische katoen, witte T-shirts van Ralph Lauren, kasjmieren sokken. Ze koos een kaki broek en een blau-we blazer, zoals Jordan haar had geïnstrueerd. *We willen dat hij eruitziet alsof jullie hem naar Phillips Exeter sturen*, had hij ge-zegd.

Ook nadat Lacy alles had gevonden wat ze nodig had, bleef ze op de herenafdeling rondkijken. Ze koos een zijden zakdoek met de kleur van Peters ogen, een riem, een badjas die aanvoelde als fluweel, een paar slippers, en een kersenrode zwembroek. Ze winkelde totdat ze de stapel in haar armen bijna niet meer kon omvatten.

'Ik zal u even helpen,' zei een verkoopster, terwijl ze een deel van Lacy's last overnam en ermee naar de toonbank liep. Terwijl ze de kledingstukken opvouwde, zei ze met een meelevende glim-lach: 'Voor uw zoon zeker, hè? Ik weet wat het is. Ik dacht dat ik dood zou gaan toen het zo ver was.'

Lacy staarde haar aan. Was het mogelijk dat ze niet de enige was die zo'n drama had meegemaakt?

'Je denkt dat het voor altijd is,' zei de vrouw. 'Maar geloof me, wanneer ze thuiskomen met de kerst- of de zomervakantie en je huis en je koelkast plunderen, dan zou je wensen dat de colleges het hele jaar doorgingen.'

Lacy's gezicht betrok. 'Ja, ja.'

'Ik heb een dochter op de universiteit van New Hampshire. Mijn zoon zit op Rochester,' zei de verkoopster.

'Mijn zoon gaat naar Harvard.'

Ze hadden er ooit over gesproken. Peter ging liever computer-wetenschappen in Stanford studeren. Lacy had bij wijze van grap-je gezegd dat hij alle universiteiten ten westen van de Mississippi bij voorbaat afwees omdat ze te ver van huis waren.

De staatsgevangenis in Concord was negentig kilometer van Sterling verwijderd.

'Harvard, toe maar,' zei de verkoopster. 'Dan zal het wel een bolleboos zijn.'

'Reken maar,' zei Lacy, en ze begon een verhaal over Peters prestaties op te dissen totdat ze bijna zelf in haar leugens geloofde.

Even na drieën rolde Josie zich op haar buik, spreidde haar armen en drukte haar gezicht in het gras, alsof ze houvast zocht aan de grond. Ze ademde diep in. Meestal rook ze alleen aarde en onkruid, maar als het geregend had, meende ze een vleug van Matts shampoo te herkennen.

Ze stopte het boterhamzakje en de lege waterfles in haar rug-zak en liep langzaam terug naar de ingang van de begraafplaats. Er stond een auto bij het hek. Die zomer had Josie twee keer een rouwstoet zien arriveren, wat haar een onaangenaam gevoel had gegeven. Ze begon sneller te lopen in de hoop dat ze al in de bus zou zitten voordat de dienst begon. Toen zag ze dat de auto bij het hek geen zwarte begrafenisauto was. Het was dezelfde auto die vanochtend in hun oprit geparkeerd stond. Patrick leunde er met over elkaar geslagen armen tegenaan.

'Wat doet u hier?'

'Hetzelfde kan ik aan jou vragen.'

Ze haalde haar schouders op. 'We leven in een vrij land.'

Josie had niets tegen Patrick Ducharme persoonlijk. Hij maak-te haar alleen nerveus. Ze kon hem niet aankijken zonder aan Die Dag te denken. En nu was hij ook nog 'de minnaar van haar moeder' (de woorden alleen al waren onuitspreekbaar). Haar moeder was verliefd en in de zevende hemel, terwijl zij stiekem naar een kerkhof moest om haar eigen vriend te bezoeken.

Patrick maakte zich van de auto los en deed een stap naar haar toe. 'Je moeder denkt dat je nu lesgeeft in staartdelingen.'

'Heeft ze je gevraagd me te schaduwen?'

'Ik zou het liever surveillance willen noemen.'

Josie snoof. Ze wilde niet sarcastisch doen, maar ze moest wel, anders zou hij merken dat ze elk moment kon instorten.

'Je moeder weet niet dat ik hier ben,' zei Patrick. 'Ik wil met je praten.'

'Ik wil mijn bus niet missen.'

'Dan breng ik je wel waar je wezen moet,' zei hij kortaf. 'Weet je, als politieman heb ik vaak gewenst dat ik de klok kon terugdraaien, dat ik bij een slachtoffer kon zijn voordat het werd verkracht of beroofd. Ik weet wat het is om je machteloos te voelen. En ik weet wat het is om 's nachts wakker te worden en dat ene moment zo levendig voor je te zien dat het lijkt alsof je het opnieuw beleeft. Eigenlijk denk ik dat jij en ik dan hetzelfde moment voor ons zien.'

Josie slikte. In al die maanden, in al die gesprekken met goed bedoelende artsen en psychiaters, had niemand zo bondig haar gevoelens tot uitdrukking gebracht. Maar dat kon ze Patrick niet vertellen, al had ze het gevoel dat hij het wel wist. 'Denk maar niet dat we iets gemeen hebben,' zei ze.

'Maar dat hebben we wel,' antwoordde Patrick. 'Je moeder.' Hij keek Josie recht in de ogen. 'Ik ben op haar gesteld. Heel erg. En ik wil graag van je horen of je daar problemen mee hebt.'

Josie had het gevoel dat haar keel werd dichtgeknepen. Ze dacht aan het moment dat Matt had gezegd dat hij haar aardig vond. Ze vroeg zich of een ander het ooit nog tegen haar zou zeggen. 'Mijn moeder kan doen en laten wat ze wil. Ze bepaalt zelf wel wie ze n...'

'Zeg het niet.'

'Wat niet?'

'Zeg niets waar je later spijt van krijgt.'

Met fonkelende ogen deed Josie een stap naar achteren. 'Als je denkt dat je door mij te slijmen mijn moeder kunt paaien, dan heb je het mis. Dan kun je het beter met bloemen en bonbons proberen. Ze geeft helemaal niets om me.'

'Dat is niet waar.'

'Ken je haar beter dan ik? Dacht ik niet.'

'Josie,' zei Patrick, 'ze is gek op je.'

'Maar niet zo gek als op jou,' zei ze verstikt. 'Ze is gelukkig. Ze is gelukkig... en ik... ik weet dat ik blij voor haar moet zijn...'

'Maar je bent hier,' zei Patrick, naar het kerkhof om zich heen wijzend. 'In je eentje.'

Josie barstte in tranen uit. Ze draaide zich gegeneerd om en voelde toen Patricks armen om zich heen. Hij zei niets, maar liet haar huilen tot de tranenvloed was gestopt en Josie even haar hoofd tegen zijn schouder liet rusten.

'Ik ben gewoon een jaloers kreng,' fluisterde ze.

'Ze zal het heus wel begrijpen.'

Josie maakte zich van hem los en veegde haar ogen af. 'Ga je haar vertellen dat ik hierheen ga?'

'Nee.'

Ze keek verbaasd naar hem op. Ze had verwacht dat hij de kant van haar moeder zou kiezen.

'Het is niet waar, weet je,' zei Patrick.

'Wat niet?'

'Dat je alleen bent.'

Josie keek over haar schouder. Vanaf hier kon je Matts graf niet zien, maar het was er wel – net als al het andere van Die Dag. 'Geesten tellen niet mee.'

Patrick glimlachte. 'Moeders wel.'

Wat Lewis nog het meest haatte was het geluid van dichtslaande metalen deuren. Het deed er nu niet toe dat hij over een halfuur de gevangenis weer kon verlaten. Belangrijker was dat de gevangenen dat niet konden. En een van hen was dezelfde jongen die

420

hij had leren fietsen. Dezelfde jongen die op de kleuterschool een presse-papier had gemaakt die nog steeds op Lewis' bureau stond. Dezelfde jongen die hij geboren had zien worden.

Hij wist dat Peter geschokt zou zijn als hij hem zag. Al die maanden had hij zich voorgenomen zijn zoon te bezoeken, maar had er nooit de moed voor kunnen opbrengen. Toen de deur openging en een bewaker Peter de bezoekersruimte binnenbracht, besefte Lewis dat hij geschokter moest zijn dan Peter.

Hij was groter geworden. Misschien niet langer, maar wel breder, gespierder. Onder het kunstlicht leek zijn huid bijna doorzichtig.

'Kijk aan,' zei Peter. 'Wie had dat gedacht.'

Lewis had tal van verklaringen voorbereid waarom hij niet eerder was gekomen, maar nu hij tegenover hem zat, kwamen er slechts drie woorden over zijn lippen. 'Het spijt me.'

Peter kreeg een verbeten trek om zijn mond. 'Wat spijt je? Dat je me zes maanden lang hebt laten stikken?'

'Ik dacht eerder aan achttien jaar,' zei Lewis zacht.

Peter leunde achterover en staarde hem recht in de ogen. Lewis dwong zichzelf zijn blik niet af te wenden. Kon Peter hem vergeven, al wist Lewis niet of hij zijn zoon dezelfde gunst kon bewijzen?

Peter wreef over zijn gezicht en schudde zijn hoofd. Toen glimlachte hij. Lewis ontspande zich. Tot dat moment had hij niet geweten wat hij van Peter moest verwachten. Hij kon zichzelf wijsmaken wat hij wilde en denken dat zijn verontschuldiging natuurlijk zou worden geaccepteerd; hij kon zichzelf voorhouden dat hij als vader de leiding had. Maar daar dacht je niet aan wanneer je in de bezoekersruimte van een gevangenis zat, met links van je een vrouw die aan de andere kant van die verboden rode streep aan het voetjevrijen was met haar vriend, en rechts van je een man die onafgebroken zat te vloeken.

De glimlach op Peters gezicht verdween. 'Flikker toch op, klootzak,' spuwde hij hem toe. 'Je geeft geen zak om me. Het spijt je helemaal niet. Je wilt het alleen jezelf horen zeggen. Je bent hier voor jezelf, niet voor mij.'

Lewis boog zijn hoofd. Hij had het gevoel dat het vol met ste-

421

nen zat. Hij sloeg zijn handen voor zijn gezicht. 'Ik kan helemaal niets meer, Peter,' fluisterde hij. 'Ik kan niet werken, niet eten, niet slapen.' Hij keek op. 'Er arriveren nu nieuwe studenten op de campus. Ik kan ze vanuit mijn raam zien. Ze wijzen naar de gebouwen of luisteren naar de gidsen die hen rondleiden. Ik had me er zo op verheugd dat ooit samen met jou te doen.'

Jaren geleden, toen Joey net was geboren, had hij een essay geschreven over de exponentiële toename van geluk op momenten dat het quotiënt door een ingrijpend incident ineens veranderde. Hij was tot de conclusie gekomen dat de uitkomst variabel was, en niet zozeer gebaseerd op de gebeurtenis zelf als wel op de toestand waarin je verkeerde. De geboorte van je kind was één ding als je gelukkig getrouwd was en een gezin wilde stichten, maar iets heel anders als je zestien was en een meisje zwanger had gemaakt. Koude weersomstandigheden waren prima als je op skivakantie was, maar niet als je een weekje aan de kust van de zon wilde genieten. Iemand die ooit rijk was geweest, zou midden in een depressie blij zijn met een dollar; een fijnproever zou wormen eten als hij op een onbewoond eiland was gestrand. Een vader die had gehoopt dat zijn zoon een hoogopgeleide, succesvolle man zou worden, zou onder andere omstandigheden al blij zijn geweest dat hij nog leefde.

'Maar je weet wat ze van universitaire opleidingen zeggen,' zei Lewis, en hij rechtte zijn rug. 'Die worden zwaar overschat.'

Zijn woorden verbaasden Peter. 'Al die ouders die veertigduizend per jaar neertellen,' zei Peter met een flauwe glimlach. 'En ik zit hier jouw belastinggeld op te souperen.'

'Wat kan een econoom zich meer wensen?' grapte Lewis, hoewel het niet grappig was. Hij besefte dat dit ook een vorm van geluk was: dat je alles zou zeggen of doen om een glimlach op het gezicht van je zoon te zien verschijnen, alsof er nog iets te glimlachen viel.

Patrick had zijn voeten op Diana Levens bureau gelegd terwijl zij de ballistische rapporten doornam als voorbereiding op Patricks getuigenis.

'Er waren twee jachtgeweren bij die hij nooit heeft gebruikt,' legde Patrick uit, 'en twee handvuurwapens – Glock 17's – die eigendom waren van een buurman aan de overkant. Een gepensioneerde politieman.'

Diana keek even op. 'Lekkere buurman.'

'Nou ja, je weet hoe smerissen zijn. Waarom zou je een pistool in een afgesloten kast bewaren als je het snel moet kunnen pakken? Hoe dan ook, op de school is hoofdzakelijk wapen A gebruikt. De groeven in de kogels die we hebben teruggevonden komen overeen. Met wapen B is ook gevuurd, maar daarvan hebben we geen bijpassende kogel gevonden. Wapen B lag op de vloer van de kleedkamer. Houghton had wapen A in zijn hand toen hij werd gearresteerd.'

Diana leunde achterover in haar stoel en legde haar vingertoppen tegen elkaar. 'McAfee gaat je vragen waarom Houghton wapen B überhaupt in de kleedkamer tevoorschijn zou hebben gehaald als wapen A zo goed voldeed.'

Patrick haalde zijn schouders op. 'Misschien heeft hij er Royston mee in de buik geschoten, en toen het blokkeerde is hij weer overgegaan op wapen A. Misschien is het simpeler. Misschien is met wapen B het allereerste schot in de kantine afgevuurd, en is de kogel terechtgekomen in de glaswol van de isolering. Het wapen blokkeerde, hij ging over op wapen A en stopte het andere in zijn zak. Aan het eind van de schietpartij heeft hij het op de vloer van de kleedkamer gesmeten, of het is uit zijn zak gevallen.'

Er werd geklopt. Diana's secretaresse stak haar hoofd om de deur. 'Je afspraak van twee uur is gearriveerd.'

'Dat is Drew Girard. Ik ga hem op zijn getuigenis voorbereiden. Waarom blijf je er niet bij?'

Patrick nam een andere stoel zodat Drew tegenover de aanklager kon zitten. Met een zacht klopje kwam de jongen binnen. 'Mevrouw Leven?'

Diana kwam achter haar bureau vandaan. 'Fijn dat je gekomen bent, Drew.' Ze gebaarde naar Patrick. 'Je kent rechercheur Ducharme?'

Drew knikte naar hem. Patrick nam de geperste broek in zich op, het gesteven overhemd, zijn keurige manieren. Dit was niet de stoere, arrogante ijshockeybink zoals andere leerlingen hem hadden afgeschilderd toen Patrick hen ondervroeg. Maar Drew had moeten toezien hoe zijn beste vriend werd gedood en werd zelf in zijn schouder getroffen. Over welke wereld hij ook de baas had gespeeld, die was nu verdwenen.

'Drew,' zei Diana, 'je hebt een dagvaarding ontvangen, en dat betekent dat je in de loop van de volgende week moet getuigen. Daar krijg je nog nader bericht over. Eerst wil ik een paar vragen met je doornemen die je zullen worden gesteld, en ik zal je uitleggen hoe de procedure in zijn werk gaat. Oké?'

'Ja, mevrouw.'

Patrick boog zich naar voren. 'Hoe is het met je schouder?'

'Ik krijg nog steeds fysiotherapie en zo, maar het gaat al veel beter. Alleen...' Hij zweeg even.

'Alleen wat?'

'Dit jaar mis ik het hele ijshockeyseizoen.'

'Denk je dat je op den duur wel weer kunt spelen?'

'De artsen zeggen van niet, maar ik denk van wel.' Hij aarzelde. 'Ik ga dit jaar van school af en had eigenlijk op een sportbeurs van een college gerekend.'

Er viel een ongemakkelijke stilte. 'Goed,' zei Diana. 'Drew, als we in de rechtszaal zijn, begin ik met je naam en je adres te vragen, en of je die bewuste dag op school was.'

'Oké.'

'Laten we het een beetje repeteren, goed? Wat was je eerste les toen je die ochtend op school kwam?'

Drew ging iets meer rechtop zitten. 'Amerikaanse geschiedenis.'

'En het tweede uur?'

'Engels.'

'En daarna?'

'Daarna had ik een uur vrij, en dan gaan we meestal naar de kantine.'

'Jij ook?'

'Ja.'

'Was er iemand bij je?'

'Nee, maar toen ik binnenkwam ben ik bij een stel vrienden gaan zitten.'

'Hoe lang ben je daar gebleven?'

'Ik weet niet, een halfuur misschien?'

Diana knikte. 'Is er in dat halfuur iets gebeurd?'

Drew keek naar zijn broek en trok zijn duim langs de vouw. Patrick zag dat zijn hand beefde. 'We zaten gewoon te kletsen... en ineens hoorde ik een gigantische knal.'

'Weet je uit welke richting die kwam?'

'Nee. Ik wist niet wat het was.'

'Heb je iets gezien?'

'Nee.'

'Hoe reageerde je toen je die knal hoorde?'

'Ik maakte een grapje,' zei Drew. 'Dat het onze oververhitte lunch wel zou zijn of zoiets. Radioactieve macaroni met kaas.'

'Ben je na die knal in de kantine gebleven?'

'Ja.'

'En toen?'

Drew keek naar zijn handen. 'Er klonken opnieuw knallen, het leken wel voetzoekers. Op hetzelfde moment kwam Peter de kantine binnen met een rugzak om. Hij hield een pistool in zijn hand en begon te schieten.'

Diana hield haar hand op. 'Op dat punt ga ik je even onderbreken, Drew... Als je dat in de getuigenbank zegt, zal ik je vragen naar de beklaagde te kijken en hem te identificeren. Oké?'

'Oké.'

Patrick stelde zich voor dat Josie – die deel uitmaakte van het groepje vrienden – aan een lange tafel zat toen ze die knallen hoorde, en geen idee had wat er verder zou gebeuren.

'Hoe lang kende je Peter al?' vroeg Diana.

'We zijn allebei in Sterling opgegroeid en hebben allebei op dezelfde school gezeten.'

'Waren jullie vrienden?'

Drew schudde zijn hoofd.

'Vijanden?'

'Nee,' zei hij. 'Niet echt vijanden.'

'Ooit problemen met hem gehad?'

Drew keek op. 'Nee.'

'Heb je hem ooit gepest?'

'Nee, mevrouw.'

Patrick balde zijn vuisten. Uit gesprekken met honderden leerlingen wist hij dat Drew Girard Peter Houghton in kasten had opgesloten, hem op de schooltrappen had laten struikelen, spuugballen in zijn haar had geschoten. Het was geen rechtvaardiging voor wat Peter had gedaan... maar toch. Er zat een jongen in de cel weg te rotten, tien jonge mensen lagen in hun graf, tientallen anderen waren verlamd, er waren honderden – zoals Josie – die elke dag huilbuien hadden, en er waren ouders – zoals Alex – die erop vertrouwden dat Diana recht zou laten geschieden. En dit huftertje stond er een beetje op los te liegen.

Diana keek op van haar aantekeningen en keek Drew aan. 'Dus dat ga je zeggen als je onder ede op die vraag moet antwoorden?'

Drew keek haar aan. Patrick zag dat zijn bravoure was verdwenen en dat hij doodsbang was dat ze meer wisten dan ze wilden toegeven. Diana keek even naar Patrick en liet toen haar pen op de vloer vallen. Een duidelijker uitnodiging had hij niet nodig. Hij schoot zijn stoel uit en greep Drew Girard bij de keel. 'Luister, klootzak,' zei Patrick, 'je gaat dit niet verzieken. We weten precies hoe je Peter Houghton hebt gepest. Jij was de grootste treiterkop van allemaal. Er zijn tien slachtoffers gevallen, achttien anderen zitten in een rolstoel, en talloze families in deze gemeenschap zullen de rest van hun leven verdriet hebben. Ik weet niet wat je bedoeling is – of je voor koorknaap wilt spelen om je reputatie te beschermen, of dat je bang bent om de waarheid te vertellen – maar geloof me, als jij in die getuigenbank gaat staan liegen, dan zal ik ervoor zorgen dat je in de gevangenis komt wegens belemmering van de rechtsgang.'

Hij liet Drew los en staarde uit het raam. Hij had helemaal de bevoegdheid niet om Drew voor wat dan ook te arresteren – al pleegde hij meineed – laat staan hem naar de gevangenis te sturen. Maar dat hoefde Drew niet te weten. Een beetje intimidatie kon in dit geval geen kwaad. Met een diepe zucht bukte Patrick zich om de pen op te rapen die Diana had laten vallen en gaf hem aan haar terug.

'Ik vraag het je nog een keer, Drew,' zei Diana minzaam. 'Heb je Peter Houghton ooit gepest?'

Drew keek even naar Patrick en slikte. Toen begon hij te vertellen.

'Het is geroosterde lasagne,' kondigde Alex aan toen Patrick en Josie een hap hadden genomen. 'Wat vinden jullie ervan?'

'Ik wist niet dat je lasagne kon roosteren,' zei Josie langzaam terwijl ze de pasta uit de kaas probeerde te pellen.

'Hoe gaat dat in zijn werk?' Patrick reikte naar de waterkaraf om zijn glas bij te vullen.

'Eerst was het gewone lasagne. Maar er is wat vulling uit de schaal in de oven gelekt en die begon een beetje te roken. Eerst wilde ik opnieuw beginnen, maar toen bedacht ik dat de lasagne nu een extra, houtskoolachtig aroma zou krijgen.' Ze straalde. 'Slim, hè? Ik heb in alle kookboeken gekeken, Josie, maar ik ben het nergens tegengekomen.'

'Hoe is het mogelijk,' zei Patrick, en hij kuchte in zijn servet.

'Ik begin echt plezier in koken te krijgen,' zei Alex. 'Ik vind het leuk om mijn eigen invulling aan een recept te geven.'

'Een recept is zoiets als de wet,' antwoordde Patrick. 'Misschien kun je je er beter aan houden in plaats van een misdrijf te plegen...'

'Ik heb geen trek,' zei Josie ineens. Ze duwde haar bord van zich af, stond op en rende naar boven.

'Het proces begint morgen,' zei Alex bij wijze van verklaring. Ze stond op en ging achter haar dochter aan. Josie had haar kamerdeur dichtgeslagen en de muziek zo hard gezet dat kloppen geen zin had. Alex liep naar binnen en draaide het geluid zachter.

Josie lag op haar buik op bed met het kussen over haar hoofd getrokken. 'Wil je erover praten?' vroeg Alex.

'Nee.'

Alex trok het kussen weg. 'Probeer het toch maar.'

'Ik... Jezus, mam, wat is er met me aan de hand? Het is alsof de wereld voor iedereen gewoon doordraait, behalve voor mij. Jullie zullen wel aan niets anders kunnen denken dan aan het proces, maar toch kunnen jullie nog lachen en andere dingen doen. Iedereen gaat verder met z'n leven, behalve ik.' Met betraande ogen keek Josie naar Alex op.

Alex wreef over Josies arm. 'Op een keer,' zei ze, 'toen ik nog pro-Deoadvocaat was, gaf iemand van kantoor een feestje voor alle collega's en hun gezin. Ik heb je meegenomen, al was je pas drie. Toen ik even niet oplette omdat ik naar het vuurwerk stond te kijken, was je ineens verdwenen. Ik begon te zoeken en te roepen, totdat iemand je op de bodem van het zwembad zag liggen.'

Josie ging rechtop zitten. Dit verhaal had ze nooit eerder gehoord.

'Ik ben erin gedoken, heb je er uitgehaald en je mond-op-mondbeademing gegeven, en je begon te spugen. Ik was zó bang, dat ik niets kon uitbrengen. Maar toen je bijkwam, was je woedend op me. Je zei dat je op zoek was geweest naar zeemeerminnen en dat ik je had gestoord.'

Josie trok haar knieën op tot onder haar kin. 'Echt waar?'

Alex knikte. 'Ik heb gezegd dat je me de volgende keer moest meenemen.'

'Is er een volgende keer gekomen?'

'Zeg jij het maar.' Alex aarzelde. 'Je hebt geen water nodig om het gevoel te hebben dat je verdrinkt.'

Met betraande ogen schudde Josie haar hoofd en drukte zich tegen haar moeder aan.

Het werd zijn ondergang nog, dacht Patrick. Dit was de tweede keer dat hij zo gehecht raakte aan een vrouw en haar kind dat hij bijna vergat dat hij nooit echt deel van hun leven zou uitmaken. Hij keek naar Alex' onappetijtelijke maaltijd op tafel en zette de nauwelijks aangeroerde borden op het aanrecht. De geroosterde lasagne lag als een zwarte baksteen in de ovenschaal. Hij zette alles in de gootsteen, liet de warmwaterkraan lopen en begon te schrobben.

'Jee,' zei Alex achter hem. 'Je bent echt de ideale man.'

Patrick draaide zich om. 'Integendeel.' Hij pakte een theedoek. 'Is Josie...'

'Die is weer wat bijgetrokken. Het komt wel goed. Dat moeten we ons tenminste allebei blijven voorhouden totdat het waar wordt.'

'Het spijt me, Alex.'

'Wie niet?' Ze ging schrijlings op een keukenstoel zitten en keek hem aan. 'Ik kom morgen ook naar het proces.'

'Ik had niet anders verwacht.'

'Denk je dat McAfee hem vrij kan krijgen?'

Patrick legde de theedoek op het aanrecht en hurkte voor haar stoel. 'Alex, die jongen is met een strategisch plan de school ingegaan met de bedoeling een bloedbad aan te richten. Hij begon op het parkeerterrein, waar hij een bom tot ontploffing bracht om verwarring te zaaien. Vervolgens ging hij naar de voorkant van de school waar hij een meisje heeft neergeknald. Hij liep naar de kantine, schoot een stel leerlingen neer van wie een aantal werd gedood – en ging toen zitten om godbetert een bord cornflakes te eten voordat hij weer aan het moorden sloeg. Denk je nou heus dat een jury dat door de vingers zal zien?'

'Waarom heeft Josie geluk gehad?' vroeg Alex.

'Omdat ze nog leeft.'

'Nee, ik bedoel, waarom leeft ze nog? Ze was in de kantine en in de kleedkamer. Ze heeft al die kinderen om haar heen zien sterven. Waarom heeft Peter haar niet doodgeschoten?'

'Geen idee. Er gebeuren voortdurend dingen waar ik niets van begrijp. Sommige hebben met de schietpartij te maken, en andere niet.'

Alex keek hem doordringend aan. 'Zul je eerlijk antwoord geven als ik je iets vraag?'

Hij knikte.

'Mijn lasagne was niet te vreten, hè?'

Hij glimlachte. 'Zeg je baan nog maar niet op.'

Midden in de nacht, toen Josie nog steeds niet kon slapen, glipte ze naar buiten. Ze ging op het gras in de voortuin liggen en keek naar de sterren. Hier, buiten de nauwe begrenzingen van haar slaapkamer, kon ze bijna geloven dat haar problemen nietig waren binnen het grootse plan van de kosmos.

Morgen zou Peter Houghton terechtstaan wegens tienvoudige moord. Alleen al bij de gedachte aan die laatste moord werd ze misselijk. Ze mocht het proces niet bijwonen, hoe graag ze ook wilde, omdat ze op een of andere getuigenlijst stond.

Ze haalde diep adem. Ze had eens gelezen dat Eskimo's geloofden dat sterren gaten in de hemel waren waardoor overledenen naar je konden kijken. Het zou een troostende gedachte moeten zijn, maar Josie had het altijd een beetje eng gevonden, alsof je werd bespioneerd.

Aan de andere kant, overledenen moesten aan gene zijde een ster zoeken om jou te kunnen zien, terwijl jij de overledenen kon zien wanneer je maar wilde. Je hoefde alleen maar je ogen dicht te doen.

Op de ochtend van het proces trok Lacy een zwarte rok aan, een zwarte bloes en zwarte kousen. Ze was gekleed alsof ze naar een begrafenis ging, maar misschien had deze gelegenheid er veel van weg. Ze wist niet waar Lewis was, en evenmin of hij vandaag in de rechtszaal zou zijn. Ze hadden nauwelijks nog met elkaar gesproken nadat ze hem naar het kerkhof was gevolgd. Sindsdien sliep hij in Joey's kamer. In Peters kamer kwamen ze niet meer.

Maar vanochtend dwong ze zich ertoe. Na de inval van de politie had ze Peters kamer weer een beetje op orde gebracht. Toen had ze nog gedacht dat Peter weer thuis zou komen. Nu zag de kamer er kaal uit met het computerloze bureau en de halflege boekenplanken. Ze pakte een pocket van een plank. *The Picture of Dorian Gray* van Oscar Wilde. Peter had het voor Engels moeten lezen voordat hij werd gearresteerd. Ze vroeg zich af of hij het helemaal uit had kunnen lezen.

Dorian Gray had een portret van zichzelf laten schilderen dat in de loop van de tijd oudere en kwaadaardige trekken kreeg, terwijl hijzelf een jong en onschuldig uiterlijk bleef behouden. Misschien had de stille, gereserveerde moeder die voor haar zoon moest getuigen, ook ergens een portret van zichzelf, een portret dat getekend was door schuldgevoel en verdriet. Misschien mocht de vrouw op dat schilderij huilen, schreeuwen, instorten, haar zoon bij de schouders grijpen en zeggen: *Wat heb je gedaan?*

Ze schrok op toen de deur openging. Lewis stond op de drempel in het pak dat hij alleen aantrok bij vergaderingen of promoties. Hij stond daar zonder iets te zeggen met een blauwzijden das in zijn hand.

Lacy nam de das uit zijn hand, legde die om zijn hals en strikte hem. Ze trok de knoop recht en vouwde de kraag van zijn overhemd eroverheen. Op dat moment pakte Lewis haar hand en liet die niet meer los.

Eigenlijk waren er geen woorden voor dit soort momenten – wanneer je besefte dat je je ene kind had verloren en het andere buiten je bereik was geglipt. Lewis hield nog steeds haar hand vast toen hij haar Peters kamer uit leidde. Hij deed de deur achter zich dicht.

Om zes uur in de ochtend, toen Jordan naar beneden sloop om zijn aantekeningen voor het proces door te nemen, zag hij dat de keukentafel voor één persoon gedekt was met een diep bord, een lepel en een doos Choco Krispies. Hij grijnsde. Selena moest wel heel vroeg zijn opgestaan om zijn favoriete ontbijt klaar te zetten. Hij liep naar de koelkast om melk te pakken.

Op het melkpak hing een briefje. Succes.

Net toen hij wilde gaan eten, ging de telefoon. Snel nam hij op – Selena en de baby sliepen nog. 'Hallo?'

'Pap?'

'Thomas,' zei hij. 'Wat doe jij zo vroeg op?'

'Ik eh... ben nog niet naar bed geweest.'

Jordan glimlachte. 'O heerlijke studententijd.'

'Ik wilde je even succes wensen. Het begint vandaag, hè?'

Jordan keek naar zijn bord en dacht aan de beelden in de kantine van Sterling High. Peter die ging zitten om een bord cornflakes te eten met dode leerlingen om zich heen. Jordan duwde het bord van zich af. 'Ja.'

De bewaker deed Peters cel open en gaf hem een stapel opgevouwen kleren. 'Tijd voor het bal, Assepoester,' zei hij.

Peter wachtte tot hij weg was. Hij wist dat zijn moeder de kleren voor hem had gekocht. Ze had er zelfs de prijskaartjes aan laten zitten zodat hij kon zien dat ze niet uit Joey's kast kwamen. Ze waren een beetje ballerig; hij stelde zich voor dat je dat soort dingen naar een polowedstrijd aantrok. Hij stapte uit zijn overall en trok de boxershort en de sokken aan. Hij ging op bed zitten om de broek aan te trekken, die een beetje te strak om het middel zat. Hij knoopte het overhemd dicht, maar moest het opnieuw doen omdat hij een knoopje had overgeslagen. Hij wist niet hoe hij de das moest strikken. Hij rolde hem op en stopte hem in zijn zak. Daar moest Jordan hem maar bij helpen.

Er was geen spiegel in de cel, maar hij wist dat hij er nu heel gewoon uitzag. Als je hem vanuit de gevangenis opstraalde naar een drukke straat in New York of naar de tribune van een footballwedstrijd zou niemand naar hem omkijken.

Hij wilde net de cel verlaten toen hij besefte dat hij geen kogelvrij vest had gekregen zoals bij de tenlastelegging. De reden daarvoor was waarschijnlijk niet dat ze hem minder waren gaan haten. De bewakingsdienst zou het wel gewoon zijn vergeten. Hij wilde het tegen de bewaker zeggen, maar bedacht zich.

Misschien had hij voor het eerst in zijn leven een beetje geluk.

Alex kleedde zich alsof ze naar haar werk ging. Ze vroeg zich af hoe het zou zijn om als burger in de rechtszaal te zitten.

Ze wist dat het haar zwaar zou vallen te luisteren naar alles wat er werd gezegd en opnieuw te beseffen dat het een wonder was dat Josie het had overleefd. Ze luisterde niet alleen omdat het haar werk was. Op een dag zou Josie zich alles weer herinneren, en dan had ze iemand nodig die haar overeind hield. Vooral daarom moest ze luisteren.

Ze liep de trap af naar de keuken. Josie zat aan de keukentafel in een rok en een bloes. 'Ik ga mee,' kondigde Josie aan.

Het was een déjà vu – exact hetzelfde was gebeurd op de dag van Peters tenlastelegging. Maar dat leek nu heel lang geleden, en Josie en zij waren toen heel andere mensen geweest. Ze stond op de getuigenlijst, maar ze had geen dagvaarding ontvangen, wat betekende dat ze tijdens het proces niet in het gerechtsgebouw hoefde te zijn.

'Ik weet dat ik de rechtszaal niet in mag, maar Patrick wordt toch ook in afzondering gehouden?'

De laatste keer dat Josie naar de rechtbank had gewild, had Alex het haar botweg verboden. Maar nu ging ze tegenover haar dochter zitten. 'Heb je wel enig idee wat het inhoudt? Er zijn overal camera's. En kinderen in een rolstoel. En woedende ouders. En Peter.'

Josie sloeg haar ogen neer. 'Je probeert me opnieuw tegen te houden.'

'Nee, ik probeer je verdriet te besparen.'

'Ik heb het overleefd. Daarom moet ik er heen.'

Vijf maanden eerder had Alex de beslissing voor haar dochter genomen. Nu verdiende Josie het voor zichzelf te spreken. 'Dan zie ik je in de auto,' zei ze kalm. Ze hield zich groot totdat Josie de keuken uit liep. Toen rende ze naar de badkamer om over te geven.

Ze was bang dat als Josie de schietpartij opnieuw moest beleven, al was het van een afstand, ze een enorme terugslag zou krijgen, en zijzelf machteloos zou staan.

Ze legde haar voorhoofd tegen het koele porselein van de badkuip. Toen stond ze op, poetste haar tanden, en plensde koud water in haar gezicht. Ze haastte zich naar de auto, waar Josie al op haar zat te wachten.

Omdat de oppas te laat was, moesten Jordan en Selena het gedrang op de trappen voor het gerechtsgebouw trotseren. Selena had erop gerekend, maar was toch niet helemaal voorbereid op de hordes verslaggevers, televisiewagens, en toeschouwers die hun camera ophielden om kiekjes van het spektakel te maken.

De overgrote meerderheid van de belangstellenden kwam uit Sterling, en voor hen was Jordan vandaag de grote boosdoener.

'Hoe kun je 's nachts nog slapen?' schreeuwde een vrouw toen Jordan langs haar heen de trap op rende. Iemand anders hield een bord op met de tekst: *In New Hampshire bestaat de doodstraf nog*.

'Tjonge jonge,' mompelde Jordan. 'Dat kan nog leuk worden.'

'Maak je geen zorgen,' zei Selena.

Jordan bleef staan. Er stond een man op de trap met een bord waarop twee uitvergrote foto's waren geplakt, een van een meisje, en een van een mooie vrouw. Kaitlyn Harvey, dacht Selena, die het gezicht herkende, en haar moeder. Erboven stond: NEGENTIEN MINUTEN.

Jordan ontmoette de blik van de man. Selena wist wat hij dacht – dat hij dit kon zijn, dat hij net zo veel te verliezen had. 'Het spijt me,' mompelde Jordan. Selena stak haar arm door de zijne en trok hem verder mee de trappen op.

Hier stond een heel andere menigte. Ze droegen knalgele T-shirts met de letters GSA erop gedrukt en scandeerden: *'Peter, je bent niet alleen. Peter, je bent niet alleen.'*

Jordan keek haar aan. 'Wat krijgen we nou?'

'De Gepeste Slachtoffers van Amerika.'

'Is dit een geintje?' zei hij. 'Bestaan die echt?'

'Reken maar,' zei Selena.

Voor het eerst die dag begon Jordan te glimlachen. 'En die heb jij voor ons gevonden?'

Selena kneep zachtjes in zijn arm. 'Bedank me later maar.'

Zijn cliënt zag eruit alsof hij elk moment kon flauwvallen. Jordan knikte naar de hulpsheriff die hem de beklaagdencel van het gerechtsgebouw binnenbracht en ging zitten.

'Diep ademhalen,' commandeerde hij.

Peter zuchtte diep. Hij trilde over zijn hele lijf. Jordan had het verwacht, hij had het bij iedere beklaagde gezien vlak voordat het proces begon. Zelfs de meest gewetenloze crimineel raakte in paniek wanneer hij besefte dat zijn leven van deze dag afhing. 'Ik heb iets voor je,' zei Jordan, terwijl hij een bril uit zijn zak trok.

Hij had een schildpadmontuur en glazen die even dik waren als flessenbodems. 'Ik heb geen nieuwe nodig,' zei Peter.

'Zet hem toch maar op.'

'Waarom?'

'Je moet eruitzien als iemand die zo slecht ziet dat hij van z'n leven nooit tien mensen kan hebben neergeschoten.'

Peter klemde zijn hand om de stalen rand van de bank. 'Jordan? Wat gaat er met me gebeuren?'

Er waren cliënten tegen wie je moest liegen om ze door het proces heen te loodsen. Maar Jordan vond dat Peter beter de waarheid kon horen. 'Ik weet het niet. Er is veel bewijslast tegen je. De kans dat je wordt vrijgesproken is klein, maar ik ga alles voor je doen wat in mijn vermogen ligt, oké?' Peter knikte. 'Het belangrijkste is dat je kalm blijft. En probeer er een beetje zielig uit te zien.'

Met een vertrokken gezicht boog Peter zijn hoofd. *Precies, zo ja*, dacht Jordan, en zag toen dat hij huilde.

Hij liep naar de voorkant van de cel. Ook zo'n inzinking had hij als advocaat al talloze keren meegemaakt. Meestal trok hij zich dan terug om zijn cliënt wat privacy te gunnen. Hij hoorde Peter achter zich snikken, en in dat droeve lied was een klank die hem diep beroerde. Voor hij zich kon bedenken draaide hij zich om en ging weer op de bank zitten. Hij sloeg zijn arm om Peter heen, en voelde hoe de jongen zich ontspande. 'Het komt heus wel in orde,' zei hij, en hij hoopte dat hij de waarheid sprak.

Diana Leven keek om zich heen naar de stampvolle tribune, en vroeg toen een gerechtsbode het licht uit te doen. Ze drukte een toets op haar laptop in en begon aan haar PowerPoint-presentatie.

Het scherm naast rechter Wagner werd gevuld met een foto van Sterling High School. De hemel op de achtergrond was blauw met wat schapenwolkjes. Een vlag wapperde in de wind. Op het voorplein stonden drie schoolbussen achter elkaar.

Het was doodstil in de rechtszaal geworden.

O, god, dacht Jordan, *en dit moet ik minstens drie weken uitzitten.*

'Zo zag Sterling High eruit op 6 maart 2007. Het was tien voor acht in de ochtend en de school was net begonnen. Courtney Ignatio zat in de scheikundeles. Whit Obermeyer stond in het hoofdkantoor voor een pasje omdat hij te laat was wegens autopech. Grace Murtaugh kwam net het kantoor van de verpleegkundige dienst uit waar ze iets tegen hoofdpijn had gekregen. Matt Royston en Drew Girard, zijn beste vriend, hadden geschiedenisles. Ed McCabe, de wiskundeleraar, was huiswerk op het schoolbord aan het schrijven. Voor al deze mensen en alle andere leden van de gemeenschap van Sterling High School was het het begin van een heel gewone dag.'

Diana klikte een knop aan, en er verscheen een nieuwe foto. Ed McCabe lag op de vloer. Zijn ingewanden gutsten uit de gapende wond in zijn buik die een snikkende leerling met beide handen probeerde dicht te drukken. 'Zo zag Sterling High School eruit om negentien minuten over tien op de zesde maart 2007. Ed McCabe zou zijn leerlingen nooit meer huiswerk kunnen opgeven, omdat Peter Houghton, een zeventienjarige leerling van Sterling High School, zijn lokaal binnenstormde met een rugzak waarin zich vier wapens bevonden – twee jachtgeweren met afgezaagde loop, en twee volledig geladen halfautomatische 9-millimeter pistolen.'

Jordan voelde een ruk aan zijn mouw. 'Jordan,' fluisterde Peter. 'Niet nu.'

'Maar ik moet overgeven...'

'Even goed slikken.'

Diana schakelde terug naar het vorige beeld van Sterling High. 'Zoals ik al zei, niemand van Sterling High had ook maar het geringste vermoeden dat dit geen normale schooldag zou worden. Maar één persoon wist dat deze dag anders zou zijn.' Ze liep naar de tafel van de verdediging en wees naar Peter, die naar zijn knieën staarde. 'Op de ochtend van 6 maart 2007 vulde Peter Houghton zijn rugzak met vier vuurwapens en een zelfgemaakte bom, plus genoeg munitie om honderdachtennegentig mensen te doden. Uit de bewijslast blijkt dat toen hij op school arriveerde, hij de bom in de auto van Matt Royston heeft gelegd om de aandacht van zichzelf af te leiden. Toen de bom explodeerde, liep hij de trap op aan de voorkant van de school en schoot Zoe Patterson neer. Vervolgens schoot hij in de gang op Alyssa Carr. Hij liep door naar de kantine en schoot op Angela Phlug, Maddie Shaw en Courtney Ignatio. Terwijl leerlingen wegrenden, schoot hij op Haley Weaver en Brady Price, op Natalie Zlenko, Emma Alexis, Jada Knight en Richard Hicks. En weet u wat Peter Houghton vervolgens deed, terwijl de slachtoffers om hem heen lagen te kreunen of te sterven? Hij ging in de kantine aan een tafel zitten en at een bord Rice Krispies.'

Diana liet die woorden even bezinken. 'Na het eten pakte hij zijn pistool op, liep de kantine uit en schoot in de gang op Jared Weiner, Whit Obermeyer en Grace Murtaugh, en ook op Lucia Ritolli, een lerares Frans die haar leerlingen in veiligheid probeerde te brengen. Hij ging het herentoilet in en schoot op Steven Babourias, Min Horuka en Topher McPhee. Toen ging hij het damestoilet in en schoot op Kaitlyn Harvey. Hij liep de trap op en schoot op Ed McCabe, de wiskundeleraar, op John Eberhard en Trey MacKenzie, voordat hij bij de gymzaal arriveerde en vuurde op Austin Prokiov, coach Dusty Spears, Noah James, Justin Friedman en Drew Girard. Ten slotte, in de kleedkamer, schoot de beklaagde twee keer op Matthew Royston – een keer in de maag en een keer in het hoofd. Die naam herinnert u zich misschien nog. Matthew Royston was de eigenaar van de auto waarin Peter Hougthon zijn bom tot ontploffing had gebracht voordat hij aan zijn slachtpartij begon.'

Diana keek naar de jury. 'Dit bloedbad heeft Peter Hougthon slechts negentien minuten van zijn leven gekost, maar de gevolgen zullen eeuwigdurend zijn, zoals de bewijslast zal aantonen. En er is een overvloed aan bewijslast. Aan het eind van dit proces zult u er zonder enige twijfel van overtuigd zijn dat Peter Houghton doelbewust en met voorbedachten rade op Sterling High School tien mensen heeft gedood en gepoogd heeft negentien anderen om het leven te brengen.'

Ze liep naar Peter toe.

'In negentien minuten kun je de voortuin maaien, je haar verven, of een derde deel van een ijshockeywedstrijd bekijken. In negentien minuten kun je scones bakken, bij de tandarts een kies laten vullen, of de was opvouwen voor een familie van vijf. Maar ook, zoals Peter Houghton weet, kun je binnen negentien minuten de wereld tot stilstand brengen.'

Jordan liep met de handen in de zakken naar de jury toe. 'Mevrouw Leven heeft u verteld dat op de ochtend van 6 maart 2007 Peter Houghton met geladen wapens in zijn rugzak Sterling High School inliep, en veel mensen heeft neergeschoten. Dat is allemaal waar. Daarvan zal het bewijs geleverd worden, en dat zullen we niet betwisten. Het is een tragedie voor zowel de overledenen als degenen die ermee moeten leren leven. Maar er is iets wat mevrouw Leven u *niet* heeft verteld. Toen Peter die ochtend Sterling High School binnenliep, had hij niet de intentie om massamoordenaar te worden. Hij ging naar binnen met het plan zichzelf te verdedigen tegen de vernederingen die hij twaalf jaar achter elkaar had moeten verduren.

Op Peters eerste schooldag,' vervolgde Jordan, 'zette zijn moeder hem op de bus met een spiksplinternieuw Superman-lunchtrommeltje. Aan het eind van de rit was dat trommeltje uit het raam gegooid. Nu zijn we allemaal wel eens gepest toen we klein waren, en de meesten van ons zijn er wel overheen gekomen.

438

Maar in het leven van Peter Houghton was het eerder regel dan uitzondering. Vanaf die eerste schooldag werd hij dagelijks bestookt met scheldpartijen, dreigementen en pesterijen. Hij werd in kasten opgesloten. Hij werd met zijn hoofd in de toiletpot gedrukt. Hij werd geslagen, gestompt en geschopt. Een persoonlijke e-mail van hem werd over de hele school verspreid. In de kantine werd ten overstaan van andere leerlingen zijn broek naar beneden getrokken. Wat hij ook deed, hoe klein hij zich ook maakte, hoe onopvallend hij zich ook gedroeg, Peters werkelijkheid was een wereld waar hij altijd het slachtoffer was. En als gevolg daarvan begon hij een alternatieve wereld te creëren. Hij maakte zijn eigen website, ontwierp videospelletjes, en bevolkte die met het soort mensen met wie hij graag was omgegaan.'

Jordan liet zijn hand over de jurybank glijden. 'Een van de getuigen die u zult horen is doctor King Wah, een forensisch psychiater die Peter heeft onderzocht. Hij zal u uitleggen dat Peter leed aan een ziekte die posttraumatische stressstoornis wordt genoemd. Het is een gecompliceerde medische diagnose, maar wel een reële. Kinderen die eraan lijden kunnen geen onderscheid maken tussen een directe bedreiging en een indirecte bedreiging. U en ik kunnen door de gang lopen en een bullebak herkennen die geen aandacht aan ons schenkt, maar als Peter hem zou zien, zou zijn hart gaan bonken... hij zou dichter tegen de muur kruipen... Want Peter was ervan overtuigd dat hij opgemerkt, bedreigd, geslagen en vernederd zou worden. Doctor Wah zal niet alleen vertellen over de onderzoeken die naar kinderen als Peter zijn gedaan, hij zal u ook vertellen wat voor invloed al die jaren van kwellingen binnen de gemeenschap van Sterling High School op hem hebben gehad.'

Jordan keek de juryleden aan. 'Weet u nog dat we eerder deze week hebben besproken of u geschikt zou zijn om deze zaak te jureren? Ik heb u een voor een gevraagd of u begreep dat u naar de getuigenverklaringen moest luisteren en de wet toe moest passen zoals de rechter die oplegt. Hoeveel we ook hebben opgestoken van maatschappijleer op school of van *Law & Order* op televisie, voordat u alle getuigenverklaringen en de instructies van het hof hebt gehoord, weet u niet wat deze regels werkelijk zijn.'

Hij hield de blik van elke gezworene even vast. 'Een voorbeeld. Bij de term "zelfverdediging" denken veel mensen aan een directe fysieke bedreiging van een vuurwapen of een mes op de keel. Maar in deze zaak is zelfverdediging misschien iets anders dan u denkt. En wij, dames en heren, zullen het bewijs leveren dat de jongen die Sterling High inliep en al die schoten afvuurde geen koelbloedige moordenaar is, zoals de openbaar aanklager u wil laten geloven.' Jordan ging achter de tafel van de verdediging staan en legde zijn handen op Peters schouders. 'Het was een heel bange jongen die om bescherming had gevraagd... en nooit had gekregen.'

Zoe Patterson zat steeds op haar nagels te bijten, al had haar moeder gezegd het te laten en al waren er talloze ogen en televisiecamera's op haar gericht terwijl ze in de getuigenbank zat.

'Wat kreeg je na Frans?' vroeg de aanklager.

'Wiskunde, van meneer McCabe.'

'Ben je naar het lokaal gegaan?'

'Ja.'

'Hoe laat begon de wiskundeles?'

'Om tien over half tien,' zei Zoe.

'Heb je Peter Houghton voor die tijd gezien?'

Onwillekeurig keek ze even naar Peter, die aan de verdedigingstafel zat. Ze had hem helemaal niet gekend. En zelfs nu, nadat hij op haar had geschoten, zou ze hem op straat waarschijnlijk niet eens hebben herkend.

'Nee.'

'Ben je het hele uur gebleven?'

'Nee,' zei Zoe. 'Om kwart over tien moest ik bij de orthodontist zijn, dus ben ik even voor tienen weggegaan. Mijn moeder zou me komen afhalen.'

'Waar had je met haar afgesproken?'

'Ze zou me oppikken bij de trappen voor de school.'

'Heb je je afgemeld?'

'Ja.'

'Ben je naar de voorkant van de school gegaan?'

'Ja.'

'Waren daar nog anderen?'

'Nee.'

De aanklager liet haar een grote luchtfoto van de school en het parkeerterrein zien. 'Kun je aanwijzen waar je precies stond?' Zoe wees. 'De getuige wijst naar de voortrap van Sterling High,' zei mevrouw Leven. 'Wat gebeurde er terwijl je op je moeder stond te wachten?'

'Ik hoorde een enorme knal.'

'Weet je waar die vandaan kwam?'

'Ergens achter de school vandaan,' zei Zoe, en ze keek even naar de grote poster alsof hij elk moment kon exploderen.

'Wat gebeurde er daarna?'

Zoe wreef over haar been. 'Hij... kwam van de zijkant van de school en begon de trappen op te lopen...'

'Met "hij" bedoel je de beklaagde? Peter Houghton?'

Zoe knikte. 'Hij kwam de trappen op en ik keek naar hem en hij...' Ze slikte. 'Hij richtte een pistool op me en schoot.' Ze knipperde met haar ogen om haar tranen terug te dringen.

'Waar richtte hij op, Zoe?' vroeg de aanklager zacht.

'Op mijn been.'

'Heeft Peter iets gezegd voordat hij je neerschoot?'

'Nee.'

'Wist je op dat moment wie hij was?'

Zoe schudde haar hoofd. 'Nee.'

'Herkende je hem van gezicht?'

'Ja, van school en zo...'

Mevrouw Leven ging met haar rug naar de jury staan en gaf Zoe een knipoog, waardoor ze zich wat beter voelde. 'Wat voor wapen was het, Zoe? Was het een klein pistool dat hij met één hand kon vasthouden, of was het een geweer dat hij met beide handen moest vasthouden?'

'Een klein pistool.'

'Hoe vaak heeft hij geschoten?'

'Eén keer.'

'Heeft hij iets gezegd nadat hij had geschoten?'

'Dat weet ik niet meer,' zei Zoe.

'Wat heb je daarna gedaan?'

'Ik wilde wegvluchten, maar het was alsof mijn been in brand stond. Ik zakte in elkaar en viel de trap af, en toen kon ik mijn arm ook niet meer bewegen.'

'Wat deed de beklaagde?'

'Hij liep de school in.'

'Heb je gezien welke kant hij uitging?'

'Nee.'

'Hoe is het nu met je been?' vroeg de aanklager.

'Ik heb nog steeds een stok nodig,' zei Zoe. 'En er is infectie ontstaan, want door de kogel zijn er vezels van mijn spijkerbroek in mijn been gekomen. De pees is aan het littekenweefsel gehecht, en het doet nog steeds veel pijn. De artsen weten nog niet of ze opnieuw zullen opereren, want dat richt misschien alleen maar meer schade aan.'

'Zoe, zat je afgelopen jaar bij een sportteam?'

'Ik zat op voetballen,' zei ze, en ze keek naar haar been. 'Vandaag beginnen ze te trainen voor het nieuwe seizoen.'

Mevrouw Leven richtte zich tot de rechter. 'Verder geen vragen,' zei ze. 'Zoe, misschien wil meneer McAfee nog even met je praten.'

De andere advocaat stond op. Zoe was nerveus geworden. Ze had dan wel met de aanklager gerepeteerd, ze had geen idee wat Peters advocaat haar ging vragen.

'Was Peter op ongeveer een meter afstand toen hij het pistool op je richtte?' vroeg de advocaat.

'Ja.'

'Maar hij rende niet op je af?'

'Nee.'

'Hij rende wel de trap op?'

'Ja.'

'En jij stond op de trap te wachten?'

'Ja.'

'Zouden we mogen zeggen dat je op de verkeerde tijd op de verkeerde plaats was?'

'Protest,' zei mevrouw Leven.

De rechter – een zware man met een dikke bos wit haar voor wie Zoe een beetje bang was – schudde zijn hoofd. 'Afgewezen.'

'Verder geen vragen,' zei de advocaat. Mevrouw Leven stond weer op. 'Wat heb je gedaan toen Peter naar binnen ging?' vroeg ze.

'Ik ben om hulp gaan schreeuwen.' Zoe zocht op de tribune de ogen van haar moeder. 'Eerst kwam er niemand,' mompelde ze. 'En toen ineens... waren ze er allemaal.'

Michael Beach had Zoe Patterson de zaal uit zien gaan waar de getuigen in afzondering werden gehouden. Het was een vreemde verzameling – van losers als hijzelf, tot populaire jongens als Brady Price. Ze zaten allemaal naast elkaar aan de lange vergadertafel. Emma Alexis – een van de mooiste meisjes van de school – was nu vanaf het middel verlamd. Ze was in haar rolstoel naar hem toe gereden en had gevraagd of ze de helft van zijn geglaceerde donut mocht hebben.

'Wat deed Peter toen hij de gymzaal binnenkwam?' vroeg de aanklager.

'Hij zwaaide met een vuurwapen,' zei Michael.

'Kon je zien wat voor vuurwapen het was?'

'Nou ja, het was klein.'

'Een handvuurwapen?'

'Ja.'

'Heeft hij iets gezegd?'

Michael keek even naar de tafel van de verdediging. 'Hij zei: "Jullie zijn allemaal klootzakken."'

'Wat gebeurde er toen?'

'Een jongen rende op hem af alsof hij hem wilde aanvliegen.'

'Wie was dat?'

'Noah James. Hij is... was... laatstejaars. Peter schoot op hem en hij zakte in elkaar.'

'En vervolgens?' vroeg de aanklager.

Michael haalde diep adem. 'Peter zei: "Wie volgt?" En mijn vriend Justin pakte me beet en trok me mee naar de deur.'

'Hoe lang waren jij en Justin bevriend?'

'Sinds de derde klas,' zei Michael.

'En toen?'

'Peter draaide zich om en begon op ons te schieten.'

'Heeft hij je geraakt?'

Michael schudde zijn hoofd en perste zijn lippen op elkaar.

'Michael,' zei de aanklager zacht, 'wie heeft hij wel geraakt?'

'Justin ging voor me staan toen het schieten begon. En toen... viel hij neer. Er was overal bloed en ik probeerde het tegen te houden door op zijn maag te drukken. Ik had geen aandacht meer voor wat er om me heen gebeurde, ik dacht alleen nog maar aan Justin. Toen voelde ik ineens een pistool tegen mijn hoofd.'

'Wat gebeurde er?'

'Ik sloot mijn ogen,' zei Michael. 'Ik dacht dat hij me ging vermoorden.'

'En toen?'

'Ik hoorde iets, en toen ik mijn ogen opendeed zag ik dat hij dat ding met kogels eruit haalde en er een ander induwde.'

De aanklager liep naar een tafel en hield een patroonhouder op. Michael begon te beven. 'Dit bedoel je?'

'Ja.'

'Wat gebeurde er daarna?'

'Hij heeft niet op me geschoten,' zei Michael. 'Een paar jongens renden de gymzaal door en hij volgde ze de kleedkamer in.'

'En Justin?'

'Ik keek naar hem,' fluisterde Michael. 'Ik keek naar zijn gezicht toen hij stierf.' Het was het eerste wat hij zag als hij 's ochtends wakker werd en het laatste voordat hij 's avonds in slaap viel: dat moment waarop de glans uit Justins ogen verdween. Het leven gleed niet geleidelijk uit iemand weg. Het ging heel snel, alsof iemand het luik voor een raam dichttrok.

De aanklager kwam dichterbij. 'Gaat het een beetje, Michael?'

Hij knikte.

'Waren Justin en jij goed in sport?'

'Absoluut niet.'

'Maakten jullie deel uit van de populaire kliek?'

'Nee.'

'Heeft iemand op school jou en Justin weleens gepest?'

Voor het eerst keek Michael naar Peter Houghton. 'Wie niet?'

Terwijl Lacy haar beurt afwachtte om in de getuigenbank plaats te nemen, dacht ze terug aan die keer dat ze voor het eerst besefte dat je je eigen kind kon haten.

Lewis zou een vooraanstaand econoom uit Londen mee naar huis nemen voor het avondeten. Lacy had die dag vrijgenomen om het huis schoon te maken. Ze mocht dan een bekwame vroedvrouw zijn, het betekende ook dat de wc's niet regelmatig werden geboend en dat er stofwolken onder de meubels lagen. Meestal kon het haar weinig schelen. Liever een huis waarin geleefd werd dan zo'n steriele bedoening. Maar als er bezoek kwam, dan kreeg haar trots de overhand. Die ochtend was ze vroeg opgestaan, had ontbijt klaargemaakt, en ze had de woonkamer al gestoft toen Peter – die toen nog in de tweede klas zat – nijdig aan de keukentafel ging zitten. 'Ik heb geen schoon ondergoed meer,' snauwde hij, al hadden ze afgesproken dat als zijn wasmand vol was, hij zijn eigen was zou doen. Meer hoefde hij in huis niet te doen, en het leek haar geen onredelijk verzoek. Lacy had gezegd dat hij ondergoed van zijn vader kon lenen, maar dat vond Peter een weerzinwekkend idee. Ze besloot dat hij het verder zelf maar moest uitzoeken. Ze had wel wat anders aan haar hoofd.

Meestal liet ze de zwijnenstal in Peters kamer voor wat hij was, maar nu zag ze de wasmand staan. Ach, ze was nu toch thuis, ze zou die was wel voor hem doen. Toen Peter die middag van school thuiskwam, had Lacy niet alleen gestofzuigd, de vloeren geboend, een viergangenmaaltijd bereid en de keuken schoongemaakt – ze had ook Peters was gedaan, gestreken en gevouwen, en de vele stapels op zijn bed gelegd. Hij hoefde alles alleen nog maar op te bergen.

Peter kwam nors en humeurig binnen en rende zoals altjd meteen door naar zijn kamer en zijn computer. Terwijl Lacy, die de wc-pot aan het schrobben was, wachtte tot hij haar zou bedanken als hij zag wat ze voor hem had gedaan, hoorde ze hem roepen: 'Jezus! Moet ik dat allemaal opruimen?' Toen smeet hij de deur van zijn slaapkamer dicht.

Ineens kreeg ze een waas voor haar ogen. Ze had haar zoon, die gruwelijk verwende zoon van haar, een plezier gedaan, en dit was haar dank? Ze trok de rubberhandschoenen uit, stampte de trap op naar Peters kamer en stormde naar binnen. 'Wat is je probleem?'

'Wat is jouw probleem? Moet je die rotzooi zien.'

Er knapte iets in Lacy. 'Rotzooi?' herhaalde ze. 'Ik heb je rotzooi juist opgeruimd. Wil je rotzooi?' Ze liep voor hem langs en veegde de stapels keurig opgevouwen T-shirts en boxershorts op de vloer. Ze pakte de broek van het bed en smeet die naar de computer, zodat zijn cd-romtoren omviel en de zilverkleurige schijfjes alle kanten uit vlogen.

'Ik haat je!' schreeuwde Peter, en direct schreeuwde Lacy terug: 'Ik haat jou ook!'

Ze liep Peters kamer uit en smeet de deur achter zich dicht. Bijna onmiddellijk barstte ze in tranen uit. Ze had het niet gemeend – natuurlijk niet. Ze hield van Peter. Ze had het alleen gezegd omdat ze zo kwaad was. Ze klopte op zijn deur, maar er kwam geen reactie. 'Peter,' zei ze, 'het spijt me. Ik meende het niet zo.' Ze hield haar oor tegen de deur, maar hoorde niets.

Ze was naar beneden gegaan. Die avond aan tafel had ze zich als een zombie gevoeld terwijl ze beleefde gesprekken voerde met de econoom zonder dat er iets tot haar doordrong. Peter was op zijn kamer gebleven. De volgende ochtend, toen ze hem wakker ging maken, was zijn kamer verlaten... en vlekkeloos. De kleren waren opnieuw opgevouwen en in lades en kasten opgeborgen. Het bed was opgemaakt, en de cd's lagen weer in hun toren.

Peter zat aan de keukentafel een bord cornflakes te eten. Hij keek haar niet aan toen ze binnenkwam, en zij keek hem niet aan. Ze schonk een glas vruchtensap voor hem in en zette het op tafel. Hij bedankte haar.

Het incident was niet meer ter sprake gekomen, en Lacy had zichzelf bezworen haar zoon nooit meer te haten, hoe zelfzuchtig en onuitstaanbaar hij zich ook gedroeg.

Maar terwijl de slachtoffers van Sterling High in de rechtszaal hun verhaal vertelden, hoopte Lacy dat ze haar belofte kon waarmaken.

Eerst herkende Peter het meisje niet dat door een verpleegster naar de getuigenbank werd geleid – een meisje met haar hoofd in het verband en met een gezicht dat scheef was getrokken door littekenweefsel.

'Hoe heet je?' vroeg de aanklager.

'Haley,' zei het meisje zacht. 'Haley Weaver.'

'En je was laatstejaars op Sterling High?'

Het roze litteken op haar slaap werd donkerder. 'Ja,' zei ze. Ze sloot haar ogen en er gleed een traan over haar ingevallen wangen. 'Ik was *homecoming queen*.' Ze boog haar hoofd en wiegde licht heen en weer terwijl ze huilde.

Peter voelde een pijn in zijn borst alsof hij elk moment kon exploderen. Misschien zou hij ter plekke dood neervallen, dan hoefde niemand dit nog langer door te maken. Hij durfde niet op te kijken, want dan zou hij Haley Weaver weer moeten zien.

Toen hij als kleine jongen in de slaapkamer van zijn ouders een balletje trapte, had hij een antiek parfumflesje omver gekeild dat van zijn overgrootmoeder was geweest. Het was aan scherven op de vloer gevallen. Zijn moeder zei dat ze wist dat het een ongelukje was geweest en had de scherven weer aan elkaar gelijmd.

Ze had het weer op haar toilettafel gezet, en elke keer dat hij erlangs kwam zag hij de breuklijnen. Jarenlang had hij die aanblik als een straf ervaren.

'Ik las een korte pauze in,' zei rechter Wagner. Peter legde zijn hoofd op tafel alsof de last te zwaar voor hem werd.

De getuigen voor de verdediging en de getuigen voor het OM zaten in afzonderlijke ruimtes. Het was niet de bedoeling dat ze elkaar zagen, maar niemand die er wat van zei als je naar de kantine ging voor een kop koffie of een donut. Daar had Josie Haley zien zitten. Ze dronk sinaasappelsap met een rietje terwijl Brady haar beker vasthield. Ze waren blij haar weer te zien, maar Josie was opgelucht toen ze weggingen. Het deed haar fysiek pijn Haley glimlachend te moeten aankijken en te doen alsof ze haar verminkte gezicht niet zag. Ze had verteld dat ze al drie keer was geopereerd door een plastisch chirurg in New York. Hij had zijn diensten gratis aangeboden.

Brady had haar hand niet losgelaten. Soms streelde hij haar haar. Josie had wel kunnen huilen, want wat hij zag als hij haar aankeek, zou een ander nooit meer kunnen zien.

Ze keek op toen Drew zich in de stoel tegenover haar liet zakken. 'Waarom zit je niet bij ons in de zaal?'

'Ik sta op de lijst van de verdediging.' Of, zoals de andere leerlingen wel zouden denken, aan de kant van de verraders.

'O,' zei Drew, alsof hij het begreep, hoewel Josie het betwijfelde. 'Ben je er klaar voor?'

'Ik hoef er niet klaar voor te zijn, want ik zal niet worden opgeroepen.'

'Waarom ben je dan hier?'

Voordat ze kon antwoorden, begon Drew te wuiven, en zag ze dat John Eberhard was binnengekomen. 'Hé, makker,' zei Drew, toen John op hen afkwam. Hij liep mank, zag ze, maar hij kon in elk geval weer lopen. Toen hij vooroverboog voor een high-five met Drew zag ze de plooi in zijn schedel waar de kogel was binnengedrongen.

'Waar heb je uitgehangen?' vroeg Drew, terwijl hij een stoel voor John bijtrok. 'Ik heb je de hele zomer niet gezien.'

John knikte hen toe. 'Ik ben... John.'

Drews glimlach verdween.

'Dit... is...'

'Dit is goddomme niet te geloven,' mompelde Drew.

'Hij kan je horen,' snauwde Josie. 'Hoi, John. Ik ben Josie.'

'Jooooz.'

'Ja, Josie.'

'Ik ben... John.'

John Eberhard was doelman van het staatsijshockeyteam geweest en de coach had altijd zijn reflexen geroemd.

'*Schoenn*,' zei hij, en hij bewoog zijn voet.

Josie zag dat de hechtstrip van Johns sneaker was losgeraakt. 'Zo beter?' zei ze, toen ze hem had vastgemaakt.

Ineens kon ze het niet langer aanzien. 'Ik moet terug,' zei ze, en ze stond op. Terwijl ze verblind van tranen de gang inliep, botste ze tegen iemand op. 'Sorry,' mompelde ze.

'Josie? Alles oké?' hoorde ze Patrick zeggen.

Ze haalde haar schouders op en schudde haar hoofd.

'Hier is er nog een.'

Patrick hield een kop koffie en een donut in zijn handen. 'Ik weet het, ik ben een wandelend cliché.' Hij hield haar de donut voor en ze pakte hem aan, al had ze geen trek. 'Kom je net binnen of ga je weg?'

'Ik kom net binnen,' loog ze voor ze het besefte.

'Hou me dan een paar minuten gezelschap.' Hij bracht haar naar een tafeltje uit de buurt van Drew en John. 'Dat wachten is nog het ergst,' zei Patrick.

'Je bent tenminste niet zenuwachtig dat je moet getuigen.'

'Nou en of ik dat ben.'

'Maar je hebt het toch al zo vaak gedaan?'

Patrick knikte. 'Daardoor wordt het er niet makkelijker op om voor een zaal vol mensen te staan. Ik begrijp niet hoe je moeder het voor elkaar krijgt.'

'Wat doe je om van je plankenkoorts af te komen? Probeer je je de rechter in z'n ondergoed voor te stellen?'

'Deze rechter in elk geval niet,' zei Patrick, en bloosde toen hij besefte wat hij net had gesuggereerd.

'Daar kan ik inkomen,' zei Josie.

Patrick nam een hap uit de donut en gaf hem aan haar terug. 'Ik probeer mezelf voor te houden dat me niets kan overkomen zolang ik de waarheid zeg. Daarna laat ik het aan Diana over.' Hij nam een slok koffie. 'Kan ik iets te eten of te drinken voor je halen?'

'Nee, dank je.'

'Dan breng ik je terug.'

De ruimte voor de getuigen van de verdediging was klein omdat ze maar met zo weinigen waren. Een Aziatische man die Josie nooit eerder had gezien zat met zijn rug naar haar toe op zijn laptop te werken. Er zat een vrouw aan tafel die er niet was geweest toen Josie naar de kantine ging, maar ze kon haar gezicht niet zien.

Patrick bleef bij de deur staan.

'Hoe gaat het in de rechtszaal?'

Hij aarzelde. 'Het gaat.'

Ze liep langs de gerechtsbode die over hen waakte naar de stoel bij het raam waar ze eerder had zitten lezen. Op het laatste moment draaide ze zich om en ging aan de tafel zitten. De vrouw had haar handen gevouwen en staarde naar haar schoot.

'Mevrouw Houghton,' mompelde Josie.

Peters moeder keek op. 'Josie?' Ze knipperde met haar ogen alsof ze haar daardoor beter kon zien.

'Het spijt me,' fluisterde Josie.

Mevrouw Houghton knikte. 'Ach...' zei ze, en zweeg toen.

'Hoe gaat het met u?' Ze had haar tong wel willen inslikken. Jezus, wat een stomme vraag. Peters moeder moest op het punt van instorten staan.

'Ik had je hier niet verwacht,' zei mevrouw Houghton zacht. Met 'hier' bedoelde ze niet het gerechtsgebouw, maar deze kamer.

Josie schraapte haar keel om ruimte te maken voor de woorden die ze jarenlang niet had uitgesproken, de woorden die ze tegen niemand anders durfde uit te spreken. 'Hij is mijn vriend.'

'We begonnen te rennen,' zei Drew. 'Het was een massale uittocht. Ik wilde zo ver mogelijk van de kantine vandaan, dus rende ik naar de gymzaal. Twee vrienden van me hadden de schoten gehoord, maar ze wisten niet waar ze vandaan kwamen, dus zei ik dat ze me moesten volgen.'

'Wie waren dat?' vroeg Leven.

'Matt Royston,' zei Drew, 'en Josie Cormier.'

Alex huiverde toen ze de naam van haar dochter hoorde. Daardoor werd het zo... echt, zo direct. Drew had Alex aangekeken toen hij Josies naam noemde.

'Waar zijn jullie heen gegaan?'

'We waren van plan vanuit het raam in de kleedkamer in de esdoorn te klimmen. Dan waren we veilig.'

'Hebben jullie de kleedkamer kunnen bereiken?'

'Josie en Matt wel,' zei Drew. 'Ik werd neergeschoten.'

De aanklager vroeg Drew naar zijn verwondingen die een eind aan zijn ijshockeycarrière hadden gemaakt. Toen keek ze hem recht in de ogen. 'Kende je Peter vóór de dag van de schietpartij?'

'Ja.'

'Hoe?'

'We zaten in dezelfde klas.'

'Waren jullie bevriend?' vroeg Leven.

'Nee,' zei Drew.

'Had je problemen met hem?'

Drew aarzelde. 'Nee.'

'Nooit ruzie met hem gehad?' vroeg Leven.

'Nou ja, weleens, denk ik.'

'Heb je hem ooit belachelijk gemaakt?'

'Soms. Dan waren we gewoon aan het keten.'

'Heb je hem weleens fysiek aangevallen?'

'Toen we jonger waren heb ik hem weleens een beetje getreiterd.'

'Is dat doorgegaan toen jullie naar high school gingen?'

'Ja,' gaf Drew toe.

'Heb je Peter ooit met een wapen bedreigd?'

'Nee.'

'Heb je ooit gedreigd hem te vermoorden?'

'Nee... We waren gewoon... een beetje aan het lol trappen.'

'Dank je wel.' Ze ging zitten, en Alex zag dat Jordan McAfee opstond.

Hij was een goede advocaat – beter dan ze had verwacht. Hij zette een mooie voorstelling neer. Hij fluisterde tegen Peter, legde zijn hand op zijn arm als de jongen ontdaan was, maakte uitvoerig aantekeningen bij het verhoor van de aanklager en liet ze aan zijn cliënt zien. Hij gaf Peter iets humaans, ondanks het feit dat de aanklager hem als een monster afschilderde.

'U had dus geen problemen met Peter,' herhaalde McAfee.

'Nee.'

'Maar hij had wel problemen met u, is het niet?'

Drew gaf geen antwoord.

'U moet luid en duidelijk antwoord geven, meneer Girard,' zei rechter Wagner.

'Soms,' gaf Drew toe.

'Hebt u ooit met uw elleboog in zijn borst gestompt?'

Drew keek opzij. 'Misschien. Per ongeluk.'

'Ach, ja. Je steekt altijd je elleboog uit op het moment dat je er het minst op verdacht bent...'

'Protest...'

McAfee glimlachte. 'Maar het ging niet per ongeluk, is het wel, meneer Girard?'

Aan de tafel van het OM pakte Diana Leven haar pen op en liet die op de vloer vallen. Drew hoorde het en keek naar haar. Er begon een spier in zijn slaap te kloppen. 'Het was gewoon een geintje.'

'Hebt u hem ooit in een garderobekluisje opgesloten?'

'Mogelijk.'

'Ook een geintje?' zei McAfee.

'Ja.'

'Oké,' ging hij verder. 'Hebt u hem ooit laten struikelen?'

'Zal best.'

'Laat me raden. Ook een geintje?'

Drew keek hem uitdagend aan. 'Ja.'

'Dus als ik het goed begrijp, hebt u dit soort geintjes met Peter uitgehaald sinds jullie klein waren, ja?'

'We zijn gewoon nooit met elkaar bevriend geweest,' zei Drew. 'Hij was anders dan wij.'

'Wie zijn "wij"?' vroeg McAfee.

Drew haalde zijn schouders op. 'Matt Royston, Josie Cormier, John Eberhard, Courtney Ignatio. Dat soort kinderen. We vormden al jarenlang een heel hechte club.'

'Kende Peter iedereen van die club?'

'Dat denk ik wel.'

'Kende Peter Josie Cormier?'

Alex hield haar adem in.

'Ja.'

'Hebt u Peter ooit met Josie zien praten?'

'Niet dat ik weet.'

'Ongeveer een maand voor de schietpartij, toen jullie met z'n allen in de kantine zaten, kwam Peter naar jullie toe om met Josie te praten. Kunt u ons daar iets meer over vertellen?'

'Ik weet niet waar ze het over hadden.'

'Maar u was er wel bij?'

'Ja.'

'En Josie is een vriendin van u? Ze ging niet met Peter om?'

'Ja,' zei Drew. 'Ze hoorde bij de club.'

'Weet u nog hoe dat gesprek in de kantine afliep?' vroeg McAfee.

Drew sloeg zijn ogen neer.

'Ik zal uw herinnering even opfrissen, meneer Girard. Het eindigde als volgt. Matt Royston ging achter Peter staan en trok zijn broek naar beneden terwijl Peter iets tegen Josie wilde zeggen. Komt het u bekend voor?'

'Ja.'

'De kantine was op dat moment stampvol met leerlingen, is het niet?'

'Ja.'

'En Matt trok niet alleen Peters broek, maar ook zijn onderbroek naar beneden, is het niet?'

Drews mond vertrok. 'Ja.'

'En u was er getuige van.'

'Ja.'

McAfee draaide zich om naar de jury. 'Laat me raden. Geintje?'

Het was doodstil in de rechtszaal geworden. Alex zag Drew naar Diana Leven kijken alsof hij haar smeekte hem van deze beproeving te verlossen.

Jordan McAfee liep naar zijn tafel en pakte een vel papier op. 'Weet u nog op welke dag Peter zo vernederd werd, meneer Girard?'

'Nee.'

'Dan zal ik het u laten zien. Bewijsstuk van de Verdediging Een. Herkent u dit?' Hij overhandigde het vel aan Drew, die zijn schouders ophaalde.

'Dit is een e-mail die u op drie februari ontving, twee dagen voordat Peters broek en onderbroek werden uitgetrokken te midden van een stampvolle kantine. Kunt u ons zeggen wie deze e-mail naar u heeft doorgestuurd?'

'Courtney Ignatio.'

'Was deze e-mail aan haar gericht?'

'Nee,' zei Drew, 'hij was aan Josie gericht.'

'En wie was de afzender?' vroeg McAfee.

'Peter.'

'Wat stond erin?'

'Dat hij helemaal gek van haar was.'

'En wat hebt u met die e-mail gedaan?'

Drew keek op. 'Die heb ik naar alle anderen doorgestuurd.'

'Even voor alle duidelijkheid,' zei McAfee. 'U hebt een persoonlijke brief die niet aan u was gericht, een brief met Peters diepste en intiemste gevoelens, doorgestuurd naar elke leerling van Sterling High?'

Drew gaf geen antwoord.

Jordan mepte met de e-mail tegen de rand van de getuigenbank. 'Ook een geintje zeker? Hebben jullie er veel plezier om gehad?'

Drew Girard voelde het zweet over zijn schouderbladen en onder zijn oksels stromen. Dat kutwijf van een aanklager had hem door die lul van een een advocaat in een hoek laten drijven, en nu zou iedereen denken dat hij de grote klootzak was, terwijl de anderen geen haar beter waren geweest dan hij.

Hij wilde opstaan en de rechtszaal uitrennen, maar toen stond Diana Leven op en liep op hem toe. 'We zijn nog niet helemaal klaar.'

Moedeloos liet hij zich weer in zijn stoel zakken.

'Heb je behalve Peter Houghton ooit iemand anders uitgescholden?'

'Ja,' zei hij behoedzaam.

'Dat doen jongens nu eenmaal, hè?'

'Soms.'

'Heeft iemand anders die je hebt uitgescholden ooit op je geschoten?'

'Nee.'

'Heb je ooit bij iemand anders gezien dat z'n broek naar beneden werd getrokken?'

'Zo vaak,' zei Drew.

'En heeft diegene ooit op je geschoten?'

'Nee.'

'Heb je ooit van iemand anders een e-mail over de hele school verspreid?'

'Een paar keer.'

Diana sloeg haar armen over elkaar. 'En heeft diegene ooit op je geschoten?'

'Nee,' zei hij.

Ze liep terug naar haar stoel. 'Geen vragen meer.'

Dusty Spears begreep jongens als Drew Girard wel. Zelf was hij vroeger net zo geweest. Of bullebakken kregen een dikke football-beurs van een vooraanstaande universiteit waardoor ze de juiste zakelijke contacten aanknoopten zodat ze de rest van hun leven op de golfbaan konden doorbrengen, of ze molden hun kniege-wrichten en eindigden als gymleraar op een middelbare school.

'Hebt u ooit gezien dat Peter werd gepest?'

Dusty haalde zijn schouders op. 'Het normale gedoe in de kleed-kamer.'

'Bent u tussenbeide gekomen?'

'Ik zei dat ze ermee op moesten houden. Maar het hoort er nu eenmaal bij.'

'Hebt u Peter ooit iemand horen bedreigen?'

'Protest,' zei Jordan McAfee. 'Dat is een hypothetische vraag.'

'Aanvaard,' antwoordde de rechter.

'Zou u in dat geval tussenbeide zijn gekomen?'

'Protest!'

'Opnieuw aanvaard.'

De aanklager vervolgde onverstoorbaar: 'Maar Peter vroeg niet om hulp, is het wel?'

'Nee.'

Ze ging zitten, en Houghtons advocaat stond op. Het was een type van wie Dusty weinig moest hebben. Had als jongen waar-schijnlijk nog geen bal kunnen trappen, en als je het hem pro-beerde te leren, keek hij je aan met zo'n zelfgenoegzame grijns alsof hij nu al wist dat hij later twee keer zo veel ging verdienen als Dusty.

'Heeft Sterling High een bepaald beleid wat pesten betreft?'

'Het is niet toegestaan.'

'Ah,' zei McAfee droogjes. 'Blij dat te horen. Laten we zeggen dat u bijna dagelijks getuige bent van pesterijen in de kleedka-mer. Wat moet u dan volgens de regels doen?'

Dusty keek hem aan. 'Dat staat in het reglement. Dat heb ik nu niet bij me.'

'Maar ik wel,' zei McAfee. 'Ik zal u Bewijsstuk van de Verdediging Twee laten zien. Is dit het reglement van Sterling High School waarin staat hoe tegen pesterijen moet worden opgetreden?'

Dusty stak zijn hand uit en keek naar de uitdraai. 'Ja.'

'Dit hoort bij de lerarengids die u elk jaar in augustus wordt uitgereikt, correct?'

'Ja.'

'En dit is de meest recente versie? Voor het schooljaar 2006-2007?'

'Dat neem ik aan,' zei Dusty.

'Meneer Spears, ik wil dat u deze twee pagina's heel aandachtig doorleest, en me de passage aanwijst waar staat wat u als leraar moet doen als u getuige bent van pesterijen.'

Dusty zuchtte en begon te lezen. Meestal stopte hij de gids na ontvangst meteen in zijn la. De belangrijkste dingen wist hij wel zo'n beetje. 'Hier staat,' zei hij en hij las voor, 'dat het schoolbestuur in een leer- en werkomgeving moet voorzien waarin de persoonlijke veiligheid van de leden van de schoolgemeenschap is gewaarborgd. Fysieke of verbale bedreigingen, geestelijke of lichamelijke mishandelingen, pesterijen, scheldpartijen, en intimidatie zullen niet worden getolereerd.' Hij keek op. 'Is dat een antwoord op uw vraag?'

'Nee, dat is het niet. Wat moet u als leraar doen als een leerling een andere leerling treitert?'

Dusty las verder. De begrippen pesten, intimidatie en schelden werden nader gedefinieerd. Er stond dat de leerling die een andere op wangedrag had betrapt dat moest melden bij een leraar of schoolbestuurder. Maar nergens stond welke maatregelen de leraar of bestuurder dan moest treffen.

'Ik kan er niets over vinden.'

'Dank u, meneer Spears,' antwoordde McAfee. 'Ik heb geen vragen meer.'

Hoewel Derek Markowitz als vriend van Peter Houghton diens enige karaktergetuige was, wist Diana dat hij niet loyaal was en daarom ook waarde had voor de aanklager.

'Goed, Derek,' zei Diana, die hem op zijn gemak probeerde te stellen. 'Jij was een vriend van Peter.'

Ze zag dat hij met een onzekere glimlach naar Peter keek. 'Ja.'

'Gingen jullie ook na school met elkaar om?'

'Ja.'

'Wat deden jullie dan?'

'We waren allebei gek met computers. Soms deden we video-spelletjes en toen leerden we programmeren zodat we ze zelf konden maken.'

'Heeft Peter ook weleens spelletjes zonder jou gemaakt?' vroeg Diana.

'Ja.'

'En liet hij ze aan je zien als ze af waren?'

'Ja. Dan gingen we ze spelen. Maar er zijn ook websites waar je je spel kunt uploaden om ze door anderen te laten beoordelen.'

Derek keek op en zag ineens de tv-camera's in de zaal. Zijn mond viel open en hij verstarde.

'Derek,' zei Diana. 'Derek?' Ze wachtte tot hij weer naar haar keek. 'Ik laat je deze cd-rom zien. OM-bewijsstuk 301... Kun je me zeggen wat erop staat?'

'Dat is Peters meest recente spel.'

'Wat is de titel?'

'Verschrikkertje.'

'Waar gaat het over?'

'Het is de bedoeling dat je slechteriken doodschiet.'

'Wie zijn de slechteriken in dit spel?'

Derek keek weer even naar Peter. 'De sporters.'

'Waar speelt het zich af?'

'Op een school,' zei Derek.

Vanuit haar oogzoek zag Diana dat Jordan ongemakkelijk in zijn stoel zat te schuiven. 'Derek, was jij op de ochtend van 6 maart 2007 op school?'

'Ja.'

'Wat was je eerste les?'

'Trigonometrie.'

'En daarna?'

'Engels.'

'En het derde uur?'

'Gym. Maar ik had die dag nogal last van astma, dus heeft de dokter me een vrijstellingsbriefje gegeven. Omdat ik bij Engels vroeg klaar was met mijn werk, heb ik mevrouw Eccles gevraagd of ik het uit mijn auto mocht halen.'

Diana knikte. 'Waar stond je auto geparkeerd?'

'Op het leerlingenterrein achter de school.'

'Kun je me op dit diagram aanwijzen door welke deur je aan het eind van het tweede uur naar buiten bent gegaan?' Derek stak zijn hand uit en wees op een van de achterdeuren van de school. 'Wat zag je toen je buitenkwam?'

'Eh... Een heleboel auto's.'

'Heb je ook mensen gezien?'

'Ja,' zei Derek. 'Peter. Het leek alsof hij iets van de achterbank van zijn auto pakte.'

'Wat deed je toen?'

'Ik liep op hem af en vroeg waarom hij zo laat was. Toen kwam hij overeind en keek me op een vreemde manier aan.'

'Wat bedoel je met vreemd?'

Derek schudde zijn hoofd. 'Ik weet niet. Alsof hij me even niet herkende.'

'Heeft hij iets tegen je gezegd?'

'Hij zei: "Ga naar huis. Er gaat iets gebeuren."'

'Vond je dat normaal?'

'Nou ja, het was een beetje *Twilight Zone*...'

'Had Peter zoiets weleens eerder gezegd?'

'Ja,' zei Derek zacht.

'Wanneer?'

Jordan tekende protest aan zoals Diana had verwacht, en rechter Wagner wees het af zoals ze had gehoopt. 'Een paar weken eerder,' zei Derek. 'Toen we voor de eerste keer Verschrikkertje speelden.'

'Wat zei hij toen?' Derek sloeg zijn ogen neer en mompelde iets.

'Derek,' zei Diana, dichterbij komend, 'ik moet je vragen iets harder te praten.'

'Hij zei: "Als dit in het echt gebeurt, wordt het iets ontzagwekkends."'

Er ging een golf van geroezemoes door de zaal. 'Begreep je wat hij daarmee bedoelde?'

'Ik dacht... Ik dacht dat hij een grapje maakte,' zei Derek.

'Kon je zien wat Peter bij zijn auto aan het doen was toen je hem op de dag van de schietpartij op het parkeerterrein zag?'

'Nee...' Peter schraapte zijn keel. 'Ik lachte maar een beetje om wat hij had gezegd en zei dat ik terug moest.'

'Wat gebeurde er toen?'

'Ik ging door dezelfde deur weer de school in en liep naar het kantoor om mijn briefje af te laten tekenen door mevrouw Whyte, de secretaresse. Ze stond te praten met een meisje dat zich kwam afmelden omdat ze een afspraak had met de orthodontist.'

'En toen?' vroeg Diana.

'Toen ze weg was, hoorden mevrouw Whyte en ik een explosie.'

'Kon je zien waar die vandaan kwam?'

'Nee.'

'Wat gebeurde er toen?'

'Ik keek naar het computerscherm op mevrouw Whytes bureau,' zei Derek. 'Er verscheen scrollend een bericht op.'

'Wat voor bericht?'

'*Klaar of niet... ik kom eraan.*'

'Hoe lang ben je in het kantoor geweest?'

'Ik weet niet. Tien, twintig minuten. Mevrouw Whyte probeerde de politie te bellen, maar er was iets met de telefoon.'

Diana keek naar de rechterstafel. 'Rechter, het OM wil graag haar Bewijsstuk 303 in zijn geheel aan de jury vertonen.'

De hulpsheriff rolde een tv-monitor naar voren die aan een computer was verbonden en plaatste de cd-rom in de lade.

VERSCHRIKKERTJE, verscheen er op het scherm. KIES EEN WAPEN! Er kwam een driedimensionaal gecomputeriseerde jongen in beeld. Hij had een golfshirt aan en een hoornen bril op. Hij boog zich over een verzameling kruisbogen, Uzi's, AK-47's en biologische wapens, pakte een Uzi op en begon hem te laden. Zijn gezicht kwam close-up in beeld: sproeten, een beugel, en koortsachtig gloeiende ogen.

Toen werd het scherm blauw en begon te scrollen.

Klaar of niet, stond er, *ik kom eraan*.

Derek mocht meneer McAfee wel. Uiterlijk stelde hij weinig voor, maar hij had wel een bloedmooie vrouw. Bovendien was hij waarschijnlijk de enige in Sterling die medelijden met Peter had.

'Derek,' zei de advocaat, 'je bent sinds de zesde klas met Peter bevriend, is het niet?'

'Ja.'

'Jullie zijn binnen en buiten de school veel met elkaar opgetrokken.'

'Ja.'

'Heb je ooit gezien dat Peter door andere leerlingen werd gepest?'

'Dat gebeurde voortdurend,' zei Derek. 'We werden altijd uitgescholden voor flikker en homo. We werden gestompt en geduwd of ze lieten ons struikelen op de trap of ze sloten ons op in garderobekastjes.'

'Heb je daar weleens met een leraar over gesproken?'

'In het begin wel, maar daar werd het alleen maar erger door. Dan kreeg ik op m'n lazer omdat ik had geklikt.'

'Hadden Peter en jij het er weleens over?'

Derek schudde zijn hoofd. 'Nee. Het was gewoon prettig om een lotgenoot in de buurt te hebben.'

'Hoe vaak gebeurde dit? Eén keer per week?'

Hij snoof. 'Het gebeurde elke dag.'

'Alleen jij en Peter?'

'Nee, anderen ook.'

'Wie waren de grootste pestkoppen?'

'De sporters,' zei Derek. 'Matt Royston, Drew Girard, John Eberhard...'

'Geen meisjes?'

'Jawel, sommige meiden behandelden ons alsof we ongedierte waren. Courtney Ignatio, Emma Alexis, Josie Cormier, Maddie Shaw.'

'Wat doe je als je in een garderobekastje wordt opgesloten?' vroeg meneer McAfee.

'Je kunt niet terugvechten omdat je niet zo sterk bent als zij, dus je hebt het maar te ondergaan.'

'Zou je kunnen zeggen dat de groep die je net noemde het vooral op één persoon had gemunt?'

'Ja,' zei Derek. 'Op Peter.'

Peters advocaat ging weer zitten en Derek zag de mevrouw naar hem toe komen. 'Derek, je zei dat jij ook werd gepest.'

'Ja.'

'Heb je Peter ooit geholpen bij het maken van een bom om iemands auto op te blazen?'

'Nee.'

'Heb je Peter ooit geholpen bij het onklaar maken van telefoonlijnen en computers op Sterling High, zodat niemand om hulp kon roepen?'

'Nee.'

'Heb je ooit wapens gestolen en in je slaapkamer verborgen?'

'Nee.'

De aanklager kwam dichterbij. 'Heb je ooit, zoals Peter, een plan voorbereid om systematisch de leerlingen te vermoorden die je het diepst hebben vernederd, Derek?'

Derek keek Peter recht in de ogen toen hij antwoordde: 'Nee, maar soms wilde ik dat ik het wel had gedaan.'

Het gebeurde weleens dat Lacy in de supermarkt of bij de bank een vroegere patiënt tegenkwam. Dan stelde die haar kind voor dat inmiddels drie, zeven of vijftien was. Soms zei iemand: *Kijk eens wat een knap werk je hebt geleverd*, alsof een baby ter wereld brengen iets te maken had met wie hij zou worden.

Ze wist niet precies wat ze voelde toen ze met Josie Cormier werd geconfronteerd. Ze hadden die dag ironisch genoeg samen Galgje gespeeld. Lacy had Josie als pasgeborene gekend, maar ook als klein meisje en speelkameraad van Peter. Er waren momenten geweest dat ze Josie hartgrondig had gehaat omdat ze haar zoon in de steek had gelaten. Josie mocht dan niet de aanstichter van de pesterijen zijn geweest die Peter op school had moeten verduren, ze had ook niets gedaan om er een eind aan te maken, en in Lacy's ogen was ze daarom medeverantwoordelijk.

Nu was Josie een mooie jonge vrouw geworden. Ze gedroeg zich rustig en bedachtzaam, en leek in niets op de materialistische leeghoofden van de sociale elite van Sterling High die door de Mall van New Hampshire slenterden. Lacy was aangenaam verrast toen Josie naar Peter had gevraagd. Was hij nerveus voor het proces? Viel het hem zwaar in de gevangenis? Werd hij daar gepest? *Je zou hem een brief moeten schrijven*, had Lacy gezegd. *Hij zal het fijn vinden iets van je te horen.*

Maar Josie had haar blik afgewend, en op dat ogenblik besefte Lacy dat Josie helemaal niet in Peter geïnteresseerd was. Ze had alleen maar beleefd willen zijn.

Toen de zitting aan het eind van de dag werd geschorst, excuseerde Lacy zich om naar het toilet te gaan. Terwijl ze haar handen stond te wassen, kwam Alex Cormier binnen.

Hun ogen ontmoetten elkaar in de langwerpige spiegel boven de wasbakken. 'Lacy,' mompelde Alex.

Lacy richtte zich op en droogde haar handen. Ze wist niet wat ze moest zeggen. Ze kon zich niet eens voorstellen dat ze haar wat dan ook te zeggen had.

Er stond een plant in Lacy's kantoor die op sterven na dood was, totdat de secretaresse een stapel boeken had verplaatst die het daglicht tegenhielden. Ze was evenwel vergeten de plant te verplaatsen, waardoor de nieuwe loten maar aan één kant opkwamen en de plant in zijwaartse richting groeide. Lacy en Alex waren als die plant: Alex was doorgegroeid, en Lacy niet. Ze was verkommerd en verwelkt. Ze was verstrikt geraakt in haar eigen goede bedoelingen.

'Het spijt me,' zei Alex. 'Het spijt me dat je dit moet door-maken.'

'Mij ook,' zei Lacy.

Alex leek nog iets te willen zeggen, maar bedacht zich, en Lacy wist niet wat ze moest zeggen. Ze liep het toilet uit om op zoek te gaan naar Lewis, maar Alex riep haar terug. 'Lacy,' zei ze, 'er kwam ineens een herinnering bij me op.'

Lacy keek haar aan.

'Hij had het liefst een boterham met marshmallow en pinda-kaas.' Alex glimlachte even. 'En hij had de langste wimpers die ik ooit bij een kleine jongen heb gezien. En als ik wat had laten vallen, vond hij het altijd terug – een oorring, een contactlens, een naald...'

Ze liep dichter naar Lacy toe. 'Iets blijft bestaan zolang er ie-mand is die het zich herinnert, oké?'

Lacy keek haar met betraande ogen aan. 'Dank je,' fluisterde ze, en liep weg voordat ze in zou storten voor een vrouw – een vreemde eigenlijk – die iets kon waartoe Lacy niet bij machte was: vasthouden aan het verleden alsof het gekoesterd moest worden.

'Josie,' zei haar moeder toen ze naar huis reden, 'ze hebben van-daag in de rechtszaal een e-mail voorgelezen die Peter aan jou heeft geschreven.'

Josie keek haar geschokt aan. Ze had kunnen weten dat het bekend zou worden. Hoe had ze zo stom kunnen zijn? 'Ik wist niet dat Courtney die had doorgestuurd. Ik kreeg hem pas te zien toen alle anderen hem al hadden gelezen.'

'Het moet heel vernederend zijn geweest,' zei Alex.

'Ja. De hele school wist nu dat hij verliefd op me was.'

Haar moeder keek haar zijdelings even aan. 'Voor Peter bedoel ik.'

Josie dacht aan Lacy Houghton. Er waren tien jaren voorbij-gegaan, maar toch had het haar verbaasd hoe oud Peters moeder was geworden. Ze was al bijna helemaal grijs. Ze vroeg zich af of verdriet de tijd sneller deed verstrijken. Ze herinnerde zich

Lacy als iemand die nooit een horloge droeg, iemand die niet maalde om de rommel die je maakte, zolang het resultaat maar de moeite waard was. Wanneer Josie vroeger bij Peter kwam spelen, bakte Lacy altijd koekjes van wat ze maar in de keukenkastjes tegenkwam. Van havervlokken, tarwekiemen, gombeertjes en marshmallows, van johannesbrood, maïsmeel en gepofte rijst. Ze had 's winters eens een lading zand in de kelder gestort, zodat ze kastelen konden bouwen. Josie had zich thuis gevoeld in Peters huis, zo had ze zich het gezinsleven altijd voorgesteld.

Ze keek uit het raampje. 'Jij denkt dat dit allemaal mijn schuld is, hè?'

'Nee...'

'Heeft de advocaat vandaag gezegd dat Peter is gaan schieten omdat ik hem niet zo aardig vond als hij mij?'

'Nee, dat heeft hij niet gezegd. Wel dat Peter werd gepest en weinig vrienden had.' Haar moeder stopte voor een rood licht en draaide zich naar haar toe. 'Waarom heb je eigenlijk een eind aan jullie vriendschap gemaakt?'

Impopulair zijn was een besmettelijke ziekte. Josie herinnerde zich dat Peter op de kleuterschool het folie van zijn lunchpakketje tot een hoofddeksel met antennes vouwde om signalen van aliens op te vangen. Hij had niet eens in de gaten dat hij werd uitgelachen.

Ineens zag ze hem weer in de kantine staan met zijn broek om zijn enkels.

'Ik wilde niet net zo behandeld worden als hij,' zei Josie, in antwoord op de vraag van haar moeder. Maar eigenlijk had ze moeten zeggen: *omdat ik een lafaard was.*

Teruggaan naar de cel betekende dat je je menselijke waardigheid weer moest inleveren – je schoenen, je pak, je das. Je moest bukken om je door een bewaker met een rubberhandschoen aan te laten visiteren. Je kreeg een gevangenisoverall en sandalen die je te groot waren.

Peter ging op zijn bed liggen met zijn arm over zijn ogen gesla-

465

gen. Zijn celgenoot, een man die een proces te wachten stond wegens het verkrachten van een zesenzestigjarige vrouw, vroeg hoe het vandaag was gegaan, maar Peter gaf geen antwoord. Dat was zo'n beetje de enige vrijheid die hem restte. Bovendien wilde hij de waarheid voor zichzelf houden, namelijk dat toen hij naar zijn cel werd gebracht hij opgelucht was (*durfde hij het toe te geven?*) weer thuis te zijn.

Hier keek niemand naar hem alsof hij een kankergezwel was. Hier keek helemaal niemand naar hem.

Hier sprak niemand over hem alsof hij een monster was.

Hier nam niemand hem iets kwalijk, want ze zaten allemaal in hetzelfde schuitje.

Eigenlijk verschilde het hier niet zo veel van school. De bewakers waren net leraren – ze moesten hen in het gareel houden, te eten geven, en zorgen dat er geen ongelukken gebeurden. Verder werd je aan je lot overgelaten. En net als school was de gevangenis een kunstmatige samenleving met zijn eigen hiërarchie en zijn eigen wetten. Het werk dat je deed was onbelangrijk. Elke ochtend de wc's schoonmaken of met een karretje bibliotheekboeken langs de minimaal beveiligde afdelingen gaan, was in wezen niet veel anders dan een opstel schrijven over de definitie van *civitas*, of priemgetallen uit je hoofd leren, dingen die je in het dagelijks leven toch niet nodig had. En net als school moest je je tijd in de gevangenis gewoon uitzitten.

Om nog maar te zwijgen over het feit dat Peter in de gevangenis ook niet populair was.

Hij dacht aan de getuigen die Diana Leven vandaag had opgeroepen. Jordan had uitgelegd dat die medeleven hadden moeten opwekken; dat de aanklager al die verwoeste levens wilde presenteren voordat de harde bewijzen op tafel kwamen; dat hij spoedig de kans zou krijgen om aan te tonen dat Peters leven ook was verwoest. Peter had er niet van opgekeken. Het had hem meer verbaasd dat er zo weinig was veranderd toen hij die leerlingen in de getuigenbank zag.

Hij staarde naar het bed boven hem en knipperde met zijn ogen.

Toen rolde hij zich tegen de muur en drukte zijn mond tegen het kussen om zijn gesnik te smoren.

Zelfs al kon John Eberhard bijna niets meer zeggen, laat staan hem voor flikker uitmaken...

Zelfs al zou Drew Girard nooit meer de sportman worden die hij ooit was geweest...

Zelfs al was Haley Weaver geen mooie meid meer...

Ze maakten nog steeds deel uit van een groep waar Peter nooit bij zou horen.

06:30 in de ochtend op de dag zelf

'Peter! Peter?'

Hij draaide zich op zijn zij en zag zijn vader in de deuropening staan.

'Ben je op?'

Zag het eruit alsof hij op was? Peter gromde iets en ging op zijn rug liggen. Hij deed zijn ogen weer dicht en dacht aan de dag die voor hem lag. *Engelsfranswiskundegeschiedenisscheikunde.*

Hij ging rechtop zitten en woelde door zijn haar totdat het rechtovereind stond. Hij hoorde zijn vader beneden potten en pannen uit de vaatwasser halen. Dan zou hij koffie in zijn thermosbeker schenken en naar zijn werk gaan.

Peter ging achter zijn computer zitten en logde in op internet om te kijken of hij reacties had gekregen op *Verschrikkertje.* Als anderen er net zo enthousiast over waren als hij, zou hij het aanmelden in een soort amateurcompetitie. Overal in het land – overal ter wereld – waren er kinderen als hij, en die zouden zo $39,99 dokken voor een videospelletje waar losers de dienst uitmaakten. Hij zag het geld al binnenstromen. Misschien hoefde hij net als Bill Gates nooit meer naar school. Misschien zou hij op een dag gebeld worden door mensen die deden alsof ze vroeger met hem bevriend waren geweest.

Hij knipperde met zijn ogen en pakte zijn bril die hij voordat hij naar bed ging altijd naast het toetsenbord legde. Maar omdat hij nog niet helemaal wakker was, liet hij de brillenkoker op de functietoetsen vallen, waardoor het scherm van internet werd geminimaliseerd en de inhoud van zijn prullenbak werd geopend.

```
Ik weet dat je niet aan me denkt.
En je zult zeker nooit aan ons samen hebben
gedacht.
```

Peter voelde zich duizelig worden. Hij drukte op de Delete-toets, maar er gebeurde niets.

```
Maar goed. In mijn eentje ben ik niets
bijzonders. Maar samen met jou zou ik het
kunnen worden.
```

Hij probeerde de computer opnieuw op te starten, maar die zat vast. Hij was als verlamd en kon geen adem meer krijgen. Hij kon alleen nog maar naar zijn eigen stupiditeit kijken die zwart op wit voor zijn ogen was verschenen.

Hij voelde een stekende pijn in zijn borst en dacht dat hij een hartaanval zou krijgen. Hij trok de stekker uit het stopcontact zodat de monitor op zwart ging.

Toen besefte hij dat het niets uitmaakte. Hij wist nog glashelder wat hij daarna had geschreven.

```
Liefs, Peter.
```

Hij kon ze allemaal horen lachen.

Hij keek weer naar zijn computer. Zijn moeder zei altijd dat je een stommiteit als een mislukking kon beschouwen, maar ook als een kans om het voortaan anders aan te pakken.

Misschien was dit een teken.

Peter ademde zwaar terwijl hij de schoolboeken, ringbanden en pennen uit zijn rugzak gooide, en er de twee pistolen die hij onder zijn matras had verborgen voor in de plaats legde.

Toen ik klein was, strooide ik weleens zout op een naakte slak.
Ik vond het leuk om hem voor mijn ogen te zien verdwijnen.
Ik besefte toen niet dat het wreed was.

Het is één ding om een loser te zijn als er niemand naar je
omkijkt, maar op school zoeken ze je altijd op. Jij bent de slak,
en zij houden het zout vast. En het kan ze niet schelen dat je
werkelijk gekwetst wordt.

Daar bestaat een woord voor: leedvermaak. Ervan genieten
om een ander zien te lijden. De vraag is alleen: waarom?
Ik denk dat het voor een deel gewoon met zelfbehoud heeft te
maken. En ook omdat de onderlinge band binnen een groep
wordt versterkt wanneer ze gezamenlijk tegen een vijand
optrekken. Het doet er niet toe dat die vijand je nooit iets heeft
aangedaan – je hoeft alleen maar te doen alsof je iemand meer
haat dan jezelf.

Weet je waarom zout op slakken werkt? Omdat het oplost
in hun huid waardoor het water aan hun lijf wordt ontrokken.
De slak verdroogt. Het werkt ook op huisjesslakken. En op
bloedzuigers. En op mensen als ik.

Eigenlijk op elk schepsel dat te dun van huid is om voor
zichzelf op te komen.

Vijf maanden later

In de vier uur die hij in de getuigenbank doorbracht, beleefde Patrick die verschrikkelijke dag opnieuw. Het signaal dat op de radio doorkwam terwijl hij in de auto zat; de massale uittocht van wegrennende leerlingen; de bloedplas waar hij over uitgleed toen hij door de gangen rende. Het plafond dat naar beneden kwam. Het geschreeuw om hulp. De herinneringen die in zijn geheugen waren gegrift, maar pas later tot hem doordrongen: een jongen die onder een basket in de armen van zijn vriend was gestorven; de zestien kinderen die drie uur na de arrestatie boven op elkaar in een schoonmaakkast waren gevonden omdat ze niet wisten dat de dreiging voorbij was; de scherpe geur van de markeerstift waarmee een nummer op het voorhoofd van de gewonden was geschreven zodat ze later geïdentificeerd konden worden.

Die eerste avond, toen alleen de technische recherche in het gebouw was achtergebleven, had Patrick door de klaslokalen en gangen gedwaald. Hij was over bloedvlekken heen gestapt om lokalen binnen te gaan waar leerlingen en leraren waren weggekropen in afwachting van hun redding. Hun jassen hingen nog over de stoelen alsof ze elk moment konden terugkomen.

Diana Leven hield een videocassette op. OM Bewijsstuk 522. 'Herkent u deze, rechercheur?'

'Ja, die komt uit het kantoor van Sterling High. Er staan beelden op die een beveiligingscamera op zes maart 2007 van de kantine heeft gemaakt.'

'Wanneer hebt u de tape voor het laatst bekeken?'

'De dag voordat het proces begon.'

473

'Is er iets aan veranderd?'

'Nee.'

Diana liep naar de rechter. 'Ik wil graag dat deze tape aan de jury wordt vertoond,' zei ze. Vervolgens werd hetzelfde tv-toestel binnengebracht dat eerder aan de computer was verbonden.

De opname was korrelig, maar goed herkenbaar. Rechts op de achtergrond stond het kantinepersoneel voedsel in plastic bakjes te scheppen terwijl leerlingen langs het buffet liepen. Andere leerlingen zaten aan tafels. Patrick keek naar een tafel in het midden waar Josie zat met haar vriend, die een handje frieten van haar bord pakte.

Door de deur aan de linkerkant kwam een jongen binnen. Hij had een blauwe rugzak om. Je kon zijn gezicht niet zien, maar hij had dezelfde tengere bouw en afhangende schouders als Peter Houghton. Hij dook buiten het bereik van de camera. Er klonk een schot, en een meisje viel achterover tegen een stoel. Op haar witte shirt verspreidde zich een bloedvlek.

Iemand gilde, en daarna begon iedereen te schreeuwen. Er klonken meer schoten. Peter verscheen weer in beeld, nu met een pistool in zijn hand. Uit de frisdrankautomaat spoot limonade op de vloer. Sommige leerlingen zakten in elkaar op de plek waar ze werden neergeschoten, andere gewonden probeerden weg te kruipen. Een meisje dat op de vloer lag werd vertrapt door wegvluchtende kinderen en bleef uiteindelijk roerloos liggen. Toen er alleen nog doden en gewonden waren achtergebleven, begon Peter rond te lopen. Hij liep naar een tafel en legde zijn pistool neer. Hij maakte een zakje Rice Krispies open dat op een dienblad lag en voegde er melk uit een kartonnetje aan toe. Hij nam vijf happen voordat hij ophield met eten. Hij pakte een nieuwe patroonhouder uit zijn rugzak, herlaadde zijn wapen, en liep de kantine uit.

Diana haalde een plastic zakje onder haar tafel vandaan en gaf het aan Patrick. 'Herkent u dit, rechercheur?'

Het pakje Rice Krispies. 'Ja.'

'Waar hebt u het gevonden?'

'In de kantine. Het lag op dezelfde tafel die we net op de video hebben gezien.'

Patrick keek even naar Alex op de tribune. Ze was bleek geworden en zat als verstijfd in haar stoel. Het liefst was hij opgestaan en bij haar neergeknield. *Rustig maar. Het is bijna voorbij.*

'Rechercheur,' zei Diana, 'wat had de beklaagde in zijn hand toen u hem in de kleedkamer arresteerde?'

'Een handvuurwapen.'

'Hebt u nog andere wapens om hem heen gezien?'

'Ja, een tweede handvuurwapen een paar meter bij hem vandaan.'

Diana hield een uitvergrote foto op. 'Herkent u deze ruimte?'

'Dit is de kleedkamer waar Peter Houghton is gearresteerd.' Hij wees naar een pistool op de vloer bij de kastjes, en vervolgens naar een ander dat verderop lag. 'Dit is het wapen dat hij liet vallen, wapen A,' zei Patrick, 'en dit is wapen B.'

Ongeveer een meter ervandaan lag het lichaam van Matt Royston. Er lag een grote plas bloed onder zijn heup en de bovenkant van zijn schedel was er half afgeschoten.

Sommige juryleden snakten naar adem, maar Patrick schonk er geen aandacht aan. Hij staarde naar Alex, die niet naar het lichaam van Matt keek, maar naar de plek ernaast, waar Josie was gevonden, naar de bloedvlek die ze er had achtergelaten. Het leven bestond uit een aaneenschakeling van toevalligheden. Had je gisteren maar in de lotto meegespeeld. Had je maar een andere school gekozen. Had je maar in aandelen geïnvesteerd in plaats van obligaties. Had je je kind op de ochtend van 11 september maar niet naar school laten gaan. Stel dat een leraar één keer had kunnen voorkomen dat Peter werd getreiterd? Stel dat Peter het pistool op zichzelf had gericht in plaats van op een ander? Stel dat Josie voor Matt had gestaan, dan had zij nu op het kerkhof gelegen. Stel dat Patrick een seconde later was gekomen, dan kon ze alsnog zijn neergeschoten.

'Rechercheur, hebt u deze wapens gevonden?'

'Ja.'

'Zijn ze op vingerafdrukken getest?'

'Ja, door het staatslab.'

'Zijn er vingerafdrukken op wapen A gevonden?'

'Ja, op de kolf.'

'Waar zijn Peter Houghtons vingerafdrukken genomen?'

'Op het politiebureau, toen hij werd opgesloten.'

'Heeft het lab de vingerafdrukken op wapen A vergeleken met die van iemand anders?' vroeg Diana.

'Ja, met die van Matt Royston.'

'Kwamen deze overeen?'

'Die kwamen niet overeen.'

'En kwamen de vingerafdrukken van Peter Houghton overeen met die op wapen A?'

'Ja, die kwamen overeen.'

Diana knikte. 'Zijn er ook vingerafdrukken gevonden op wapen B?'

'Een gedeeltelijke vingerafdruk op de trekker. Niet van waarde.'

'Wat houdt dat in?'

Patrick richtte zich tot de jury. 'Een vingerafdruk van waarde kan worden vergeleken met een andere afdruk die al bekend is. Mensen laten voortdurend vingerafdrukken achter, maar die zijn niet altijd bruikbaar. Ze kunnen besmeurd zijn of te incompleet om in forensisch opzicht enige waarde te hebben.'

'Dus, rechercheur, u weet in feite niet wie de vingerafdruk op wapen B heeft achtergelaten?'

'Nee.'

'Maar die kan van Peter Houghton zijn geweest?'

'Ja.'

'Hebt u enig bewijs dat iemand anders op Sterling High die dag een wapen bij zich had?'

'Nee.'

'Hoeveel wapens hebt u uiteindelijk in de kleedkamer gevonden?'

'Vier,' zei Patrick. 'Een handvuurwapen bij de beklaagde, een op de vloer, en twee jachtgeweren met afgezaagde loop in een rugzak.'

'Heeft het lab de wapens behalve op vingerafdrukken nog op andere manieren getest?'

'Ja, ze zijn ballistisch getest.'

'Kunt u dat uitleggen?'

'Het komt erop neer dat je het wapen afschiet in water. Elke kogel die uit een vuurwapen wordt afgeschoten heeft groeven die erin worden achtergelaten wanneer de kogel zich door de loop schroeft. Dat betekent dat je aan een kogel kunt zien uit welk wapen het is afgeschoten. Door het kruitresidu in de loop te onderzoeken, kun je ook vaststellen of er al dan niet met een wapen is geschoten.'

'Hebt u de vier wapens elk laten testen?'

'Ja.'

'En wat was het resultaat?'

'Er is maar met twee van de vier wapens geschoten,' zei Patrick. 'Met de handvuurwapens A en B. De kogels die we hebben gevonden zijn allemaal afkomstig uit wapen A. Wapen B was geblokkeerd wegens dubbele lading. Dat betekent dat twee kogels tegelijkertijd de patroonkamer binnenkomen, waardoor het wapen niet meer functioneert. Het blokkeerde toen de trekker werd overgehaald.'

'Maar u zei dat er met wapen B was geschoten.'

'Eén keer.' Patrick keek naar Diana op. 'De kogel is nog niet teruggevonden.'

Diana Leven ondervroeg Patrick scrupuleus over zijn ontdekking van de tien doden en negentien gewonden. Hij begon met het moment dat hij Sterling High uitliep om Josie naar een ambulance te brengen, en eindigde bij het ogenblik dat het laatste lichaam naar het mortuarium van de patholoog werd overgebracht. Daarna schorste de rechter de zitting voor die dag.

Patrick praatte nog even met Diana over wat er morgen ging gebeuren. Door de geopende deuren van de rechtszaal zag hij hoe verslaggevers zich op elke boze ouder stortten die bereid was commentaar te geven. Hij herkende de moeder van een meisje – Jada Knight – dat in de rug was geschoten terwijl ze de kantine uitrende. 'Mijn dochter wil niet meer voor elf uur naar school, omdat ze het niet aankan als het derde uur begint,' zei de vrouw. 'Ze is overal bang voor. Haar hele leven is verwoest. Waarom zou Peter Houghton niet net zo zwaar moeten worden gestraft?'

Hij had geen zin om de media te woord te staan die ongetwijfeld op hem af zouden stormen omdat hij vandaag de enige getuige was geweest. Daarom ging hij op het houten hek zitten dat de publieke tribune scheidde van het beroepsmatige gedeelte.

'Hé.'

Hij draaide zich om toen hij Alex' stem hoorde. 'Wat doe je hier nog?' Hij had aangenomen dat ze naar boven was gegaan om Josie uit de getuigenkamer op te halen, net als gisteren.

'Hetzelfde kan ik aan jou vragen.'

Patrick knikte naar de deuren. 'Ik was niet in de stemming om de strijd aan te gaan.'

Alex liep op hem af tot ze tussen zijn benen stond en sloeg haar armen om hem heen. Ze drukte haar gezicht tegen zijn hals. 'Ik had vandaag een heel andere indruk,' zei ze.

Jordan McAfee had een slechte dag. De baby had hem ondergespuugd toen hij vanochtend naar zijn werk wilde gaan. Hij was tien minuten te laat in de rechtbank omdat die verdomde verslaggevers zich als konijnen vermenigvuldigden, er was geen parkeerplek, en rechter Wagner had hem een standje gegeven omdat hij te laat was. Daar kwam bij dat Peter om welke reden dan ook niet meer met hem wilde communiceren en alleen nog maar wat gromde, en dat hij vanochtend als eerste de dappere held die de schutter van Sterling High had overmeesterd een kruisverhoor moest afnemen. Nee, het pad van een strafpleiter ging niet over rozen.

'Rechercheur,' zei hij, op Patrick Ducharme in de getuigenbank aflopend, 'bent u teruggegaan naar het politiebureau toen de patholoog klaar was met zijn werk in de school?'

'Ja.'

'Daar werd Peter in hechtenis gehouden, is het niet?'
'Ja.'
'In een afgesloten, getraliede gevangeniscel?'
'In een beklaagdencel.'
'Was Peter al aangeklaagd?'
'Nee.'
'De tenlastelegging vond pas de volgende ochtend plaats, is het niet?'
'Dat klopt.'
'Waar heeft hij de nacht doorgebracht?'
'In de Grafton County Jail.'
'Hebt u met mijn cliënt gesproken?'
'Ja.'
'Wat hebt u hem gevraagd?'
De rechercheur sloeg zijn armen over elkaar. 'Of hij een kop koffie wilde.'
'Wilde hij dat?'
'Ja.'
'Hebt u hem naar de gebeurtenissen op de school gevraagd?'
'Ik heb hem gevraagd wat er was gebeurd,' zei Ducharme.
'Wat heeft hij geantwoord?'
De rechercheur fronste. 'Hij zei dat hij zijn moeder wilde.'
'Begon hij te huilen?'
'Ja.'
'Hij heeft aldoor gehuild terwijl u hem probeerde te ondervragen, is het niet?'
'Ja.'
Jordan kwam een stap naar voren. 'Dus u hebt een zeventienjarige jongen die huilend om zijn moeder vroeg naar de beklaagdencel teruggebracht?'
'Ja. Maar ik zei tegen hem dat ik hem wilde helpen.'
Jordan keek naar de jury en liet die opmerking even bezinken. 'Wat was Peters antwoord?'
'Hij keek me aan,' zei de rechercheur, 'en zei: "Zij zijn begonnen."'

Curtis Uppergate was al vijfentwintig jaar forensisch psychiater. Hij was afgestudeerd aan drie universiteiten van de Ivy League en bezat een cv dat zo dik was als een baksteen. Hij was net zo blank als Diana, maar droeg zijn schouderlange haar in rastavlechten en was in een bontgekleurd West-Afrikaans gewaad in de rechtszaal verschenen.

'Wat is uw vakgebied, doctor?'

'Ik werk met gewelddadige tieners. Ik onderzoek hen op verzoek van justitie om de aard van hun mogelijke psychische stoornis te bepalen en een behandelplan op te stellen. Ik probeer ook te ontdekken wat hun gemoedstoestand was op het moment dat de misdaad werd gepleegd. Ik heb samengewerkt met de FBI om profielen van schoolschutters samen te stellen, en overeenkomsten te zoeken tussen schietpartijen op Thurston High, Paducah, Rocori en Columbine.'

'Wanneer werd u voor het eerst bij deze zaak betrokken?'

'In april van dit jaar.'

'Hebt u Peter Houghtons dossiers bestudeerd?'

'Ja, mevrouw Leven,' zei Uppergate. 'Alle dossiers die ik van u heb ontvangen – uitgebreide schooldossiers, medische dossiers en politierapporten.'

'Waar hebt u in het bijzonder op gelet?'

'Op tekenen van geestelijke afwijkingen,' zei hij. 'Op fysieke verklaringen voor zijn gedrag. Op psychosociale concepties die overeenkomst vertonen met anderen die gewelddaden op school hebben gepleegd.'

Diana keek even naar de juryleden die glazig begonnen te kijken. 'Hebt u een redelijk zekere conclusie kunnen trekken over Peter Houghtons gemoedstoestand op 6 maart 2007?'

'Ja,' zei Uppergate, en hij keek naar de jury. 'Op het moment dat Peter Houghton in de school begon te schieten, leed hij niet aan een psychische stoornis.'

'Kunt u ons zeggen hoe u tot die conclusie bent gekomen?'

'De definitie van gezond verstand impliceert dat je contact hebt met de werkelijkheid op het moment dat je iets doet. Er zijn bewijzen dat Peter deze aanslag al geruime tijd aan het voorbereiden was. Hij verzamelde munitie en wapens, hij heeft van tevoren zijn slachtoffers gekozen, en via een zelfgemaakt videospel heeft hij dit armageddon zelfs gerepeteerd. Hij heeft deze schietpartij zorgvuldig beraamd.'

'Kunt u in dit verband nog andere voorbeelden noemen?'

'Toen hij bij de school arriveerde en een vriend op het parkeerterrein tegenkwam, heeft hij geprobeerd hem te waarschuwen dat hij zich in veiligheid moest brengen. Voordat hij de school inging, heeft hij een bom in een auto tot ontploffing gebracht om verwarring te zaaien, zodat hij ongehinderd met zijn wapens naar binnen kon. Hij hield wapens verborgen die van tevoren waren geladen. Hij koos plekken in de school waar hijzelf was vernederd. Dit is niet het werk van iemand die niet weet wat hij doet. Dit draagt het stempel van een rationele, boze, misschien gefrustreerde, maar zeker niet aan waandenkbeelden lijdende jongeman.'

Diana liep heen en weer voor de getuigenbank. 'Doctor, hebt u informatie van deze schietpartij kunnen vergelijken met die op andere scholen, en ondersteunen uw bevindingen de conclusie dat de beklaagde volledig toerekeningsvatbaar was?'

Uppergate zwaaide zijn vlechten over zijn schouders. 'Geen van de schutters van Columbine, Paducah, Thurston of Rocori genoot enig aanzien. Niet dat ze eenlingen waren, maar ze hadden het gevoel dat ze geen deel uitmaakten van de groep. Peter zat bijvoorbeeld in het voetbalteam, maar was een van de twee spelers die nooit werd opgesteld. Hij was intelligent, maar dat kwam niet tot uitdrukking in zijn rapportcijfers. Hij had belangstelling voor een meisje, maar die belangstelling was niet wederzijds. Het enige terrein waar hij zich op zijn gemak voelde, was een wereld die hijzelf had geschapen, die van computerspelletjes. Daar voelde hij zich niet alleen thuis, daar was hij God.'

'Wil dat zeggen dat hij op de zesde maart in een fantasiewereld leefde?'

'Absoluut niet. Anders zou hij deze aanslag niet zo rationeel en systematisch hebben voorbereid.'

Diana draaide zich om. 'Er zijn bewijzen, doctor, dat Peter op school werd gepest. Hebt u die informatie bestudeerd?'

'Ja.'

'Kunt u iets zeggen over het effect dat gepest worden op kinderen als Peter heeft?'

'Bij al die schietpartijen op school is pesten als argument gebruikt,' zei Uppergate. 'Omdat hij wordt gepest, gaat de schutter kennelijk op een dag door het lint en slaat hij terug. Maar in alle andere gevallen – en naar mijn mening geldt dat ook in dit geval – blijkt de schutter nogal te hebben overdreven. Bovendien is hij niet de enige die wordt gepest, en voor hem is het niet erger dan voor een ander.'

'Waarom gaat hij dan toch op wapengeweld over?'

'Om macht te krijgen over een situatie waarin hij zich altijd machteloos heeft gevoeld,' zei Curtis Uppergate. 'En dat duidt er eveneens op dat hij zich heeft voorbereid.'

'Uw getuige,' zei Diana.

Jordan stond op en liep naar dr. Uppergate toe. 'Wanneer hebt u Peter voor het eerst ontmoet?'

'We zijn nooit aan elkaar voorgesteld.'

'Maar u bent toch psychiater?'

'Dat ben ik inderdaad.'

'Ik dacht dat psychiaters een persoonlijke relatie met hun cliënt opbouwden om meer over zijn gedachtewereld te weten te komen.'

'Dat maakt er deel van uit.'

'Maar wel een heel belangrijk deel, is het niet?' vroeg Jordan.

'Ja.'

'Zou u op dit moment een recept voor Peter uitschrijven?'

'Nee.'

'Omdat u hem persoonlijk moet kennen voordat u weet of dat medicijn geschikt voor hem is, correct?'

'Ja.'

'Hebt u met de schoolschutters van Thurston High gesproken?'

'Ja,' zei Uppergate.

'Ook met de jongen van Paducah?'

'Ja.'

'Van Rocori?'

'Ja.'

'Niet van Columbine...'

'Ik ben psychiater, meneer McAfee,' zei Uppergate. 'Geen medium. Niettemin heb ik langdurig met de familie van de twee jongens gesproken en hun dagboeken gelezen.'

'Hebt u ooit direct met Peter Houghton gesproken?'

Curtis Uppergate aarzelde. 'Nee.'

Jordan ging zitten. Diana keek de rechter aan. 'Het OM staakt de bewijsvoering, edelachtbare.'

'Hier,' zei Jordan, en hij reikte Peter een broodje aan toen hij de beklaagdencel binnenkwam. 'Of ben je ook in hongerstaking?'

Peter keek hem nijdig aan, maar hij haalde de sandwich uit de verpakking en nam een hap. 'Ik lust geen kalkoen.'

'Jammer dan.' Jordan leunde tegen de muur. 'Wil je me vertellen waarom je zo pissig doet?'

'Je hebt geen idee hoe het is om de hele tijd naar mensen te moeten luisteren die over je praten alsof je er niet bij bent. Alsof ik het niet eens kan horen.'

'Dat zijn nu eenmaal de regels van het spel,' zei Jordan. 'En nu is het onze beurt.'

Peter stond op en liep naar de voorkant van de cel. 'Voor jou is het niet meer dan een spel, hè?'

Jordan sloot zijn ogen en telde in gedachten tot tien om zich te beheersen. 'Natuurlijk niet.'

'Hoeveel krijg je hier eigenlijk voor?' vroeg Peter.

'Dat gaat je geen...'

'Hoeveel?'

'Vraag dat maar aan je ouders,' zei Jordan kortaf.

'Je krijgt je geld ook als ik verlies, hè?'

Jordan knikte aarzelend.

'Dus het kan je geen ene flikker schelen hoe dit afloopt, is het wel?'

Met enige verbazing constateerde Jordan dat Peter aanleg had om strafpleiter te worden. Zo'n soort cirkelredenering waarmee je iemand in een hoek dreef was precies wat je in een rechtszaal nastreefde.

'Sta je me nou nog uit te lachen ook?' zei Peter beschuldigend.

'Nee, ik dacht alleen dat je een goeie advocaat zou kunnen worden.'

Peter ging weer zitten. 'Fantastisch. Daar heb ik wat aan als ik levenslang krijg.'

Jordan nam het broodje uit Peters hand en nam er een hap van. 'Laten we eerst maar afwachten wat er gebeurt,' zei hij.

Een jury was altijd onder de indruk van King Wahs staat van dienst. Hij was in tweehonderdachtenveertig processen als getuige-deskundige opgeroepen. Hij had meer publicaties op zijn naam staan dan welke andere forensisch psychiater ook. En, dacht Jordan voldaan, hij had drie seminars gegeven die werden bijgewoond door dr. Curtis Uppergate, een getuige van het OM.

'Doctor Wah,' begon Jordan, 'wanneer bent u bij deze zaak betrokken geraakt?'

'In juni, toen u contact met me zocht, meneer McAfee, en ik u beloofd heb met Peter te gaan praten.'

'En hebt u dat gedaan?'

'Ja, ik heb meer dan tien uur met hem gesproken. Ik heb ook de politierapporten gelezen, en de medische dossiers en school-dossiers van zowel Peter als zijn oudere broer. Ik heb ook met zijn ouders gepraat. Vervolgens heb ik hem laten onderzoeken door mijn collega, doctor Lawrence Ghertz, pediatrisch neuropsychiater.'

'Wat doet een pediatrisch neuropsychiater?'

'Hij bestudeert organische oorzaken voor mentale stoornissen bij kinderen.'

'Wat heeft doctor Ghertz gedaan?'

'Hij heeft een aantal MRI-scans van Peters hersenen gemaakt,' zei King. 'Door middel van hersenscans kan doctor Ghertz aantonen dat de structurele veranderingen in het brein van de adolescent niet alleen een verklaring geven voor het timingproces van ernstige psychische afwijkingen als schizofrenie en bipolaire stoornissen, maar ook voor het onberekenbare gedrag dat ouders doorgaans wijten aan opspelende hormonen. Niet dat opspelende hormonen bij adolescenten geen rol spelen, maar er kan ook sprake zijn van gebrek aan cognitieve controlemechanismen.'

Jordan richtte zich tot de jury. 'Begrijpt u er iets van? Ik niet...'

King grijnsde. 'Laat ik het anders zeggen. Je kunt veel over een kind te weten komen door naar zijn hersenen te kijken. Stel dat u tegen uw zeventienjarige zoon zegt dat hij de melk moet terugzetten in de koelkast. Hij knikt, en negeert u vervolgens volledig. Daar kan een fysiologische verklaring voor zijn.'

'Hebt u Peter naar doctor Ghertz gestuurd omdat u dacht dat hij bipolair gestoord of schizofreen was?'

'Nee. Maar ik moet wel zeker weten dat die oorzaken kunnen worden uitgesloten voordat ik op zoek ga naar andere redenen voor zijn gedrag.'

'Heeft doctor Ghertz u een verslag van zijn bevindingen gestuurd?'

'Ja.'

'Kunt u er een toelichting bij geven?' Jordan overhandigde hem een diagram van de hersenen dat hij als bewijsstuk had ingebracht.

'Volgens doctor Ghertz was Peters brein in zoverre gelijk aan dat van de typische adolescent dat de prefrontale hersenschors nog niet zo ver was ontwikkeld als in het brein van een volwassene.'

'Ogenblik,' zei Jordan. 'Dat moet u even uitleggen.'

'De prefrontale hersenschors lig hier, vlak achter het voorhoofd. Het is zo'n beetje de baas van het brein die de rationele gedachte aanstuurt. Het is ook het deel van de hersenen dat het laatst tot wasdom komt, en dat verklaart ook waarom pubers zo vaak in de problemen komen.' Toen wees hij naar een klein vlekje in het midden van het diagram. 'Dit wordt de amygdala genoemd. Omdat het besluitvormingscentrum van een puber nog niet helemaal is voltooid, is hij aangewezen op dit kleine plekje in zijn hersenen. Dit is het impulsieve epicentrum van het brein, van waaruit gevoelens als angst, woede en instinct worden aangestuurd. Met andere woorden, dat deel van het brein dat hem ingeeft te zeggen: "Omdat mijn vrienden het ook een goed idee vonden."'

De meeste juryleden begonnen te grinniken. Jordan keek even naar Peter. Hij hing niet meer onderuitgezakt in zijn stoel, maar zat nu rechtop aandachtig te luisteren. 'Eigenlijk is het fascinerend,' zei King, 'dat iemand van twintig fysiologisch in staat is een weloverwogen beslissing te nemen, en iemand van zeventien niet.'

'Heeft doctor Ghertz nog andere psychologische tests gedaan?'

'Ja. Hij heeft een tweede MRI gemaakt terwijl Peter een eenvoudige opdracht uitvoerde. Hij kreeg een aantal foto's van gezichten voorgelegd waarvan hij de erop weergegeven emoties moest benoemen. In tegenstelling tot een testgroep volwassenen die bijna geen fouten maakte, vergiste Peter zich nogal eens. Met name angstige uitdrukkingen verwarde hij met boosheid of verdriet. De MRI-scan toonde aan dat terwijl hij zich op de test concentreerde de amygdala het werk deed... niet de prefrontale cortex.'

'Wat kunt u daaruit afleiden, doctor Wah?'

'Dat Peters vermogen om tot een rationeel, weloverwogen plan te komen nog in ontwikkeling is. Fysiologisch is hij er nog niet toe in staat.'

Jordan keek naar de reactie van de jury. 'Doctor Wah, u zei dat u met Peter hebt gesproken?'

'Ja, in een spreekkamer van de gevangenis. Tien sessies van een uur.'

'Toonde hij zich onwillig?'

'Nee.' De psychiater zweeg even. 'Hij scheen blij te zijn dat hij gezelschap kreeg.'

'Is u bij dat eerste gesprek iets opgevallen?'

'Hij toonde geen enkele emotie.'

'Waar hebt u met hem over gepraat?'

King keek naar Peter en glimlachte. 'Over de Red Sox,' zei hij. 'En over zijn familie.'

'Wat heeft hij verteld?'

'Dat Boston een nieuw kampioenschap nodig had. Wat voor een Yankee-fan als ik al genoeg is om aan zijn rationele vermogens te twijfelen.'

Jordan grinnikte. 'Wat heeft hij verteld over zijn familie?'

'Dat zijn broer Joey een jaar geleden is verongelukt. Joey was een jaar ouder dan Peter. We hebben het ook gehad over de dingen die hij graag deed, zoals achter de computer zitten, en over zijn kindertijd.'

'Wat heeft hij u daarover verteld?' vroeg Jordan.

'De meeste herinneringen betroffen situaties waarin hij zich het slachtoffer voelde van andere kinderen, of van volwassenen die niets deden om hem te helpen. Hij beschreef fysieke bedreigingen – *Uit de weg of ik timmer je in elkaar* – tot fysiek geweld wanneer hij in de schoolgangen tegen de muur werd geslagen. Hij vertelde dat hij werd uitgescholden voor *homo* en *flikker*.'

'Heeft hij verteld wanneer hij voor het eerst werd gepest?'

'Al meteen vanaf zijn eerste dag op school. Het ging door tot kort voor de schietpartij, toen hij publiekelijk werd vernederd nadat hij belangstelling voor een meisje had getoond.'

'Heeft Peter ooit om hulp gevraagd?'

'Jawel, maar met averechts resultaat. Toen een jongen hem bijvoorbeeld een stomp had gegeven, stompte hij hem terug. Een leraar zag het en bracht de twee jongens naar het schoolhoofd. In Peters optiek had hij zichzelf verdedigd en toch werd hij eveneens gestraft.' King zocht een gemakkelijker houding. 'Recentere herinneringen betroffen zijn onvermogen om op te boksen tegen zijn broer, die hem steeds als ideale zoon en leerling tot voorbeeld werd gesteld.'

'Heeft Peter over zijn ouders gesproken?'

'Ja. Hij hield van zijn ouders, maar had niet het idee dat ze hem konden beschermen.'

'Beschermen tegen wat?'

'Problemen op school, gevoelens die hij kreeg, ideeën over zelfmoord.'

Jordan draaide zich om naar de jury. 'Kon u, op basis van uw gesprekken met Peter en de bevindingen van doctor Ghertz, met redelijke zekerheid vaststellen wat Peters gemoedstoestand was op 6 maart 2007?'

'Ja. Peter leed aan posttraumatische stressstoornis.'

'Kunt u uitleggen wat dat inhoudt?'

King knikte. 'Dat is een psychische stoornis die kan volgen op een situatie waarin iemand wordt onderdrukt of tot slachtoffer wordt gemaakt. We kennen allemaal het voorbeeld van soldaten die terugkomen uit de oorlog en zich vanwege PTSS niet meer kunnen aanpassen. Iemand die aan PTSS lijdt, beleeft een traumatische ervaring in nachtmerries opnieuw. Hij heeft slaapstoornissen en het gevoel nergens bij te horen. In extreme gevallen kan het leiden tot hallucinaties of dissociatie.'

'Wilt u zeggen dat Peter op de ochtend van de zesde maart hallucineerde?'

'Nee, maar ik geloof wel dat hij in dissociatieve toestand verkeerde.'

'Wat betekent dat?'

'Dat je wel fysiek aanwezig bent, maar niet mentaal,' legde King uit. 'Dat je je gevoel bij een gebeurtenis kunt uitschakelen.'

Jordan dacht na. 'Wacht even, doctor. Bedoelt u dat iemand in dissociatieve toestand een auto kan besturen?'

'Absoluut.'

'En een bom tot ontploffing kan brengen?'

'Ja.'

'En wapens kan laden?'

'Ja.'

'En die wapens afvuren?'

'Zeker.'

'En al die tijd beseft zo iemand niet wat hij doet?'

'Juist, meneer McAfee,' zei King. 'Zo is het precies.'

'Wanneer is Peter naar uw mening in deze dissociatieve toestand geraakt?'

'Tijdens onze gesprekken heeft Peter verklaard dat hij op de ochtend van de zesde maart vroeg is opgestaan en achter zijn computer is gaan zitten om de reacties op zijn spelletje op een website te checken. Per ongeluk riep hij een oud bestand op – de e-mail die hij aan Josie Cormier had gestuurd waarin hij zijn gevoelens voor haar openbaarde. Het was dezelfde e-mail die enkele weken eerder aan de hele school was rondgestuurd, wat leidde tot een nog grotere vernedering toen zijn broek in de kantine naar beneden werd getrokken. Peter zegt dat hij na het zien van die e-mail zich bijna niets meer kan herinneren.'

'Ik roep zo vaak per ongeluk een oud bestand op,' zei Jordan, 'maar daardoor raak ik niet in dissociatieve toestand.'

'De computer is altijd Peters veilige haven geweest. Daarmee creëerde hij een wereld waar hij zich thuis voelde, een wereld met personages die waardering voor hem hadden en over wie hij controle had. Toen dit veilige gebied ineens veranderde in de werkelijke wereld waar hij altijd werd vernederd, is er bij hem een knop omgegaan.'

Jordan sloeg zijn armen over elkaar en speelde voor advocaat van de duivel. 'Ik weet het niet... We hebben het hier over een e-mail. Mag je pesten vergelijken met het trauma van oorlogsveteranen in Irak, of dat van overlevenden van elf september?'

'Wat u bij PTSS niet mag vergeten, is dat iedereen anders op een traumatische gebeurtenis reageert. Voor de een zal een verkrachting er de aanleiding voor zijn, voor een ander kan seksuele intimidatie al de aanzet geven. Het doet er niet toe of het om oorlog, een terroristische aanslag, seksueel geweld of pesten gaat – waar het om draait is hoe iemand er emotioneel mee omgaat.'

King wendde zich tot de jury. 'Misschien hebt u weleens gehoord van het mishandelde-vrouwensyndroom. Het zal velen onder u onbegrijpelijk voorkomen dat een vrouw – ook al ze is jarenlang mishandeld – haar man vermoordt in zijn slaap.'

'Protest,' zei Diana. 'Hier staat geen mishandelde vrouw terecht.'

489

'Afgewezen,' zei rechter Wagner.

'Ook wanneer een mishandelde vrouw niet onder directe fysieke bedreiging staat, denkt ze dat het wel zo is. Dat is het gevolg van een chronisch, escalerend patroon van geweld waardoor ze aan PTSS is gaan lijden. Door in permanente angst te leven dat ze zal worden mishandeld, komt ze tot het moment dat ze naar een wapen grijpt, ook al ligt haar man te snurken. Voor haar is hij zelfs dan een directe bedreiging,' zei King. 'Een kind als Peter dat aan PTSS lijdt, is doodsbang dat zijn kwelgeest hem uiteindelijk zal doden. Ook als die kwelgeest hem op dat moment niet in een kast opsluit, stompt, duwt of trapt, heeft hij het idee dat het ieder ogenblik wél kan gebeuren. En dus onderneemt hij actie, net als de mishandelde vrouw, wanneer er ogenschijnlijk geen enkele aanleiding toe is.'

'Kan niemand dit soort irrationele angst dan zien?' vroeg Jordan.

'Waarschijnlijk niet. Een kind dat aan PTSS lijdt, heeft tevergeefs geprobeerd hulp te krijgen, en als het steeds opnieuw tot slachtoffer wordt gemaakt, vraagt het er niet meer om. Hij gaat zich afzonderen, omdat hij nooit zeker weet wanneer hij gepest zal worden. Ongetwijfeld overweegt hij de hand aan zichzelf te slaan. Hij vlucht naar een fantasiewereld waar hij het voor het zeggen heeft. Maar daar trekt hij zich uiteindelijk zo vaak in terug dat het steeds moeilijker wordt die van de werkelijkheid te onderscheiden. Tijdens het pesten zelf zal een kind met PTSS zich terugtrekken in een veranderde staat van bewustzijn – een dissociatie van de werkelijkheid om geen pijn of vernedering te hoeven voelen. En naar mijn mening is dat precies wat er met Peter op de zesde maart is gebeurd.'

'Al was geen van de pestkoppen in zijn slaapkamer toen die e-mail verscheen?'

'Correct. Peter is zijn hele leven geslagen, uitgescholden en bedreigd, totdat hij bang werd dat hij gedood zou worden als hij niets ondernam. Door dat mailtje raakte hij in een dissociatieve toestand, en toen hij naar Sterling High ging en om zich heen schoot, was hij zich totaal niet bewust van wat hij deed.'

'Hoe lang kan een dissociatieve toestand duren?'

'Dat hangt ervan af. In Peters geval kan het uren hebben geduurd.'

'*Uren?*' herhaalde Jordan.

'Zeker. Mijns inziens is hij zich tijdens de schietpartij geen ogenblik van zijn daden bewust geweest.'

Jordan keek even naar de aanklager. 'We hebben allemaal de videobeelden gezien dat Peter na schoten te hebben afgevuurd in de kantine een bord cornflakes is gaan eten. Draagt dat bij tot uw diagnose?'

'Ja. Sterker nog, ik kan geen duidelijker bewijs bedenken van het feit dat Peter op dat moment nog steeds dissociatief was. Daar zat een jongen tot wie het absoluut niet doordrong dat hij omringd werd door klasgenoten die hij gedood, verwond, of op de vlucht had gedreven. Hij gaat zitten en leegt op zijn gemak een zakje Rice Krispies in zijn bord, zonder zich bewust te zijn van het bloedbad om hem heen.'

'Hoe denkt u over het feit dat veel leerlingen op wie Peter heeft geschoten geen deel uitmaakten van de "populaire kliek" zoals dat heet? Dat hij zelfs een docent heeft gedood?'

'Nogmaals,' zei de psychiater, 'we hebben het hier niet over rationeel gedrag. Peter wist niet wat hij deed. Toen hij begon te schieten, had hij zich uit de werkelijkheid teruggetrokken. Iedereen die Peter in die negentien minuten tegenkwam, vormde een potentiële bedreiging.'

'Wanneer kwam er volgens u een eind aan Peters dissociatieve toestand?' vroeg Jordan.

'Toen Peter in hechtenis was genomen en door rechercheur Ducharme werd ondervraagd. Toen begon hij weer normaal te reageren. Hij barstte in huilen uit en vroeg om zijn moeder – een typisch kinderlijke reactie.'

Jordan leunde tegen het hek van de jurybank. 'Peter was niet de enige die op school werd gepest. Waarom dan zo'n reactie?'

'Zoals ik al zei reageert iedereen weer anders op stress. Bij Peter heb ik een buitengewoon emotionele kwetsbaarheid kunnen constateren, die er in feite ook de oorzaak van was dat hij werd gepest. Peter speelde niet volgens de gedragscode van andere jongens. Hij kon niet goed sporten. Hij was niet stoer. Hij was gevoelig. En anders zijn wordt niet altijd gerespecteerd – zeker niet onder tieners. Adolescentie gaat over erbij horen, niet erbuiten staan.'

'Waarom neemt een emotioneel kwetsbaar kind op een dag vier wapens mee naar school om negenentwintig mensen neer te schieten?'

'Dat is voor een deel te wijten aan PTSS, maar voor een groot deel ook aan de maatschappij waarvan zowel Peter als zijn kwelgeesten de producten zijn. Peters reactie wordt opgelegd door de wereld waarin hij leeft. Hij speelt gewelddadige videospelletjes die massaal worden verkocht. Hij luistert naar muziek die moord en verkrachting verheerlijkt. Hij woont in een staat, meneer McAfee, die het motto heeft: "Leef in vrijheid of sterf".' King schudde zijn hoofd. 'Op een ochtend is Peter veranderd in de persoon die hij al die tijd hoopte te worden.'

Niemand wist het, maar één keer had Josie het uitgemaakt met Matt.

Ze gingen al bijna een jaar met elkaar om toen Matt haar op een zaterdagavond kwam ophalen. Een student uit het seniorenteam, een kennis van Brady, gaf een feestje.

De muziek dreunde hen tegemoet toen ze bij het huis arriveerden. De auto's stonden langs de weg, op de stoep en op het gazon geparkeerd. Terwijl ze over de oprit liepen stond er een meisje in de struiken te braken.

Matt liet haar hand niet los. Ze drongen zich door de meute naar de keuken waar het biervat stond, en gingen naar de eetkamer waar de tafel op z'n zijkant tegen de muur was gezet om meer dansruimte te maken. De kinderen kwamen niet alleen uit Sterling maar ook uit andere stadjes. Van sommigen kon je aan hun roodomrande, wazige ogen zien dat ze pot hadden gerookt.

Josie kende niemand hier, maar dat maakte niet uit, want ze

was met Matt. Ze wurmden zich tussen de wriemelende massa op de dansvloer. Matt drukte haar tegen zich aan en ze sloeg haar armen om zijn hals.

Het ging mis toen ze naar de wc wilde. Eerst wilde Matt met haar mee lopen. Hij zei dat hij haar niet alleen wilde laten. Uiteindelijk wist ze hem ervan te overtuigen dat ze binnen een halve minuut weer terug zou zijn, maar toen ze wegliep, botste er een lange jongen tegen haar op die bier over haar kleren morste. 'Shit!' zei hij.

'Is niet erg.' Josie haalde een tissue uit haar zak en begon haar bloes droog te deppen.

'Laat mij maar even,' zei de jongen, en hij nam de tissue van haar over. Op hetzelfde moment beseften ze dat het onbegonnen werk was en ze schoten in de lach. Zijn hand lag nog losjes op haar schouder toen Matt op hem afliep en hem met zijn vuist in het gezicht sloeg.

'Wat doe je!' schreeuwde Josie. De jongen lag bewegingloos op de vloer. Matt greep haar hardhandig bij de pols, sleurde haar mee naar buiten en duwde haar de auto in.

'Hij probeerde alleen maar te helpen,' zei Josie.

Matt reed achteruit de oprit af. 'Wil je liever blijven en de slet uithangen?'

Hij scheurde als een dolleman de stad door, stoplichten negerend en met gierende banden door de bocht vliegend. Ze vroeg hem drie keer rustiger aan te doen. Daarna sloot ze haar ogen en hoopte dat het gauw voorbij zou zijn.

Toen hij met krijsende remmen voor haar huis stopte, keek ze hem kalm aan. 'Ik wil niets meer met je te maken hebben,' zei ze, en ze stapte de auto uit. Terwijl ze naar de voordeur liep, riep hij haar na: 'Dat komt dan goed uit, want ik wil niets met een hoer te maken hebben.'

Ze glipte langs haar moeder heen met het excuus dat ze hoofdpijn had. In de badkamer keek ze naar zichzelf in de spiegel en vroeg zich af wie dit meisje was dat ineens ruggengraat had gekregen, en waarom ze dan toch het liefst in huilen was uitgebarsten. Ze lag een uur op bed voor zich uit te staren. Ze had het zelf uitgemaakt. Waarom voelde ze zich dan zo ellendig?

Toen om even na drieën in de ochtend de telefoon ging, nam Josie op en drukte meteen de haak in zodat haar moeder zou aannemen dat iemand een verkeerd nummer had gedraaid. Ze hield even haar adem in, nam toen de hoorn op en toetste *69 in. Nog voordat ze de bekende cijferreeks zag, wist ze dat het Matt was geweest.

'Josie,' zei hij, toen ze hem terugbelde, 'heb je gelogen?'

'Waarover?'

'Toen je zei dat je van me hield.'

Ze drukte haar gezicht in het kussen. 'Nee,' fluisterde ze.

'Ik kan niet zonder je leven,' zei Matt, en toen hoorde ze iets dat klonk alsof hij pillen uit een potje schudde.

Josie verstijfde. 'Wat doe je?'

'Wat kan het je schelen?'

Ze dacht koortsachtig na. Ze had wel haar rijbewijs, maar durfde nog niet in het donker te rijden. En ze woonde te ver van hem vandaan om naar zijn huis te rennen. 'Doe het niet,' zei ze. 'Doe helemaal niets.'

Beneden in de garage pakte ze de fiets die ze al heel lang niet meer gebruikte en legde in noodvaart de zes kilometer naar Matts huis af. Onderweg begon het te regenen, en tegen de tijd dat ze arriveerde waren haar haren en kleren doorweekt. Er brandde nog steeds licht op zijn slaapkamer die op de benedenverdieping lag. Josie klopte op het raam, en hij deed het open zodat ze naar binnen kon klimmen.

Op zijn bureau stond een potje aspirines en een fles whisky. Josie keek hem aan. 'Heb je...'

Matt sloeg zijn armen om haar heen. Hij rook naar drank. 'Je zei dat ik het niet moest doen. En voor jou doe ik alles.' Toen maakte hij zich van haar los. 'Zou jij ook alles voor mij doen?'

'Alles,' bezwoer ze hem.

Matt nam haar weer in zijn armen. 'Zeg dat je het niet meende.'

494

Ze had het gevoel dat er een kooi boven haar werd neergelaten. Te laat besefte ze dat Matt haar via het hart in een hinderlaag had gelokt. En zoals elk hulpeloos dier dat veilig en wel was opgesloten, kon Josie alleen ontsnappen door iets van zichzelf op te offeren.

'Het spijt me verschrikkelijk,' zei ze die nacht keer op keer. Want het was allemaal háár schuld.

'Doctor Wah,' zei Diana, 'wat is uw honorarium voor uw werk in deze zaak?'

'Mijn honorarium bedraagt tweeduizend dollar per dag.'

'Mag ik stellen dat een van de belangrijkste componenten om tot een diagnose van de beklaagde te komen uw gesprekken met hem zijn geweest?'

'Absoluut.'

'Tijdens die tien sessies vertrouwde u erop dat hij u de waarheid vertelde, ja?'

'Ja.'

'Maar u kon niet weten wanneer hij niet de waarheid sprak, is het wel?'

'Ik doe dit werk al enige tijd, mevrouw Leven,' zei de psychiater. 'Ik heb genoeg mensen ondervraagd om te weten wanneer ze me iets wijs proberen te maken.'

'En houdt u daarbij rekening met de omstandigheden waarin ze zich bevinden?'

'Zeker.'

'En u hebt met Peter gesproken terwijl hij in de gevangenis zat op verdenking van meervoudige moord?'

'Dat klopt.'

'Had Peter daarom niet alle reden een uitweg te zoeken?'

'Je kunt ook zeggen,' wierp dr. Wah tegen, 'dat hij niets te verliezen had door de waarheid te spreken.'

Diana perste haar lippen op elkaar. Een simpel 'ja' of 'nee' was haar wel zo lief geweest. 'U zei dat uw diagnose van PTSS voor een deel gebaseerd is op het feit dat de beklaagde tevergeefs hulp heeft proberen te krijgen. Is dit gebaseerd op de informatie die hij u tijdens uw gesprekken verschafte?'

'Ja, en die werd door zijn ouders bevestigd, en ook door enkele docenten die voor het OM hebben getuigd, mevrouw Leven.'

'U zei ook dat uw diagnose van PTSS voor een deel berustte op het feit dat Peter zich in een fantasiewereld terugtrok, correct?'

'Ja.'

'En dat baseerde u op de computerspelletjes waar Peter u over heeft verteld?'

'Ja.'

'Hebt u Peter verteld dat doctor Ghertz hersenscans van hem zou nemen?'

'Ja.'

'Is het denkbaar dat Peter expres fouten in doctor Ghertz' test heeft gemaakt om de diagnose te beïnvloeden?'

'Het is niet ondenkbaar...'

'U zei ook dat Peter bij het zien van een e-mail op de ochtend van de zesde maart in dissociatie raakte, een toestand die heeft voortgeduurd terwijl hij het bloedbad op Sterling High...'

'Protest.'

'Aanvaard,' zei de rechter.

'Is die conclusie op nog iets anders gebaseerd dan op wat Peter Houghton u heeft verteld? Terwijl hij in een gevangeniscel zat, aangeklaagd wegens tienvoudige moord en negentien pogingen tot moord?'

King Wah schudde zijn hoofd. 'Nee, maar elke andere psychiater zou tot dezelfde uitkomst zijn gekomen.'

Diana trok haar wenkbrauwen op. 'Elke andere psychiater die tweeduizend dollar per dag incasseert.' Nog voor Jordan protest kon aantekenen, nam ze haar opmerking terug. 'U zei dat Peter moet hebben overwogen de hand aan zichzelf te slaan.'

'Ja.'

'Dus hij wilde zelfmoord plegen.'

'Ja. Dat is heel normaal bij patiënten met PTSS.'

'Rechercheur Ducharme heeft verklaard dat er die dag honderdzestien patroonhulzen in de school zijn gevonden. Op Peter zelf werden dertig niet gebruikte patronen aangetroffen, en in zijn rugzak tweeënvijftig, alsook twee niet gebruikte wapens. Misschien wilt u even voor me uitrekenen om hoeveel kogels het hier gaat, doctor?'

'Om honderdachtenennegentig kogels.'

Diana keek hem recht aan. 'In die negentien minuten had Peter bijna tweehonderd keer de gelegenheid zichzelf om het leven te brengen in plaats van elke andere leerling die hij tegenkwam op Sterling High, is het niet, doctor?'

'Jawel, maar in zijn geval is de scheidslijn tussen moord en zelfmoord flinterdun. Iemand die depressief is en zelfmoord wil plegen, besluit op het laatste moment een ander de dood in te jagen.'

Diana trok haar wenkbrauwen op. 'Ik meen te hebben begrepen dat Peter toen in dissociatieve toestand verkeerde,' zei ze. 'Dat hij niet in staat was om keuzes te maken.'

'Dat kon hij ook niet. Hij haalde de trekker over zonder te weten wat de consequenties waren.'

'Of heeft hij die flinterdunne scheidslijn misschien bewust overschreden?'

'Protest,' zei Jordan.

'Protest aanvaard,' zei de rechter.

'U hebt ook gezegd,' vervolgde Diana onverstoorbaar, 'dat er een eind aan Peters dissociatieve toestand kwam toen rechercheur Ducharme hem op het politiebureau ondervroeg, correct?'

'Ja.'

'Mag ik zeggen dat u dat baseert op het feit dat Peter zich weer normaal begon te gedragen, gezien de omstandigheden waarin hij zich bevond?'

'Ja.'

'Hoe verklaart u dan dat uren daarvoor, toen drie politiemannen hun pistool op hem richtten en zeiden dat hij zijn wapen moest laten vallen, hij deed wat hem gevraagd werd?'

Dr. Wah aarzelde. 'Tja.'

'Is dat niet een normale reactie?'

'Hij liet het wapen vallen,' zei de psychiater, 'omdat hij zelfs in zijn onderbewustzijn wist dat hij anders neergeschoten zou worden.'

'Maar, doctor,' zei Diana, 'u hebt net gezegd dat Peter juist wilde sterven.'

Voldaan ging ze zitten.

'Doctor Wah,' zei Jordan, 'u hebt veel tijd met Peter doorgebracht, is het niet?'

'In tegenstelling tot enkele andere collega's hecht ik er veel waarde aan mijn cliënten persoonlijk te ontmoeten.'

'Waarom is dat belangrijk?'

'Om een verstandhouding op te bouwen,' zei de psychiater. 'Om een relatie tussen arts en patiënt te creëren.'

'Gelooft u alles wat een patiënt u vertelt?'

'Zeer zeker niet, en vooral niet onder deze omstandigheden.'

'In feite zijn er vele manieren om iemands verhaal bevestigd te krijgen, is het niet?'

'Natuurlijk. In Peters geval heb ik met zijn ouders gesproken. Ik heb de schooldossiers en de politierapporten gelezen.'

'Hebt u ook een bekrachtiging kunnen vinden voor Peters dissociatieve toestand op de zesde maart?' vroeg Jordan.

'Ja. Hoewel uit het politieonderzoek blijkt dat Peter een lijst met slachtoffers had gemaakt, heeft hij veel meer mensen neergeschoten, ook leerlingen die hij nauwelijks kende.'

'Waarom is dat belangrijk?'

'Voor mij is dat het bewijs dat hij niet gericht z'n doelwit koos, maar in het wilde weg om zich heen heeft geschoten.'

'Dank u, doctor,' zei Jordan, en hij knikte tegen Diana.

Ze keek de psychiater aan. 'Peter heeft u verteld dat hij in de kantine is vernederd,' zei ze. 'Heeft hij nog andere specifieke plekken genoemd?'

'Het schoolplein. De schoolbus. De toiletten. De kleedkamer.'

'Is Peter in het kantoor van de rector geweest toen hij begon te schieten?'

'Niet dat ik weet.'

'In de bibliotheek?'

'Nee.'

'In de personeelslounge?'

Dr. Wah schudde zijn hoofd. 'Nee.'

'In het atelier?'

'Dat dacht ik niet.'

'In feite is Peter van de kantine naar de toiletten gegaan, en vervolgens naar de gymzaal en de kleedkamer. Hij is systematisch van de ene plek waar hij werd gepest naar de andere gegaan. Correct?'

'Mogelijk.'

'U zei dat hij in het wilde weg om zich heen schoot,' zei Diana. 'Maar zou u dat niet eerder een vooropgezet plan noemen?'

Toen Peter die avond terugkwam in de gevangenis, zei de bewaker die hem naar zijn cel bracht: 'Je hebt vandaag de postronde gemist.' En hij gaf hem een brief.

Hij ging met zijn rug tegen de muur op het onderste bed zitten en keek naar de envelop. Hij was een beetje huiverig geworden voor brieven van onbekenden nadat Jordan hem had uitgefoeterd omdat hij met die verslaggeefster had gesproken. Deze envelop was evenwel niet getypt zoals die andere, maar met de hand geschreven.

Hij scheurde hem open en ontvouwde de brief, die naar sinaasappels rook.

Beste Peter,

Je kent me niet, maar ik was nummer 9. Dat nummer stond op mijn voorhoofd geschreven toen ik de school uit werd gebracht nadat je geprobeerd had me te vermoorden.

Ik ben niet bij je proces aanwezig. Ik kon het niet aan nog langer in Sterling te blijven en daarom zijn mijn ouders verhuisd. Over een week ga ik hier in Minnesota naar school, en veel mensen weten al wie ik ben. Ze kennen me alleen als slachtoffer van Sterling High. Ik heb geen speciale interesses, ik ben geen bijzondere persoonlijkheid, ik heb niet eens een geschiedenis, behalve de achtergrond die jij me hebt gegeven.

Mijn gemiddelde cijfer was 4.0, maar schoolcijfers kunnen me weinig meer schelen. Wat heeft het nog voor zin? Vroeger droomde ik over later, maar nu weet ik niet of ik wel naar de universiteit wil. Ik slaap slecht. Ik raak in paniek als iemand me van achteren benadert, en ook als er met deuren wordt geslagen, of bij vuurwerk. Ik ben lang genoeg in therapie geweest om één ding zeker te weten: ik kom nooit meer terug naar Sterling.

Je hebt me in de rug geschoten. De artsen zeggen dat ik geluk heb gehad. Als ik had geniesd of me naar je had omgedraaid, zou ik nu in een rolstoel zitten. Als ik een topje aantrek, staren de mensen naar mijn littekens en hechtingen. Het kan me niet schelen. Vroeger keken ze altijd naar de puistjes op mijn gezicht, en nu hebben ze gewoon iets anders om naar te kijken.

Ik heb veel over je nagedacht. Ik vind dat je naar de gevangenis moet. Dat is niet meer dan eerlijk, want wat jij hebt gedaan was ook niet eerlijk, en dan wordt het evenwicht weer een beetje hersteld.

Ik zat bij je in de klas met Frans, weet je dat? Ik zat in de rij bij het raam, tweede van achteren. Ik heb je altijd een beetje mysterieus gevonden, en ik vond dat je een leuke glimlach had.

Ik was graag een vriendin van je geworden.

Met vriendelijke groeten,
Angela Phlug

Peter vouwde de brief dicht en stopte hem in de kussensloop. Tien minuten later nam hij hem er weer uit. Die hele nacht las hij hem steeds opnieuw, totdat de zon opkwam en hij de brief woord voor woord uit zijn hoofd kende.

Lacy had zich met zorg voor haar zoon gekleed. Hoewel het buiten meer dan dertig graden was, droeg ze een roze angoratrui die

500

ze in een doos op zolder had gevonden. Als kleine jongen was Peter er gek op geweest en hij had hem gestreeld alsof het een jong poesje was. Om haar pols hing een kralenarmband die hij in groep vier voor haar had gemaakt.

Ze had zichzelf bezworen dat ze haar ogen vandaag niet van hem zou afhouden, hoe ze ook moest huilen, hoe zwaar het ook werd. Ze zou Peter laten zien dat er nog steeds iemand om hem gaf.

Toen Jordan McAfee haar naar de getuigenbank riep, gebeurde er iets vreemds. Ze liep met een gerechtsbode de rechtszaal in, maar in plaats van naar de getuigenbank gingen haar voeten onwillekeurig de andere kant uit. Voordat het tot Lacy zelf was doorgedrongen, wist Diana Leven al wat ze van plan was. Ze stond op om protest aan te tekenen, maar bedacht zich. Toen Lacy voor de verdedigingstafel stond, knielde ze naast Peter neer. Ze stak haar hand uit en legde die tegen zijn gezicht.

Zijn huid was nog zo zacht als van een kind. Terwijl zijn wang in haar hand lag, voelde ze zijn wimpers tegen haar duim. Ze had haar zoon elke week in de gevangenis bezocht, maar er was altijd een scheidslijn tussen hen geweest. Dit – het gevoel van zijn huid tegen haar hand – was een geschenk dat ze zorgvuldig zou bewaren. Ze dacht aan het moment dat Peter voor het eerst in haar armen werd gelegd. Nu deed ze hetzelfde als die keer dat ze haar zoon voor het eerst zag. Ze sloot haar ogen, sprak in gedachten een gebed, en kuste zijn voorhoofd.

Een gerechtsbode tikte haar op de schouder. 'Mevrouw...'

Lacy kwam overeind en liep naar de getuigenbank.

Jordan McAfee kwam naar haar toe met een doos Kleenex in zijn hand. 'Gaat het een beetje?' fluisterde hij. Lacy knikte, keek naar Peter, en glimlachte.

'Wat is uw naam?' vroeg Jordan.

'Lacy Houghton.'

'Waar woont u?'

'Goldenrod Lane 1616 in Sterling, New Hampshire.'

'Wie zijn uw huisgenoten?'

'Lewis, mijn man, en mijn zoon Peter.'

'Hebt u nog andere kinderen, mevrouw Houghton?'

'Mijn zoon Joseph is vorig jaar bij een ongeluk om het leven gekomen.'

'Kunt u ons zeggen wanneer u voor het eerst merkte dat er op de zesde maart iets op Sterling High School was gebeurd?'

'Ik had dienst in het ziekenhuis. Ik ben verloskundige. Nadat ik die ochtend een baby had verlost, ben ik naar de verpleegkundigenpost gegaan, waar iedereen naar de radio zat te luisteren. Er was een explosie geweest bij de school.'

'Wat hebt u gedaan toen u dat hoorde?'

'Ik heb iemand gevraagd mijn dienst over te nemen en ben naar de school gereden. Ik moest weten of met Peter alles in orde was.'

'Hoe ging Peter altijd naar school?'

'Met de auto. Hij heeft zijn eigen auto.'

'Kunt u ons iets vertellen over uw relatie met Peter?'

Lacy glimlachte. 'Van mijn twee zoons is Peter altijd de rustigste en gevoeligste geweest. Hij had altijd wat aanmoediging nodig.'

'Hadden Peter en u een hechte band met elkaar toen hij opgroeide?'

'Zeer zeker.'

'Hoe was Peters verstandhouding met zijn broer?'

'Goed...'

'En met zijn vader?'

Lacy aarzelde. Ze voelde Lewis' aanwezigheid in de rechtszaal alsof hij naast haar zat. Ze dacht aan het incident op de begraafplaats. 'Ik denk dat Lewis een hechtere band had met Joey, en ik had een hechtere band met Peter.'

'Heeft Peter u weleens verteld dat hij problemen had met andere kinderen?'

'Ja.'

'Protest,' zei de aanklager. 'Indirect bewijs.'

'Vooralsnog afgewezen,' antwoordde de rechter, 'maar het is op het randje, meneer McAfee.'

Jordan wendde zich weer tot Lacy. 'Waarom denkt u dat Peter problemen met andere kinderen had?'

'Hij werd gepest omdat hij anders was. Hij kon niet goed sporten en moest weinig hebben van die typische jongensspelletjes. Hij was eerder bedachtzaam en artistiek aangelegd, en daar werd hij om uitgelachen.'

'Wat hebt u gedaan?'

'Ik heb geprobeerd hem voor zichzelf te laten opkomen.' Ze richtte die woorden rechtstreeks tot Peter en hoopte dat hij ze als een verontschuldiging zou beschouwen. 'Wat kan een moeder anders doen als ze weet dat haar zoon wordt gepest? Ik heb tegen Peter gezegd dat ik van hem hield. Dat hij later een heel bijzonder mens zou worden. Ik wist dat alles waarvoor hij op vijfjarige leeftijd werd gepest in zijn voordeel zou zijn tegen de tijd dat hij vijfendertig was... En als ik dat proces had kunnen versnellen, dan zou ik het hebben gedaan.'

'Wanneer ging Peter naar de middelbare school, mevrouw Houghton?'

'In het najaar van 2004.'

'Werd Peter daar ook gepest?'

'Erger dan ooit,' zei Lacy. 'Ik heb zelfs zijn broer gevraagd een oogje op hem te houden.'

Jordan liep dichter naar haar toe. 'Vertelt u eens wat meer over Joey.'

'Iedereen was op Joey gesteld. Hij was slim en kon goed sporten. Hij ging net zo gemakkelijk om met volwassenen als met kinderen van zijn eigen leeftijd.'

'U zult wel trots op hem zijn geweest.'

'Natuurlijk. Maar door hem kregen leraren en leerlingen dezelfde verwachtingen van zijn jongere broer. En die kon Peter niet waarmaken.'

'Hoe oud was Peter toen Joey stierf?'

'Het was aan het eind van zijn tweede jaar.'

'Uw gezin moet er kapot van zijn geweest.'

'Ja.'

'Wat hebt u gedaan om Peter bij te staan in zijn verdriet?'

Lacy sloeg haar ogen neer. 'Ik kon Peter niet helpen. Ik kon mezelf nauwelijks helpen.'

'En uw man? Heeft hij Peter kunnen helpen?'

'We probeerden gewoon de dag door te komen... Peter hield het gezin nog enigszins bij elkaar.'

'Mevrouw Houghton, heeft Peter weleens gezegd dat hij de kinderen op school kwaad wilde doen?'

Lacy had het gevoel dat haar keel werd dichtgeknepen. 'Nee.'

'Heeft hij u ooit aanleiding gegeven om te geloven dat hij tot deze daden in staat was?'

'Als je in de ogen van je kind kijkt,' zei Lacy zacht, 'zie je alleen degene die je hoopt dat hij zal worden...'

'Hebt u ooit plannen of aantekeningen gevonden die erop wezen dat Peter deze gebeurtenis aan het voorbereiden was?'

Er rolde een traan over haar wang. 'Nee.'

Op zachtere toon vroeg Jordan: 'Hebt u ernaar gezocht, mevrouw Houghton?'

Ze dacht aan het moment dat ze Joey's bureau had opgeruimd en ze de drugs die ze in zijn la had gevonden door het toilet had gespoeld. 'Nee,' zei Lacy. 'Ik wilde hem helpen. Na Joey's dood wilde ik de band met Peter alleen maar versterken. Ik wilde geen inbreuk op zijn privacy maken. Ik wilde geen ruzie met hem. Ik wilde niet dat hij ooit gekwetst zou worden. Ik wilde dat hij voor altijd kind bleef.' Ze keek met betraande ogen op. 'Maar dat kan niet. Het is ook de taak van de ouders hun kind volwassen te laten worden.'

Er klonk rumoer achter op de tribune toen een man opstond die bijna een televisiecamera omver smeet. Lacy had hem nooit eerder gezien. Hij had dunnend zwart haar en een snor. Zijn ogen fonkelden van woede. 'O ja?' spuwde hij haar toe. 'Mijn dochter Maddie zal nooit volwassen worden.' Hij wees naar de vrouw naast zich en naar een man verder op de bank. 'En haar dochter en zijn zoon evenmin. Kolerewijf! Als jij een betere moeder was geweest, dan hadden wij onze kinderen nog!'

De rechter sloeg met zijn hamer. 'Meneer, ik moet u verzoeken...'

'Jouw zoon is een monster! Hij is godverdomme erger dan een monster!' schreeuwde de man, terwijl twee gerechtsbodes op hem afliepen en hem de rechtszaal uit sleurden.

Ooit was Lacy bij de geboorte geweest van een baby die de helft van haar hart miste. De ouders hadden geweten dat hun kind niet zou leven, maar toch hadden ze de zwangerschap doorgezet in de hoop een paar ogenblikken met haar te kunnen doorbrengen voordat ze zou sterven. Lacy had zich in een hoek teruggetrokken toen ze hun dochter in hun armen hielden. Ze kon hen niet aankijken. Ze kon het gewoon niet. In plaats daarvan keek ze naar het kleine vuistje dat langzaam bewoog. Toen ontspanden de vingertjes zich en liet ze het leven los.

Ze keek naar Peter. *Het spijt me zo verschrikkelijk*, zei ze geluidloos. Ze sloeg haar handen voor haar ogen en begon te snikken.

Zodra de zitting voor korte tijd was geschorst en de jury weg was, liep Jordan naar de rechterstafel. 'Rechter, de verdediging wil dat deze zaak wordt geseponeerd.'

Zelfs terwijl hij met zijn rug naar haar toe stond, voelde hij dat Diana met haar ogen rolde. 'Wel zo makkelijk.'

'Op welke gronden, meneer McAfee?' vroeg de rechter.

Omdat het mijn enige redding is, dacht Jordan. 'Edelachtbare, er heeft zojuist een heftige emotionele uitbarsting plaatsgevonden in aanwezigheid van de juryleden. De woorden kunnen hun niet zijn ontgaan en niets kan ze terugdraaien.'

'Is dat alles, raadsman?'

'Nee,' zei Jordan. 'De jury wist misschien niet dat er familie van de slachtoffers op de tribune zitten. Nu weten ze dat wel, en ze weten ook dat die mensen ze als een havik in de gaten zullen houden. Dat is een enorme belasting voor een jury in een uiterst emotionele zaak die volop in de publieke belangstelling staat. Hoe kan een jury zich niets van die familieleden aantrekken?'

'Nou moet het niet gekker worden,' zei Diana. 'Wie had de

jury anders op de tribune verwacht? Daklozen? Natuurlijk zit het vol met familie van de slachtoffers. Hoe kan het anders?'

Rechter Wagner keek op. 'Meneer McAfee, de zaak wordt niet geseponeerd. Ik heb begrip voor uw bezorgdheid, maar ik zal de gezworenen instrueren dat ze dit soort emotionele uitbarstingen dienen te negeren. Iedereen die bij deze zaak is betrokken begrijpt dat de emoties hoog oplopen, en dat mensen zich niet altijd kunnen beheersen. Niettemin zal ik het publiek op de tribune waarschuwen dat ze zich moeten inhouden of dat ik de zaal anders laat ontruimen.'

Toen de rechter naar zijn kantoor was gegaan, liep Jordan terug naar zijn tafel en bedacht dat er een wonder moest gebeuren wilde hij Peter nog kunnen redden. Want wat King Wah ook had gezegd, hoe duidelijk de uitleg van PTSS ook was, hoeveel begrip de juryleden ook voor Peter konden opbrengen: ze zouden altijd nog meer medelijden met de slachtoffers hebben.

Diana keek hem glimlachend aan toen ze de rechtszaal uitliep. 'Leuk geprobeerd,' zei ze.

Selena's favoriete vertrek in het gerechtsgebouw bevond zich naast de schoonmaakkast. Het lag er vol met oude kaarten. Ze had geen idee wat ze hier deden in plaats van in een bibliotheek. Ze verstopte zich hier weleens als ze zich in de rechtszaal begon te vervelen. Vandaag had ze Sam meegenomen omdat ze geen oppas konden krijgen.

Nu leidde ze Lacy Houghton naar binnen en ging met haar aan tafel zitten. Voor haar lag een kaart van het zuidelijk halfrond. Australië was purper, Nieuw-Zeeland was groen. Er waren rode draken in de zeeën getekend, en dreigende onweerswolken in de hoeken.

Lacy Houghton huilde nog steeds. Ze moest er echt mee ophouden, anders werd het kruisverhoor een ramp. 'Kan ik iets voor je halen? Soep? Koffie?'

Lacy schudde haar hoofd en snoot haar neus. 'Ik kan niets doen om hem te redden.'

'Laat dat nou maar aan Jordan over,' zei Selena, al kon ze zich niet voorstellen dat Peter geen lange gevangenisstraf zou krijgen. Ze probeerde wanhopig iets te bedenken waarmee ze Lacy rustig kon krijgen, totdat Sam zijn hand uitstak en aan Lacy's vlecht trok.

Bingo.

'Lacy,' zei Selena, 'wil jij hem even vasthouden? Ik moet even iets in mijn tas zoeken.'

Lacy keek op. 'Ja... natuurlijk.'

Selena zette de baby op haar schoot. Sam keek naar Lacy op en probeerde zijn vuistje in zijn mond te proppen. 'Gah,' zei hij.

Er verscheen een glimlach op Lacy's gezicht. 'Hallo, manneke,' fluisterde ze, en ze verschoof de baby om hem steviger te kunnen vasthouden.

'Sorry?'

Selena draaide zich om en zag Alex Cormier in de deuropening staan. Ze stond onmiddellijk op. 'U kunt nu niet binnenkomen...'

'Laat maar,' zei Lacy.

De rechter liep naar binnen en ging naast Lacy zitten. Ze zette een beker koffie op tafel en lachte een beetje toen Sam aan haar pink begon te trekken. 'De koffie is hier vreselijk, maar ik heb hem toch maar voor je meegebracht.'

'Bedankt.'

'Je hebt het net heel goed gedaan,' zei de rechter.

Lacy schudde haar hoofd. 'Niet goed genoeg.'

'Ze kan je tijdens het kruisverhoor niet veel te vragen hebben.'

Lacy tilde de baby tegen haar borst en streelde zijn rug. 'Ik denk niet dat ik daar weer naar binnen kan,' zei ze met onvaste stem.

'Dat kun je wel en dat ga je ook doen,' zei de rechter. 'Je moet het doen ter wille van Peter.'

'Ze haten hem. En mij ook.'

Rechter Cormier legde haar hand op haar schouder. 'Niet iedereen,' zei ze. 'Als we teruggaan, ga ik op de eerste rij zitten. Dan kijk je naar mij in plaats van naar de aanklager.'

Sam was op zijn duim gaan zuigen terwijl hij tegen Lacy's borst in slaap viel. Selena zag dat Alex het donkere kuifje van haar zoon streelde. 'Iedereen denkt dat je de meeste fouten maakt wanneer je jong bent,' zei de rechter tegen Lacy. 'Maar volgens mij maken we er als volwassenen net zo veel.'

Toen Jordan de beklaagdencel binnenkwam, probeerde hij Peter meteen gerust te stellen. 'Het zal ons geen enkele schade doen,' verklaarde hij. 'De rechter zal de juryleden instrueren dat ze die uitbarsting moeten negeren.'

Peter zat op de stalen bank met zijn hoofd in zijn handen.

'Peter, heb je gehoord wat ik zei? Ik weet dat het je van streek heeft gemaakt, maar juridisch gezien heeft het geen enkele invloed...'

'Ik moet zeggen waarom ik het heb gedaan,' onderbrak Peter hem.

'Tegen je moeder?' zei Jordan. 'Dat gaat niet. Ze wordt nog in afzondering gehouden.' Hij aarzelde. 'Luister, zodra je met haar kunt praten, zal ik...'

'Nee, ik moet het tegen iedereen zeggen.'

Jordan keek naar zijn cliënt. Peters vuisten rustten op de bank. Toen hij opkeek, zag Jordan niet het doodsbange gezicht van het kind dat op de eerste dag van het proces naast hem had gezeten. Dit was het gezicht van iemand die ineens volwassen was geworden.

'Jouw kant van het verhaal komt nog wel,' zei Jordan. 'Je moet nog even geduld hebben. Geloof het of niet, maar de onderste steen zal bovenkomen. We doen alles wat we kunnen.'

'Niet wij,' zei Peter. 'Jij.' Hij stond op en ging vlak voor Jordan staan. 'Je hebt het beloofd. Je zei dat het nu onze beurt was. Maar daar bedoelde je mee dat het jouw beurt was, hè? Je bent nooit van plan geweest me mijn eigen verhaal te laten vertellen.'

'Heb je gezien wat je moeder is aangedaan?' wierp Jordan tegen. 'Heb je enig idee wat er gaat gebeuren als jij in de getuigenbank plaatsneemt?'

Op dat ogenblik brak er iets in Peter. Niet zijn woede, niet zijn angst, maar dat laatste sprankje hoop.

'Jordan,' zei Peter, 'als ik voor de rest van mijn leven in de gevangenis moet zitten, dan wil ik dat ze mijn kant van het verhaal te horen krijgen.'

Jordan deed zijn mond open om zijn cliënt duidelijk te maken dat het godverdomme absoluut niet ging gebeuren. Hij ging niet in de getuigenbank zitten en het kaartenhuis vernielen dat Jordan in de hoop op vrijspraak had opgebouwd. Maar wie hield hij voor de gek? Peter in elk geval niet.

Hij haalde diep adem. 'Goed. Vertel maar wat je gaat zeggen.'

Diana Leven had geen vragen voor Lacy Houghton, wat Jordan als een zegen beschouwde. Hij wist niet hoeveel spanning Lacy nog kon verdragen voordat ze volledig zou instorten. Terwijl ze de rechtszaal werd uitgeleid, keek de rechter op. 'Uw volgende getuige, meneer McAfee?'

Jordan haalde diep adem. 'De verdediging roept Peter Houghton op.'

Het werd onrustig op de tribune. Verslaggevers haalden een nieuwe pen tevoorschijn en sloegen een onbeschreven vel in hun blocnote op. Er werd gemompeld toen Peter naar de getuigenbank liep. Selena keek Jordan met grote ogen aan bij deze onverwachte ontwikkeling.

Peter ging zitten en keek alleen naar Jordan, zoals hem was geïnstrueerd. 'Jij bent Peter Houghton?'

'Ja,' zei Peter, maar hij was niet dicht genoeg bij de microfoon om verstaanbaar te zijn. Hij boog zich naar voren en herhaalde zijn antwoord, dat nu als een knarsend gekrijs door de speakers klonk.

'In welke klas zit je, Peter?'

'Ik zat in de zesde klas toen ik werd gearresteerd.'

'Hoe oud ben je?'

'Achttien.'

Jordan liep naar de jurybank. 'Peter, ben jij degene die op de ochtend van 6 maart 2007 naar Sterling High School bent gegaan en daar tien mensen hebt gedood?'

'Ja.'

'En negentien anderen hebt verwond?'

'Ja.'

'En talloze anderen onnoemelijk leed hebt berokkend en ook grote materiële schade hebt aangericht?'

'Ja.'

'Dat ontken je niet?'

'Nee.'

'Kun je de jury vertellen waarom je dit hebt gedaan?'

Peter keek hem recht in de ogen. 'Zij zijn begonnen.'

'Wie?'

'De bullebakken die goed konden sporten. De jongens die me voor flikker uitmaakten.'

'Kun je je hun naam herinneren?'

'Er waren er zoveel,' zei Peter.

'Kun je ons zeggen waarom je tot geweld bent overgegaan?'

Jordan had tegen Peter gezegd dat hij niet kwaad mocht worden, ongeacht wat hem werd gevraagd. Hij moest rustig en beheerst blijven, anders zou zijn getuigenis een averechts effect hebben. 'Ik heb altijd geprobeerd de raad van mijn moeder op te volgen,' zei Peter. 'Ik heb altijd geprobeerd net zo te zijn als zij, maar dat werkte niet.'

'Wat bedoel je daarmee?'

'Ik ben op voetballen gegaan, maar ik werd nooit opgesteld. Toen ik een keer had meegeholpen aan een geintje door de auto van een leraar te verplaatsen, werd ik gestraft, maar de anderen niet. Die zaten in het ijshockeyteam dat op zaterdag een wedstrijd had.'

'Maar, Peter,' zei Jordan, 'waarom dan dít?'

Peter bevochtigde zijn lippen. 'Het was niet de bedoeling dat het zo zou aflopen.'

'Was je van plan al die mensen te doden?'

Ze hadden dit in de beklaagdencel gerepeteerd. Tot nu toe had

Peter alles gezegd wat Jordan van hem verwachtte. *Nee. Dat was ik niet van plan.*

Peter keek naar zijn handen. 'Toen ik het spel deed,' zei hij zacht, 'heb ik gewonnen.'

Jordan verstijfde. Peter was van het script afgeweken en nu was Jordan zijn tekst kwijt. Het doek ging neer voordat het toneelstuk was afgelopen. Koortsachtig dacht hij over Peters antwoord na. Eigenlijk was het zo slecht nog niet. Het versterkte de indruk van de depressieve eenling.

Je kunt dit oplossen, dacht Jordan bij zichzelf.

Hij liep naar Peter toe en probeerde hem via lichaamstaal duidelijk te maken dat hij moest meespelen. Hij moest de jury laten zien dat deze jongen wilde getuigen omdat hij berouw had van zijn daden. 'Begrijp je nu dat er die dag helemaal geen winnaars waren, Peter?'

Jordan zag iets in zijn ogen flikkeren, een klein vonkje dat opnieuw was aangewakkerd – een sprankje hoop. Nadat hij Peter vijf maanden lang had verzekerd dat hij hem kon vrijpleiten, dat hij een strategie had, dat hij wist wat hij deed... zocht Peter godbetert dit moment uit om hem eindelijk te geloven.

'Het spel is nog niet uit, hè?' zei Peter, met een hoopvolle glimlach naar hem opkijkend.

Toen Jordan zag dat twee juryleden hun hoofd afwendden, probeerde hij uit alle macht zijn zelfbeheersing te bewaren. Hij vloekte bij zichzelf toen hij terugliep naar zijn tafel. Was dit niet altijd al Peters ondergang geweest? Dat hij er geen benul van had hoe hij op anderen moest overkomen?

'Meneer Mcafee,' zei de rechter, 'hebt u verder nog vragen?'

Hij had er meer dan genoeg. *Hoe kun je me dit aandoen? Hoe kun je dit jezelf aandoen? Hoe moet ik deze jury tot het inzicht brengen dat je het anders hebt bedoeld dan het klonk?* Hij schudde zijn hoofd terwijl hij nadacht over wat hij nog kon doen.

'Mevrouw Leven?'

Jordan keek met een ruk op. Wacht, wilde hij zeggen, ik ben nog aan het nadenken. Maar hij zweeg. Als Diana Peter wat dan ook vroeg, dan kon hij alsnog de draad weer oppakken, en zou hij de jury met een heel andere indruk van Peter kunnen achterlaten.

Diana bladerde door haar aantekeningen en keek op. 'Het OM heeft geen vragen, edelachtbare,' zei ze.

Rechter Wagner wenkte een gerechtsbode. 'Breng meneer Houghton terug naar zijn stoel. De zitting is voor dit weekend geschorst.'

Direct drongen zich verslaggevers door de stroom naar voren die hoopten commentaar aan Jordan te kunnen ontlokken. Hij pakte zijn aktetas en haastte zich naar de achteringang waar Peter door gerechtsbodes werd weggeleid.

'Wacht,' riep hij. Ze bleven staan. Peter stond met geboeide handen tussen hen in. 'Ik moet mijn cliënt nog even spreken.'

De gerechtsbodes keken elkaar aan. 'Twee minuten,' zei de een, maar ze stapten niet opzij.

Er lag een blos op Peters gezicht en hij keek Jordan stralend aan. 'Heb ik het goed gedaan?'

Jordan aarzelde. 'Heb je gezegd wat je had willen zeggen?'

'Ja.'

'Dan heb je het goed gedaan,' zei Jordan.

Hij keek Peter na terwijl de gerechtsbodes verder door de gang liepen. Vlak voordat ze de hoek omgingen, hief Peter zijn geboeide handen en zwaaide naar hem. Jordan knikte met zijn handen in zijn zakken.

Op het parkeerterrein passeerde Jordan drie tv-wagens met een satellietschotel op het dak. Door het achterraam zag hij dat de producers het nieuws voor de avonduitzending aan het monteren waren. Zijn gezicht was op elke monitor te zien.

Bij de laatste wagen hoorde hij Peters stem door het open raam. *Het spel is nog niet uit.*

Jordan slingerde zijn aktetas over zijn schouder en begon sneller te lopen. 'O ja, dat is het wel.'

Selena had een gans voor haar man gebraden, zoals altijd aan de vooravond van zijn slotpleidooi. Ze zette een bord voor Jordan neer en ging tegenover hem zitten.

Jordan duwde het weg. 'Ik ben hier nog niet klaar voor.'

'Wat bedoel je?'

'Ik kan de zaak zo niet afronden.'

'Lieverd,' zei Selena, 'na vandaag had je deze zaak toch niet meer kunnen redden.'

'Ik kan het niet zomaar opgeven. Ik heb tegen Peter gezegd dat hij een kans had.' Hij keek met een gekweld gezicht naar Selena op. 'Ik heb hem naar die getuigenbank laten gaan, al had ik beter moeten weten. Ik moet nog iets kunnen doen of zeggen om de indruk die hij heeft achtergelaten weg te nemen.'

Selena zuchtte en trok het bord naar zich toe. Ze pakte Jordans mes en vork, sneed een plakje af en doopte het in bessensaus. 'Heerlijk,' zei ze. 'Je weet niet wat je mist.'

'De getuigenlijst,' zei Jordan. Hij stond op en grabbelde in een stapel papieren die aan de andere kant van de eettafel lag. 'Er moet iemand zijn die ons kan helpen.' Hij las de lijst door.

'Wie is Louise Herrman?'

'Peters lerares uit de derde klas,' zei Selena met volle mond.

'Waarom staat zij op onze getuigenlijst?'

'Ze heeft ons gebeld,' zei Selena. 'Ze zei dat ze hem in de derde klas als een lieve jongen heeft gekend en dat ze dat ook voor de rechtbank wil verklaren.'

'Daar hebben we nu niets aan. Dat is te lang geleden.' Hij zuchtte. 'Verder is er niemand...' Hij sloeg het blad om en zag de enige naam die op het tweede vel was getypt. '... Behalve Josie Cormier,' zei hij langzaam.

Selena legde haar vork neer. 'Ga je Alex' dochter oproepen?'

'Sinds wanneer noem jij rechter Cormier *Alex*?'

'Dat meisje kan zich niets meer herinneren.'

'Misschien nu wel. Laten we maar zien wat ze te zeggen heeft.'

Selena zocht in de papieren op het bijzettafeltje, op de schoorsteenmantel en op Sams loophek. 'Hier is haar verklaring.' Ze gaf hem aan Jordan.

De eerste pagina was de beëdigde verklaring dat Jordan Josie niet als getuige zou oproepen omdat ze niets wist. De tweede was een weergave van haar laatste gesprek met Patrick Ducharme. 'Ze zijn al sinds de kleuterschool bevriend.'

'Nu niet meer.'

'Kan me niet schelen. Diana heeft het basiswerk al verricht. Peter was verliefd op Josie. Hij heeft haar vriend gedood. Als ze iets aardigs over Peter zegt, misschien wil ze hem zelfs wel vergeven, zal dat van invloed zijn op de jury.' Hij stond op. 'Ik ga naar de rechtbank om een dagvaarding te halen.'

Toen er op zaterdagochtend aan de deur werd gebeld, was Josie nog in pyjama. Ze had diep geslapen, wat niet verwonderlijk was, want ze had de hele week nauwelijks een oog dichtgedaan. Ze was nu als enige in de getuigenkamer overgebleven, wat betekende dat dit proces gauw voorbij zou zijn, dat ze dan weer normaal kon ademhalen.

Josie deed open en zag de mooie Afro-Amerikaanse vrouw voor zich staan die met Jordan McAfee was getrouwd. Ze reikte haar glimlachend een document aan. 'Dit is voor jou, Josie. Is je moeder thuis?'

Josie keek even naar de opgevouwen blauwe brief. Over haar schouder riep ze haar moeder. Alex verscheen in de deuropening. Patrick kwam achter haar staan.

'O,' zei Selena, met haar ogen knipperend.

Haar moeder sloeg haar armen over elkaar. 'Ja?'

'Het spijt me dat ik u op zaterdag moet storen, rechter, maar mijn man vraagt of Josie vandaag wat tijd voor hem kan vrijmaken.'

'Waarom?'

'Omdat hij Josie heeft gedagvaard maandag te getuigen.'

Alles om haar heen begon te draaien. 'Getuigen?' herhaalde Josie.

Haar moeder kwam naar voren, en aan haar gezicht te zien zou ze Selena zijn aangevlogen als Patrick zijn arm niet om haar middel had geslagen om haar tegen te houden. Hij griste de blauwe brief uit Josies hand en begon te lezen.

'Dat kan ik niet,' mompelde Josie.

Haar moeder schudde haar hoofd. 'U hebt een door Josie ondertekende beëdigde verklaring waarin staat dat ze zich niets herinnert...'

'Ik weet dat het vervelend voor haar is, maar het blijft een feit dat Josie maandag als getuige wordt opgeroepen, en voor die tijd willen we even met haar praten zodat ze niet onvoorbereid verschijnt. Dat is beter voor ons en het is beter voor Josie.' Ze zweeg even. 'Aan u de keus.'

Josies moeder keek haar woedend aan. 'Vanmiddag om twee uur,' zei ze knarsetandend en smeet de deur in Selena's gezicht dicht.

'Je hebt het beloofd,' huilde Josie. 'Je hebt beloofd dat ik niet hoefde te getuigen. Je hebt zelf gezegd dat het niet hoefde!'

Haar moeder pakte haar bij de schouders. 'Lieverd, ik weet hoe eng je het vindt. Maar wat je ook zegt, het zal hem niet kunnen helpen. Het is voorbij voordat je het weet, heus.' Ze keek naar Patrick. 'Waarom doet hij dit?'

'Omdat hij geen kant meer uit kan,' zei Patrick. 'En hij denkt dat Josie hem kan helpen.'

Jordan deed de deur van zijn kantoor open met Sam als een voetbal in zijn armen. Het was klokslag twee uur toen Josie Cormier en haar moeder arriveerden. Rechter Cormier straalde de warmte van een vrieskist uit en haar dochter stond te trillen op haar benen. 'Bedankt dat jullie gekomen zijn,' zei Jordan met een hartelijke glimlach. Boven alles wilde hij Josie op haar gemak stellen.

De twee vrouwen spraken geen woord.

'Excuses voor mijn zoon,' zei Jordan. 'Mijn vrouw had er inmiddels al moeten zijn om hem op te halen, maar ze kan elk moment komen.'

Hij gebaarde naar de bank en de stoelen. Er stonden koekjes en een karaf water op tafel. 'Neem iets te eten of te drinken.'

'Nee,' zei de rechter.

515

Hij keek naar de klok en bedacht hoe lang zestig seconden konden duren, toen de deur openzwaaide en Selena naar binnen rende. 'Sorry, sorry,' zei ze met een verhit gezicht terwijl ze de baby van hem overnam. Tegelijkertijd liet ze het pak luiers vallen dat over haar schouder hing. Het gleed over de vloer en bleef voor Josies voeten liggen. Josie stond op en staarde ernaar. Ze deinsde naar achteren en struikelde over haar moeders benen en de zijkant van de bank. 'Nee,' jammerde ze zacht. Ze kroop weg in een hoek met haar handen voor haar gezicht en begon te huilen. Sam was wakker geworden en zette het op een krijsen. Selena drukte hem tegen haar schouder terwijl Jordan sprakeloos toekeek.

Rechter Cormier kroop naast haar dochter. 'Josie, wat is er? Wat heb je?'

Het meisje wiegde heen en weer. Ze keek op naar haar moeder. 'Ik herinner me meer dan ik gezegd heb.'

De rechter keek haar verbaasd aan, en Jordan maakte van dat moment gebruik. 'Wat kun je je herinneren?' Hij knielde naast haar neer.

Rechter Cormier duwde hem weg en hielp haar dochter overeind. Ze bracht haar naar de bank en schonk een glas water voor haar in. 'Rustig maar,' mompelde ze.

Josie haalde beverig adem. 'De rugzak,' zei ze, met haar kin naar het pak op de vloer wijzend. 'Die viel van Peters schouder, net als dat pak daar. De rits was losgetrokken en... er viel een pistool uit. Matt pakte het op.' Haar gezicht vertrok. 'Hij schoot op Peter, maar hij miste. En Peter...' Ze sloot haar ogen. 'Toen schoot Peter hem neer.'

Jordan keek Selena aan. Peters verdediging was gebaseerd op PTSS. De ene gebeurtenis kon een andere ontketenen. Iemand die getraumatiseerd was, herinnerde zich misschien niets meer van wat er was gebeurd. Iemand als Josie zag een pak luiers vallen, maar in plaats van luiers zag ze wat zich maanden geleden in de kleedkamer had afgespeeld: dat Peter een pistool richtte op een werkelijke bedreiging, een kwelgeest die hem wilde doden.

Iets waarvoor Peter al die tijd al bang was geweest.

'Het is een puinhoop,' zei Jordan tegen Selena toen de Cormiers waren vertrokken, 'maar ik ben er wel blij mee.'

Selena was niet met de baby naar huis gegaan. Sam lag nu in een lege archieflade te slapen. Jordan en zij zaten op de bank waar Josie nog geen uur geleden had bekend dat ze zich onlangs steeds meer details van de schietpartij was gaan herinneren. Ze had het niemand verteld omdat ze bang was dat ze dan moest getuigen. Toen het pak luiers was gevallen, was het allemaal met volle kracht teruggekomen.

'Als ik dit had geweten voordat het proces begon, zou ik ermee naar Diana zijn gegaan en het strategisch hebben gebruikt,' zei Jordan. 'Maar nu de jury al zitting heeft genomen, kan ik er nog meer voordeel uit halen.'

'Deze meevaller is geen seconde te vroeg gekomen,' zei Selena.

'Stel dat Josie dit allemaal in de getuigenbank zegt. Dan komen die tien doden in een heel ander perspectief te staan. Niemand weet het ware verhaal achter de dood van Josies vriend, en dat roept vragen op over alles wat de aanklager tegen de jury heeft gezegd. Met andere woorden, als het OM dit niet wist, wat weten ze dan nog meer niet?'

'Bovendien,' merkte Selena op, 'illustreert het wat King Wah heeft gezegd. Hier had je zo'n jongen door wie Peter altijd was getreiterd. Hij richtte een pistool op hem, precies waar Peter al die tijd bang voor was geweest.' Ze aarzelde. 'Toegegeven, Peter heeft het pistool mee naar binnen gebracht...'

'Dat doet niet ter zake,' zei Jordan. 'Ik hoef niet alle antwoorden te weten.' Hij kuste Selena op de mond. 'Zolang de aanklager die ook niet heeft.'

Alex zat op de bank naar een groep studenten te kijken die Ultimate Frisbee aan het spelen waren. Josie zat met opgetrokken knieen naast haar. 'Waarom heb je het me niet verteld?' vroeg Alex.

Josie keek naar haar op. 'Dat ging niet. Je was rechter in die zaak.'

Alex voelde een steek in haar borst. 'Maar ook nadat ik me

had teruggetrokken... en we naar Jordan gingen, bleef je volhouden dat je je niets kon herinneren. Daarom heb ik je die verklaring laten tekenen.'

'Ik dacht dat jij dat wilde,' zei Josie. 'Je zei dat ik dan niet hoefde te getuigen. En ik wilde niet getuigen omdat ik Peter niet wilde zien.'

Een van de jongen miste de frisbee. Die zeilde op Alex af en kwam voor haar voeten terecht. 'Sorry,' riep de jongen. Alex pakte de frisbee op en gooide hem terug.

'Mammie,' zei Josie, die Alex al heel lang niet meer zo had genoemd, 'wat gaat er met me gebeuren?'

Ze wist het niet. Niet als rechter, niet als advocaat, niet als moeder. Het enige wat ze kon doen was goede raad geven. 'Vanaf nu,' zei Alex, 'moet je gewoon de waarheid vertellen.'

Patrick was naar een geweldsdelict in Cornish geroepen en kwam pas tegen middernacht terug in Sterling. In plaats van naar zijn eigen huis reed hij naar dat van Alex. Hij had haar vandaag proberen te bellen om te horen hoe het gesprek met Jordan McAfee was afgelopen, maar zijn mobieltje had in Cornish geen bereik.

Hij vond haar in het donker op de bank in de woonkamer. Hij ging naast haar zitten, maar ze leek het niet te merken en bleef naar de muur staren.

'Wat is er?' fluisterde hij.

Ze keek hem aan en hij zag dat ze had gehuild. 'Ik heb alles verkeerd aangepakt, Patrick,' zei ze. 'Ik dacht dat ik haar hielp. Ik dacht dat ik wist wat ik deed. Maar nu blijkt dat ik helemaal niets wist.'

'Waar is Josie?'

'Ze slaapt. Ik heb haar een slaappil gegeven.'

'Wil je erover praten?'

'We hebben vandaag met Jordan McAfee gesproken, en Josie zei... ze zei dat ze zich weer wat over de schietpartij kon herinneren. Ze kan zich alles weer herinneren.'

Patrick floot zacht voor zich uit. 'Dus ze heeft gelogen?'

'Ik weet het niet. Ik denk dat ze bang was.' Alex keek naar hem op. 'Dat is niet alles. Volgens Josie heeft Matt eerst op Peter geschoten.'

'Wat!'

'De rugzak die Peter omhad, viel vlak voor Matt op de grond. Hij wist een pistool te pakken te krijgen, en schoot, maar hij miste.'

Patrick wreef over zijn gezicht. Diana Leven zou hier niet blij mee zijn.

'Wat gaat er nu met Josie gebeuren?' vroeg Alex. 'In het gunstigste geval komt ze in de getuigenbank te staan en zal de hele stad haar haten omdat ze voor Peter getuigt. In het ergste geval pleegt ze meineed en wordt ze aangeklaagd.'

Patrick dacht koortsachtig na. 'Maak je nou maar geen zorgen. Je kunt toch niets doen. Bovendien zal Josie het heus wel redden. Daar is ze sterk genoeg voor.'

Hij boog zich voorover en kuste haar totdat hij voelde dat ze zich ontspande. 'Neem zelf ook liever een slaappil,' fluisterde hij.

'Blijf je niet?'

'Nee, ik moet nog wat doen.'

'Ben je helemaal hiernaartoe gekomen om te zeggen dat je weer weggaat?'

Patrick keek haar aan en wilde dat hij haar kon uitleggen wat hij ging doen. 'Welterusten,' zei hij.

Alex had hem in vertrouwen genomen, maar als rechter wist ze ook dat Patrick haar geheim niet mocht bewaren. Maandagochtend zou hij de aanklager moeten vertellen wat hij wist. Maar hij had nog de hele zondag om met die informatie te doen wat hij wilde.

Als hij bewijzen kon vinden die Josies verhaal ondersteunen, dan zou ze het minder moeilijk krijgen in de getuigenbank, en zou hij in Alex' ogen een held zijn. Maar er was nog een reden dat hij de kleedkamer opnieuw wilde doorzoeken. Hij had die ruimte persoonlijk uitgekamd op bewijsmateriaal, maar had geen andere kogel gevonden. En als Matt eerst op Peter had geschoten, dan had die er moeten zijn.

Hij had het niet tegen Alex willen zeggen, maar Josie had ooit tegen hem gelogen. Misschien loog ze nu opnieuw.

Om zes uur in de ochtend stond Sterling High School erbij als een slapende reus. Patrick deed de voordeur van het slot en liep in het donker door de gangen. Ze waren vakkundig schoongemaakt, maar bij het licht van zijn zaklamp was nog steeds te zien waar kogels door ramen waren gevlogen of bloed op de vloer had gelegen.

Hij duwde de dubbele deuren van de gymzaal open en drukte een reeks lichtschakelaars in. De laatste keer dat hij hier was, hadden er eerstehulpdekens op de vloer gelegen waarvan het nummer overeenkwam met dat op het voorhoofd van Noah James, Michael Beach, Justin Friedman, Dusty Spears en Austin Prokiov.

Nadat hij bij Alex was weggegaan, was hij naar het politiebureau gereden om de uitvergrote vingerafdruk op wapen B te bestuderen. Een onvolledige afdruk waarvan hij gemakshalve had aangenomen dat het die van Peter was. Maar stel dat hij van Matt was? Kon hij op welke manier dan ook bewijzen dat Royston het wapen had vastgehouden, zoals Josie beweerde? Patrick had de afdrukken bekeken die van Matts dode lichaam waren genomen en die vanuit elke hoek vergeleken met de gedeeltelijke afdruk, totdat de lijntjes en richeltjes voor zijn ogen dansten.

Als hij een bewijs wilde vinden, dan moest hij in de school zelf zijn.

De kleedkamer zag er net zo uit als op de foto die hij tijdens zijn getuigenverklaring had gebruikt, behalve dat nu de lichamen waren weggehaald. Anders dan de gangen en klaslokalen, was de kleedkamer niet schoongemaakt of opgeknapt. Daarvoor was er te veel schade aangericht – vooral in psychologische zin. Het schoolbestuur had unaniem besloten dat de ruimte later deze maand zou worden gesloopt, samen met de gymzaal en de kantine.

De kleedkamer was rechthoekig van vorm. De deur die er vanuit de gymzaal heen leidde bevond zich in een van de twee lange muren. Er tegenover stond een bank met daarnaast een reeks stalen kastjes. Links in de hoek was een smalle doorgang naar de gemeenschappelijke doucheruimte. In deze hoek was Matts lichaam gevonden, met Josie naast hem, negen meter van de plek waar Peter was weggekropen. De blauwe rugzak was links van de doorgang neergevallen.

Als Josie de waarheid sprak, was Peter de kleedkamer binnengekomen waar Josie en Matt heen waren gevlucht. Waarschijnlijk had hij wapen A in zijn hand. Hij liet zijn rugzak vallen, en Matt was er dicht genoeg bij om wapen B te kunnen pakken. Matt schoot op Peter – die kogel was nooit gevonden – en miste. Toen hij opnieuw wilde schieten, blokkeerde het wapen. Op dat moment schoot Peter op hem. Twee keer.

Het probleem was dat Matts lichaam op minstens vierenhalve meter afstand van de rugzak was gevonden.

Waarom zou Matt achteruit zijn gelopen voordat hij op Peter schoot? Dat was niet logisch. Mogelijk was zijn lichaam door de kogels achteruitgeslagen, maar dan nog zou hij niet op die plek zijn neergekomen. Bovendien waren er geen bloedsporen bij de rugzak gevonden.

Patrick liep naar de muur waar Peter naast de kastjes had gezeten. Hij tastte systematisch het hele oppervlak af en onderzocht de kastjes van binnen en van buiten. Hij kroop onder de houten bank en inspecteerde de onderkant.

Hij liep naar de tegenoverliggende hoek. Daar was nog een bloedvlek en een opgedroogde laarsafdruk te zien. Hij stapte over de vlek de doucheruimte in, en begon zijn nauwgezette onderzoek opnieuw.

Als hij hier, vlak bij de plek waar Matts lichaam was gevonden, de ontbrekende kogel zou vinden, dan had Matt wapen B niet afgevuurd. Met andere woorden: dan had Josie tegen hem gelogen.

Hij was snel klaar met de witte tegelmuur. Hij draaide zich om en keek naar de bovenkant van de douches, het plafond, de afvoer. Hij trok zijn schoenen en sokken uit en liep de douches in.

Hij voelde het op het moment dat hij zijn kleine teen bezeerde.

Hij ging op zijn knieën zitten en tastte over het metaal. Er was een schaafplek op de tegel langs het afvoerputje. Je zag hem makkelijk over het hoofd, en anders zou je denken dat het specie was. Hij wreef erover met zijn vinger en tuurde toen met zijn zaklamp in de afvoer. Als de kogel door het putje was gegleden, was hij allang verdwenen – hoewel de afvoergaatjes zo klein waren dat dat nauwelijks mogelijk was.

Hij maakte een kastje open, trok het spiegeltje aan de binnenkant los, en zette het bij de schaafplek op de douchevloer. Toen deed hij het licht uit en pakte een laserpointer uit zijn zak. Hij ging op de plek staan waar Peter was gearresteerd, richtte de straal op de spiegel, en zag hem tegen de andere muur van de doucheruimte weerkaatsen waar geen kogelgaten waren gevonden.

Hij liet de straal van de laserpointer rondcirkelen totdat die door een gaatje in het doucheraam op de plek erachter viel. Hij haalde zijn mobieltje tevoorschijn. 'Diana,' zei hij, toen de aanklager opnam, 'zorg dat het proces morgen wordt uitgesteld.'

'Ik weet dat het ongebruikelijk is,' zei Diana de volgende ochtend in de rechtszaal, 'maar ik moet om schorsing vragen totdat mijn rechercheur is gearriveerd. Hij heeft nieuw bewijsmateriaal gevonden... Mogelijk is het ontlastend.'

'Hebt u hem gebeld?' vroeg rechter Warner.

'Al een aantal keren.' Patrick nam zijn telefoon niet op. Had hij dat wel gedaan, dan had ze gezegd dat ze hem wel kon vermoorden.

'Ik teken protest aan, edelachtbare,' zei Jordan. 'Wij zijn klaar om verder te gaan. Ik ben ervan overtuigd dat mevrouw Leven die ontlastende informatie met me zal delen als die ooit mocht arriveren. En nu we hier toch zijn, wil ik er graag aan toevoegen dat mijn getuige bereid is om nu in de getuigenbank plaats te nemen.'

'Wat voor getuige?' zei Diana. 'U hebt helemaal geen getuigen meer.'

Jordan keek haar glimlachend aan. 'De dochter van rechter Cormier.'

Buiten de rechtszaal zat Alex met Josie op een bank in de gang te wachten. Ze hield haar dochters hand vast. 'Het is voorbij voordat je het weet.'

Het is wel ironisch, dacht Alex. Maanden geleden, toen ze zo hard had gevochten om rechter in deze zaak te worden, had ze het gemakkelijker gevonden haar dochter juridisch bij te staan dan haar emotioneel te ondersteunen. En nu Josie op het punt stond te getuigen in de arena die Alex beter kende dan wie ook, kon ze helemaal niets voor haar dochter doen.

'Rechter,' zei een gerechtsbode, 'is uw dochter zo ver?'

Alex kneep in Josies hand. 'Vertel maar gewoon wat je weet,' zei ze, en ze stond op.

'En als ik dingen weet die mensen liever niet horen?'

Alex keek haar aan. 'Spreek de waarheid,' zei ze. 'Dan kan je niets gebeuren.'

Om te voldoen aan de regels van bewijsvoering overhandigde Jordan Diana een samenvatting van Josies verklaring voordat hij naar de getuigenbank liep. 'Wanneer hebt u die gekregen?'

'Dit weekend. Sorry,' zei hij, hoewel het hem helemaal niet speet. Hij ging voor Josie staan. Ze zag er bleek en kleintjes uit. Haar haar was in een paardenstaart gebonden en haar handen lagen in haar schoot terwijl ze naar het houten hek voor zich staarde.

'Wat is je naam?'

'Josie Cormier.'

'Waar woon je, Josie?'

'East Prescott Street 45 in Sterling.'

'Hoe oud ben je?'

'Zeventien.'

Jordan deed een stap dichter naar haar toe zodat alleen zij hem kon horen. 'Zie je wel?' mompelde hij. 'Fluitje van een cent.' Hij gaf haar een knipoog en meende even het begin van een lachje te zien.

'Waar was je op de ochtend van 6 maart 2007?'

'Op school.'

'Wat was je eerste les?'

'Engels,' zei ze zacht.

'En je tweede?'

'Wiskunde.'

'Derde uur?'

'Dat was een huiswerkuur.'

'Waar heb je dat doorgebracht?'

'Bij mijn vriend,' zei ze. 'Matt Royston.' Ze keek opzij en knipperde met haar ogen.

'Waar waren jij en Matt in dat derde uur?'

'In de kantine. Voor de volgende les zijn we eerst naar zijn garderobekluisje gegaan.'

'Wat gebeurde er toen?'

Josie sloeg haar ogen neer. 'Er was ineens een hoop lawaai. Iedereen begon te rennen. Er werd geschreeuwd dat iemand liep te schieten. Drew Girard, een vriend van ons, zei dat het Peter was.'

Ze keek op en keek Peter aan, voordat ze haar ogen sloot en haar hoofd afwendde.

'Wist je wat er aan de hand was?'

'Nee.'

'Heb je iemand zien schieten?'

'Nee.'

'Waar ben je toen heen gegaan?'

'Naar de gymzaal en toen naar de kleedkamer. Ik wist dat hij dichterbij kwam, want ik bleef schoten horen.'

'Wie waren er bij je toen je de kleedkamer inrende?'

'Ik dacht Drew en Matt, maar toen ik me omdraaide zag ik dat Drew er niet bij was. Hij was neergeschoten.'

'Heb je gezien dat Drew werd neergeschoten?'

Josie schudde haar hoofd. 'Nee.'
'Heb je Peter gezien voordat je de kleedkamer binnenging?'
'Nee.' Haar gezicht vertrok en ze veegde over haar ogen.
'Josie,' zei Jordan, 'wat is er daarna gebeurd?'

10:16 in de ochtend op de dag zelf

'Liggen,' siste Matt, en hij trok Josie mee achter de houten bank.

Het was geen goede schuilplaats, maar die was er nergens in de kleedkamer. Matt was van plan geweest uit het doucheraam te klimmen, hij had het zelfs al opengedaan, maar toen hoorden ze schoten in de gymzaal en hadden ze geen tijd meer om de bank naar het raam te slepen en naar buiten te klimmen. Ze hadden zich ingesloten.

Matt had zich zo klein mogelijk gemaakt. Ze rolde zich achter hem op. Haar hart bonkte tegen zijn rug en ze durfde nauwelijks adem te halen.

Hij tastte achter zich totdat hij haar hand vond. 'Als er iets gebeurt, Jo,' fluisterde hij, 'weet dan dat ik van je heb gehouden.'

Josie begon te snikken. Ze ging sterven, ze gingen allemaal sterven. Ze dacht aan al die dingen die ze zo graag had willen doen: naar Australië gaan en met dolfijnen zwemmen. De tekst van 'Bohemian Rhapsody' uit haar hoofd leren. Afstuderen.

Trouwen.

Ze veegde haar gezicht af aan Matts shirt. Op dat moment vloog de deur van de kleedkamer open. Peter struikelde naar binnen met een verwilderde blik in zijn ogen en een pistool in zijn hand. Hij richtte zijn wapen op Matt, en voor ze het wist was ze gaan schreeuwen.

Kwam het door het lawaai? Kwam het doordat hij haar stem hoorde? Peter schrok en liet de rugzak van zijn schouder vallen, waarbij een ander pistool uit een open vak over de grond gleed en vlak achter Josies linkervoet terechtkwam.

Er zijn momenten dat de wereld zo langzaam gaat draaien dat

je je elk detail van die ene minuut voor altijd zult blijven herinneren. Josie zag haar hand naar achteren bewegen, zag hoe haar vingers zich om de koele zwarte kolf kromden. Ze wankelde overeind en richtte het wapen op Peter.

Onder dekking van Josie liep Matt achteruit naar de doucheruimte. Peter hield zijn wapen op Matt gericht, al was Josie dichterbij. 'Josie,' zei hij, 'laat me dit afmaken.'

'Schieten, Josie,' zei Matt. 'Schiet toch in godsnaam!'

Ze dacht aan de tijd dat ze met Peter op de kleuterschool had gezeten, dat andere jongens takken en stenen opraapten en 'Handen omhoog' riepen. Hadden zij en Peter dat ook gedaan? Ze wist het niet meer.

'Jezus, Josie!' Matt zweette hevig en zijn ogen waren groot van angst. 'Ben je achterlijk of zo?'

'Zo mag je niet tegen haar praten!' schreeuwde Peter.

'Bek houden, klootzak,' riep Matt. 'Denk je dat ze je zal redden?' Tegen Josie zei hij: 'Waar wacht je nog op? *Schiet!*'

Dat deed ze.

Toen het pistool afging, werd de huid aan de onderkant van haar duim beschadigd. Haar handen werden omhooggerukt en waren verstijfd, gevoelloos. Matt bleef even verbaasd staan voordat hij zijn hand op de wond in zijn maag drukte. Ze zag het bloed op zijn grijze shirt, ze zag dat zijn mond haar naam vormde, maar ze kon niets horen door het lawaai in haar oren. *Josie?* Toen zakte hij in elkaar op de vloer.

Josie begon hevig te trillen en liet het pistool vallen. 'Matt!' riep ze, en ze rende op hem af. Ze drukte haar handen tegen de wond, maar hij kronkelde en gilde in zijn doodsstrijd. Er druppelde bloed uit zijn mond dat naar zijn hals gleed. 'Doe iets,' snikte ze tegen Peter. 'Help me.'

Peter kwam dichterbij, hief het wapen dat hij in zijn hand had, en schoot Matt in het hoofd.

Verbijsterd wankelde ze achteruit. Dit had ze niet bedoeld. Dit kón ze niet hebben bedoeld.

Ze staarde Peter aan, en besefte in dat ene moment wat hij gevoeld moest hebben toen hij met een rugzak vol wapens door de school was getrokken. Elke leerling op die school speelde een rol: de sporter, de slimmerik, de schoonheidskoningin, de freak. Peter had gedaan waar zij allemaal heimelijk van droomden: iemand zijn, al was het maar voor negentien minuten, over wie niemand anders mocht oordelen.

'Zeg het tegen niemand,' fluisterde Peter, en Josie besefte dat hij haar een uitweg bood – een deal die met bloed en met zwijgen was bezegeld. *Ik zal jouw geheimen niet verraden, als jij de mijne niet verraadt.*

Josie knikte langzaam. Daarna werd het zwart voor haar ogen.

Ik zie iemands leven als een dvd. Je kunt naar de versie kijken die ieder ander ziet, of je kiest voor de ongecensureerde versie die de regisseur had willen laten zien voordat anderen er zich mee gingen bemoeien.

Waarschijnlijk heeft de dvd een menu, zodat je kunt beginnen met de mooie momenten en je de slechte niet opnieuw hoeft te beleven. Je kunt je leven afmeten aan het aantal scènes dat je ongeschonden bent doorgekomen, of aan het aantal minuten dat je geen kant meer uit kon.

Maar waarschijnlijk heeft het leven meer weg van zo'n stomme bewakingsvideo. Hoe lang je er ook naar kijkt, de beelden blijven korrelig en in elkaar overlopen.

Vijf maanden later

Na Josies verklaring was er tumult op de tribune ontstaan. Alex werkte zich tussen de menigte door. Daartussen moesten zich de Roystons bevinden die net te horen hadden gekregen dat hun zoon door haar dochter was neergeschoten, maar daar kon ze nu niet aan denken. Ze had alleen oog voor Josie die in de getuigenbank zat. Ze wilde door het hek lopen – ze was goddomme rechter – maar twee gerechtsbodes hielden haar tegen.

Wagner sloeg met zijn hamer, al schonk niemand er aandacht aan. 'Ik schors de zitting voor een kwartier,' riep hij. Terwijl een andere gerechtsbode Peter meetrok door een achterdeur, zei de rechter tegen Josie: 'Je staat nog steeds onder ede, jongedame.'

Alex zag dat Josie door een andere deur werd weggeleid en ze riep haar na. Even later stond Eleanor naast haar. De griffier pakte haar bij de arm. 'Kom mee, u bent hier nu niet veilig.'

Patrick arriveerde in de rechtszaal op het moment dat de vlam in de pan was geslagen. Hij zag dat Josie in de getuigenbank wanhopig zat te huilen en dat Alex bij haar probeerde te komen. Tegen de tijd dat hij zich door de menigte in het middenpad heen had gewerkt, was Alex verdwenen. Hij ving nog een glimp van haar op toen ze een kantoor inliep, en hij wilde achter haar aangaan, maar Diana Leven hield hem tegen.

'Wat is hier aan de hand?' vroeg hij.

'Jij eerst.'

Hij zuchtte. 'Ik ben de hele nacht op Sterling High geweest om Josies verklaring te checken. Als Matt op Peter had geschoten, dan zou er bewijs van moeten zijn achtergebleven. Ik ging ervan

531

uit dat ze loog. Toen ik eenmaal wist waar die ene kogel was ingeslagen, kon ik er met behulp van een laser achterkomen waar hij mogelijk was gericocheerd, en toen begreep ik ook waarom we hem niet meteen hebben gevonden.' Hij haalde een bewijszakje tevoorschijn. 'De brandweer heeft me geholpen hem uit een esdoorn achter het doucheraam te halen. Ik heb hem meteen naar het lab gebracht...'

De aanklager zuchtte vermoeid. 'Josie heeft zojuist bekend dat ze Matt Royston heeft neergeschoten.'

Patrick overhandigde haar het bewijszakje met de kogel. 'Nou, dan vertelt ze eindelijk de waarheid.'

Jordan leunde tegen de tralies van de beklaagdencel. 'Ben je vergeten me dit te vertellen?'

'Nee,' zei Peter.

Hij draaide zich om. 'Als je dit meteen had gezegd, had het er nu heel anders voorgestaan.'

Peter lag op de bank met zijn handen achter zijn hoofd. Tot Jordans verbazing glimlachte hij. 'Ze was mijn vriendin weer,' zei hij. 'En je verbreekt een belofte aan vrienden niet.'

Alex zat in de donkere vergaderzaal waar beklaagden tijdens schorsingen moesten wachten, en bedacht dat haar dochter binnenkort zelf de gedaagde zou zijn.

'Waarom?'

'Omdat je zei dat ik de waarheid moest vertellen.'

'Wat is de waarheid?'

'Ik hield van Matt. En ik haatte hem ook. Ik haatte mezelf omdat ik van hem hield, maar als ik niet bij hem was, was ik niemand meer.'

'Ik begrijp het niet...'

'Natuurlijk niet. Jij bent volmaakt.' Josie schudde haar hoofd. 'De rest van ons is net als Peter. Alleen kunnen wij het beter verbergen. Of je nu onzichtbaar probeert te zijn, of iemand die iedereen wil dat je bent. In beide gevallen doe je alsof.'

Alex dacht aan al die party's waar het eerste wat ze vroegen was: *Wat doe je voor werk?*, alsof je daarmee gekarakteriseerd kon worden. Niemand vroeg ooit wie je werkelijk was. Je kon rechter zijn, of moeder, of een dromer. Je kon een eenling zijn, of een fantast, of een pessimist. Je kon het slachtoffer zijn, en ook de kwelgeest. Je kon de ouder zijn, en ook het kind. Je kon de ene dag kwetsen, en de volgende genezen.

Ik ben niet volmaakt, dacht Alex.

'Wat gaat er met me gebeuren?' vroeg Josie, dezelfde vraag die ze eerder had gesteld, toen Alex nog dacht dat ze er antwoord op kon geven.

'Wat gaat er met óns gebeuren,' corrigeerde Alex haar.

De glimlach die op Josies gezicht verscheen, was bijna even snel weer verdwenen. 'Ik heb het jou het eerst gevraagd.'

De deur van de zaal ging open en het licht op de gang viel naar binnen. Alex pakte haar dochters hand en haalde diep adem. 'We zullen het gauw genoeg weten.'

Peter werd schuldig bevonden aan achtvoudige moord in de eerste graad en tweevoudige moord in de tweede graad. De jury was van oordeel dat hij in het geval van Matt Royston en Courtney Ignatio niet met voorbedachten rade had gehandeld, maar was geprovoceerd.

Nadat de uitspraak aan de rechter was overhandigd, liep Jordan naar de beklaagdencel waar Peter zou blijven in afwachting van het vonnis. Daarna zou hij naar de staatsgevangenis in Concord worden overgebracht, waar hij wel de rest van zijn leven zou doorbrengen.

'Gaat het een beetje?' vroeg Jordan, en hij legde zijn hand op Peters schouder.

Peter haalde zijn schouders op. 'Ik had niet anders verwacht.'

'Maar ze hebben wel naar je geluisterd. Daarom hebben ze twee gevallen teruggebracht tot doodslag.'

'Bedankt dat je je best voor me hebt gedaan.' Hij keek Jordan met een scheve glimlach aan. 'Ik wens je een goed leven toe.'

'Ik kom je opzoeken als ik in Concord ben,' zei Jordan.

Hij keek Peter aan. Zijn cliënt was in die zes maanden volwassen geworden. Hij was nu net zo lang als Jordan zelf. Waarschijnlijk ook iets zwaarder. Zijn stem was dieper geworden en hij had een zweem van baardgroei. Het verbaasde Jordan dat het hem niet eerder was opgevallen.

'Het spijt me dat het niet zo is afgelopen als ik had gehoopt,' zei Jordan.

'Mij ook.'

Peter stak zijn hand uit, maar Jordan omhelsde hem. 'Zorg goed voor jezelf.'

Hij wilde de cel uitlopen, maar Peter riep hem terug en hield de bril omhoog die Jordan hem voor het proces had gegeven. 'Die is van jou,' zei Peter.

'Hou hem maar. Misschien kun je hem nog eens gebruiken.'

Peter stak de bril in het borstzakje van Jordans jasje. 'Ik vind het een prettig idee dat jij hem voor me bewaart,' zei hij. 'En eigenlijk is er niet zo veel dat ik goed wil kunnen zien.'

Jordan knikte. Hij liep de cel uit en nam afscheid van de hulpsheriffs. Daarna ging hij naar de lobby waar Selena op hem wachtte.

Terwijl hij naar haar toe liep, zette hij Peters bril op. 'Wat moet je daarmee? Je hebt helemaal geen bril nodig,' zei ze.

'Soms wel,' zei hij.

In de weken na het proces was Lewis zich weer in statistieken gaan verdiepen. Die hadden niets met geluk te maken, maar alles met schietpartijen op scholen omdat hij wilde onderzoeken in hoeverre die de economische stabiliteit konden aantasten. Met andere woorden: kreeg je ooit weer vaste grond onder de voeten wanneer de wereld om je heen was ingestort?

Hij was weer gaan lesgeven op Sterling College – micro-economie. Het nieuwe collegejaar was net begonnen, en hij had moeiteloos de draad weer kunnen oppakken. Onder het doceren liep hij tussen de gangpaden door – een noodzakelijk kwaad nu studenten tijdens de les online aan het pokeren waren of elkaar sms-jes stuurden. Achterin zaten twee studenten uit het footballteam om beurten in een flesje water te knijpen waardoor er een straal uit omhoogspoot die in de nek van een jongen twee rijen voor hen terechtkwam. Hij draaide zich steeds om om erachter te komen wie hem zat te pesten, maar de sporters keken dan met uitgestreken gezicht naar de grafieken op het scherm voor in de zaal.

'Goed,' zei Lewis, 'wie kan me vertellen wat er gebeurt als je de prijs boven punt A op de grafiek zet?' Tegelijkertijd trok hij de waterfles uit de hand van de student. 'Dank u, meneer Graves. Ik begon een beetje dorst te krijgen.'

De jongen die twee rijen verderop zat, stak als een speer zijn hand op. Lewis knikte hem toe. 'Niemand zou zo veel geld voor dat artikel overhebben,' zei hij. 'Dus dan komt er minder vraag naar en moet de prijs naar beneden, anders blijven ze met de voorraad zitten.'

'Heel goed,' zei Lewis, en hij keek naar de klok. 'Oké. Maandag bespreken we het volgende hoofdstuk in Mankiw. En wees niet verrast als daar een schriftelijke test aan wordt verbonden.'

'U hebt het al gezegd, dus nu is het geen verrassing meer,' merkte een meisje op.

'Oeps,' zei Lewis glimlachend.

Hij stond naast de stoel van de jongen die het juiste antwoord had gegeven. Die stond zijn blocnote in zijn rugzak te proppen die al zo vol was met papieren dat de rits niet meer dichtging. Zijn haar was te lang, en hij droeg een T-shirt met een portret van Einstein erop. 'Goed werk vandaag.'

'Bedankt.' De jongen keek hem verlegen aan. Lewis zag dat hij niet wist wat hij moest zeggen. De jongen stak zijn hand uit. 'Eh... Aangenaam kennis met u te maken. Ik bedoel, u kent ons wel, maar niet persoonlijk.'

'Hoe heet je ook weer?'

'Peter. Peter Granford.'

Lewis deed zijn mond open en weer dicht, en schudde toen zijn hoofd.

De jongen sloeg zijn ogen neer. 'Het leek alsof u iets belangrijks wilde zeggen.'

Lewis keek naar de naamgenoot van zijn zoon, naar zijn afhangende schouders, alsof hij bang was dat hij te veel ruimte op deze wereld innam. Hij voelde de vertrouwde pijn, zoals altijd wanneer hij aan Peter dacht, aan een leven dat aan de gevangenis verloren was gegaan. Hij wilde dat hij meer aandacht aan zijn zoon had geschonken toen hij nog de kans had, want nu moest hij het met onvolmaakte herinneringen doen – erger nog, hij zocht zijn zoon in het gezicht van een vreemde.

De glimlach verscheen op Lewis' gezicht die hij speciaal voor dit soort momenten bewaarde, wanneer er geen enkele reden tot vreugde was. 'Het was ook belangrijk,' zei hij. 'Je doet me aan iemand denken.'

Het duurde drie weken voordat Lacy de moed kon opbrengen Peters slaapkamer in te gaan. Nu het vonnis was uitgesproken en ze wisten dat Peter nooit meer zou thuiskomen, was er geen reden meer om zijn kamer nog langer als een tempel van optimisme intact te laten.

Ze ging op zijn bed zitten en drukte het kussen tegen haar gezicht. Het rook nog steeds naar hem. Ze keek om zich heen naar de boeken die op de planken waren achtergebleven en niet door de politie in beslag waren genomen. Ze trok de la van het nachtkastje open en betastte de zachte stof van een boekenlegger, de metalen tanden van een nietmachine. De batterijloze afstandsbediening van zijn tv. Een vergrootglas. Een oud pakje Pokémonkaarten. Een USB-stick aan een ketting.

Ze deed alles in de doos die ze uit de kelder had gehaald. Ze vouwde de sprei op, de lakens, en trok de kussensloop los. Ineens moest ze denken aan wat Lewis eens tijdens het eten had gezegd. Dat je voor tienduizend dollar een huis met een sloopkogel kon neerhalen. Onvoorstelbaar hoe weinig het kostte om iets te vernietigen wat je met zo veel liefde en moeite had opgebouwd. Binnen een uur zou deze kamer eruitzien alsof Peter hier nooit had gewoond.

Ze ging weer op bed zitten en keek naar de kale muren, naar de lichtere plekken waar posters hadden gehangen.

Ze zeiden altijd dat je uit liefde bergen kon verzetten, dat liefde de wereld draaiende hield, dat het je leven zin gaf. Maar liefde had niet de kinderen kunnen redden die die dag naar Sterling High waren gegaan. Josie Cormier niet, en Peter al helemaal niet. Wat was dan het recept? Liefde samen met iets anders? Geluk? Hoop? Vergiffenis?

Ze dacht aan wat Alex Cormier tijdens het proces had gezegd. *Iets blijft bestaan zolang er iemand is die het zich herinnert.*

Iedereen zou zich Peter negentien minuten van zijn leven blijven herinneren. Maar die andere negen miljoen dan? Daar zou Lacy zorgvuldig over waken, want dat was haar enige manier om Peter levend te houden. Voor elke gedachte aan hem waar een kogel of een schreeuw aan was verbonden, had ze honderden andere herinneringen: een kleine jongen die in een vijver spetterde, of voor het eerst op een fiets reed, of vanaf een klimrek naar haar zwaaide. Een nachtkus, of een tekening voor moederdag, vals zingen onder de douche. Al die momenten dat haar kind net als alle andere was geweest, zou ze als kostbare parels aan een snoer rijgen en het elke dag van haar leven dragen. Want als ze het kwijtraakte, dan was de jongen die ze had grootgebracht en liefgehad voorgoed verdwenen.

Ze maakte het bed weer op, legde de sprei eroverheen, stopte de hoekjes in en schudde het kussen op. Ze zette de boeken rechtop in de kast en legde het speelgoed, het gereedschap en de andere spullen weer in het nachtkastje. Ten slotte rolde ze de posters uit en hing ze weer aan de muur. Behoedzaam stak ze de punaises weer in hetzelfde gaatje, want ze wilde niet nog meer schade aanrichten.

Exact een maand nadat hij was veroordeeld, toen het licht werd gedimd en de bewakers hun laatste ronde deden, trok Peter zijn rechtersok uit, ging met zijn gezicht tegen de muur op bed liggen, en stopte de sok zo diep mogelijk in zijn mond.

Toen hij bijna geen adem meer kreeg, kwam hij in een droom terecht. Hij was nog steeds achttien, maar ging voor het eerst naar de kleuterschool. Hij had zijn rugzak om en het Superman-lunchtrommeltje in zijn hand. De oranje schoolbus kwam tot stilstand en deed met een zucht zijn enorme kaken open. Peter liep naar binnen en keek om zich heen, maar hij was de enige passagier. Hij liep door het gangpad naar de achterbank, legde zijn lunchtrommeltje naast zich neer, en keek uit het raam. Het was zo licht buiten dat hij dacht dat de zon zelf hen over de snelweg voort zou jagen.

'We zijn er bijna,' zei een stem. Peter draaide zich om naar de chauffeur, maar er zat niemand achter het stuur.

Het wonderlijke was dat Peter in zijn droom geen enkele angst voelde. Hij wist dat hij onderweg was naar de plek waar hij naartoe had gewild.

6 maart 2008

Sterling High was onherkenbaar veranderd. Het had een nieuw groen metalen dak, en aan de achterkant rees een glazen atrium twee verdiepingen boven de school uit. Naast de voordeur hing een gedenkplaat met de tekst: EEN VEILIGE HAVEN.

Vandaag zou er een herdenkingsdienst plaatsvinden ter nagedachtenis aan degenen die hier een jaar geleden waren gestorven. Patrick, die betrokken was geweest bij de nieuwe veiligheidsvoorschriften van de school, had Alex voor een rondleiding naar binnen gebracht.

Er waren geen kluisjes meer, alleen open kastjes zodat niets aan het oog werd onttrokken. De leerlingen hadden les, en enkele docenten liepen door de lobby. Ze droegen een ID om de hals, net als de kinderen.

Alex' mobieltje ging. Patrick zuchtte. 'Ik dacht dat je had gezegd...'

'Heb ik gedaan.' Ze klapte het toestel open, en de secretaresse van het pro-Deokantoor van justitie begon een litanie van problemen af te steken. 'Hou op,' onderbrak Alex haar. 'Ik werk vandaag niet, weet je nog?'

Ze had afstand gedaan van het rechterschap. Josie was tot vijf jaar celstraf veroordeeld wegens medeplichtigheid aan doodslag. Sindsdien kon Alex niet meer onpartijdig zijn wanneer een kind in haar rechtszaal verscheen dat van een ernstig delict werd beschuldigd. Het kwam haar niet alleen natuurlijk voor dat ze haar oorspronkelijke beroep weer had opgepakt, ze voelde zich er ook prettig bij. Ze begreep uit de eerste hand wat haar cliënten moesten doormaken. Ze sprak met hen als ze haar dochter in de vrouwengevangenis ging opzoeken. Beklaagden waren op haar gesteld omdat ze nooit neerbuigend deed en altijd eerlijk zei wat hun kansen waren.

Patrick bracht haar naar de plek waar ooit de achtertrap van Sterling High was geweest. Daarvoor in de plaats, en ook voor de gymzaal en de kleedkamer, was een reusachtig glazen atrium gekomen. Van hieruit kon je de sportvelden zien, waar nu een gymklas aan het voetballen was. Binnen stonden krukken rond houten tafels waaraan leerlingen konden lezen of snacken.

Aan één kant van het atrium stonden tien stoelen voor de glazen wand. Ze hadden een rugleuning en waren wit geschilderd. Je moest er dichtbij staan om te kunnen zien dat ze aan de vloer waren vastgeklonken. Ze stonden niet op een rij, en ook niet op regelmatige afstand van elkaar. Er was geen naam of gedenkplaat aan bevestigd, maar iedereen wist waarom ze er stonden.

Ze voelde dat Patrick van achteren op haar afkwam en zijn armen om haar middel sloeg. 'Het is bijna tijd,' zei hij, en ze knikte.

Ze wilde een kruk pakken en dichter bij de glazen wand brengen, maar Patrick nam hem van haar over. 'Jezus, Patrick,' mopperde ze. 'Ik ben zwanger, niet dodelijk ziek.'

Dat was ook een onverwachte gebeurtenis geweest. De baby was uitgerekend voor eind mei. Alex probeerde het niet te beschouwen als een vervanging voor de dochter die nog vier jaar in de cel moest doorbrengen, maar hoopte wel dat dit kind hen allemaal zou kunnen redden.

Patrick ging op de kruk naast haar zitten. Alex keek op haar horloge. 10:02.

Ze haalde diep adem. 'Het ziet er allemaal heel anders uit.'

'Ja,' zei Patrick.

'Is dat goed of niet?'

Hij dacht even na. 'Ik denk dat het noodzakelijk is,' zei hij.

Ze zag dat de esdoorn er nog steeds stond. Ze kon zelfs het gat zien dat erin was gekerfd om een kogel te achterhalen. Het was een gigantische boom met een dikke, knoestige stam en gekromde takken. Die was hier waarschijnlijk al geweest voordat de school werd gebouwd, misschien zelfs voordat Sterling was ontstaan.

10:09.

Ze voelde Patricks hand in haar schoot glijden terwijl ze naar de voetballende kinderen keek. Het ene team leek totaal niet opgewassen tegen het andere. Kleine, tengere kinderen die het moesten opnemen tegen uit de kluiten gewassen pubers. Ze zag dat een aanvaller een verdediger van het andere team omverliep. De kleinere jongen bleef op het gras liggen terwijl de bal in het net vloog.

Na alles wat er gebeurd is, dacht Alex, *is er niets veranderd.* Ze keek weer op haar horloge. 10:13.

De laatste minuten waren altijd het zwaarst. Ze ging rechtop staan en drukte haar handen plat tegen het glas. Ze voelde de baby schoppen in haar buik. 10:16. 10:17.

De aanvaller liep naar de plek waar de verdediger was gevallen en hielp hem overeind. Ze liepen terug naar het middenveld en zeiden iets wat Alex niet kon horen.

Het was 10:19.

Ze keek weer naar de esdoorn. Over een paar weken zouden de takken een roodachtig zweem krijgen, daarna knoppen en bladeren.

Alex pakte Patricks hand. Zwijgend liepen ze het atrium uit en de gangen door naar de lobby en de voordeur. Dezelfde weg die ze gekomen waren.